Raym

Morgen c

Schattenr

Raymond Adam

Morgen die ganze Welt

Schattenmächte 3. Buch

Roman

Bibliografische Information der Deutschen Nationalbibliothek:

Die Deutsche Nationalbibliothek verzeichnet diese Publikation in der Deutschen Nationalbibliografie; detaillierte bibliografische Daten sind im Internet über dnb.dnb.de abrufbar.

MORGEN DIE GANZE WELT
Schattenmächte 3. Buch

Erweiterte und überarbeitete
Taschenbuch-Erstausgabe in 5 Bänden
nach Raymond Adams Schattenmächte-Trilogie:
»Die Andraschi Verschwörung«, »Das Rachel Manuskript«
und »Das Voroschin Vermächtnis«

Einbandentwurf und werbetechnische Beratung: Karin Bahr
Einbandgestaltung und Design: Karin Bahr und Raymond Adam
Progressive deutsche Rechtschreibung nach Dudenempfehlung
Gesetzt mit Papyrus Author V der R.O.M logicware, Berlin
Herstellung und Verlag: Books on Demand, Norderstedt
Gesetzt aus der 10,0 Punkt Linux Libertine
Textlayout und Satz: Raymond Adam
Printed in Germany 2020

ISBN 9783752642179

www.schattenmächte.de

Von Geburt an leben wir mit dem Licht. Wir spüren die Wärme der Sonnenstrahlen auf der Haut, sehen mithilfe des Lichts, orientieren uns in der Umwelt und genießen die Schönheiten dieser Erde. Diese Fertigkeiten sind uns so sehr vertraut, dass wir die Korrektheit unserer visuellen Wahrnehmung niemals infrage stellen ...

Für Karin

Ereignisse, Namen, insbesondere solche von Firmen und Personen, die in diesem Roman vorkommen, sind frei erfunden. Jede Ähnlichkeit mit tatsächlichen Ereignissen und Firmen oder Personen, gleich ob lebend oder verstorben, wäre zufällig.

R. A.

PERSONENVERZEICHNIS

AMERIKANER UND ENGLÄNDER

Familie Clymer
Robert, die Hauptfigur des Romans
Jasmin (geb. Jaurès), Roberts Frau
Leo, Roberts und Jasmins Sohn
Klick, Leos parasitärer Zwillingsbruder
Vivian, Vanessas Zwillingsschwester, Roberts Tochter
John, Vivians Sohn
Vanessa, Vivians Zwillingsschwester, Roberts Tochter
Sandra, Vanessas Tochter
Alan Freeman, Afroamerikaner, Roberts und Jasmins Ziehsohn
Roxanna, seine Frau
John Blackwolf, Lakota-Indianer, Roberts und Jasmins Ziehsohn
Maya, Zigeunerin, seine Frau
Šuŋgmánitu Tȟaŋka Obʻwačhi, Johns Ururgroßvater

Familie Gautier
Giselle Gautier, Schauspielerin
Alex Garner, ihr Mann
Geraldine, Gautier-Garner, »genannt Dji-Dji«, ihre Tochter

Familie Radenković
Ivo, Friedenskämpfer, Nazijäger und Roberts bester Freund
Wanda, Ivos Frau
Maria, Ivos und Wandas Tochter
Dr. Jerry Edwards, Marias Mann

Familie Douglas (früher Iwantschenkow)
Vasilij, Roberts Freund
Marianna (geb. Bukenhagen), seine Frau
Collin, Vasilijs und Mariannas Sohn, Kapitän der USS-Eldridge

Familie Miller (früher Kleinmeir)
Lorenz, Chef einer Detektei, später US-Offizier
Sarah, Lorenz Frau

Andere
Henry Burton, Chefredakteur bei derr New York Times
Yvonne, Henrys Frau, Fotografin
Simon Taylor, Toningenieur
Jeremy Taylor, Simons Bruder, Polizeichef
Peter Ford, Kapitän der USS-Engstrom
John Jagger, Roberts Chefingenieur
Thomas Howard (Peter Wood), britischer Nachrichtendienst
Jeremy Howard, Thomas Sohn, Geheimagent

Historische Persönlichkeiten
Harry S. Truman, Präsident der USA
John Ringling North, Zirkusmanager
Wallis Simpson, Frau des Schiffsmaklers Ernest Simpson
Prinz Edward, britischer Thronfolger

DEUTSCHE, FRANZOSEN UND ITALIENER

Andere
Guy Rivage, Hochseilartist
Eugen Bosch, Zirkusdirektor
Dr. Lacroix, Leibarzt der Mutanten
Bettina Larsson, Kapitänswitwe
Alfred Graf Eckner, Schriftsteller
Möller, SS-Obergruppenführer
Marchewka, Oberleutnant der deutschen Reichswehr
Dr. Hans Krammer, SS-Obergruppenführer, Omega-Projekt
Dr. Klaus Krammer, Hans Halbbruder, US-Physiker
Hansen, Adlatus von Reichspropagandaminister Dr. Goebbels
Luigi Grimaldi, Physikprofessor

Historische Persönlichkeiten
Adolf Hitler, Reichskanzler
Eva Braun, Hitlers Freundin
Joachim von Ribbentrop, Außenminister
Dr. Josef Goebbels, Reichspropagandaminister
Dr. Leonardo Conti, NS-Sportmediziner
Heinrich Himmler, Reichsführer SS

RUSSEN UND JAPANER

Andere
Grigori Seizhev, Pilot
Natascha, seine Frau
Pjotr Voroschin, Major der Roten Armee
Dr. Takeshi Araki, höchster Wissenschaftsoffizier Japans
Masao Shiro, der böse Mutant
Yoko Shiro, seine Frau
Ando Shiro, ihr Sohn

MUTANTEN
Andrew Winter (Graf Andraschi)
Rachel Winter, Andrews Schwester
Henry Howard, (Gotthold Wagner), Rachels Sohn
Faisal, der Mann mit dem Hundekopf
Maryellen, die Frau mit zwei Köpfen
Raoul, Pierre und Luc, die »Amiens«-Drillinge
Malraux der Rochen
Alain, der Supermutant, Malraux Sohn
Gretchen Winter, Alains Tochter
Emma Winter, Alains Tochter

ANDERE

Richard, der geheimnisvolle Fremde

12. UND 13. JAHRHUNDERT

Andere
Gottfried von Arnsberg, Teilnehmer an Barbarossas Kreuzzug
Hans von Tromsdorf, Gottfrieds Geliebter
Ahmad Modschtahed Hindi, syrischer Mathematiker
Guillaume de Beaujeu, Großmeister der Templer
Bruder John, ein englischer Priester

Historische Persönlichkeiten
Friedrich II. Barbarossa, deutscher Kaiser
Philipp von Schwaben, Barbarossas Sohn
Konrad von Schwaben, Barbarossas Sohn

17. UND 18. JAHRHUNDERT

Andere
Heinrich Wagner, Gewürzhändler aus Waldenburg/Sachsen
Elvira, seine Frau
Magdalena, Heinrichs und Elviras Tochter
Eduard, Magdalena und Henry Howards Sohn, Stadtschreiber
Käthe (geb. Krummholz), Eduards Frau
Ottmar (Gottlieb Friderici), Eduards unehelicher Sohn, Arzt
Monstrum humanum rarissimum, Eduards und Käthes Sohn
Alois Kleinmeir, Auswanderer nach Philadelphia
Minna Kleinmeir (Mina Clymer), seine Tochter
George Clymer, Sohn von Mina und dem Monstrum
Sean O'Brian, Minas Mann
Constanze von Piemont, Andrew Winters Geliebte
Thomas Howard, Herzog von Arundel und Surrey

TIERE

Sisko, Roberts Rüde
Lawrence, Siskos Bruder
Jana, Siskos und Lawrence Mutter
Shikara, Janas Nachfahrin, Leitwölfin
Blondi, Adolf Hitlers Schäferhündin
Der Leviathan

3. Buch

Morgen die ganze Welt

1933 - 1946

Wahnsinn bei Individuen ist selten, aber in
Gruppen, Nationen und Epochen
ist er die Regel.

Friedrich Nietzsche (1844 - 1900)

Ritter und Vasallen

Nach meiner Rückkehr wussten Jasmin und ich nicht, wie wir mit der Tatsache umgehen sollten, dass Leo aufgrund seiner eigenartigen Verwandlung auf der Ebene von Tunguska zum Krüppel geworden war. Meine Frau kannte den Zustand unseres Sohnes nur aus meinen Schilderungen und hielt es keine zwei Tage aus, dann brach sie auf nach Genf, um sich ein eigenes Bild zu machen.

Kurz nach ihrer Abreise rief Ivo mich an. Er hielt sich gerade in den USA auf, um seine Tochter Maria zu besuchen, und wollte mit mir reden. Er kam noch am selben Abend zu mir und brachte Vasilij mit. Wir begrüßten uns herzlich und setzten uns in die gemütlichen Polstersessel in der Bibliothek. Ich öffnete eine Flasche französischen Rotwein für uns.

»Und? Was gibt es Neues?«

Ivo biss sich auf die Unterlippe. »Ich muss euch etwas erzählen, Jungs. Ich habe vor einer Woche meine Arbeit als Völkerbundkommissar niedergelegt.«

»Was? Warum hast du das getan?«, fragte ich überrascht.

»Auf Initiative des Völkerbunds wurde vor Kurzem ein Viermächtepakt zwischen Deutschland, Italien, Frankreich und England unterzeichnet. Durch diese Aktion hat man Hitler und seine Kumpane auf die Stufe von ernst zu nehmenden Staatsmännern erhoben und diesen Verbrechern eine ungeheure internationale Aufwertung zukommen lassen. Dass die höchste politische Instanz dieser Erde Kriminelle hofiert, kann ich nicht unterstützen. Deshalb habe ich mich entschlossen, ab Oktober mit Lorenz Kleinmeir zusammenarbeiten. Macht doch auch mit! Lasst uns wieder gemeinsam für den Frieden kämpfen, wie in alten Zeiten! Wir sollten den Faschisten unsere schöne Welt nicht kampflos überlassen!«

Wir diskutierten lange an diesem Abend, wie sich Ivos Idee konkretisieren ließe; letztlich wurde es so spät, dass meine Freunde beschlossen, bei mir auf der Farm zu übernachten.

Am nächsten Morgen frühstückten wir auf der Veranda. Irgendwann kamen wir auch auf die Prognosen des türkischen Staatspräsidenten.

»Ich fürchte, dass Mustafa Kemal Recht behalten könnte«, sagte Ivo. »Rein aus volkswirtschaftlicher Sicht wird Deutschland in den kommenden Jahren einen Krieg beginnen müssen, ob es will oder nicht.«

»Den Zusammenhang verstehe ich nicht«, brummte Vasilij.

»Dabei ist es eigentlich ganz einfach«, erwiderte Ivo. »Das NS-Regime braucht dringend neue Geldquellen, weil die deutsche Wirtschaft den enormen Kapitalmehrbedarf für die Aufrüstung und die staatlich verordnete Vollbeschäftigung ihrer Volksgenossen niemals erwirtschaften kann.«

Er nahm sein Glas, trank einen großen Schluck und zündete sich eine Zigarette an. »Ich wette, dass Deutschland als Erstes innerhalb des nächsten Jahres sämtliche Zahlungen aus internationalen Verpflichtungen ersatzlos einstellen wird, um sich fürs erste Luft zu verschaffen.«

Er schaute uns ernst an. »Aber wie soll es dann weitergehen? Bei der Frage, wie sie danach zu mehr Geld kommen können, tun sich drei mögliche Quellen auf, die alle auf staatlich legitimiertem Diebstahl beruhen. Innenpolitisch werden sie alle Juden enteignen und das dadurch gewonnene Vermögen umverteilen, zum Großteil für den Staatsapparat und die Rüstung. Außenpolitisch wird dem ein Eroberungskrieg folgen. Jeder Staat der Welt besitzt nämlich Goldreserven in Höhe seines pekuniären Umlaufvermögens. Deshalb müssen die Nazis über ganz Europa herfallen, um diese Reserven zu stehlen. Schließlich bleibt eine kaum beachtete, aber vielleicht sogar die mächtigste Einnahmequelle von allen: die Leistungsfähigkeit von Millionen Sklaven! Unter der Voraussetzung der ersten beiden Punkte wird innerhalb kürzester Zeit ein Millionenheer von versklavten Gefangenen entstehen - inhaftierte Systemgegner, Juden und Kriegsgefangenen. Wenn man diese Menschen nur mit dem Nötigsten versorgt, sodass sie gerade eben nicht verhungern, lassen sich aus ihrer Arbeitskraft Beträge erwirtschaften, die ihr euch gar nicht vorstellen könnt.«

»Ich denke nicht, dass die internationale Staatengemeinschaft das zulassen würde«, sagte Vasilij zweifelnd. »Nicht im Zwanzigsten Jahrhundert, Ivo! Sklaven gibt es seit tausend Jahren nicht mehr!«

»Außer, es wäre auch in ihrem Interesse. In unserer Zeit regieren überall die Reichen, die den Hals nicht vollkriegen, egal welches kapitalistisch orientierte Land du dir aussuchst. Kannst du dich an meinen Streit mit dem Bänker Prescott Bush an Bord der Europa erinnern? Es ging dabei um schlesische Bergwerke als Kapitalanlagen und Renditeobjekte für die Kunden amerikanischer Großbanken. Ich habe damals schon vorhergesagt, dass irgendwann Sklaven ohne Bezahlung in den Bergwerkstollen arbeiten müssen, um Gewinne an die Kapitalanleger zu erwirtschaften, denn in Wirklichkeit findet nur ein Umverteilungsprozess des volkswirtschaftlichen Vermögens statt. Die Frage lautet also: Wie viel wert ist diesen Renditebeziehern überall auf der Welt ein Menschenleben - einfacher gefragt - was erscheint ihnen wertvoller: das eigene Geld oder ein fremdes Leben?«

Ivo strich sich mit der linken Hand die Haare aus der Stirn.

»Ihr braucht nur einen Blick in die Zeitung zu werfen, da stehen die Antworten! In allen westlichen Demokratien wird Steuerhinterziehung wesentlich härter bestraft als Vergewaltigung und Kindesmissbrauch. Sagt das nicht genug?«

Er lächelte und schnalzte zweimal mit der Zunge. »Die Gewinne der Reichen haben immer oberste Priorität - ein kleiner Haken des kapitalistischen Systems ...«

Anfang Oktober kehrte Jasmin aus Genf zurück. Sie hatte mehrere Wochen bei unserem Sohn zugebracht und war beruhigt. Er schien mit seiner Behinderung erstaunlich gut zu Recht zu kommen.

»Inzwischen beherrscht Leo seine telekinetischen Kräfte perfekt«, sagte meine Frau. »Es gelingt ihm, alles zu machen, was er konnte, als er noch gesund war. Zum Beispiel schreibt er mit einer enormen Geschwindigkeit auf der Schreibmaschine. Ich habe ihn gebeten, mir seinen Oberkörper zu zeigen. Seine Schultern sehen aus, als wären nie Arme daran gewesen! Nirgends sind Verletzungen zu erkennen, selbst an seinen verdrehten Beinen nicht! Unglaublich, dass sich keiner von euch erinnern kann, was in der Ebene von Tunguska passiert ist! Seinen Kommilitonen hat er übrigens erzählt, er hätte einen schweren Unfall gehabt. Er verlässt kaum noch das Haus, seit ihn mehrere Leute fragten, ob er zu einem Zirkus gehören würde. Er tut mir so leid, Robert, er ist doch mein Kind und ich liebe ihn, egal wie er aussieht! Er macht mir allerdings auch Angst. Manchmal hat er einen ganz eigenartigen Blick, als wäre er ein anderer! In diesen Momenten flackern seine Pupillen ungesteuert auf und ab. Ob er langsam verrückt wird, weil er zu intelligent geworden ist? Existiert vielleicht ein zwingender Zusammenhang zwischen Wahnsinn und Genie?«

Zwei Tage später rief mein Sohn an, um uns zu berichten, dass er mit seiner Doktorarbeit begonnen hatte. Das Thema lag in weitestgehend unerforschten Bereichen der Tieftemperaturphysik. Seine gesamte übrige Zeit verwendete er darauf, den Schlüssel für die Dekodierung des Voynich-Manuskripts zu finden, bisher war er damit allerdings nicht weitergekommen. Das viele Jahrhunderte alte Buch war auf eine Weise kodiert, die selbst der klügste Mensch der Welt nicht durchschaute. Ich bat Jasmin, mir den Telefonhörer zu geben.

»Hallo Leo, mein Schatz! Wie geht es dir?«, sagte ich und schalt mich sogleich einen Idioten, denn diese provokant wirkende Frage hätte ich lieber lassen sollen.

»Was glaubst du wohl, wie es einem ohne Arme gehen kann?«, kam auch sofort die Antwort. »Was möchtest du jetzt hören? Beruhigt es dich, wenn ich behaupte, es ginge mir gut, Herr Gouverneur? So sei es denn!«

Leo brüllte. »Keine besonderen Vorkommnisse, Sir! Uns geht es gut, gut, gut!«

»Warum bist du so zu mir?«, fragte ich. »Gibst du mir die Schuld an deinem Unfall?«

Er schwieg. Eine Minute hörte ich nur das Rauschen im Telefonhörer. Ich wusste nicht, was ich noch hätte sagen sollen, wollte aber auch nicht auflegen. Was war nur mit meinem Sohn los?

»Uns bleiben übrigens zweieinhalb Jahre Zeit«, sagte Leo plötzlich ganz ruhig in die unerträgliche Stille hinein.

»Wie bitte?«

»Spreche ich so undeutlich oder verstehst du kein Englisch mehr? In zweieinhalb Jahren öffnet sich das nächste Tor des Windes! Falls wir es innerhalb von drei Tagen nach seinem Entstehen wieder schließen, wird nichts von dem passieren, was in der Ebene von Tunguska geschehen ist.«

Die Stimme meines Sohnes klang jetzt arrogant und von oben herab. »Du könntest es sogar allein verschließen, Robert, wenn du Klick wüsstest, wie es geht. Das weißt du aber nicht, weil du ein Dummer bist, nicht wahr?«

»Nein«, antwortete ich ganz sachlich. »Ich weiß es nicht, weil ich ein Dummer bin. Woher stammt dein Wissen?«

»Ich habe es im Zentrum des Universums gesehen.«

»Kennst du auch den Ort und den Tag, an dem sich dieses Tor öffnen wird?«

»Keine Ahnung, Sir! Das darfst du selbst herausfinden, Mann! Irgendwas kannst schließlich auch du tun! Es ist sowieso alles deine Schuld!«

Seine eigenartig verschmierte Sprache ließ mich aufhorchen. »Hast du getrunken, mein Sohn?«

Er brüllte so laut, dass ich den Telefonhörer vom Ohr nehmen musste. »Und wenn? Willst du es mir verbieten, Vater? Versuch es doch über den Atlantik hinweg! Lass mich bloß in Ruhe mit deinen dämlichen Fragen, Mann! Ich werde den Schlüssel für dieses beschissene Manuskript finden! Ich bin der klügste Mensch der Welt! Ich kann das! Klick. Wir können das! Gemeinsam sind wir Gott!«

Es klirrte, als sei eine Glasflasche gegen die Wand geflogen und daran zerschellt. Irres Lachen dröhnte aus dem Hörer, dann legte Leo auf.

»Ist dir aufgefallen, dass Leo trinkt?«, fragte ich Jasmin.

»Nur ab und zu ein kleines Gläschen Absinth, Robert. Das hat mein Vater auch gemacht, das schadet ihm gewiss nicht!«

... Mütter und ihre Söhne ...

Erschüttert ging ich in unsere Bibliothek. Ich saß zwei Stunden in meinem Sessel, dachte über Leos Worte nach und fühlte mich entsetzlich schuldig an seinem Elend. Irgendwann kamen meine Ziehsöhne herein und setzten sich zu mir. Alan war aufgeregt, weil es ihm gelungen war, drei der Männer, die am Massaker seiner Familie beteiligt gewesen waren, verhaften und unter Anklage stellen zu lassen. Leider durfte er vor Gericht nicht selbst als Rechtsanwalt auftreten, denn in Louisiana galt – anders als in allen übrigen Staaten der USA – kontinentaleuropäisches Recht nach dem *Code Civil*. Deshalb hatte er eine in New Orleans ansässige Anwaltskanzlei mit der Durchführung seines Falls beauftragt und nahm nur als juristischer Berater an den Gerichtsverhandlungen teil. Er schwor, erst wieder nachhause zurückzukehren, wenn die Angeklagten rechtskräftig verurteilt waren. Nach kurzer Zeit verabschiedete er sich von uns und ging.

John lehnte sich entspannt in seinem Sessel zurück und berichtete mir, dass Vivian und Vanessa täglich mit ihren Hengsten Blizzard und Thunder Storm für die kommende Olympiade in Berlin übten und große Fortschritte machten.

»Nach den politischen Veränderungen in Deutschland sehe ich noch nicht, dass wir uns freiwillig dorthin begeben«, sagte ich nachdenklich. »Ich habe kein gutes Gefühl bei dem Gedanken.«

»Ach, Robert! Das ist doch erst in drei Jahren! Bestimmt ist der ganze Nazispuk bis dahin vorbei. Kein gesundes Volk bleibt ewig ruhig, wenn man die eine Hälfte ins Gefängnis steckt und die anderen unterdrückt!«

In den folgenden Monaten griff der Ungeist des Nationalsozialismus immer weiter um sich. Am zwölften November 1933 fand eine erneute Reichstagswahl statt. Zweiundneunzig Prozent der Wahlberechtigten wählten die NSDAP. Das war allerdings kein Wunder, denn sie stand als einzige Partei auf den Wahlzetteln.

Drei Wochen später forderte der Gauleiter der Berliner Christen während einer Großkundgebung im Sportpalast, die biblische Geschichte endlich germanisch zu interpretieren. In einfachen Worten bedeutete das: Jesus als blonder, blauäugiger Arier im Lendenschurz mit einer roten Hakenkreuzbinde um den nackten Oberarm.

Gerade noch rechtzeitig zum Weihnachtsfest wurde Marinus van der Lubbe zum Tode verurteilt (schönes Weihnachtsgeschenk). Der Niederländer musste als Sündenbock für den Reichtagsbrand herhalten, den die Nazis selbst gelegt hatten, um einen Grund zu konstruieren, die Menschenrechte und die Verfassung des Deutschen Reiches aus den Angeln zu heben.

Weihnachten 1933 kam unser Sohn Leo nicht nachhause, weil er lieber seine Doktorarbeit fertig stellen wollte. Allerdings rief er am Heiligen Abend an, um uns ein frohes Weihnachtsfest zu wünschen. Im Februar 1934 bestand er seine Prüfungen und war mit neunzehn Jahren einer der jüngsten promovierten Akademiker aller Zeiten. Er lud Jasmin und mich für Ende April nach Genf ein zu seiner Promotionsfeier und versprach, sich bis dahin nur noch der Entschlüsselung des Voynich-Manuskripts zu widmen.

Das gesamte Frühjahr beschäftigte ich mich mit den achthundert Jahre alten Aufzeichnungen des Ritters Gottfried von Arnsberg. Die Fotos der Handschriften waren nicht besonders scharf. An vielen Stellen konnte ich kaum die Wörter erkennen und musste mit einer großen Lupe arbeiten. Schließlich gelang es mir, den kompletten Text zu übertragen. Zum einen enthielt die Übersetzung, die im Auftrag der SS angefertigt worden war, mehrere grobe Fehler, zum anderen beschränkte sie sich auf das erste Viertel, in dem die Wirkung des Energiegewehrs beschrieben war. Im restlichen Text trat Erstaunliches zu Tage ...

Anfang April lud ich Lorenz Kleinmeir zu uns nach Philadelphia ein, um unsere Arbeit zu koordinieren. Eine Woche später traf er ein. Wir fackelten nicht lange und setzten uns in die Bibliothek.

»Wir sollten uns zunächst um die Geschehnisse und Hintergründe kümmern, die mit der Entführung und dem Tod von Laurent Gautier zu tun haben«, sagte der Detektiv. »Der Fall steht zwar noch nicht vor dem Abschluss, aber es gibt diesbezüglich einige Neuigkeiten.«

Er zog eine kleine Aktenmappe aus seiner Ledertasche, schlug sie auf und las sich kurz ein. »So ... Moment ... hier ist es ... ja. Der Kerl, den du als den Autor und Verleger Alfred Graf Eckner kennen gelernt hast, ist ein interessanter Vogel. Er stammt aus dem Elsass und ist Dachdecker von Beruf. Nach dem Sturz von einem mehrgeschossigen Haus, bei dem er auf den Kopf fiel, behauptete er, hellseherische Fähigkeiten zu besitzen. Er gab das Arbeiten auf und zog monatelang als Wahrsager durch die Lande. Nach mehreren Exzessen mit ausufernden Trinkgelagen, bei denen ein Mann ums Leben kam, wurde er verhaftet und verbrachte einige Jahre in einer Nervenheilanstalt. In der dortigen Bibliothek lernte er die Romane deines Bruders kennen. Nach seiner Entlassung ging er nach Süddeutschland, lief Heinrich Himmler über den Weg und freundete sich mit ihm an. Seitdem berät er den Reichsführer SS vor allen wichtigen Entscheidungen, indem er ihm Horoskope erstellt und die Zukunft vorhersagt.«

Lorenz grinste. »Ihr habt euch alle von seinem Namen blenden lassen, denn der Mann ist kein Adliger. Der Mädchenname seiner Mutter war Graf. Seit er in München lebt, führt er beide Nachnamen ohne Bindestrich. Durch seinen frühen Eintritt in die SS und seine Freundschaft zu Himmler wurde er direkt SS-Oberführer und Leiter der SS-Forschungsanstalt *›Das Ahnenerbe‹*. Der Zufallsfund der achthundert Jahre alten Schriften in der Wewelsburg bei Paderborn verhalf ihm zu hohem Ansehen innerhalb der SS-Führung. Zurzeit scheint er sich alles erlauben zu können. - Soviel dazu.«

Lorenz klappte seine Aktenmappe zu und schaute mich auffordernd an.

»Gut«, sagte ich. »An dem Punkt mache ich gleich weiter, denn es passt zusammen. Ich habe die Handschriften des Ritters wochenlang analysiert und übersetzt. Sie scheinen echt zu sein. Darin ist zum Beispiel beschrieben, wie Barbarossa die Überfahrt des deutschen Kreuzfahrerheers bei Gallipoli mit Gewalt erzwang, indem er mit dem Energiestrahl seines Zepters ein Schiff der Byzantiner in Brand setzte und versenkte. Viele Dinge sind allerdings nur angedeutet und klingen mysteriös und rätselhaft, wie die weiße Amazone, die an mehreren Stellen erwähnt wird. Diese Frau, die sich im Umfeld des Kaisers aufgehalten haben soll, hieß angeblich Lady Morgana. Irgendwie passt in dieser Geschichte nichts richtig zusammen, denn dieser Name stammt aus dem eintausendvierhundert Jahre alten englischen Sagenkreis um König Artus und Amazonen gehören in die griechische Sagenwelt.«

Er machte eine wegwerfende Handbewegung. »Ach Robert! Der Wahrheitsgehalt solcher Schriften ist doch sowieso sehr fraglich! Im Nachhinein ist es schade um die hunderttausend Reichsmark, die die Fotoabzüge gekostet haben.«

»Halt, Lorenz«, wand ich ein. »Zuerst hielt ich auch alles für Blödsinn, aber dann dachte ich lange darüber nach, aus welchem Grund der Ritter diesen Text geschrieben hat und was er wirklich gesehen haben mag. Schließlich fiel mir ein, was ich 1932 in München tat, um die Entführer meines Bruders zu täuschen. Vor dem

Hintergrund dieses Wissens ergeben sich für mich nur zwei mögliche Erklärungen. Entweder hatte Barbarossa tatsächlich eine Art Energiewaffe oder es gab einen verkappten Mutanten im Heer der Kreuzfahrer, der den anderen etwas vorspielte, genau, wie ich es bei Heinrich Himmler machte.«

»Wir werden nur Antworten erhalten, wenn wir herausbekommen, wer der Ritter war und wo er lebte. Steht darüber irgendwas im Text? «

»Leider nicht, bis auf ein interessantes Detail, das euch helfen dürfte, die Spuren zu finden, die er in der Geschichte hinterlassen hat. Warte, ich lese dir einen kurzen Absatz vor.«

> Dû bist mîn, ich bin dîn: des solt dû gewis sîn.
> Dû bist beslozzen in mînem Herzen: verlorn ist das slüzzelîn:
> dû muost immer drinne sîn.
> Mîn stæter muot und mîn herze brinnet
> nâch dînem süezen lîbe und nâch dîner minne!

»Frei übersetzt bedeutet das etwa:«

> *Du bist mein, ich bin dein:*
> *Dessen sollst du gewiss sein.*
> *Du bist eingeschlossen in meinem Herzen:*
> *Verloren ist das Schlüsselchen: Du musst immer drinnen bleiben.*
> *Mein fester Sinn und mein Herz brennen*
> *nach deinem süßen Leib und nach deiner Liebe!*

Lorenz schmunzelte. »Ein wunderschönes Liebesgedicht! Der Ritter scheint durch die lange Enthaltsamkeit während der Kreuzfahrt ordentlich im Saft gestanden zu haben. *Mein fester Sinn brennt nach deinem süßen Leib.* Man hört regelrecht, dass der gute Gottfried von Arnsberg rattenscharf gewesen sein muss, als er das schrieb.«

»Was denkst du, für wen dieses Gedicht geschrieben wurde?«

»So gut kenne ich mich in Geschichte nicht aus, aber es wird wohl an die Dame seines Herzens gerichtet sein.«

»Das Liebesgedicht ist adressiert an *›Mîn Hanserl‹*, was auf Hochdeutsch *›Mein Hänschen‹* bedeutet. Was sagst du nun?«

Lorenz machte seinen Mund auf und schnappte nach Luft.

»Was denn - willst du damit sagen, der Ritter war schwul?«

»Genau das! Gottfried von Arnsberg war ein Homosexueller. Er liebte einen anderen Mann, mit dem er auch körperlich zu verkehren schien. Interessant daran ist, dass er sich nach seiner Rückkehr nur noch wenige Tage auf der Wewelsburg aufhielt, diesen Text einmauerte und dann spurlos verschwand. Er wurde nie wieder in der Gegend von Paderborn gesehen, auf dem Familienfriedhof existiert kein Grab von ihm. Ich gehe davon aus, dass er für immer zu seinem Geliebten ging. Wir müssen also herausfinden, an welchem Ort er sein restliches Leben verbrachte. Mit etwas Glück stoßen wir dort auf weitere Aufzeichnungen, denn jemand, der einmal mit dem Schreiben begonnen hat, hört nicht mehr damit auf.«

»Wie sollen wir nach achthundert Jahren einen einzelnen Ritter ausfindig machen, der völlig unbedeutend für die Geschichte war?«, fragte Lorenz stirnrunzelnd und trank einen großen Schluck Kaffee.

»Das ist wahrscheinlich gar nicht so schwierig. Der Mann war homosexuell und scheint seine Neigung offen gelebt zu haben. Das war damals außergewöhnlich. Sucht auf Grabsteinen und in Kirchenarchiven nach zwei schwulen Adligen namens Hans und Gottfried, die im zwölften Jahrhundert offiziell zusammenlebten!«

»In ganz Deutschland? Das kann doch nicht dein Ernst sein!«

»Natürlich nicht, Lorenz. Versetz dich gedanklich zurück in die Zeit des Mittelalters! Die Menschen reisten in jenen Tagen nicht zum Vergnügen - bei welcher Gelegenheit könnte der Ritter also seinen Freund kennen gelernt haben? Konzentriert euch auf die Handelwege und Handelsstationen im Umkreis von Paderborn. Findet Orte, zu denen das Geschlecht derer von Arnsberg familiäre und freundschaftliche Beziehungen unterhielt und so weiter. Auf Friedhöfen müsst ihr nach einer Grabstätte Ausschau halten, in der zwei Männer als Paar beigesetzt sind.«

»Gut, Robert«, sagte Lorenz langsam, während er sich Notizen machte.

»Ich werde Personen anheuern, die so tun, als seien sie auf der Suche nach ihren arischen Ahnen. In den Archiven nach Vorfahren zu fahnden, ist zurzeit völlig unauffällig, weil sich viele Menschen in Deutschland mit diesem Blödsinn beschäftigen müssen, um nachzuweisen, dass sie Arier sind. Wer das nicht hinkriegt, gilt erst mal als potenzieller Jude, bis er durch alte Abstammungsurkunden das Gegenteil beweisen kann.«

Zehn Tagte später trafen Jasmin und ich in Genf ein, um an Leos Promotionsfeier teilzunehmen. Wir gingen zum *Boulevard des Philosophes*, wo die *Université de Genève* lag. Sowohl die Überreichung der Urkunden als auch die Feier waren sehr festlich organisiert. Neben dem Dekan der Universität, der etwa in meinem Alter war, hielt Professor Luigi Grimaldi eine Rede, in der er seine Studenten zu ihrem Erfolg beglückwünschte und seiner Hoffnung Ausdruck gab, von jedem der jungen Wissenschaftler in den kommenden Jahren etwas Bedeutendes zu hören. Dieser Wunsch würde sich erfüllen, aber anders als ihm lieb war.

Nach dem offiziellen Teil zogen die frischgebackenen Doktoren um die Häuser. Wir schliefen schon lange, als sie unseren Sohn nachhause brachten. Er war so betrunken, dass er nicht mehr laufen konnte. Beim Frühstück am nächsten Morgen war er völlig verkatert.

»Was glotzt du mich so blöde an?«, schnauzte er mich an. »Guck woanders hin oder geh raus, Mann!«

»Leo!«, sagte Jasmin entsetzt. »Wie kannst du nur ...«

»Was ...?«, fauchte er zurück.

Ich verließ den Raum mit einem dicken Kloß im Hals. Allein ging ich die verregneten Straßen entlang, kaufte einen Strauß roter Rosen, begab mich zum Friedhof in der Nähe des Plainpalais, legte die Blumen auf Marias Grab und versank in Erinnerungen an meine erste große Liebe. Ich stand lange im Regen und spürte nicht, wie die Zeit verging.

... du trägst die Schuld an Leos Unfall ...

Dafür hasste er mich und ließ es bei jeder Gelegenheit an mir aus, und ich wehrte mich nicht gegen seine Angriffe, weil er im Recht war.

»Ach Maria«, dachte ich traurig. »Was wäre wohl aus uns geworden, wenn Kapitän von Waldeck dich nicht erschossen hätte?«

»Der Auserwählte ist man immer nur in einer Welt«, antwortete eine tiefe Männerstimme in meinem Kopf. Ich schrak zusammen und drehte mich schnell um. Da war niemand. Mein Herz schlug bis zum Hals.

Hundert Meter weiter auf der verregneten Straße stand Leo und starrte zu mir herüber. Als ich ihm zuwinkte, rannte er davon und verschwand in der nächsten Seitenstraße. Die Bewegungen, die er beim Laufen machte, ähnelten auf groteske Weise den Bewegungsabläufen eines Huhns.

Zurück in Ivos Villa, legte ich mich auf mein Bett und versuchte zu schlafen. Es ging nicht. Ständig kreisten Gedanken in meinem Kopf herum. Was war mit den anderen Toren des Windes? Wie viele gab es noch und an welchen Orten auf der Welt mochten sie entstehen? Wie viel Zeit blieb uns, um sie zu finden und zu verschließen? Endlich schlief ich ein.

Jasmin weckte mich zum Mittagessen. Leo war in Genf unterwegs, ich sah ihn erst am Nachmittag. Mein Sohn tat, als sei heute Morgen nichts geschehen.

»Hast du schon mal darüber nachgedacht, wer hinter deinen Visionen stecken könnte, Dad?«

Ich nickte. »Ich habe auf meinen Zetteln nicht alles notiert. Der Engel von Perlach war weiblich und hatte nicht nur weiße Haare, sondern auch dunkelrote Augen, deshalb glaube ich, dass es die erwachsene Rachel Winter war. Ich bin mir sicher, dass sie die Botschaften aus der Vergangenheit an mich schickt, ohne dass ich allerdings wüsste, wie sie das macht, und warum gerade ich der Empfänger bin. Vermutlich ist das nur Zufall, weil ich ein Mutant bin wie sie. Es gehört wohl zu meinen Fähigkeiten, Nachrichten aufnehmen zu können, die durch übersinnliche Kräfte verschickt werden.«

»Du bist ja doch nicht so dumm, wie ich dachte«, sagte Leo bedauernd. »Genau darauf bin ich nämlich auch gekommen.«

Er kicherte blöde. »Aber egal, wie klug du sein magst, was nun kommt, kannst du nicht wissen. Vor zwei Wochen habe ich General Wood vom britischen Geheimdienst gebeten, in sämtlichen

Londoner Archiven nach Urkunden suchen zu lassen, in denen Rachel Winter erwähnt wird. Moment ...«

Er zog einen dünnen Ordner aus einem Regal, schlug ihn auf und überflog die erste Seite.

»1631 heiratete sie den Herzog von Sussex. Darüber existiert eine Heiratsurkunde. Merkwürdig daran ist, dass Grafschaft, Lehen und Titel in dieser Zeit überhaupt nicht vergeben waren! Das gibt uns neue Rätsel auf. Nur eins ist sicher: Wenn Rachel tatsächlich hinter den Visionen und Botschaften aus der Vergangenheit steckt, dann ist sie mit hoher Wahrscheinlichkeit auch die Autorin des Voynich-Manuskripts.«

Der Gott der Wölfe

Nach Leos Promotionsfeier in Genf trafen wir am dreißigsten April 1934 zuhause in Philadelphia ein. Trotz mehrfacher Einladungen zog sich unser Sohn immer weiter von der Familie zurück, und als er uns telefonisch mitteilte, dass er das kommende Weihnachtsfest wieder nicht nachhause kommen wollte, begriffen wir schmerzlich, dass wir auch in Zukunft vergebens auf ihn warten würden. Leo hatte das elterliche Nest endgültig aufgegeben.

Der Rest des Jahres verging wie im Flug. Ivos Tochter Maria verlobte sich am Heiligen Abend mit Dr. Jerry Edwards, einem älteren Arzt, den sie als Dozenten aus ihrem Studium kannte.

Am dritten Januar 1935 sanken die Temperaturen in den Keller. In der Nacht begann ein gewaltiger Schneesturm, wegen dem wir vier Tage das Haus nicht verlassen konnten. Am zweiten Tag bemerkten wir, dass Sisko verschwunden war. Am Nachmittag rief Yvonne Burton an, um sich zu erkundigen, ob Lawrence bei uns war. Das wäre an sich nicht ungewöhnlich gewesen, denn die Hundebrüder besuchten sich von Zeit zu Zeit gegenseitig. Nach dem Sturm suchten wir mit dem Auto halb Pennsylvania ab, aber die Rüden blieben unauffindbar.

Mitte Februar erfuhr ich von Ivo, dass, die Villa seines Genfer Nachbarn verkauft werden sollte. Ich kannte das ansprechende Anwesen, zögerte nicht lange und telefonierte mit meinem Schweizer Rechtsanwalt Gerhard Greve.

Er würde die Kaufverhandlungen führen und die Verträge genauso vorbereiten wie schon vor einigen Jahren bei dem Grundbesitz der Gautiers auf dem Montboron.

In den letzten Monaten waren sich John Blackwolf und Maya näher gekommen. Obwohl die Kulturen, aus denen sie stammten, kaum gegensätzlicher hätten sein können - ein Lakotaindianer und eine Zigeunerin muslimischen Glaubens - verstanden sie sich auf unerklärliche Weise und stellten fest, dass sie ihren Lebensweg zukünftig gemeinsam gehen wollten. Also feierten wir am dreiundzwanzigsten März 1935 eine Doppelhochzeit, denn auch unser zweiter Ziehsohn Alan Freeman heiratete Roxanna - die Frau mit den schönsten Augen der Welt. Als vermögende Eltern richteten Jasmin und ich die Feier aus. Leo sagte sein Erscheinen aus angeblichem Zeitmangel wieder einmal ab, was alle bedauerten.

Irgendwann an diesem Abend tanzte ich mit meiner neuen Schwiegertochter Maya auf dem Pavillon über dem See vor unserer Farm. »Woher hatte dein Großvater eigentlich das Pergament, das er mir vor Jahren in München gab?«

»Mein Opa bewahrte viele uralte Dokumente in einer großen Holzkiste auf, die bei dem Überfall durch die SA leider verbrannt ist. Meine Familie ist sehr alt, Robert. Die beiden Hauptzweige meiner Vorfahren weisen nach Indien und in die Gegend um Damaskus. Einer meiner berühmtesten Ahnen war der islamische Mathematiker und Physiker Ahmad Modschtahed Hindi. Er lebte im zwölften Jahrhundert und muss ein überragendes Genie gewesen sein. Dein altes Pergament soll aus seiner Zeit stammen. Ob er es selbst verfasst hat, weiß ich nicht, denn keiner von uns konnte diese merkwürdige Schrift lesen.«

»Aus welchem Grund gab es dein Großvater ausgerechnet mir, Maya - einem völlig Fremden?«

»Er sagte immer, es wäre seine Lebensaufgabe, auf den richtigen Mann zu warten. Das warst offensichtlich du.«

»Was mag er damit gemeint haben?«

»Das weiß ich nicht, Robert. Darüber sprach er nie.«

Kurz nach ihrer Hochzeit lud das Paar mich ein, sie zu Johns Großvater zu begleiten. Ich hatte in den letzten Jahren schon viel von dem Mann gehört, ohne jemals die Gelegenheit zu finden, ihm persönlich zu begegnen.

Am Morgen des zweiundzwanzigsten Mai flogen wir los und erreichten in der Mittagszeit den Spirit Lake in North Dakota. Das kristallklare Wasser des Sees schimmerte unter uns in der Sonne. John landete und ließ die Maschine langsam bis zum flachen Ufer gleiten. In Ufernähe standen mehrere Indianerzelte.

Ich hörte Pferdegetrappel hinter mir. Ein alter Mann kam auf einem prächtigen Schimmelmustang angeritten, dessen schöner Kopf mich an meinen Hengst Albrecht erinnerte. Der Indianer war gekleidet in eine schmucklose, hirschlederne Hose und ein an den Seitennähten üppig verziertes Obergewand aus dem gleichen Material. Die feinen, bunten Stickereien auf den Ärmeln bestanden aus vielen kleinen, ineinander gehenden Zickzackmustern. Sein hüftlanges, weißes Haar war zu zwei langen Zöpfen geflochten, die über seine Schultern herunterhingen. Am Hinterkopf war eine Adlerfeder befestigt. Seine dunkle Gesichtshaut war zerfurcht und vom Wetter gegerbt.

Als er uns erreichte, leuchteten seine Augen. Er sprang wie ein Jüngling vom Pferd und eilte auf uns zu. »Šuŋgmánitu Waheela win-pe!«

Freund des großen Wolfs hieß John bei seinem Stamm.

»Šuŋgmánitu Tȟaŋka Ob'wačhi!«, antwortete dieser und verbeugte sich ehrfürchtig. Der Indianer legte seine Arme um das junge Paar. Dann trat er zurück, wandte sich mir zu und sagte in fließendem, akzentfreien Englisch: »Doktor Clymer! Es freut mich, dass wir uns endlich einmal kennen lernen!«

»Ich freue mich ebenso!«

Während sich die frisch Vermählten in ein Zelt zurückzogen, das ihnen zu gehören schien, ergriff der alte Mann meine linke Hand und schloss einen kurzen Moment seine Augen.

»Komm mit mir!«

»Wohin gehen wir?«

»Ich werde dir den richtigen Weg weisen. Folge mir und fürchte dich nicht!«

Wir gingen eine Stunde Richtung Norden durch den Wald, und um uns herum wurde es immer dunkler. Ich blieb stehen und schaute nach oben. Über uns war sternklarer Nachthimmel. Wie war das möglich? Wir waren in der Mittagszeit eingetroffen, es konnte nicht später sein als vierzehn Uhr!

Der alte Indianer bemerkte meinen Blick, nickte und murmelte. »Amarok!« Dabei hielt er seinen gestreckten Zeigefinger gegen die Lippen.

Große Felsen lagen auf dem Boden herum. Ich musste vorsichtig gehen, um nicht zu stolpern. Johns Großvater ging auf eine Felswand zu und verschwand von einer Sekunde auf die andere. Ich trat näher heran und bemerkte den Eingang zu einer Höhle. Ich folgte dem Mann langsam in die Dunkelheit und erschrak, als vor mir plötzlich ein Funke aufflammte, der schnell zu einem Feuer wurde.

»Heiliger Ort«, flüsterte er und bedeutete mir, mich zu setzen. Er warf einige getrocknete Kräuter in die Flammen, zog eine Tonpfeife aus einer schmalen Felsnische, stopfte sie mit Tabak, den er in einem Beutel am Gürtel trug, und begann zu rauchen. Nach einer Weile reichte er mir die Pfeife.

»Inhalieren! So tief es geht!«

Ich wollte nicht unhöflich sein und rauchte. Der alte Mann murmelte eine Zeit lang vor sich hin.

»Du musst noch warten. Amarok kommt ...«

Dann schwieg er und starrte in die Flammen. Ich fühlte mich auf einmal ganz leicht. Das Gesicht des Indianers verschwamm in allen Farben des Regenbogens. Ohne zu wissen, warum ich es tat, hob ich langsam meinen rechten Arm, erzeugte einen gelben Energiestrahl und formte einen umgedrehten Trichter aus der Glut des Feuers, der aussah wie ein Modell des Gebildes auf der Ebene von Tunguska. Selbst der schnell rotierende Schlauch am oberen Ende war da. Auf dem Kegelmantel zuckten orangefarbene Blitze.

»Ah! Ein Sohn des Sonnengottes,«, flüsterte der alte Mann.

»Nachdem du dich offenbart hast, bist du nun bereit. Sei geduldig! Waheela wird zu dir sprechen.«

Ich starrte in die Flammen und alles veränderte sich um mich herum. Plötzlich saß ich neben dem Altar eines christlichen Gotteshauses. Drei Meter vor mir stand ein großes, steinernes Taufbecken, das aus dem Mittelalter zu stammen schien. Auf Bodenhöhe im Fuß des Beckens entstand gerade ein neues Tor des Windes. Ich verstand, dass ich in die Zukunft sah, und schaute mich um, weil ich mir möglichst viele Details dieses Ortes einprägen wollte, denn ich kannte die Kirche nicht, in der ich mich befand. Ein buntes

Steinmosaik über dem Eingangsbereich erregte meine Aufmerksamkeit. Ich prägte es mir ein, und in diesem Moment löste sich die Vision auf. Ich sah nur noch das Feuer, das inzwischen ziemlich heruntergebrannt war.

»Hat Waheela dir den Weg gewiesen?«

Ich nickte. Der alte Mann erhob sich und ging Richtung Ausgang. »Komm!«

Wir machten uns auf den Rückweg. Ich fühlte mich leicht und etwas schwindelig.

»Konntest du dein Ziel erkennen?«, fragte er nach einer Weile.

»Ja, aber ich weiß nicht, wo dieser Ort liegt. Ich bin nie zuvor dort gewesen.«

»Waheela wird dich zu ihm führen, wenn die Zeit gekommen ist.«

»Was haben wir geraucht?«

Er lächelte weise. »Die älteste Medizin der Welt.«

Als wir das Ufer des Spirit Lake erreichten, war immer noch finstere Nacht. Johns Großvater zog mich in sein Zelt und deutete auf einen Platz, an dem ich schlafen konnte.

Am folgenden Morgen fühlte ich mich wunderbar frisch und ausgeruht wie lange schon nicht mehr. Als ich nach draußen gehen wollte, um mich im Wasser des Sees zu waschen, sah ich einen uralten Armeerevolver an einer der Zeltstangen hängen. Ich nahm die Waffe vorsichtig ab und betrachtete sie. Auf der linken Griffschale war ein Messingschild angebracht. Ich wischte die Spuren der Verwitterung mit dem Daumen fort. Auf dem Schild waren die Initialen **J.D.** eingraviert.

»Eine Kriegsbeute?«, fragte ich. Der alte Indianer, der gerade mit einem Topf an der Feuerstelle herumhantierte, richtete sich auf. »Der Revolver gehört mir - die Buchstaben stehen für *John Dunbar*. Diese Waffe stammt aus der Zeit, bevor ich den Weg zum wahren Menschsein fand.«

Mit diesen rätselhaften Worten ging er hinaus.

»Sie sind Weißer?«, sagte ich erstaunt, als er zurückkehrte. Er hängte die Waffe wieder an ihren Platz, setzte sich neben mich und lächelte. »Ich bin ein Mensch wie du, und nur das zählt. Ich bin fast einhundert Jahre alt. John Blackwolf ist genau genommen mein Ururenkel.« Er stand auf. »Komm!«

Wir verließen das Zelt. Draußen hob der alte Indianer beide Hände gegen seinen Mund, formte mit ihnen einen Trichter und stimmte ein Wolfsgeheul an. Viele Wölfe in den Bergen antworteten ihm aus der Ferne.

»Alles ist eins und steht in ständiger Verbindung miteinander, Robert Clymer! Hörst du es? Erst wenn du diese Zusammenhänge wirklich verstanden hast, kannst du deinen eigenen Weg finden. Du musst gleich abreisen, aber nicht alleine. Nimm deinen Begleiter mit auf deine Reisen! Du brauchst ihn, wohin auch immer du gehen wirst - er gehört zu dir vom Anbeginn der Zeit!«

Er verschwand in seinem Zelt. Ich näherte mich der Stelle des Ufers, an der das Flugzeug vertäut war, und schaute zum Waldrand. Von dort sprangen Sisko und Lawrence auf mich zu. Beide Rüden hüpften um mich herum und leckten mir das Gesicht. Ich kniete mich hin und umarmte sie.

John und Maya kamen und erzählten mir, dass sie sich entschieden hatten, bis zur Geburt ihres Kindes am Spirit Lake zu bleiben.

Der alte Mann kam wieder aus seinem Zelt, ging zu den Hunden, verbeugte sich tief und sagte einige Worte, die ich nicht verstand. Dann verschwand er, ohne uns eines weiteren Blickes zu würdigen.

»Was hat er gesagt?«, fragte ich verwundert. »Was hat das zu bedeuten?«

John lächelte. »Das kann man nicht genau übersetzen, Robert. Mein Großvater glaubt, dass Sisko die Inkarnation von *Waheela* ist, dem Gott der Wölfe. In seinem Gebet hat er ihn und den Herrn der Welt gebeten, seine gütige Hand über dich zu halten und dich auf all deinen Reisen zu beschützen.«

... SISKO, DER HERR DER WELT ...

Ende Mai 1935 schlossen Vivian und Vanessa erfolgreich die Highschool ab. Am Freitag, dem siebten Juni, begannen sich die Ereignisse zu überschlagen. Am Abend sollte die Abschlussfeier unserer Töchter stattfinden. Sie waren den ganzen Tag völlig aus dem Häuschen, da sie als beste Ihres Jahrgangs eine Auszeichnung erhalten würden.

Schnatternd liefen sie in ihren Ballkleidern im Haus herum und steckten alle mit ihrer Hektik an. Weil mir die Aufregung zu viel wurde, zog ich mich in die Bibliothek zurück. Kaum hatte ich mich in meinen Lieblingssessel gesetzt, um zu lesen, trafen die Freemans ein und stürmten zu mir hoch.

»Ich muss dir etwas zeigen, Dad!«, rief Alan aufgeregt und setzte sich auf die Lehne meines Sessels.

Roxanna nahm ebenfalls Platz. »Du wirst nicht, glauben, was mein Mann herausgefunden hat, Robert!«

»Jetzt bin ich aber gespannt! Worum geht es, Kinder?«

»Du weißt, dass ich für den Prozess gegen die Mörder meiner Familie viele Archive in Louisiana durchforstet habe, um mehr über meine Wurzeln herauszufinden. Dabei stieß ich durch Zufall auf die alten Bücher einer Baumwollplantage in der Nähe von Baton Rouge. Meine Vorfahren waren Sklaven. Bis zur offiziellen Abschaffung der Sklaverei vor siebzig Jahren wurden Schwarze in den Südstaaten der USA vielfach nicht anders behandelt als Vieh. Der heutige Besitzer des Herrenhauses schenkte mir seine Unterlagen, die lückenlos bis ins achtzehnte Jahrhundert zurückreichen. Während des Prozesses habe ich mich nicht mit ihnen beschäftigt, und vergaß sie völlig, aber in den letzten Monaten fielen mir diese Bücher wieder in die Hände. Ich arbeitete sie durch und fand heraus, dass es sich um penibel geführte Zuchtbücher handelt.«

»Wie bitte? ...«, fragte ich irritiert.

Das kann nicht sein, dachte ich.

»Du hörst richtig, Dad, es sind Zuchtbücher von Menschen! Ich bin allen Hinweisen nachgegangen und habe meine afrikanischen Wurzeln gefunden! Aus den Unterlagen geht eindeutig hervor, dass ich ein direkter Nachfahre des Häuptlings Shaka Zulu bin, dessen Sohn 1816 von weißen Sklavenhändlern entführt, in die USA verschleppt und ein Jahr später auf dem Sklavenmarkt in New Orleans verkauft wurde!«

»Deshalb warst du im Frühjahr so lange auf Reisen!«

Alan nickte. »Zuerst war ich in Afrika und anschließend in London. Gestern sind die Papiere von der britischen Regierung endlich eingetroffen. Wir gehen zu meinem Volk nach Südrhodesien. Aufgrund meiner nachweisbaren Abstammung erhielten wir die Erlaubnis zur Einwanderung und Ansiedelung.«

»Wann geht ihr fort?«, fragte ich leise.

»Wir fahren in einer Woche. Wir haben ein Stück Land zugewiesen bekommen, das wir als Farm bewirtschaften dürfen.«

Roxanna nickte begeistert. »Wir können viel Gutes bewirken, denn unsere Brüder und Schwestern kennen keine Schulen, keine Ärzte, keine sozialen Einrichtungen, sie lassen sich unterdrücken und verstehen nichts von Politik! Sie benötigen Wissen, Bildung und vor allem Ziele, für die es sich zu kämpfen lohnt! Ich bin Lehrerin und Alan ist Anwalt - das passt hervorragend! Wir werden sie lehren und unterrichten! Südrhodesien wird irgendwann eine demokratisch gewählte, schwarze Regierung haben! Der Verwirklichung dieser Aufgabe wollen wir uns von nun an widmen!«

»Unsere Farm leert sich«, entgegnete ich traurig. »Leo lebt in Genf, John hat sich entschieden, zu den Lakota zurückzukehren, und ihr geht nach Afrika. Jetzt sind nur noch Jasmin und die Mädchen übrig. Es fühlt sich an, als ob meine Familie auseinanderfällt.«

Alan legte seinen Arm um meine Schulter. »Wir werden in Kontakt bleiben, Dad. Außerdem können wir uns besuchen, sooft uns danach ist. Daran soll ...«

In diesem Moment kam Henry Burton hereingeplatzt. Wie stets trug er einen dunklen Anzug, einen braunen Lodenmantel und einen breitkrempigen Hut.

»Hallo, ihr drei«, sagte er. »Robert, wir müssen dringend reden! Ich will euer Gespräch nicht unterbrechen, aber es eilt, denn mir bleibt nur eine Stunde Zeit für einen Rückruf.«

»Wir sind sowieso fertig«, entgegnete Alan und stand auf. »Wir werden heute Abend nach Vivians und Vanessas Feier weiterreden, Dad.«

Er nahm die Hand seiner Frau und ging zur Tür. »Komm, mein Schatz! Lass uns meine Schwestern noch ein bisschen nervöser machen.«

»Worum geht es, Henry?«, fragte ich, als die beiden die Bibliothek verlassen hatten.

»Um die Zukunft deiner Töchter. Sie haben mich vor längerer Zeit gefragt, ob ich etwas für sie tun kann, um sie als Journalistinnen unterzubringen. Natürlich könnten sie ohne irgendeine Ausbildung bei einem kleinen Provinzblatt anfangen, aber da werden sie niemals über simple Berichte zu den typischen Vorkommnissen auf dem Lande hinauskommen: Albin Jones Kuh Lucky hat den ersten Preis zur Kuh des Countys gewonnen, Farmer Smith hat Luisa Stern geheiratet, und so weiter. Das ist kein Journalismus, Robert, dafür sind deine Mädchen viel zu klug.«

»Ich weiß, Henry. Welchen Weg würdest du den beiden empfehlen?«

»Ich habe hervorragende Ausbildungsplätze für sie. Mitte Juli geht es los. Es beginnt mit einem einjährigen Praktikum bei der BBC, anschließend studieren sie zwei Jahre an der *London School of Journalism*. Danach stehen ihnen sämtliche Türen offen bei den großen Redaktionen der besten Zeitungen der Welt! Vor allem aber werden sie die Ersten von nur zehn jungen Menschen sein, die die neue Ausbildung als Rundfunkjournalisten machen, und Radio ist die Zukunft, Robert! Ab Anfang 1936 kommt auch noch das Fernsehen dazu, Versuchssendungen in Südengland laufen bereits sehr erfolgversprechend, und ...«

»Halt«, sagte ich, während mir plötzlich kalt wurde. »Habe ich dich richtig verstanden? Es geht um ein Studium in Großbritannien? Meine Töchter müssten dafür nach London ziehen?«

Henry schaute auf seine Armbanduhr und nickte. »Ein völlig neuer Studiengang, ein Gemeinschaftsprojekt der *School of Journalism* und der BBC. John Reith, der Generaldirektor der BBC, ist mein Freund und der Schirmherr dieses Ausbildungsmodells. Mir bleiben jetzt noch vierzig Minuten für eine Zusage. Wenn ich mich bis dahin nicht telefonisch bei ihm gemeldet habe, sind die letzten beiden Ausbildungsplätze weg für die Kinder von zwei britischen Politikern.«

Die Highschool-Abschlussfeier meiner Töchter war sehr schön. Ich trank mehr, als gut für mich war, und schaffte den Weg zurück zu unserem Chrysler nicht ohne Alans Hilfe. Mein Ziehsohn hängte sich meinen rechten Arm über die Schulter und stützte mich.

»Wie kannst du nur so viel trinken!«, sagte Jasmin erzürnt, als ich endlich auf dem Beifahrersitz saß. »Ist es, weil die Mädchen nach England gehen? Sie sind schon siebzehn!«

»Sie sind erst siebzehn«, lallte ich.

»Ich war auch erst siebzehn, als ich deine Frau wurde, Robert Clymer!«

»Ich weiß, Cherie. Und wenn du nicht sofort anhältst, kotze ich das Auto voll.«

Ich konnte nur mit Schwierigkeiten einschlafen, denn das Bett schwankte recht ordentlich. Besonders die hintere linke Ecke versuchte - hinterlistig, wie sie war - immer wieder Schwung zu holen, kaum dass ich meinen Blick von ihr löste, und heimtückisch über meinen Kopf zu gelangen. Dazu bekam ich heftige Kopfschmerzen, die ich sogar spürte, als ich eingeschlafen war.

Um drei Uhr früh klingelte das Telefon. Ich ließ es klingeln, aber es hörte nicht auf. Jasmin schien spontan taub geworden zu sein; sie lag neben mir, atmete ganz ruhig und wachte nicht auf. Nach einer Minute Dauerklingeln stand ich auf und nahm den Hörer.

»Was ist denn los, mitten in der Nacht! Hat das nicht bis morgen Zeit? Ich weiß gerade gar nicht, wie ich das finden soll ...«, begann ich unfreundlich.

»Gott sei Dank«, dass ich dich endlich erreiche«, antwortete Luigi Grimaldi am anderen Ende der Leitung. »Ihr müsst sofort nach Genf kommen! Leo ist durchgedreht. Nachdem er den Dekan der Universität fast erwürgt hat, wurde er vor zwei Stunden verhaftet und in eine Nervenklinik gebracht.«

Bei diesen Worten war ich hellwach und schlagartig nüchtern. »Alles klar«, brummte ich. »Wir sind schon unterwegs.«

Der erste Weg führte uns direkt vom Bahnhof zu unserem Sohn. Er lag reglos in seinem Krankenbett in der geschlossenen Abteilung der Nervenheilanstalt und schlief.

Die behandelnden Ärzte hatten ihn mit Medikamenten vollgepumpt. Wir erschraken bei seinem Anblick.

»Der arme Junge sieht schlecht aus, Robert!«, sagte Jasmin entsetzt. »Wollen wir nicht ein Krankenzimmer in unserer neuen Villa einrichten und eine Schwester einstellen, die ihn versorgt? Ich möchte ihn nicht hier in der Anstalt lassen!«

Dann schlug sie die Hände vor ihr Gesicht und begann zu weinen. Vier Tage später wurde Leo mit dem Krankenwagen zu unserem neuen Zuhause gebracht. Sein Zustand veränderte sich nicht, es war, als weigere er sich, wieder aufzuwachen. Ich rief Gilbert Lacroix in Nizza an und bat ihn, nach Genf zu kommen, um Leo zu untersuchen, denn so konnte das nicht weitergehen. Der Arzt des ehemaligen französischen Mutantenkorps hatte schon vor Jahrzehnten Erfahrungen sammeln können mit der medizinischen Betreuung von Menschen, die anders funktionierten.

Er untersuchte den schlafenden Leo gründlich. Als er fertig war, fragte er Jasmin. »Robert erzählte mir, ihr Sohn sei bei seiner Geburt völlig normal gewesen, Madame Clymer. Er hat vor einem Jahr eine Verwandlung durchgemacht, deren Ursachen mir im Augenblick noch rätselhaft erscheinen. Bei keinem der Mutanten, die ich kannte, trat jemals eine Veränderung dieser Art auf.«

Er kratzte sich nachdenklich am Hinterkopf und schloss für einen Moment seine Augen. »Robert! Können Sie – sehr behutsam bitte - in sein Gedächtnis eindringen? Wir müssen wissen, was diesen Zustand ausgelöst hat! Vielleicht finden Sie Erinnerungen im Kopf ihres Sohnes, die uns weiterhelfen. So kann ich wenig machen.«

Ich schaute zu Jasmin. Sie nickte langsam. »Tu es, mon Amour.«

Ich legte meine rechte Hand auf Leos Stirn, lehnte mich entspannt in meinem Stuhl zurück und konzentrierte mich. Das Erste, was ich sah, war ein Schirm aus rosafarbener Energie, der sein Bewusstsein umfing. Ich versuchte, weiter vorzudringen, kam aber nicht durch diesen Abwehrschirm hindurch. Stattdessen entfernte sich sein Geist von seinem Körper. Meine Fingerspitzen fühlten sich plötzlich eiskalt an, als liege ein Toter neben mir. Erschrocken schlug ich meine Augen auf.

»Um Gottes willen, Robert! Du hast ihn umgebracht!«, sagte Jasmin tonlos. Ich folgte ihrem entsetzten Blick. Auf Leos nackter Brust entstanden dicke, rote Narben und bildeten die Worte:

BERLIN 10 AUG 36 KWG-K

Dr. Lacroix griff nach Leos Handgelenk und schaute auf seine Uhr. Eine Ewigkeit war es ganz still, dann atmete der Arzt auf. »Keine Sorge, Madame Clymer, ihr Sohn lebt. Allerdings hat er sich selbst in eine Art Winterschlaf versetzt. Sein Puls ist kaum messbar, das Herz schlägt nur einmal pro Minute, aber er ist nicht tot, auch wenn es für Sie so aussehen mag. Ich denke, seine Körpertemperatur wird heruntergehen bis auf zwanzig Grad Celsius. Konnten Sie in seinem Geist etwas sehen, das eine Erklärung für dieses Verhalten liefert, Robert?«

»Leider nicht«, antwortete ich kopfschüttelnd.

»Ist das gefährlich? Wann wacht mein Junge wieder auf? Bitte sagen Sie es mir, Dr. Lacroix! Ich bin seine Mutter!« flehte Jasmin leise.

»Zunächst sollten sie sich nicht zu viele Gedanken machen, Madame Clymer. Ihr Sohn lebt, und das ist im Augenblick das Wichtigste. Zu der anderen Frage. Ich habe von einem ähnlich gelagerten Fall gelesen. Es gibt einen indischen Fakir, der in einem buddhistischen Kloster in Indien liegt. Er befindet sich in einem vergleichbaren Zustand. Seine Haare und Fingernägel wachsen nicht, er atmet nicht erkennbar, aber er ist nicht tot. Allerdings ist der Mann seit achtzig Jahren nicht wieder zu sich gekommen.«

»Achtzig Jahre? Oh mein Gott!«

Die Narben auf Leos Brust verblassten während unseres Gesprächs und waren drei Minuten später verschwunden, als seien sie nie da gewesen.

»Leo hat mir mit den roten Wundmalen eine Nachricht hinterlassen«, sagte ich nachdenklich. »Ich weiß jetzt, wo und wann sich das nächste Tor des Windes öffnet. Es wird in Berlin sein, am zehnten August 1936. Was die Buchstaben KWG-K allerdings bedeuten sollen, ist mir schleierhaft.«

»Warum wählte er ausgerechnet diesen Weg, um dir das mitzuteilen?«, fragte Jasmin.

Ich zuckte mit den Schultern.

»Vielleicht ist der Geist Ihres Sohnes in irgendeiner Weise gefangen und kann sich nicht auf andere Weise mitteilen«, sagte Gilbert Lacroix langsam.

»Das würde auch sein eigenartig aggressives Verhalten erklären, von dem Sie mir am Telefon berichteten.«

»Aber wer sollte seinen Geist gefangen halten?«

Der alte Leibarzt der Mutanten kniff seine Lippen zusammen. »Das werden wir vermutlich nie erfahren.«

Meine vor einer Woche gehegte Befürchtung, dass die Farm verwaisen würde, war schneller in Erfüllung gegangen, als ich mir je hätte träumen lassen. Ausgelöst durch Leos Anschlag auf den Dekan der Genfer Universität waren wir Hals über Kopf in die Schweiz umgezogen - ohne jede Vorbereitung und völlig planlos. Immerhin wohnten wir nun neben Ivo und Wanda. Vor vier Monaten erst war die Nachbarvilla in meinen Besitz übergegangen, und nun war sie schon unser neues Zuhause.

Der weitere Zerfall meiner Familie ließ sich indes nicht mehr aufhalten, denn Vivian und Vanessa wollten in Großbritannien studieren. Uns war klar, dass wir aufgrund der Umstände nicht so schnell in die Vereinigten Staaten zurückkehren konnten.

Um innerhalb Europas mobil zu sein, kaufte ich eine Handley-Page und flog mit meinen Töchtern nach London. Jasmin blieb in Genf, weil sie Leo nicht allein in der Obhut seines medizinischen Personals zurücklassen mochte.

Wir fanden eine hübsche, kleine Wohnung in der Nähe des *Time Square*. Hier würden die Mädchen die kommenden drei Jahre bis zum Abschluss ihrer Ausbildung wohnen. Zwei Tage später waren alle Angelegenheiten geregelt. Ich beschloss, auf dem Rückflug in Nizza einen Zwischenstopp einzulegen und mit Lorenz Kleinmeir und Ivo Essen zu gehen.

Als wir auf dem Rollfeld des Aéroport Nice landeten, standen beide neben der Landebahn, um uns abzuholen. Wir stiegen in Laurents schönen Citroën C4F und fuhren Richtung Monaco. Auf dem *Tir aux Pigeons* in der Nähe des Kasinos hatte ein neues Fischrestaurant eröffnet. Wir erhielten wunderbare Plätze unter einem leinenen Sonnensegel auf der großen Terrasse.

Der Kellner brachte die Karten. Während alle hineinschauten, sah ich mich um. Zwei junge Männer, die auf die Restaurantterrasse kamen, drehten sich interessiert nach Vivian und Vanessa um und warfen ihnen anerkennende Blicke zu. Meine Töchter waren bezaubernde Schönheiten geworden und jetzt in dem Alter, in dem ich Jasmin kennen gelernt hatte. Wie ihre Mutter sahen sie, bis auf Haarfarbe und Frisur, der englischen Schauspielerin Lilian Harvey zum Verwechseln ähnlich.

»Wie geht es Leo?«, fragte Ivo und holte mich aus meinen Gedanken.

Ich berichtete, was während der Untersuchung durch Dr. Gilbert Lacroix geschehen war.

»Ich habe es befürchtet, mein Freund«, sagte Ivo so leise, dass nur ich ihn hören konnte. »Ich weiß, was sein Verhalten ausgelöst hat. Leo liebt meine Tochter Maria seit ihren Kindertagen. Keiner von uns hat es wirklich gewusst. An dem Vormittag, als er durchdrehte, rief sie aus Boston an, um uns mitzuteilen, dass sie ein Kind erwartet. Leo nahm das Gespräch an - er war der Erste, der diese Nachricht erhielt. Danach holte er mich ans Telefon, drückte mir den Telefonhörer in die Hand und verließ das Haus. Was dann geschehen ist, weißt du, Robert.«

»Ja«, antwortete ich. Mein Sohn Leo war zur Universität gerannt und in das Büro des Dekans eingedrungen. Er hatte den Mann mit seinen übersinnlichen Kräften gewürgt und dabei geschrien, er sei der klügste Mensch der Welt.

»Ich möchte gerne heute Nachmittag mit euch nach Genf fliegen«, sagte Ivo. »Es wäre schön, wenn wir Leos Sachen endlich aus dem Salon meines Vaters in eure Villa rübertragen würden. Ihr seid ja jetzt unsere Nachbarn.«

Ich nickte. »Machen wir.«

Meine Töchter unterhielten sich leise über die Speisekarte. Lauter, sodass alle mich verstehen konnten, fuhr ich fort.

»Leo hat mir übrigens auf sehr eigenartige Weise mitgeteilt, dass das zweite Tor des Windes am zehnten August 1936 in Berlin entstehen wird,«

»Das ist während der Olympiade«, bemerkte Lorenz überflüssigerweise.

»Ich weiß wohl«, sagte ich. »Damit kenne ich nun den genauen Zeitpunkt, aber noch nicht den Ort. Er scheint sich in den Buchstaben KWG-K zu verstecken, mit denen ich leider gar nichts anfangen kann. Ob das die Abkürzung einer Anschrift ist?«

Lorenz dachte einen Moment nach. »KW erinnert mich an Kaiser Wilhelm. Könnte die Kaiser-Wilhelm-Gedächtnis-Kirche gemeint sein?«

Mir fielen die farbenprächtigen Bilder ein, die ich bei dem Besuch von John Blackwolfs Großvater am Spirit Lake gesehen hatte. Ich beschrieb die visuellen Eindrücke aus meiner Vision. Besonders deutlich waren mir Teile eines bunten Steinmosaiks in Erinnerung geblieben.

»Nach deiner Beschreibung des Mosaiks muss es sich um die Kaiser-Wilhelm-Gedächtnis-Kirche handeln«, nickte Lorenz. »Ich lebte als junger Mann mehrere Jahre in Berlin und war oft dort, ich kenne es genau.«

»Na fein«, sagte Ivo. »Beim letzten Mal solltest du hingerichtet werden, und trotzdem willst du wieder nach Deutschland?«

»Die Frage stellt sich gar nicht, Ivo, weil es keinen anderen gibt, der das Tor des Windes schließen kann! Dieses Mal ist wenigstens genug Zeit, um die gesamte Operation ordentlich vorzubereiten. Nur wie ich Leo mitnehmen soll, weiß ich noch nicht, bei dem Zustand, in dem er sich befindet.«

»Und was ist mit uns, Daddy?«, fragte Vanessa und entrüstet. »Wir haben jahrelang geübt, um als Reiterinnen an der Olympiade teilzunehmen, und nun wohnen wir plötzlich in Genf und arbeiten in England. Blizzard und Thunder Storm stehen in Amerika und unser Trainer John ist zurück zu den Indianern gegangen! So wird das nie etwas! «

Lorenz spitzte seine Ohren, während meine Töchter sich unterhielten. »Die Schwester von General Wood besitzt eine Reitschule in der Nähe von London, wo ihr eure Pferde unterbringen und weiterhin üben könntet.«

»Oh, ja, Daddy!«, jubelten beide. »Bitte ...!«

Ivo merkte, dass ich mich zurückhielt, und mischte sich in das Gespräch. »Ihr lieben Mädchen! Es geht hier nicht um den Spaß an einer Reitveranstaltung, sondern um eine Reise in die gefährlichste Diktatur der Welt! Euer Vater muss unter einer falschen Identität ins Deutsche Reich einreisen und sehr vorsichtig sein, damit die Nazis ihn nicht entdecken, deshalb darf er nicht mit euch gemeinsam fahren. Ihr solltet abwägen, ob ein Aufenthalt in Deutschland nicht generell zu gewagt ist, Mädchen!

Millionen Menschen fürchten sich vor dem, was während der Olympiade geschehen kann. Der Schriftsteller Heinrich Mann sagte erst vor wenigen Tagen in Paris:

> Ein Regime, das sich stützt auf Zwangsarbeit und Massenversklavung, das den Krieg vorbereitet und nur durch verlogene Propaganda existiert, wie soll ein solches Regime den friedlichen Sport respektieren? Die Sportler, die nach Berlin gehen, werden dort Gladiatoren, Gefangene und Spaßmacher eines Diktators sein, der sich bereits als Herr dieser Welt fühlt.

Der Mann hat Recht! Was würde wohl geschehen, wenn die Nazis durch einen blöden Zufall herausbekommen sollten, wer euer Vater in Wirklichkeit ist?«

Danke Ivo, dachte ich. Du bist wahrhaftig mein Freund.

Lorenz trank einen Schluck Rotwein und schaute mir ins Gesicht. »Andererseits gaben sie schon 1933 eine Garantieerklärung ab, die olympischen Regeln konsequent zu erfüllen, sie versprechen freien Zugang für alle Rassen und Konfessionen in die Olympiamannschaften sowie Duldung eines politisch unabhängigen Organisationskomitees. - Sag mal, Robert, haben Jasmin und du eigentlich in Frankreich geheiratet?«

»Ja, aber wieso ist das in diesem Zusammenhang wichtig?«, fragte ich irritiert.

»Da deine Frau Französin ist, gelten ihre Töchter nach französischem Recht ebenfalls als Französinnen. Weil die Ehefrau bei der Hochzeit nicht automatisch den Nachnamen ihres Ehemanns übernimmt, werden die beiden auf ganz legale Weise Pässe auf den Namen Jaurès erhalten, falls ihr euren Zweitwohnsitz in Nizza anmeldet. Im Anschluss daran müsst ihr euch nur noch über das nationale, olympische Komitee anmelden und könnt offiziell als Sportler für die Republik Frankreich an der Olympiade teilnehmen. So wird niemand darauf kommen, dass ihr in Wirklichkeit Clymer heißt und Amerikanerinnen seid. Selbst bei den Pferden dürfte nichts auffallen, denn die können nicht reden und bekommen englische Ausfuhrpapiere, wenn sie von London aus nach Deutschland verschifft werden.«

Einen Moment war es ruhig, dann jubelte Vivian: »Lorenz, du bist ein Genie!«

»Ein Obergenie!«, ergänzte Vanessa mit glänzenden Augen.

Ein richtig blöder Arsch!, dachte ich zornig. Ich hasse dich, Lorenz! Aber ich schwieg, denn ich kannte meine Töchter genau. Dieses Spiel hatte ich verloren - die Zwillinge würden sich in jedem Fall durchsetzen und in Jasmins Begleitung an der Olympiade teilnehmen.

Während wir aßen, kamen ständig neue Gäste. Plötzlich legte Ivo seine Hand auf meinen Arm und grinste. »Kennen wir die Dame nicht, Robert? Am dritten Tisch rechts vor dir!«

Ich drehte meinen Kopf unauffällig und guckte. An dem von Ivo bezeichneten Platz saß Mrs. Wallis Simpson, in deren Gesellschaft wir vor einigen Jahren an Bord der MS Europa das Kapitänsdinner eingenommen hatten.

»Wer ist ihr Begleiter? Er sieht sympathisch aus.«

»Das ist der englische Thronfolger Prinz Edward, der Prince of Wales«, sagte Ivo. »Sie ist schon längere Zeit seine Geliebte.«

»Und Ernest nimmt das einfach so hin? Sie betrügt ihn doch offenbar mit jedem, den sie zwischen die Schenkel kriegt. Denk nur an Ribbentrop!«

»Vermutlich steckt reines Kalkül dahinter«, antwortete Lorenz. »General Wood hat es mir erzählt. Ihr Mann duldet das Verhalten seiner Frau angeblich in der Hoffnung, von seinem zukünftigen König zum Baron erhoben zu werden, wenn er ihn dafür seine Gemahlin pimpern lässt. Der britische Geheimdienst betrachtet dieses Verhältnis des Thronfolgers allerdings mit großem Misstrauen, denn Prinz Edward setzt sich über alle Vorschriften der Etikette hinweg und führt hier in Südfrankreich ein völlig hemmungsloses Lotterleben mit ihr, während Ernest in London sitzt, auf seinen Titel wartet und sich derweil zu Schanden säuft.«

Irgendwie war mir das Essen nicht bekommen. Ich stand auf und ging auf die Toilette. Als ich die Räumlichkeiten wieder verlassen wollte, hörte ich leise Stimmen im angrenzenden Flur. Ich schaute vorsichtig um die Ecke und sah Mrs. Simpson im Gespräch mit einem Fremden. Sie zog einen gefalteten Zettel aus ihrer Handtasche und steckte ihn dem Mann in die obere Tasche seines Jacketts.

»... er tanzt schon ganz ordentlich nach meiner Pfeife!«

»Ja, ja ...«, lachte er. »Ein ständiges Geben und Nehmen, nicht wahr, Walli?«

Ich schaute genauer hin und erkannte Joachim von Ribbentrop, inzwischen Sonderbotschafter des Deutschen Reichs in London.

»Sehen wir uns heute Abend?«

Sie schüttelte ihren Kopf. »Geht nicht, Jo, er darf nicht misstrauisch werden! Ich muss ihn noch ein bisschen bearbeiten, bis er endgültig so weit ist.«

Er grinste dreckig. »Nicht, dass er sich auf dir das Gehirn herausrammelt, Süße! Er nützt uns gar nichts mehr, wenn sie ihm Helium in den Schädel blasen müssen, damit er den aufrechten Gang nicht verliert!«

Sie erhob sich auf ihre Zehenspitzen und gab Ribbentrop einen Kuss auf den Mund. »Bis morgen, mein Schöner! Du weißt ...?«

»Ich weiß ...«

Ich zog mich auf die Toilette zurück und wartete fünf Minuten, bis ich mich wieder auf die Terrasse des Fischrestaurants begab. Der englischen Thronfolger Prinz Edward und seine Geliebte waren bereits gegangen.

Ich zog mein Portmonee aus der Hosentasche, drückte meinen Töchtern einen Hundertfrancschein in die Hand und sagte: »Kauft euch in der Stadt etwas Hübsches zum Anziehen. Ihr habt zwei Stunden Zeit. Nehmt ein Taxi zum Flugplatz, um siebzehn Uhr fliegen wir weiter nach Genf.«

Vivian und Vanessa gingen und ich erzählte meinen Freunden, was ich auf der Toilette beobachtet hatte. Lorenz verabschiedete sich sofort, um General Wood per Funk darüber zu informieren, dass die Geliebte des englischen Thronfolgers in heimlichem Kontakt zu den Nazis stand. War die Frau eine Spionin für das Deutsche Reich?

Mitte des Monats flogen die Zwillinge endgültig nach England, um ihre Ausbildung zu beginnen. In diesen Tagen befiel mich oft eine tiefe Traurigkeit. Meine Familie war nun für immer zerfallen. Meine Töchter lebten in London, mein Sohn lag im Tiefschlaf und keiner wusste, ob er jemals wieder daraus erwachen würde, Alan Freeman war nach Südrhodesien ausgewandert und John Blackwolf wohnte in einem Indianerzelt am Spirit Lake in North Dakota. Selbst Jasmin war täglich unterwegs, um sich mit anderen Frauen zu treffen, die ihr Leben der Wohltätigkeit verschrieben hatten. Die übrige Zeit verbrachte sie in Leos Krankenzimmer. Ich fühlte mich alleingelassen und völlig nutzlos. Manchen Nachmittag ging ich mit Sisko auf den Friedhof zum Grab meiner Jugendliebe Maria. Nur an diesem Ort gelang es mir, meine Trauer für einen Moment zu vergessen.

An einem Morgen im August stand Professor Grimaldi plötzlich vor meiner Haustür. »Ich brauche deine Hilfe als Mutant, Robert! Kannst du mitkommen ins physikalische Institut? Ich muss dir etwas zeigen.«

Luigi führte mich in sein Büro im Fachbereich Physik und bat mich, Platz zu nehmen. »Ich komme ohne Umschweife zu den Fakten. Die Anzahl der schweren Naturkatastrophen auf der Welt ist in den letzten Jahren enorm gestiegen. Betrachten wir einmal nur die Erdbeben. Dreitausend Todesopfer im März 1933 in Japan, elftausend Mitte Januar 1934 in Nepal, dreitausenddreihundert vor vier Monaten auf Taiwan, wenig später fünfzigtausend in Britisch-Indien und dreitausendeinhundert vor einigen Wochen, ebenfalls auf Taiwan. Gestern ist zu allem Überfluss die Staumauer *Alla Sella Zerbino* in den ligurischen Apenninen gebrochen. Die Flutwelle hat die Städte Molare und Ovada zerstört, es gibt über einhundert Tote.«

Er schloss seine Augen. »Sechs Naturkatastrophen und mindestens siebzigtausend Todesopfer, wahrscheinlich noch viel mehr, denn die offiziellen Zahlen sind fraglich, und das alles in zweieinhalb Jahren! Kommt dir diese ungewöhnliche Häufung nicht merkwürdig vor, Robert?«

»Schon, aber was kann ich daran ändern?«

Er stand auf, ging zu einer technischen Apparatur in der Ecke seines Büros und schaltete sie ein. »Zu deiner Erklärung. Ich befasse mich sei den Zwanzigerjahren mit Messungen des Erdmagnetfelds. Wir haben festgestellt, dass sich seine Stärke und Ausrichtung Anfang 1933 sprunghaft verändert haben. Die Änderungen treten an der Kante des roten Energiefelds auf, das seit Ende 1932 permanent über Deutschland liegt. Dadurch wirken Kräfte auf die verschiedenen tektonischen Platten der Erdkruste, die sie instabil werden lassen. Das bedeutet, der Mutant der Nazis verursacht diese Katastrophen, vermutlich sogar ungewollt.«

»Aber wie kann ich euch helfen, daran etwas zu ändern? Bisher ist es mir nicht gelungen, Kontakt mit ihm aufnehmen. Ich habe es mehrmals versucht und bin jedes Mal fast dabei umgekommen!«

Luigi erzählte mir, wie eine Kontaktaufnahme seiner Meinung nach funktionieren konnte. Es hatte mit impulscodierter Nachrichtenübermittlung zu tun. Was in der Technik funktionierte, müsste mir auch gelingen. Ich versprach, drei Tage später wieder ins Institut zu kommen, bis dahin wollten die Wissenschaftler das Experiment vorbereiten.

Ich betrachtete die Landkarten von den sechs Katastrophengebieten, die vielen Fotografien von den Todesopfern und die auf eine Pappe geschriebene Nachricht:

**DEIN ENERGIEFELD IST
DAFÜR VERANTWORTLICH!
SCHALT ES AB ODER ÄNDERE
WENIGSTENS DIE FARBE!**

Nach zwei Stunden Konzentration verbanden sich endlich Karten, Fotos und Textnachricht zu einem Gesamtbild in meiner Wahrnehmung. Dieses Bild wollte ich in einem extrem kurzen Impuls an den unbekannten Mutanten übertragen - ein Informationsblitz, der zu Ende war, bevor er darauf reagieren und mich verletzen konnte.

»Auf diese Weise habe ich meine Fähigkeiten noch nie eingesetzt. Geh lieber raus und bring dich in Sicherheit, denn ich weiß nicht, was hier passieren wird«, sagte ich zu Luigi.

Dann schloss ich meine Augen und streckte meinen Geist bis nach Straßburg aus, wo ich die rote Energiekuppel über Deutschland gesehen hatte. Als ich sie ertastete, konzentrierte ich meine Energie in einen feinen Energiestrahl, schleuderte ihn mit der Nachricht gegen die Kuppel und zog mich sofort zurück.

In den Fluren des Universitätsgebäudes knallte es. Eine nach der anderen zersprangen Glühbirnen in den Deckenlampen, selbst jene, die ausgeschaltet waren. Mit lautem Pfeifen flog der Wasserhahn aus der Wand des Labors und blieb in der gegenüberliegenden Betonwand stecken. Dann platzten viele Fensterscheiben im Gebäude und ergossen sich als Strom von Glasscherben auf den Hof. Menschen schrien überall. Vermutlich hatten sich die meisten von ihnen an herumfliegenden Scherben verletzt.

Die Tür öffnete sich und Luigi stürzte herein. »Mein Gott Robert! Du zerstörst die Hochschule! So war deine Hilfe eigentlich nicht gedacht!«

Er rannte zu der Wasserleitung an der Wand, aus der das Wasser heraussprudelte, und steckte einen Flaschenkorken hinein.

»Ich muss den Hausmeister anrufen.«

Mit diesen Worten nahm er den Telefonhörer in die Hand, aber der zerfiel bei der Berührung zu Staub.

»Oh«, sagte Luigi überrascht. »Hier scheint noch viel mehr passiert zu sein, als ich dachte. Komm, mein Freund, geh lieber nachhause, bevor jemand auf die Idee kommt, dass du für diese Zerstörungen verantwortlich bist. Immerhin haben meine Leute dich gesehen.«

Er begleitete mich bis zum Ausgang und betrachtete die Schäden. »Oh, oh! Das wird teuer! Aber was ist schon Geld? Was du getan hast, kann tausenden Menschen das Leben retten, da bin ich mir ganz sicher.«

Am nächsten Morgen landete Vasilij in Genf mit der Handley-Page, die er vor Jahren für seine Atlantiküberquerungen hatte umrüsten lassen.

Zwei Stunden benötigten die Wissenschaftler der Hochschule, um ihre Messgeräte in das Flugzeug einzubauen.

Luigi kam erst kurz vor unserem Start mit einer großen, geografischen Karte unter dem Arm, auf der das Deutsche Reich und die angrenzenden Länder abgebildet waren, auf das Rollfeld gelaufen.

»Es hat funktioniert! Du hast es geschafft, Robert! Wir haben einen Anruf von Marcel Tibault aus Straßburg erhalten! Heute Nacht hat das Energiefeld über Deutschland seine Farbe zu Gelb gewechselt!«

Er lehnte sich gegen das Fahrwerk der Handley-Page.

»Wenn jetzt alles in Ordnung ist, dürftet ihr bei den Messungen kaum noch Unterschiede feststellen.«

Er rollte die große Karte auf und deutete auf das Flugzeug. »Wie weit kommt ihr mit einer Tankfüllung?«

Vasilij hatte die letzten Worte gehört. »Mit vollem Tank kämen wir einmal ganz um Deutschland herum, ohne zu landen, Professor Grimaldi. Ich habe sie aber nur zur Hälfte betanken lassen, weil sich die Maschine leichter fliegen lässt, wenn sie nicht so schwer ist. Wir müssen also in Kopenhagen einen Zwischenstopp einlegen. In spätestens zwei Tagen sind wir wieder zurück.«

»Gut«, sagte Luigi.

»Fliegt immer am Rand des Energiefelds entlang! Tragt alle zwanzig Kilometer seine Höhe über dem Boden und eure Position in die geografische Karte ein und dazu jeweils den Messwert von der Stärke des Erdmagnetfelds, die das Messgerät anzeigt.«

Ich schaute mit dem Fernglas voraus. Vor Waldshut entdeckte ich in der Ferne das seit gestern gelb schimmernde Feld.

Wir passierten Landeck, Wien, Breslau, Posen und Kolberg, bis wir die Ostseeküste erreichten. Die Positionsbestimmung über dem Wasser war ziemlich ungenau und wir waren beide froh, als wir endlich in Kopenhagen landeten.

Am nächsten Morgen ging es weiter. Wir flogen zunächst zurück Richtung Süden und näherten uns Kiel von der Ostsee her. An dieser Stelle wurde es gewagt, denn der Rand des Energiefelds verlief im Norden Deutschlands quer über Schleswig und Holstein hinweg, wir mussten also für etwa zwanzig Minuten und ungefähr sechzig Kilometer weit in deutschen Luftraum eindringen.

»Hoffentlich gibt es hier keinen Fliegerhorst«, sagte ich.

Natürlich gab es einen. In der Nähe von Rendsburg hing plötzlich ein Jagdflugzeug mit einem großen Hakenkreuz auf dem Leitwerk hinter uns. Der Pilot eröffnete sofort das Feuer.

»So ein Vollidiot!«, rief Vasilij. »Übernimm du für einen Moment die Maschine, ich muss ins Heck, bevor wir uns einen ernsthaften Treffer einfangen!«

Er sprang aus dem Pilotensitz, rannte in die leere Passagierkabine und hantierte an verschiedenen Hebeln herum. Ich hörte ein lautes Zischen und sah in den Seitenspiegeln, dass das deutsche

Flugzeug in einem gewaltigen Feuerball explodierte. Seine Trümmer fielen weit verstreut zu Boden.

... Piloten ist nichts verboten ...

Vasilij kam zurück und setzte sich. »Ich übernehme die Maschine wieder.«

»Was war das?«

»Nennt sich *cruising missile*. Die Technik ist noch nicht ganz ausgereift, hat aber funktioniert, den Kampfflieger sind wir los. Schau mal auf der Karte, über welchem Ort wir ihn abgeschossen haben.«

Ich suchte die entsprechende Detailkarte heraus. »Das war direkt hinter dem Kaiser-Wilhelm-Kanal. Hier liegen nur kleine Dörfer. Der Ort, wo die Trümmer gerade herunterfallen, heißt Tensbüttel, etwas westlich von Albersdorf. Hoffentlich kommen keine Menschen durch die brennenden Flugzeugteile zu schaden!«

Mein Freund grinste. »Da unten wohnt gewiss kein bedeutender Maler oder Schriftsteller, dem sie auf den Kopf fallen könnten. - Wo gelangen wir wieder über die Nordsee?«

»Zwischen Büsum und Meldorf.«

Wir erreichten unbehelligt die Deutsche Bucht, flogen vorbei an Utrecht, Liège und Metz, bis wir Waldshut vor uns hatten und Richtung Genf abbogen.

»Nach euren Eintragungen auf der Karte sind die Feldstärkenunterschiede verschwunden«, sagte Luigi am folgenden Morgen.

»Das Erdmagnetfeld wird demnach nicht mehr durch die gelbe Energiekuppel gestört. Damit dürfte es zu keinen weiteren Naturkatastrophen kommen, vorausgesetzt, der Mutant ändert die Farbe des Schirms nicht erneut. Wir haben heute Nacht alle übrigen Flugdaten ausgewertet und ein Ergebnis erhalten, das ich insgeheim erwartet hatte: Das Energiefeld ist rund, bildet also auf dem Boden einen Kreis, und reicht überall einhundert Meter senkrecht hinauf, egal ob man sich in den Bergen des Schwarzwalds oder in einer Stadt befindet.«

»Was bedeutet das?«, fragte ich.

Luigi lächelte. »Das ist eine lebensrettende Information für jeden, der sich in Deutschland aufhält. Wenn es dir gelingt, auf ein Gebäude zu gelangen, das mehr als einhundert Meter hoch ist, dann kann der Mutant deine Anwesenheit nicht wahrnehmen und du bist sicher vor dem Wirken seiner übersinnlichen Kräfte.«

»Das Licht einer Taschenlampe ist in der Mitte am hellsten, weil dort sein Ursprung ist«, sagte ich. »Müsste es nicht bei einem Energiefeld genauso sein? Ich meine, können wir nicht den Ort errechnen, an dem es gebildet wird, indem wir den Mittelpunkt des Kreises rekonstruieren?«

Luigi lächelte. »Das ist gut, Robert! Genau das haben wir getan! Das ausgemachte Gebiet liegt in Sachsen zwischen den Städten Kölleda im Nordwesten, Weimar im Südwesten und Dornberg im Südosten. Der exakte Kreismittelpunkt befindet sich bei den winzigen Flecken Burgholzhausen und Tromsdorf. Die gesamte Gegend ist extrem dünn besiedelt und schwer zu erreichen.«

»Bedeutet das, der Mutant kann sich dort nicht aufhalten?«

»Leider ja. Die Kräfte des Universums, die er anzapft, unterliegen anscheinend nicht den bekannten Gesetzen der Physik, deshalb ist die Idee mit der Bestimmung des Mittelpunkts zwar gut, aber bedauerlicherweise falsch. Er könnte in Hamburg sitzen, in München, in Berlin, in Stuttgart, vielleicht sogar in Oslo oder Tokyo. Wir wissen es einfach nicht.«

»Das sind ja ganz tolle Aussichten«, brummte Vasilij. »Wie sollen wir ihn unter diesen Voraussetzungen jemals finden können?«

Am achten August 1935 löste das deutsche Reichsinnenministerium alle Freimaurerlogen auf und zog deren Vermögen ein - staatlich organisierter Diebstahl als leichteste Methode der Geldbeschaffung. Zehn Tage später wurden Eheschließungen zwischen Ariern und Nichtariern verboten, und im September avancierte die Hakenkreuzfahne zur alleinigen Staatsflagge des Deutschen Reichs.

... Land der Übermenschen ...

Völlig folgerichtig verfügte das Ministerium des verrückten Dr. Goebbels im Oktober, dass Musik von Sklavenvölkern nicht mehr im Rundfunk gespielt werden durfte. Die offizielle, behördliche Bezeichnung für diese undeutschen Töne war *Nigger-Jazzmusik.*

Bis zum Jahresende hatten meine Töchter alle Voraussetzungen für die Teilnahme an der kommenden Sommerolympiade erfüllt. Sie waren dabei nach Lorenz Kleinmeirs Vorschlag vorgegangen und würden unter den Namen Vivian und Vanessa Jaurès als Sportlerinnen der Republik Frankreich nach Berlin fahren, und meine Frau wollte sie begleiten.

Ich durfte nicht mit ihnen zusammen reisen, denn als Robert Clymer wäre ich sofort an jedem Grenzübergang verhaftet worden. Ich brauchte also eine falsche Identität, was mit gefälschten Papieren zu lösen war.

Mein eigentliches Problem bestand in meinem Sohn Leo, der aufgrund seiner Körperbehinderung einzigartig aussah und überall auffallen musste. Außerdem befand er sich im Tiefschlaf. Wie ich ihn unauffällig nach Berlin bekommen sollte, wusste ich noch immer nicht.

Einen richtigen Plan besaß ich also nicht, bis ich im November zufällig auf den *Cirque Baldassare* stieß, einen in Südfrankreich und Norditalien berühmten und weit bekannten Zirkus mit Tiernummern und namhaften Artisten. Zirkusdirektor Eugen Bosch hatte sich frühzeitig um eine Erlaubnis zum Auftreten während der Olympiade gekümmert, weil er sich ein besonderes Geschäft erhoffte durch die vielen Menschen aus aller Welt.

Ich wurde mich schnell mit dem geschäftstüchtigen Direktor einig. Gegen ein anständiges Honorar war er bereit, meinen Sohn Leo und mich als Clowns einzustellen und mit nach Berlin zu nehmen.

Bis zum Jahresende war Jasmin ständig unterwegs zu irgendwelchen Komitees, ich bekam sie kaum zu Gesicht. In diesem Jahr freute ich mich nicht auf das Weihnachtsfest. Leo lag unverändert im selbst gewählten Winterschlaf und sah nach wie vor mehr tot als lebendig aus, und Vivian und Vanessa würden nicht nachhause kommen, weil sie über die Weihnachtstage arbeiten mussten. Ich weigerte mich, am Heiligen Abend in eine Kirche zu gehen, und blieb allein in unserer Genfer Villa zurück. Ich konnte nicht einmal meine Nachbarn Ivo und Wanda besuchen, denn die waren bis Ende Januar in die USA gefahren, um das Fest der Liebe mit ihrer Tochter Maria und ihrem Schwiegersohn Jerry zu verbringen.

Ich setzte mich unter den Weihnachtsbaum, den ich hässlich und abstoßend fand, und betrank mich. Dann schaltete ich das Radio ein.

»... Irgendwo auf der Welt fängt mein Weg zum Himmel an; irgendwo, irgendwie, irgendwann«, sang die schöne Lilian Harvey. *»Wenn ich wüßt', wo das ist, ging' ich in die Welt hinein, denn ich möcht' einmal recht, so von Herzen glücklich sein ...«*

Jasmin kam erst spät vom Gottesdienst zurück. Sie sah die fast leere Flasche Jack Daniels auf dem Wohnzimmertisch stehen, runzelte ihre Stirn, sagte aber nichts dazu. Sie setzte sich zehn Minuten zu mir, wünschte mir distanziert ein frohes Fest und erhob sich dann mit der Bemerkung, sie hätte Kopfschmerzen und müsste ins Bett gehen. Ich trank weiter und schlief irgendwann auf dem Sofa ein. Während ich langsam wegdämmerte, spielte im Radio das schönste Weihnachtslied der Christenheit.

... stille Nacht, heilige Nacht ...

Am zwanzigsten Januar 1936 flog ich nach Nizza. Ein eisiger Wind wehte, als ich die Gautier-Villa erreichte. Lorenz war nicht anwesend, aber Ivo saß an seinem Schreibtisch und arbeitete Berge von Statistiken durch. Ich ließ mir einen Kaffee bringen und setzte mich zu ihm. Er kniff sein linkes Auge zu und legte seinen Stift beiseite. »Du gefällst mir gar nicht, mein Freund. Was ist los mit dir?«

»Es hat mit Jasmin und mir zu tun, ich möchte im Augenblick nicht darüber reden, Ivo. - Was gibt es Neues bei euch?«

»Forschungsarbeit mit Einsatz von Gehirnschmalz. Die Umverteilung des gesellschaftlichen Vermögens im Deutschen Reich schreitet hemmungslos voran.«

Ivo zog sein altes, silbernes Zigarettenetui aus der Brusttasche seines Jacketts, zündete sich eine Zigarette an und blies große Rauchkringel aus.

»Von den fast vierhunderttausend Juden in Deutschland sind etwa zehn Prozent in den vergangenen Jahren ausgewandert und mussten ihren Besitz entschädigungslos zurücklassen. Seit den Reichsrassegesetzen vom letzten September werden nun auch die zurückgebliebenen jüdischen Unternehmer mit staatlicher Hilfe systematisch ausgeraubt. Viele haben ihre Firmen inzwischen weit unter Wert an Arier verkauft oder ...«

Ivo hörte mitten im Satz auf zu sprechen, weil General Wood, der Chef des britischen Geheimdiensts, hereingeplatzt kam und sofort laut zu reden begann. »Ich erhielt vor wenigen Minuten die Nachricht, dass Georg der Fünfte gestorben ist! Jetzt wird der Prince of Wales König von Großbritannien und macht eine amerikanische Herumtreiberin zur Königin von England!«

Tatsächlich folgte der Prinz seinem Vater auf den Thron des Vereinigten Königreichs. Während der Sommer Einzug hielt, begab sich Edward der Achte mit seiner Geliebten Mrs. Simpson auf eine lange Kreuzfahrt im Mittelmeer und ließ sein Volk allein auf der britischen Insel zurück, statt diese Zeit traditionsgemäß auf Schloss Balmoral zu verbringen.

Sommerolympiade

Mitte Juli brach Jasmin auf, um Vivian und Vanessa in London abzuholen. Sie wollten von dort aus nach Hamburg fahren, wo die Hengste Blizzard und Thunder Storm auf die Bahn Richtung Berlin verladen werden sollten. Unser Abschied war kühl und distanziert.

Ich hatte noch vier Tage Zeit und war mir unsicher, ob ich Leo in seinem winterschlafähnlichen Zustand wirklich mitnehmen konnte. Einen Tag vor meiner Abreise nach Lyon rief Lorenz Kleinmeir an.

»Vor zwei Stunden meldeten sich der Däne, der Holländer und der Pole kurz nacheinander bei uns. Der gelbe Energieschild über dem Deutschen Reich hat sich aufgelöst!«

In diesem Moment knarrte die Wohnzimmertür. Ich drehte mich überrascht herum, denn außer mir hielt sich niemand in der Villa auf. Mein Sohn stand im Türrahmen und stöhnte: »Mein Gott, hab ich Kopfschmerzen! Haben wir Aspirin im Haus, Dad?«

Er sprach freundlich mit mir und seine alte Aggressivität war verschwunden. Am Morgen darauf fuhren wir nach Lyon. Ich kleidete mich wie ein braver Kleinbürger und war mir sicher, aufgrund meiner hellblond gefärbten Haare und des Kinnbarts, den ich mir hatte wachsen lassen, von keinem Menschen erkannt zu werden. In meinem gefälschten Pass hieß ich Henri Simeon. Er war nicht als falscher zu erkennen, denn Major Rosen vom französischen Geheimdienst war so nett gewesen, mir bei der Beschaffung unserer Reisepapiere behilflich zu sein.

Am Freitag, dem vierundzwanzigsten Juli 1936, trafen wir mit dem Cirque Baldassare in Berlin ein. Die Olympiade sollte am ersten August beginnen, aber wir waren eine Woche früher angereist, weil die Monteure drei Tage brauchten, um das riesige Manegenzelt auf den Lietzower Wiesen nahe der Trabrennbahn Ruhleben aufzubauen.

Dieser Stellplatz, den die Stadtverwaltung Direktor Bosch zugewiesen hatte, war hervorragend gewählt. Von hier aus war das Olympiastadion innerhalb weniger Minuten zu Fuß zu erreichen und die U-Bahn-Station Reichssportfeld lag quasi vor der Tür.

Die Artisten des Cirque Baldassare begannen sofort nach der Ankunft mit dem Aufstellen von großen, bunten Zirkusplakaten in der ganzen Stadt. Einige, die etwas deutsch konnten, berichteten abends, dass ihnen überall in Berlin eigenartige Aushänge an den Bäumen aufgefallen waren. Es handelte sich ausnahmslos um Vermisstenanzeigen, auf denen besorgte Eltern ihre verschollenen Töchter suchten. Am folgenden Tag achtete ich darauf und fand allein an einem einzigen Baum neben dem Zirkus vier Zettel mit dem Text, von dem die Artisten geredet hatten.

Unsere Lisa ist seit dem 2. April 1935 verschwunden.
Sie trägt BDM-Bluse und Rock, ist 1,60 groß und 16 Jahre.
Bitte melde dich!
Kontaktadresse: Erwin und Elvira Meier, Berlin ...

»Täglich verschwinden Menschen«, sagte Direktor Bosch. »Solche Zettel gibt es überall auf der Welt, das ist auch bei uns zuhause nicht anders.«

Am Dienstagabend machte ich zusammen mit einigen Artisten einen längeren Spaziergang Richtung Spandau. Die Berliner wollten sich ihren ausländischen Gästen anscheinend von ihrer besten Seite zeigen, denn von den Giebeln der Häuser waren Bänder mit bunten Wimpeln abgespannt, Grünflächen wurden gemäht, graue Hauswände gekalkt, Blumenbeete in Ordnung gebracht und neben jeder Eingangstür hing eine kleine, rote Hakenkreuzfahne.

... Land der Saubermänner:
gerecht, sozial und allen geht es gut ...

Das laute Brummen von Lastwagenmotoren erschreckte mich. Ich blieb stehen und drehte mich langsam um. SA-Männer sprangen von den Ladeflächen der LKWs, mit Schraubenziehern und anderem Werkzeug bewaffnet. Sie stürmten auf die vielen Holzschilder los, die überall angebracht waren, montierten sie ab, schrieben mit Kreide die Anschrift auf die Rückseite, um sie nach der Olympiade wieder am richtigen Ort anbringen zu können, und verluden die Schilder mit Sinnsprüchen aus nationalsozialistischen Hetzkampagnen auf ihre Lastwagen. Einige Inschriften konnte ich lesen.

Kauft nicht bei Juhden!

Die Juden sint unser Unglük!

Deuschland entlich judenfrei –

ale vergahsen!

»Sie bauen diese Schilder ab, damit wir nicht merken, was in diesem Land geschieht«, sagte Direktor Bosch, der mit uns gegangen war. »Als ob wir dumm wären! Achtet nicht darauf, guckt weg und haltet euch zurück. Wir sind nur zum Geldverdienen hier, alles andere geht uns nichts an.«

Leo und ich teilten uns den Wohnwagen mit dem Luftakrobaten Guy Rivage. Wir hatten genügend Platz, denn die Frau des Artisten war in Lyon zurückgeblieben. Der Mann war freundlich, aber auch sehr verschlossen. Einigen kurzen Gesprächen entnahm ich, dass bei ihm der Haussegen seit längerer Zeit ziemlich schief hing.

Leo und ich waren als dumme Auguste eingestellt. Zu den Vorstellungen wurden wir in Clownskostüme gesteckt, geschminkt und anschließend von den anderen Clowns herumgeschubst und verhauen. An dieser plumpen Form der Unterhaltung konnte sich besonders das deutsche Publikum ergötzen, hatte Direktor Bosch erzählt.

... Volk der Rumschubser und Schadenfrohen ...

Leo und ich verbrachten jede freie Minute am Rand der Manege, um unseren Kollegen beim Üben zuzuschauen. Die Hauptattraktion des Zirkus war Guy Rivage mit seiner Truppe am fliegenden Trapez. Es war faszinierend, die elegant durch die Luft schwebenden Menschen zu beobachten. Sie übten mit einem Fangnetz, das für die Vorführungen vor Publikum abgehängt und entfernt wurde, erzählte uns der große Jongleur Arnoldi, der mit bürgerlichem Namen Arnold Berger hieß und aus Wien stammte. Dadurch gruselten sich die Zuschauer mehr, da sie ständig die Todesgefahr vor Augen hatten. Manche Voyeure gingen überhaupt nur in den Zirkus, weil sie hofften, einmal miterleben zu dürfen, wie sich ein Artist zu Tode stürzte.

»Guy Rivage hat extra für die Olympiade eine neue Nummer einstudiert«, sagte Arnoldi und setzte sich neben Leo und mich auf den Manegenrand. »Der Direktor hat dafür sogar den Dom des Zeltes erhöhen lassen! Guy hat versprochen, heute Abend vor uns allen die Generalprobe zu geben, also bleibt sitzen, die anderen kommen auch gleich.«

Fünf Minuten später erschien Bosch, stellte sich in die Manege und rief gedehnt auf Deutsch mit starkem französischen Akzent:

»Uhnd jetz, meine Dammen und Herren – jetz ssie werden erleben die einssigartige Giga-Chiropterüs - die Fledermausmann!«

Es klang wie *Fleddermousmahn*.

»Isch bitte Ihnen, ganz ruhig ssu sein und ssitzen ssu bleiben – damit Giga-Chiropterüs sisch während der Vorschtellung nisch verletz'.«

Er machte eine Kunstpause und fuhr dann fort: »Uhn jetzz mainä Heerschaaftönn ... Mannege frei!«

Mit lautem Klacken blendete einer der großen Scheinwerfer auf und leuchtete in den vierzig Meter hohen Dom des Manegenzelts. Dort oben stand Guy Rivage ungesichert und freihändig auf einer waagerecht angebrachten Metallstange. Er trug einen dunklen Smoking mit weißem Stehkragenhemd und silberner Fliege und darüber einen bodenlangen, schwarz glänzenden Umhang.

Dröhnender Trommelwirbel erklang, Guy kippte plötzlich nach vorne, stieß sich kräftig mit den Beinen ab und breitete seine Arme aus. Die Löwendompteurin Marina schrie laut auf, während der Luftakrobat wie ein Flughörnchen in einer großen Spirale durch das Manegenzelt segelte, immer dicht an der Zeltplane entlang.

»Unglaublich«, flüsterte Leo. »Siehst du das, Dad? Er benutzt seinen Umhang als Flügel! Rein physikalisch liegt das an der Grenze des Machbaren!«

Nach einigen Runden steuerte Guy in die Manege. Einen Meter über dem Boden richtete er sich in der Luft auf, bremste so den Flug ab und stand auf seinen Füßen. Ich sah, dass die Absätze seiner Schuhe in stabilen Laschen steckten, die an der Unterseite des Umhangs angebracht waren. Entsprechende Schlaufen für die Hände befanden sich an den Seiten. Wir stürzten alle auf ihn zu und beglückwünschten ihn zu der gelungenen Nummer, die die große Zirkusattraktion der Sommerolympiade in Berlin werden sollte:

... Giga-Chiropterus, der Fledermausmann ...

Am Tag, bevor die Spiele der elften Olympiade begannen, saß ich abends in unserem Zirkuswagen. Guy Rivage kam herein, warf sich in einen Sessel und schimpfte leise vor sich hin. »Verdammte

Weiber! Ich vertelefoniere das ganze Geld, das ich hier verdiene, und was macht das elende Miststück? Ständig ist sie nicht erreichbar! Wenn sie sich von meinem Vetter Guillaume vögeln lässt, bring' ich sie um!«

Er starrte einen Moment vor sich hin, dann wurde sein Gesicht freundlicher. »Hast du Lust, morgen mit mir zu der Eröffnungsfeier zu gehen, Henri? Deinen Kumpel habe ich schon gefragt, aber er will lieber hierbleiben.«

Leo nickte zustimmend. Ich verstand ohne Worte, warum er bei Sisko im Zirkuswagen bleiben wollte. Er fürchtete, von den blonden Herrenmenschen dieses Landes wegen seiner Behinderung verspottet oder gar misshandelt zu werden.

Wir standen in einer langen Schlange vor dem Marathontor des Olympiastadions, welches einhunderttausend Zuschauern Platz bot. Heute war der erste August, in einer Stunde sollte die Eröffnungszeremonie beginnen. Von überall her strömten Menschenmassen auf das Stadion zu. Guy und ich gerieten in den Sog der Massen. Nach kurzer Zeit konnten wir uns kaum noch bewegen und wurden immer weiter in Richtung des Eingangs geschoben.

»Alle wollen Hitler von Nahem sehen!«, schrie Guy auf Französisch in mein Ohr. »Er soll hier vorbeikommen, mitten durch die Menge!«

»Wir müssen aufpassen, dass wir nicht stürzen, sonst werden wir zertreten!«, brüllte ich zurück. Die uns umgebenden Leute waren wie von Sinnen. Als sich mehrere offene Mercedeslimousinen dem Stadion näherten, kam es zu tumultartigen Zuständen.

»Führer! Führer!«, dröhnten laute Rufe über die Köpfe der Menschen hinweg, während etliche Frauen ekstatisch zu kreischen begannen. Ich erhielt einen heftigen Stoß in den Rücken, und ehe ich mich versah, wurde ich von den nachrückenden Menschenmassen in die Richtung gedrückt, in der Kordons von SS-Männern in ihren unheimlich wirkenden Uniformen mit ihrem vollen Körpereinsatz einen Gang durch die Menge frei hielten, damit die Naziführer und ihre Gäste ungehindert das Stadion betreten konnten.

Als der Druck nachließ, fanden wir uns inmitten einer Gruppe Mädchen wieder, die dem *Bund deutscher Mädel* angehörten, dem weiblichen Zweig der Hitlerjugend. In ihren hellen Blusen mit den schwarzen Halstüchern mit Lederknoten, den dunkelblauen Röcken und den weißen Söckchen sahen sie ganz niedlich aus. Bis auf eine Rothaarige waren alle blond und mochten das Alter meiner Töchter haben. Ich drehte mich um und sah, dass ich dicht hinter SS-Leuten stand.

»Wir müssen hier warten, bis die Begeisterung sich gelegt hat«, rief Guy mir auf Französisch zu. »Vorher kommen wir nicht hinein!«

Ich nickte.

»Und, haste dir schon eine ausjesucht?«, sagte der SS-Mann links von mir.

Der rechts vor mir Stehende deutete mit seinem Kinn zu dem Rotschopf. »Der Fuchs da ist meiner! Die hol' ich mir für heute Nacht! Ich werd' sie stechen, bis ihr die Ohren abfallen! Wenn sie schwanger wird, egal! Der Führer hat gesagt, *mit jedem Kinde, das die deutsche Frau zur Welt bringt, kämpft sie ihren Kampf für die Nation!* Hitler ist großartig! Der ist so gut, der ist Wahnsinn!«

Er schmatzte laut und grinste.

»Das Ficken ist des Ariers Pflicht,
damit das Reich Soldaten kriegt!«

Er lachte grob.

»Mensch Walther«, antwortete der links von mir Stehende. »Drück dich mal anders aus! Wir sind immerhin die Elite Deutschlands! Was sollen denn unsere ausländischen Gäste von uns denken?«

»Diese Scheiß Franzmänner hier?«, sagte der SS-Mann verächtlich und spuckte mir vor die Füße. Er schaute Guy und mich überheblich an. »Die Idioten können sowieso kein Deutsch! Und wenn doch, piss ich ihnen auf den Kopf, falls sie aufmucken! Ha, ha, ha!«

Du krankes Schwein, dachte ich und grinste ihn an, als hätte ich seine Worte nicht verstanden. Ein lautes Raunen ging durch die Menge. Mehrere Personen kamen würdevoll den Gang entlang geschritten, direkt auf uns zu. Sie waren noch zwanzig Meter von uns entfernt und näherten sich schnell, allen voran der Führer Adolf Hitler in seiner kackbraunen Uniform mit Reitstiefeln und Schirmmütze.

Hinter ihm folgten Theodor Lewald vom *deutschen Organisationskomitee der Olympischen Spiele,* der Präsident des *Internationalen Olympischen Komitees*, Henri de Baillet-Latour, und - mit etwas Abstand - Sonderbotschafter Joachim von Ribbentrop, Reichsführer SS Heinrich Himmler und Reichspropagandaminister Dr. Goebbels.

Die BDM-Mädchen waren in heller Aufregung. Eine Dünne mit hochrotem Kopf verdrehte auf einmal ihre Augen und wurde ohnmächtig. Keine ihrer Kameradinnen hielt sie fest, weil alle den Anblick ihres geliebten Führers nicht versäumen wollten. Sie kippte einfach um und fiel zu Boden, wo sie liegen blieb, von den anderen völlig unbeachtet.

Noch zehn Meter. Ich bekam von hinten einen Stoß und stand unvermittelt zwischen den beiden SS-Männern, direkt am Rand der Gasse, an der Hitler und sein Gefolge jeden Moment vorbeikommen mussten. Ich versuchte, wieder zurück in die Menge zu gelangen, aber es ging nicht, denn die Mädchen waren nachgerückt.

»Ist er nicht süß? Ich liebe ihn!«, schrie eine und raufte sich die Haare. Große Büschel ihres langen, blonden Schopfes riss sie sich vom Kopf. Sie schien in ihrer Ekstase jegliches Schmerzgefühl verloren zu haben.

»Führer! Führer! Ich will ein Kind von dir!«, brüllte die kräftig gebaute BDM-Führerin. Sie war einige Jahre älter als die übrigen. »Führer! Mach mir ein Kind! Ich liebe dich doch so sehr!«, schluchzte sie und hüpfte auf und ab wie eine Irre. Dabei stützte sie sich mit ihrer rechten Hand auf meine linke Schulter, um nicht umzufallen. Ihre Augen quollen hervor und Rotz tropfte von ihrem Kinn herunter auf den Boden.

»Lass sie«, sagte Guy grinsend. »Die Dicke hat einen üblen Dachschaden! Schau mal runter, das glaubst du nicht!«

Fünf Meter zwischen Hitler und mir.

»Führer! Ich will deine Geliebte sein!«, schrie ein anderes Mädchen mit weißem Schaum vor dem Mund, während ich meinen Blick kurz nach unten senkte. Der BDM-Führerin, die unverändert auf und ab hüpfte, war der Schlüpfergummi gerissen, das Kleidungsstück war heruntergerutscht und hing nun auf ihren Knöcheln. Ihr war das scheinbar noch gar nicht aufgefallen.

Würdevoll schritt der deutsche Reichkanzler und Reichspräsident in einer Person die Gasse entlang, die seine Prätorianergarde für ihn frei hielt. Er hatte eine rote Nase, gläserne Augen und war erkältet.

»Führer, ich liebe dich!«

Passend zu diesem Moment streifte die BDM-Führerin ihr überflüssig gewordenes Kleidungsstück mit den Füßen ab und ließ es achtlos auf dem Boden liegen.

Hitler blieb direkt vor mir stehen, weniger als einen Meter von mir entfernt, und starrte durch mich hindurch.

Er kann dich nicht erkennen, das ist nicht möglich!, dachte ich entsetzt. Unsere Begegnung ist schon über zwanzig Jahre her! Plötzlich schlug sich der Führer mit der linken Hand reflexartig unter die Nase, während er von einem explosionsartigen Niesanfall geschüttelt wurde.

Er beugte sich vor, um ein zweites Mal zu niesen, aber stattdessen platzte gurgelnd ein Schwall Erbrochenes aus ihm heraus, prallte von seiner Handfläche ab, spritzte gegen mein Hosenbein und lief daran herunter. Es war eine ganze Menge, was da an meiner Hose heruntertropfte. Das meiste sah aus wie der Morgenkaffee des Diktators, vermischt mit weißen Brötchenbrocken.

»Oh nein, wie schrecklich!«, dachte ich angewidert, konnte allerdings keinen Schritt zurücktreten, weil mir die Ariermädchen des BDM den Weg versperrten.

Hitler richtete sich auf, sah mit glasigen Augen durch mich hindurch und sagte mit fester Stimme: »Heil!«

Dann ging er weiter den Gang zwischen seinen SS-Männern entlang.

»Igitt, ist das eklig! Ich kotz gleich obendrauf!«, stöhnte Guy Rivage auf Französisch. Ich sah an mir herunter. Mein ganzes linkes Hosenbein war nass von dem schleimigen Erbrochenen aus dem Mund des Führers.

»Nehmen Sie!«, brummte jemand vor mir. Ich schaute auf. Ribbentrop hielt mir einen Zehnmarkschein hin.

»Excusez-moi?«, fragte ich.

Wie bitte?

»Ici vous avez dix Reichs-Mark! Achetez-vous une nouvelle paire de pantalon!«

Hier haben Sie zehn Reichsmark! Kaufen Sie sich davon eine neue Hose!

Ich nahm den Geldschein, und er eilte den anderen hinterher. Gott sei Dank hatte auch er mich nicht erkannt, obwohl unsere letzte Begegnung erst vier Jahre zurücklag.

Die dünne Blonde mit dem roten Kopf, die vorhin in Ohnmacht gefallen war, kam wieder zu sich. Sie konnte nur mir Mühe atmen, weil sie so sehr schluchzen musste.

»Füüüührreeeer!«, kreischte sie hinter Hitler her, von dem nur noch der Rücken zu sehen war, während heiße Tränen über ihre Wangen strömten. Ihr Gesicht lief erneut rot an. Plötzlich verstummte sie, sah an mir herab, griff mit beiden Händen nach meinem linken Oberarm und schrie mir ins Ohr: »Booaaah! Der Führer hat dir auf das Hosenbein gerotzt! Verkaufst du sie mir? Ich gebe dir hundert Mark dafür!«

»Nein! Die Hose gehört mir!«, brüllte die üppige, blonde BDM-Führerin und sprang mit rudernden Armen auf mich zu. Von den heftigen Bewegungen sprengten ihre großen, ballonartigen Brüste die Knöpfe ihrer weißen, viel zu engen Bluse ab. Alles hing nun völlig frei heraus, was die Dicke in keiner Weise zu stören schien.

Sie griff nach meiner Hand und drückte sie, bevor ich mich wehren konnte, auf ihren nackten, rechten Busen. »Du darfst es mit mir treiben, bis du schwarz bist, aber die Hose gibst du mir!«

Das ließ sich die andere nicht widerspruchslos gefallen. Mit einem Ruck zog sie ihren Rock bis zur Hüfte hoch.

»Schau doch! Ich habe tausendmal schönere Beine als die Fette, und ich kann dir einen blasen, dass dir hören und sehen vergeht!«

Ach du Scheiße!, dachte ich. In was bist du jetzt wieder hineingeraten, Robert Clymer?

»Verdammte Stinkfotze! Ich mach' dich kaputt!«, schrie die dralle BDM-Führerin, stürzte sich auf die Dünne, packte sie an den Oberarmen und drückte ihre langen, spitzen Fingernägel tief in das Fleisch ihrer Feindin.

Beide jungen Frauen stolperten. Während sie fielen, trat eine, die zur Seite gehen wollte, versehentlich auf den Rock der Dicken. Dieser zerriss mit einem lauten Geräusch und blieb auf dem Boden liegen.

Völlig nackt, bis auf die kurze, aufgeplatzte Bluse, saß die mehr als üppige Blondine jetzt auf ihrer Gegnerin, schlug mit den flachen Händen auf sie ein und stieß wüste Beschimpfungen aus. Ich fühlte ein Zerren an meinem linken Hosenbein und zuckte zurück.

»Ich will auch was davon!« jammerte ein vor mir kniendes BDM-Mädchen, wischte mit ihrem Handrücken das Erbrochene von meiner Hose und schmierte es in ihren Rock. »Alles, was aus dem Mund des Führers kommt, ist besser als Gold!«

»Wir müssen hier weg«, schrie Guy. »Die sind alle wahnsinnig geworden!«

Die übrigen jungen Frauen hatten sich derweil um die am Boden liegenden Streithühner geschart und riefen »Elfi, Elfi!« und »Rosi, los, gib's ihr!«, um die Kämpfenden anzufeuern. Inzwischen war selbst die Bluse fort. Die dralle BDM-Führerin mit den Riesenbrüsten saß nun splitternackt auf der anderen und boxte ihrer Feindin mit den Fäusten in den mageren Unterleib.

»Komm endlich, Henri!«, rief Guy auf Französisch und zog mich mit sich. »Da hinten ist schon die Polizei!«

Kurz nur berührte ich beim Gehen den Arm des SS-Mannes, der Wolfgang hieß, und empfing ungewollt seine Gedanken. Er konnte seine Augen nicht mehr von der nackten BDM-Führerin wenden, die wie eine Reiterin auf ihrer Konkurrentin saß und wie wild um sich schlug.

»Ist die Rosi ein scharfes Weib! Die muss die meine werden! Ein Rasseweib zum Heldenzeugen!«

Während ein breiter Speichelfaden langsam an seinem Kinn herunterlief und auf den Boden tropfte, strömte der mächtigste Samenerguss, den er je erlebt hatte, durch seine hübsche, schwarze SS-Uniform.

Heute ficken wir Deutschland und morgen die ganze Welt.

»Ich erkläre die Spiele von Berlin zur Feier der elften Olympiade neuer Zeitrechnung für eröffnet!«, rief der Führer mit weihevoll-knarrender Stimme in das Mikrofon. Frenetischer Beifall und donnernde Heil-Hitler-Rufe aus allen Ecken ließen das Olympiastadion in seinen Grundfesten erbeben.

Die einhunderttausend Zuschauer standen und klatschten, während die Athleten in das Stadion einzogen. Die meisten der Sportler entblödeten sich nicht, bei ihrem Vorbeizug an der Führertribüne ihren rechten Arm zum Hitlergruß zu erheben. Leider war diese Geste gleichzeitig auch der olympische Gruß, aber bei dieser bekannten Doppelbedeutung hätten die nationalen Komitees der Teilnehmerländer sich rechtzeitig etwas anderes überlegen können. Drei Jahre Zeit war dafür gewesen.

Für mehrere Sekunden konnte ich Vivian und Vanessa in der Gruppe der französischen Teilnehmer erkennen. Ich wusste, dass sie und Jasmin, wie alle weiblichen Olympiateilnehmerinnen, im deutschen Sportforum in der Hardenbergstraße in Charlottenburg wohnten, wo das Organisationskomitee der Olympischen Spiele saß. Leider würde ich sie dort nicht besuchen dürfen, weil es zu gefährlich war.

Guy und ich blieben bis zum Ende der Eröffnungsfeierlichkeiten im Stadion. Ich hatte ein starkes Fernglas mitgenommen, um meine Töchter besser sehen zu können. Unter den Zuschauern fielen mir einige eigenartig gekleidete Männer auf. Sie trugen schwarze Uniformen und Schirmmützen im Schnitt der SS, nur die Embleme auf Kragenspiegeln und Mützen bestanden aus einem goldenen Zeichen ähnlich dem griechischen Omega und den Buchstaben PG darunter.

Ich entdeckte insgesamt fünf von ihnen. Alle führten schwere Fotoapparate mit riesigen Teleobjektiven bei sich, aber sie fotografierten nicht etwas die Sportler, sondern richteten ihre Objektive auf verschiedene Gruppen von BDM-Mädchen, die sich zu tausenden im Olympiastadion aufhielten. Es wirkte auf mich, als würden sie eine Auslese unter den jungen Frauen treffen.

... was für ein Unsinn ...

Ich schaute mit dem Fernglas zur Tribüne hinüber, auf der die Prominenz des Dritten Reiches Platz genommen hatte. Mehrmals gab der verrückte Dr. Goebbels den Fotografen in den Omega-Uniformen unauffällige Handzeichen. Ich fixierte ihn und erschrak bis ins Mark. Aus seinen Augen traten helle, gelbe Blitze aus, die sich zwanzig Zentimeter von seinem Schädel entfernten, dann einen Bogen machten, als würden sie von einem unsichtbaren Kraftfeld abgelenkt, und in seine Stirn zurückschlugen.

Der deutsche Reichspropagandaminister war ein Mutant, allerdings nur ein passiver, der seine Kräfte offensichtlich nicht steuern konnte. Es sah so aus, als trage er eine Dornenkrone aus Energie, deren spitze Zacken sich in seine Kopfhaut hineinbohrten.

Plötzlich schaute er in meine Richtung. Für den Bruchteil einer Sekunde hatte ich das Gefühl, er stehe mir direkt gegenüber und starre mich an. Erschrocken ließ ich mein Fernglas sinken. Er dürfte nicht in der Lage sein, mich als Mutanten zu erkennen, weil ich meine Kräfte unterdrückte.

Viele Gedanken schwirrten mir durch meinen Kopf. Stand der andere Mutant, der seit Jahren ein Energienetz über Deutschland aufrechterhielt, womöglich in Goebbels Diensten? Was war mit den Männern in den Omega-Uniformen, die heimlich junge Frauen fotografierten?

War ich zufällig einem Geheimnis auf die Spur gekommen, von dem Hitler und die übrigen Naziführer nichts wussten? Kochte der verrückte Doktor hinter dem Rücken seiner Spießgesellen sein eigenes Süppchen?

Am späten Nachmittag gingen Guy und ich zurück zum Zirkuszelt. Heute Abend sollte die öffentliche Premiere seiner Vorführung als Fledermausmann stattfinden.

Guy Rivages Vorstellung war einmalig auf der Welt. Das hatte sich in Windeseile in Berlin herumgesprochen, und vom dritten August an reichten die Sitzplätze im riesigen Zelt des Cirque Baldassare nicht mehr für das Publikum aus. Direktor Bosch verkaufte kurzerhand Karten für Stehplätze, die nur die Hälfte der Sitzplatzkarten kosteten.

Leo und ich waren recht erfolgreich. Wir ließen uns von den anderen Clowns ordentlich herumschubsen und verhauen und ernteten bei jedem Schlag brüllendes Gelächter. Leider mussten wir auch hören, welche Kommentare manche Zuschauer abgaben.

»Siehst du den blöden Kretin ohne Arme?«, brüllte ein dicker Mann im Anzug und schlug sich vor Lachen auf die Schenkel. »Solche undeutschen Missgeburten gibt es in Deutschland nicht mehr, die werden bei uns ersäuft!«

Nach diesem Satz griff er sich mit beiden Händen an den Hals, lief blau an und fiel um. Ein Arzt, der sich im Publikum befand, stellte spontanen Tod durch Herzversagen fest.

»Hast du etwas mit seinem plötzlichen Ableben zu tun?«, fragte ich meinen Sohn, als wir beim Abschminken saßen.

»Wieso fragst du?«, erwiderte Leo seelenruhig. »Ich habe das Herz von diesem kranken Fettsack angehalten. Ist dir das etwa nicht recht?«

Je näher der zehnte August kam, desto nervöser wurde ich. Endlich war der Tag gekommen, an dem sich das Tor des Windes auftun sollte. Leo und ich frühstückten und machten uns auf den Weg zur Kaiser-Wilhelm-Gedächtnis-Kirche.

Sisko, der die ganzen Tage in Guys Zirkuswagen verbracht und die meiste Zeit geschlafen hatte, begleitete uns. Auf leisen Pfoten trottete der inzwischen zweiundzwanzigjährige Rüde neben uns her. *»Waheela, der Gott der Wölfe. Nimm ihn mit, wohin auch immer du gehen magst«*, waren die Worte von John Blackwolfs Großvater gewesen.

Laute Radiomusik klang aus einem Fenster der Wohnhäuser. *»Auf der Reeperbahn nachts um halb eins, ob du'n Mädel hast oder ob kein's ...«*, sang der blonde Hans Albers.

... arischer Bänkelsänger ...

Als wir am U-Bahnhof Reichssportfeld in die Bahn stiegen, warf mir Sisko einen langen, ernsten Blick zu aus seinen schönen, blauen Augen. Wusste der Rüde mehr als ich? War es ein Fehler gewesen, während der Olympiade nach Berlin zu fahren?

Wir fuhren mit der Linie AI bis zum Umsteigebahnhof Wittenbergplatz und gingen das letzte Stück des Wegs zu Fuß. Nach kurzer Zeit erreichten wir den Kurfürstendamm. In seinem Verlauf lag der Auguste-Viktoria-Platz mit der Kaiser-Wilhelm-Gedächtnis-Kirche an seinem Ende. Die Straßenbahnschienen, die in der Mitte des Kudamms verliefen, wiesen uns den Weg. Plötzlich blieb Sisko stehen und sog tief die Luft ein.

»Was ist mit dir?«, fragte ich und beugte mich zu ihm herunter. Der weiße Rüde schaute gebannt zu einem Paar, das dreißig Meter entfernt vor einem Schaufenster stand. Der Mann, der in Jasmins Alter sein mochte, zog einen braunen Umschlag aus seiner Tasche und reichte ihn meiner Frau. Sie lachte und gab ihm einen Kuss auf die Wange. Er drehte sich um und ging, während sie die Schaufensterauslage betrachtete. Siskos Schwanz wedelte erwartungsvoll, aber er rührte sich nicht.

»Wir dürfen Frauchen nicht begrüßen«, sagte ich leise. Sisko bekam einen traurigen Blick und legte sich auf den Boden. Jasmin betrat das Geschäft.

»Kommt!«, knurrte ich schlecht gelaunt. Ein Chaos von Gefühlen, vor allem Eifersucht, drohte über mir zusammenzubrechen. Wer war der Fremde? Womöglich der Geliebte meiner Frau? Sie hatten sich immerhin geküsst!

In den letzten drei Jahren war die unsichtbare Kluft zwischen uns stetig gewachsen ...

Ich musste mich anstrengen, um sämtliche Gedanken dieser Art in eine Ecke meines Gehirns zu verbannen, die ich erst nach meiner Rückkehr nach Genf wieder öffnen würde. Ich brauchte jetzt unbedingt einen klaren Kopf bei der Aufgabe, die vor mir lag.

Ich schaute nach oben, als wir uns der Kirche näherten. Das gelbe Energienetz blieb verschwunden. Während wir auf den Haupteingang zugingen, sorgte ich dafür, dass keiner der Passanten unsere Anwesenheit zur Kenntnis nahm.

Im Kirchenschiff befand sich niemand. Leo und ich machten leise Schritte, denn es hallte stark. Ich schaute mich um und fand nach kurzem Suchen das steinerne Taufbecken, das ich in meiner Vision beim Besuch von John Blackwolfs Großvater gesehen hatte. Direkt in seinem Fuß würde das zweite Tor des Windes entstehen. Leo und ich setzten uns in die vorderste Reihe

»Es ist schon da«, flüsterte Leo. »Es hat momentan erst die Größe eines Reiskorns, aber es wächst ständig. Sag mir, wann du anfangen willst.«

Er schloss seine Augen. Ein Ring aus blauem, irisierendem Licht entstand um seinen Kopf herum. Er deutete mit dem Kinn auf unseren Hund. »Berühr seinen Nacken! Er sieht es auch und wird dir helfen. Gut zu wissen, nicht wahr?«

Erstaunt legte ich meine rechte Hand auf Siskos Nackenfell und konzentrierte mich. Mein Geist konnte plötzlich in den Stein des Taufbeckens hineinsehen. Darin steckte ein Tor des Windes, wie ich es in der Tunguskaebene zuletzt gesehen hatte. Der winzige, umgedrehte Lichtkegel schimmerte blau, während orange Blitze auf seiner Oberfläche zuckten.

»Das Tor liegt noch auf der dünnen Trennschicht zwischen der vierten und der fünften Dimension«, flüsterte Leo. »Du kennst sie als die Grenze der sichtbaren zur unsichtbaren Welt. Ich muss mit meinem Geist in den Dimensionsspalt vordringen, um die Beschädigung zu verschließen, bevor sie größer wird. Schick mir deine geballte Energie, wenn ich es sage!«

Um seinen Körper herum bildete sich ein orangeschimmerndes Energiefeld. Ich schloss meine Augen und konzentrierte mich.

»Jetzt!«, hörte ich Leos Stimme in meinen Gedanken. Ich bündelte meine Kräfte und sofort wurde mir schwindelig. Warmes Blut tropfte aus meiner Nase und lief über meinen geschlossenen Mund und mein Kinn herunter. Oh nein!, dachte ich. Es geht wieder los, das hattest du ganz vergessen! Du darfst auf keinen Fall das Bewusstsein verlieren!

»Was ist hier los? Was machen zwei Penner und ein stinkender Köter in meiner Kirche?«, hallte es vor mir. Ich öffnete irritiert meine Augen. Ein Priester in schwarzem Talar starrte uns wütend an. Leos Körper glühte orangefarben, aber das konnte der Gottesmann nicht sehen.

»Habt ihr verdammten Barbaren euch gegenseitig blutig geschlagen? Ich werde die Polizei rufen!«

»Alles, was du hast, Dad!«, rief Leo in meinen Gedanken.

»Schnell!«

Der Strahl aus grauer Energie, der uns miteinander verband, begann von innen her rot zu leuchten. Dann verzerrte sich der

Raum um uns herum. Einen Meter über dem Boden sah es aus wie eine glatte Wasseroberfläche, auf die ein großer Tropfen fällt. Die Wasserfläche füllte den gesamten Innenraum der Kirche aus. Von dem steinernen Taufbecken breiteten sich konzentrische Wellen aus, die immer höher wurden. Das mit dem Priester hätte nicht passieren dürfen, dachte ich, bevor mich die Wogen erreichten und Dunkelheit meinen Geist umfing.

Fleddermousmahn

Betörend süßer Duft umströmte mich. Ich öffnete meine Augen und fand mich auf weichem Waldboden wieder. Tausende bunter Blumen wuchsen hier. Dann kehrte die Erinnerung zurück. Ich stand auf und schaute mich um. Drei Meter von mir entfernt saß Sisko und wedelte mit dem Schwanz. Neben ihm lag ein nackter alter Mann mit weißen Haaren. Er hatte eine gewisse Ähnlichkeit mit meinem Vater, zumindest wie ich mich an ihn erinnerte. Ich sah an mir herunter und bemerkte, dass ich ebenfalls nichts anhatte.

Der Greis richtete sich auf, stützte sich auf seine Ellenbogen und sagte in meine Richtung: »Irgendwas ist schiefgegangen, Dad. Den Priester hat es zerfetzt!«

Bei diesen Worten dachte ich, mein Herz würde stehen bleiben.

»Was ist los, Dad?«

»Du hast dich erneut verwandelt«, antwortete ich entsetzt. »Dein Körper sieht anatomisch zwar wieder normal aus, die Beine sind richtig herum und du besitzt Arme, aber du bist uralt geworden, deine Haut ist runzlig und du hast weiße Haare und eine Glatze wie ein Siebzigjähriger!«

Einen Augenblick war es ganz still. Dann sagte Leo langsam: »Ich konnte das Tor des Windes verschließen, danach erinnere ich mich an nichts. Gewiss ist der dämliche Pfaffe schuld daran - er kam im ungünstigsten Moment herein. Seine Leiche muss hier irgendwo liegen. Lass ihn uns suchen!«

»Wir sollen nackt im Wald herumlaufen? Wir wissen nicht einmal, wo wir sind!«

»Darum kümmern wir uns gleich.«,

Das Waldstück, in dem wir aufgewacht waren, lag an einem leichten Hang. Sisko lief schnüffelnd herum und fand den Priester. Dieser steckte im Stamm einer dicken Kiefer, als sei der Baum ungehindert von Kopf bis Fuß durch seinen Körper hindurchgewachsen. Etwa alle zehn Zentimeter war sein Leichnam in der waagerechten Ebene durchgeschnitten. Es sah aus, als hätte ihn ein Riese in einen überdimensionalen Eierschneider gesteckt, um ein großes Schaschlik aus ihm zu machen.

»Verdammte Schwule!«, hörte ich hinter mir. Ich drehte mich um. Vor mir standen zwei Männer in Jägerkleidung mit Jagdgewehren im Anschlag.

»Was macht ihr perversen Saukerle hier?«, rief der eine.

»Ihr dreckigen Hundertfünfundsiebziger! Ihr kriegt eine Ladung Schrot in den Arsch, dann werden euch die schweinischen Gelüste schon vergehen, ihr warmen Brüder!«

Er hob sein Gewehr und ich blockierte seine Gedanken. Die Jäger kamen uns wie gerufen, denn sie waren etwa so groß wie Leo und ich.

Sechzig Minuten später erreichten wir die Bahnstation Grunewald. Die beiden Waidmänner irrten immer noch in Feinrippunterwäsche im Wald herum, weil ich ihre Erinnerung an die letzten Stunden ausgelöscht hatte.

Während wir zurück zu unserem Zirkus fuhren, sagte Leo: »Durch meine erneute Verwandlung hat sich mein Problem verändert, Dad, denn meine Papiere passen nicht mehr zu meinem jetzigen Aussehen. Eingereist bin ich als junger Krüppel. Wie soll ich aus Deutschland ausreisen, wo ich jetzt ein normal gebauter, alter Mann bin?«

Am zwölften August fanden die Reitwettbewerbe vor über hunderttausend Zuschauern statt, ohne das Springreiten, das erst am Tag vor der Schlussveranstaltung der Olympiade durchgeführt werden sollte.

Vivian und Vanessa ritten hervorragend. Nur ein deutscher Reiter war noch besser und meinen Töchtern immer einen Schritt voraus. Leo und ich bedauerten die Mädchen. Als der Geländeritt der Einzelwertung begann, bemerkte ich, wie Leo kurz seinen rechten Arm hob. Direkt danach ging ein lautes Raunen durch die Zuschauermenge. Konrad von Wangenheim stürzte mit seinem Pferd und brach sich das linke Schlüsselbein.

»Warst du das?«, fragte ich leise.

Leo grinste. »Irgendwie muss ich meinen Schwestern doch helfen! Er ist ihr einziger ernst zu nehmender Konkurrent. Das dürfte jetzt gereicht haben!«

In dem Punkt irrte sich Leo gewaltig. Der deutsche Reiter erhob sich langsam vom Boden, drückte mit der rechten Hand die Knochen seiner gebrochenen Schulter wieder an ihren Platz und stieg auf.

»Das kann nicht sein«, flüsterte Leo erschüttert. »Das geht gar nicht! Der Kerl sollte ohnmächtig sein!«

War er aber nicht - er beendete seinen Ritt wie vorgeschrieben.

»Na ja«, sagte Leo. »Er wird ins Krankenhaus fahren, wo sie ihn ins Bett stecken werden. Morgen ist der auf keinen Fall mehr dabei.«

Der erste Reiter am nächsten Tag war Konrad Freiherr von Wangenheim mit seinem Hengst Kurfürst. Sein unbeweglicher, linker Arm, der ärztlich versorgt worden war, schien ihn nicht zu stören. Bevor ich es verhindern konnte, streckte Leo wieder seinen Arm aus und verursachte einen neuen Sturz.

»Der muss doch kaputt zu kriegen sein!«, flüsterte er.

»Das ist unfair, mein Sohn!«

»Vivi und Vanni hätten so gerne die Goldmedaille, Dad«, entgegnete Leo und ließ Wangenheims Pferd beim Aufstehen mit seinem Vorderhuf auf die rechte Hand seines Reiters treten. Das Knacken der Fingerknochen drang bis zu uns herüber. Aber der Deutsche war zäh wie Leder und hart wie Kruppstahl. Er schüttelte seinen Kopf, sprang vom Boden auf, bestieg sein Ross und zwang sich erneut, auch diesen Ritt zu beenden. Während der ganzen Zeit hielt er scheinbar unbeeindruckt die Zügel mit seinen zertretenen Fingern, die wie blutige Krallen in alle Richtungen abstanden.

Die Siegerehrungszeremonie der Reitwettbewerbe fand am nächsten Tag im Olympiastadion statt. Mit einer Ehrenmedaille außer der Reihe wurde der österreichische Reitsportler *Arthur von Pongracz de Szent Miklos und Óvár* bedacht, mit zweiundsiebzig

Jahren der älteste Teilnehmer, der je an Olympischen Spielen teilgenommen hatte. Dann begann die Verleihung der regulären Medaillen. Die deutschen Reiter hatten alle sechs Goldmedaillen gewonnen. Eine Stimme dröhnte aus den Lautsprechern:

Silber im Military Einzel: Vivian Jaurès, Frankreich.
Bronze im Military Einzel: Vanessa Jaurès, Frankreich.

Silber im Dressurreiten Einzel: Vanessa Jaurès, Frankreich.
Bronze im Dressurreiten: Vivian Jaurès, Frankreich.

Leo und ich klatschten. Die Zwillinge waren hervorragend geritten, aber gegen eine Konkurrenz aus Kampfrobotern, die selbst im halb toten Zustand und völlig zertreten aufs Pferd stieg, hatten sie keine reelle Chance gehabt.

Zum ersten Mal bei den Olympischen Spielen der Neuzeit wurden während der Siegerehrung die Nationalhymnen der Sieger abgespielt. Zuerst erklang das Deutschlandlied für die Gewinner der Goldmedaillen aus den dröhnenden Lautsprechern des Stadions.

Deutschland, Deutschland über alles,
Über alles in der Welt,
Wenn es stets zu Schutz und Trutze
Brüderlich zusammenhält,
Von der Maas bis an die Memel,
Von der Etsch bis an den Belt,
Deutschland, Deutschland über alles,
Über alles in der Welt!

Die deutschen Zuschauer erhoben sich, nahmen ehrfürchtig ihre Hüte ab, wie früher in der Kirche, und sangen ergriffen mit. Viele weinten vor Begeisterung. Dann kam es zu einem Eklat.

Eine Gruppe offensichtlich angetrunkener SA-Männer, die sich in der Westkurve des Stadions aufhielt, grölte ein anderes Lied, das ich nicht kannte und das durchaus geeignet war, den ausländischen Gästen der Olympischen Spiele das Gruseln zu lehren.

All diese Heuchler, wir werfen sie hinaus,
Juda entweiche aus unserm deutschen Haus!
Ist erst die Scholle gesäubert und rein,
Werden wir einig und glücklich sein!

Wie aus der Pistole geschossen kam die inbrünstig gesungene Antwort aus der Ostkurve, als sei das vorher zwischen den verschiedenen SA-Gruppen abgesprochen gewesen.

Wir sind die Kämpfer der N.S.D.A.P.
Treudeutsch im Herzen, im Kampfe fest und zäh.
Dem Hakenkreuze ergeben sind wir.
Heil unsern Führer, Heil Hitler dir!

Selbst die deutschen Liedermacher scheinen dämlich zu sein, dachte ich völlig irrational. In die letzte Zeile gehört ein Nominativ. Durch den falschen Akkusativ bedeutet es, dass sie jemanden suchen, der Adolf wieder gesundmachen kann.

Die perfekte Fassade der flaggen- und girlandengeschmückten Häuser und Straßen in Berlin, die den Eindruck eines ordentlichen, sauberen, zivilen und sozialen Deutschlands vermitteln sollten, nahm ich nicht war, als ich am Morgen des siebzehnten August mit Leo zum Bahnhof ging.

Ich wusste, mit welchem Zug meine Frau und meine Töchter zurück nach Hamburg reisen wollten, um von dort aus die Fähre nach London zu nehmen. Auf den Bahnsteigen war es rappelvoll. Sämtliche ausländischen Besucher der Olympiade reisten wieder ab, anscheinend alle mit diesem einen Zug.

Während wir uns zwischen den Leibern der Menschen hindurchdrängten, entdeckte ich Jasmin. Sie stand vor demselben Mann, mit dem ich sie bereits vor einigen Tagen gesehen hatte. Er steckte ihr gerade ein Päckchen zu, das sie in ihrer Manteltasche verschwinden ließ. Sie umarmte den Fremden, gab ihm einen Kuss auf die Wange und sagte auf Englisch: »Ich danke dir, Siegfried! Die Gespräche mit dir haben mir viel gegeben. Ohne dich wüsste ich nicht, wie es weitergehen soll!«

»Adieu meine Liebe«, antwortete er und ging.

Jasmin drehte sich herum und bemerkte mich.

»Bon jour, Madame Clymer.«

Ihre Augen füllten sich mit Tränen.

»Weinst du wegen ihm?«, fragte ich gereizt.

»Robert! Wo kommst du denn her? Bitte mach mir auf dem Bahnhof keine Szene! Lass uns zuhause in Ruhe über alles reden …«

Ich schluckte meine Eifersucht herunter. »Leo wird mit euch zurückfahren.«

Ich zog meinen Sohn dichter heran. »Das ist Leo. Wir konnten das Tor des Windes verschließen, aber er hat sich erneut verwandelt und sieht seitdem aus wie ein Greis. Er kann dir während der Fahrt erzählen, was geschehen ist. Er reist mit meinem Pass zurück und heißt ab sofort Henri Simeon. Denkt daran, ihn nur mit diesem Namen anzusprechen, solange ihr noch in Deutschland seid. Adieu, wir sehen uns in Genf.«

»Und was ist mit dir, Robert? Du brauchst doch auch Papiere für die Ausreise!«

»Das interessiert dich wirklich?«, fragte ich aufgewühlt.

»Tatsächlich? Du machst dir Sorgen um mich? Vielleicht sollte ich gar nicht wiederkommen, dann wäre der Weg endlich frei für den anderen, nicht wahr, Jasmin? Aber keine Angst, mein Schatz, so einfach wirst du mich nicht los.«

Mit diesen Worten drehte ich mich um und verschwand in der Menge.

Zirkusdirektor Eugen Bosch strahlte. »Wir dürfen drei Tage länger bleiben! Hier ist die Genehmigung der Stadtverwaltung!« Er hob einen Zettel in die Luft und lachte. »So gut wie in den letzten zwei Wochen haben wir noch nie verdient! Jeder Berliner will Guy Rivage sehen! Mit diesen zusätzlichen Einnahmen werden wir den Winter gut überstehen!«

Alle Artisten freuten sich. Ich freute mich nicht, aber was sollte ich machen? Nach dem Mittagessen ging ich aus, um allein zu sein und über Jasmin und mich nachzudenken. Die nächste Zirkusvorstellung würde erst um achtzehn Uhr beginnen, die Clownsnummer begann sogar erst gegen neunzehn Uhr, vorher musste ich nicht zurück sein.

Ich fuhr mit der U-Bahn-Linie AI bis zur Haltestelle Potsdamer Platz, um von dort zum Tiergarten zu gehen. Langsam schlenderte ich die *Hofjäger Allee* hinauf auf die Siegessäule zu. Eine Menge Menschen waren heute zu Fuß unterwegs. Ich blieb stehen und schaute in die Sonne.

... Jasmin und ein anderer Mann ...

Das hätte ich nie für möglich gehalten.

»Sind Sie nicht Robert Kleimer?«, fragte eine Stimme hinter mir. Ich war entdeckt, im Reich der Barbaren, die vor der ganzen Welt Versteck spielten und nach außen hin so taten, als sei bei ihnen alles in bester Ordnung.

... Land der Heimlichtuer ...

Eiskalt lief es mir den Rücken herunter, während ich mich langsam umdrehte. Eine kleine, ältere Dame mit kurzen, lockigen, weißen Haaren. Sie war etwas rundlich und hatte ein runzliges Gesicht. Sie kam mir bekannt vor, auch wenn mir nicht einfiel, woher.

»Sie sind doch Robert Kleimer, nicht wahr? Ich bin Bettina Larsson! Können Sie sich nicht mehr an mich erinnern? Ich hieß Schröder mit Nachnamen, als ich auf dem Gut Ihres Vaters bei Kiel arbeitete.«

Wie eingeschaltet fiel mir alles wieder ein. In Sekundenbruchteilen zog die Erinnerung an meinem inneren Auge vorbei. Bis 1912 war die Frau Haushälterin auf Gut Schwanensee gewesen. Mit Mitte vierzig lernte sie einen Kapitän aus Dänemark kennen und heiratete ein Jahr später. Ihre Nachfolgerin wurde Telse Johannson, die meinen Vater im Juni 1913 vergiftete.

»Bettina! Natürlich!«, sagte ich und nahm sie vorsichtig in meine Arme. »Ich lade Sie auf Kaffee und Kuchen ein! Dabei können wir ein bisschen über die alten Zeiten plaudern.«

Sie hängte sich bei mir ein und spazierte mit mir die Charlottenburger Chaussee entlang, bis wir ein Café fanden. Wir bestellten, dann begann sie zu erzählen.

1912 war sie mit ihrem Mann in die dänische Hafenstadt Esbjerg an der Westküste Dänemarks gezogen. Mit sechsundvierzig hatte sie einen gesunden Jungen geboren. Ihr Sohn Ole war inzwischen zweiundzwanzig und führte den Hochseekutter seines Vaters, der vor Kurzem gestorben war.

»Das tut mir leid, Bettina.«

»Ach, Robert. So ist nun mal der Lauf der Welt! Mein Lars wäre einundachtzig geworden. Wir Menschen werden eben nicht so alt wie wir uns wünschen, da steht die Natur dazwischen.«

Sie lächelte. »Er war ein guter Mann. Wir haben uns geliebt und durften immerhin vierundzwanzig schöne Jahre miteinander verbringen. Aber nun genug von mir. Wie ist es dir ergangen in der langen Zeit? Bist du verheiratet? Hast du Kinder?«

Ich berichtete Bettina in groben Zügen von meinem jetzigen Leben und gab ihr anschließend einen kurzen Abriss über die Geschehnisse von 1913, die mit dem Tod meines Vaters begannen und erklärten, warum ich damals aus Deutschland weggegangen war.

»Ich war nie wieder in Kiel«, sagte ich leise. »Ich sah das Gut aus der Ferne brennen und habe gerüchteweise gehört, dass viele Menschen dadurch zu Schaden kamen, aber ich weiß bis heute nicht genau, was damals wirklich geschehen ist«

Sie legte ihre magere, alte Hand auf meine. »Ich muss dir etwas erzählen, Robert. Ich war an dem Abend auf dem Gut, als es abbrannte. Ich war hochschwanger und besuchte heimlich Susanne, die kleine Magd, die in der Milchwirtschaft von deinem Bruder

Georg arbeitete. Ich wollte meine beste Freundin noch einmal sehen, bevor mein Kind geboren wird. Ich hielt mich bei der Susi versteckt vor den Johannsons, denen wir nicht über den Weg trauten. Wir sollten Recht behalten. Bis auf Telse, ihren Mann Hans und deren schrecklichen Freund hat niemand den Brand überlebt, allerdings nicht wegen des Feuers ...«

Bettina zögerte. »Der weißhaarige Hüne, der bei den Johannsons zu Besuch war, hat sie alle erschossen. Ich habe es selbst gesehen.«

»Graf Andraschi hat unsere Bediensteten umgebracht? Oh mein Gott!«

»An den Namen erinnere ich mich nicht, Robert, es ist zu lange her. Auf jeden Fall besitze ich etwas von damals, das ich dir geben möchte.«

»Wie meinst du das?«

»Kurz bevor der Brand gelegt wurde, belauschte ich zufällig ein Gespräch zwischen Telse und diesem Hünen mit den weißen Haaren und den roten Augen. Sie waren sehr vertraut miteinander. Leider konnte ich nicht alles verstehen. Ich glaube, sie sagte einmal ›Papa‹ zu ihm, aber da kann ich mich auch verhört haben. Er hatte wohl irgendwelche geheimen Papiere deines Vaters in einem verborgenen Fach im Pferdestall gefunden und steckte diese gerade in einen großen, schwarzen Lederkoffer. Zwei Stunden später, als das Gesindehaus brannte, rannte ich hinaus über den Flur, um mich vor den Flammen zu retten, sah den Koffer in der Ecke stehen und nahm ihn mit, um ihn dir zu geben. Er liegt nun schon seit dreiundzwanzig Jahren auf dem Dachboden unseres Hauses in Esbjerg.«

»Wie ...«, sagte ich. »Du besitzt ihn noch?«

Sie nickte. »Ich zog den schweren Lederkoffer fünf Kilometer bis zum Kieler Hafen hinter mir her, wo mein Lars auf mich wartete. Er schimpfte mit mir, dass ich mich als Hochschwangere so angestrengt hatte, aber ich wollte dir doch die Papiere deines Vaters zurückgeben! Na ja, und dann verschwandest du, der Weltkrieg brach aus, und alles geriet in Vergessenheit.«

Bei Bettinas letzten Worten wurde ich ganz aufgeregt. »Hast du hineingeschaut, was sich darin befindet, Bettina?«

»Nein - er geht ja nicht auf! Er hat kein sichtbares Schloss. Mein Mann hat einmal versucht, ihn mit einem Hammer und einem

Meißel aufzubekommen, und dabei einen mächtigen Stromschlag gekriegt! Er ließ es lieber sein und stellte ihn wieder auf den Dachboden. Besuch mich doch, Robert, dann kannst du ihn mitnehmen! Frag im Hafen von Esbjerg nach der Sværdfisk, das bedeutet *Schwertfisch!* So heißt uns Hochseekutter. Kapitän Larsson, das ist mein Sohn Ole, wird dich zu meinem Häuschen bringen.«

Wir schwelgten noch eine Weile in Erinnerungen an unsere gemeinsame Vergangenheit. Irgendwann schaute ich auf meine Automatikuhr. Ich musste zurück zum Cirque Baldassare.

Auf der Rückfahrt mit der U-Bahn dachte ich ständig an Andrew Winters Koffer, der seit 1913 ungeöffnet auf dem Dachboden von Bettinas Haus in Dänemark lag. Was mochte sich darin befinden? Während ich nachdachte, stieg eine schreckliche Erkenntnis in mir auf und traf mich wie ein Schlag ins Gesicht: Die Geschichte von Graf Andraschi war keineswegs 1914 vorbei gewesen, wie ich mein Leben lang geglaubt hatte. Sie war noch immer in Gange, und ich befand mich mitten drin.

Sisko schaute sehr unglücklich, als ich unseren Zirkuswagen betrat, um mich als Clown zu schminken. Mit Guy war irgendetwas nicht in Ordnung. Er lag sturzbetrunken auf seinem Bett und war nicht wach zu bekommen. Auf seinem Nachttisch stand eine leere Flasche Cognac. Selbst wenn es mir gelungen wäre, ihn aufzuwecken, hätte der Luftakrobat auf keinen Fall seine Nummer als Fledermausmann vorführen können. Ich setzte mich neben ihn und dachte nach. Ohne seinen Auftritt würden die Zuschauer ihr Geld zurückverlangen. Dann bemerkte ich einen Zettel auf dem Boden und hob ihn auf. Es war ein Telegramm an Guy aus Lyon.

```
Du musst sofort zurückkommen, deine Frau ist
verschwunden! Sie hat die Scheidung ein-
gereicht! Die Papiere kamen heute mit der
Post.
In Liebe, dein Bruder Julian.
```

Jetzt wusste ich, warum der Hochseilartist sinnlos betrunken war. Mein Herz schlug schneller. Würde ich auch so ein Telegramm vorfinden, wenn ich nach Genf zurückkehrte? War Jasmin inzwischen zu ihrem Freund gezogen, den sie auf dem Bahnhof geküsst hatte? Ich griff zu der zweiten Flasche, die auf Guys Tisch stand, und schenkte mir einen Cognac ein, trank aber nicht, denn mir kam plötzlich eine Idee ...

»Isch bitte Ihnen, ganz ruhig ssu sein und ssitzen ssu bleiben, damit Giga-Chiropterüs sisch während der Vorschtellung nisch verletzt. Und jetzt – Manege frei für die Fleddermousmahn!«

Einen Moment spürte ich Zweifel in mir aufkommen, ob das, was ich tat, wirklich richtig war. Dann stieß ich mich mit den Beinen von der Stange ab, wie Guy Rivage es jeden Abend getan hatte, seit wir in Berlin eingetroffen waren. Der Luftdruck, der meine Arme nach oben zu reißen drohte, war gewaltig. Ich konzentrierte mich auf den Schwerpunkt meines Körpers und unterstützte ihn mit meinen Kräften.

Es gelang mir nicht so gut, eine ordentliche Kreisbahn in der Manege zu fliegen, aber wenigstens fiel ich nicht herunter, denn Guys Umhang hing fest an meinen Fuß- und Handschlaufen. Ich segelte mehrmals im Kreis herum und landete in dem schmalen Gang, durch den die Raubtiere zu ihren Vorführungen hereingebracht wurden. Als ich den Boden erreichte, rollte ich mich über meine rechte Schulter ab, kam hoch und stand.

Frenetischer Beifall brach aus, die Zuschauer tobten wie jeden Abend, seit wir in Berlin auftraten. Ich verbeugte mich vor dem Publikum und lief hinaus.

»Henri!«, rief Eugen Bosch hinter mir her. »Komm mal her zu mir!«

Ich ging zu dem Direktor.

»Ja bist du denn wahnsinnig, Henri? Wolltest du dich umbringen? Warum macht Guy diese Nummer nicht?«

Ich berichtete, in welcher Verfassung ich die Hauptattraktion des Cirque Baldassare in seinem Wagen vorgefunden hatte.

»Verdammt! Justine hat schon seit Längerem ein Verhältnis mit Guys Vetter Guillaume. Alle wussten es, nur er nicht.«

Ist es bei mir auch so?, dachte ich. Meine Frau hat einen Freund und alle wissen es, nur ich nicht?

»Wir müssen zu Guy und ihn beruhigen! Komm Henri! Er hat sich nicht unter Kontrolle, wenn er getrunken hat! Nicht, dass er etwas Dummes anstellt in seinem Suff!«

Wir betraten gemeinsam den Zirkuswagen. Guys Bett war leer, der Luftakrobat war verschwunden.

»Merde!«, sagte Direktor Bosch. »Bitte geht los und sucht ihn! Dein Hund müsste doch seine Spur aufnehmen können! Wenn die Vorstellung zu Ende ist, werden die anderen auch nach ihm suchen. Ich habe Angst, dass er Streit mit den Nazis anfängt und dass sie ihn ins Gefängnis stecken!«

Ich konzentrierte mich auf Guy und legte meine Hand auf Siskos Kopf. »Kannst du ihn finden?«, dachte ich. Der Rüde zwinkerte einmal mit seinen blauen Augen, bellte und rannte los. Auf dem *Adolf Hitler Platz* blieb Sisko einen Moment stehen und schnüffelte auf dem Boden herum. Dann lief er weiter in Richtung des hundertfünfzig Meter hohen Funkturms, der wegen seiner hellen Beleuchtung von hier aus gut zu sehen war. Mein Hund jagte über die *Masuren Allee*, durch das Messe- und Ausstellungsgelände, bis wir den Fuß des Turms fast erreicht hatten. Plötzlich sah ich Guy.

Er stieg gerade in den Fahrstuhl, der nach oben zum Turmrestaurant und der Aussichtsplattform führte.

»Guy!«, rief ich laut, aber der Artist konnte mich nicht hören, weil im gleichen Moment eine Lautsprecherstimme aus der Ferne zu uns herüberdröhnte. Sie schien aus einer der vielen Berliner Fernsehstuben zu kommen.

Hiermit beendet der Fernsehprogrammbetrieb der Reichssendeleitung sein heutiges Bildprogramm. Zum Ausklang des Abends: Marschmusik. Auf Wiedersehen bei der nächsten Sendung. Heil Hitler!

Ich kniete mich neben Sisko und bemerkte jetzt erst, dass ich noch immer den bodenlangen, schwarzen Umhang trug, den ich bei der Vorführung als Fledermausmann gebraucht hatte. Ich nahm meinen Hund in die Arme und befahl ihm, an dieser Stelle des Messegeländes auf mich zu warten. Hier standen einige Bäume, der Rüde konnte sich zwischen ihnen im Gras verstecken.

Dann ging ich zum Fuß des Funkturms, den die Berliner als ›langen Lulatsch‹ bezeichneten. Ich kaufte eine Fahrkarte und fuhr hoch zum Restaurantgeschoss, das sich in mehr als fünfzig Metern Höhe befand. Hoffentlich beginnt Guy keinen Streit mit den Besuchern, dachte ich.

Als ich die Fahrstuhlkabine verließ, verschaffte ich mir in Kürze einen Überblick. Die Restaurantplattform hatte einen quadratischen Grundriss und stark nach außen geneigte Fenster. Nur wenige Gäste saßen auf den drei Seiten, die ich vom Platz vor dem Fahrstuhl einsehen konnte. Während über uns in der Luft ein gelbes Flimmern sichtbar wurde, drangen laute Stimmen an mein Ohr. »Drecksack! Du schläfst mit meiner Frau! Dafür bringe ich dich um!«

Ich guckte um die Ecke auf die vierte Restaurantseite. Guy Rivage stürzte mit einem langen Küchenmesser in der Hand auf den Reichspropagandaminister zu, der mit mehreren Uniformierten beim Abendessen saß. Alle trugen die schwarzen Omega-Uniformen, die mir bereits im Olympiastadion aufgefallen waren. Ich warf einen Blick aus den Fenstern nach oben. Das Energienetz war wieder da, ich hatte keine Chance, meine Kräfte einzusetzen, um Guy zurückzuhalten.

Schüsse aus Maschinenpistolen ratterten. Mit lautem Splittern zerbarsten drei der großen Fensterscheiben des Restaurantgeschosses rechts von mir. Guy Rivage blieb stehen, als sei er gegen eine unsichtbare Wand gelaufen und schaute erstaunt an sich herunter. Aus den Einschusslöchern in seiner Brust quoll Blut hervor. Goebbels machte eine kurze Handbewegung, daraufhin schossen die Schützen erneut.

Guys Körper zuckte von den Treffern, aber er stand immer noch aufrecht auf seinen Beinen. Langsam stolperte er rückwärts, genau auf das mittlere, zerborstene Fenster zu. Er breitete instinktiv seine Arme aus, um sich an etwas Imaginärem festzuhalten, und stürzte hinaus, die letzten Scherben mit sich reißend.

»Das war ein Attentat!«, schrie jemand. Ich drehte mich zurück in den Schatten des Fahrstuhlschachts, um nicht von den Männern gesehen zu werden.

»Hansen!«, rief Goebbels. »Unten anrufen und den Funkturm von SS umstellen lassen! Fahrstuhl anhalten und alle verhaften!«

»Hier ist noch einer!«, kreischte eine hagere Frau mit dicker Hornbrille. »Hier steht einer von den Mördern! Zu Hilfe!«

Sie sprang auf und zeigte mit dem Arm auf mich. In diesem Moment öffnete sich die Fahrstuhltür und neue Besucher strömten in das Restaurant. Ich zwängte mich an ihnen vorbei in die Kabine.

»Nicht weiterfahren!«, rief einer von Goebbels Männern. Ich schlug dem älteren Fahrstuhlführer meine Faust ins Gesicht und drückte den Knopf für die oberste Aussichtsplattform in hundertzwanzig Meter Höhe. Während sich die Schiebetür langsam schloss, hörte ich lautes Getrappel von Stiefeln. Es krachte ohrenbetäubend, als die Omega-PGs auf die geschlossene Tür schossen.

Die Metallplatten hielten.

Der Fahrstuhl sauste nach oben. Wie sollte ich hier wegkommen? Wahrscheinlich war der Funkturm schon von SS umstellt. Was diese Unmenschen mit mir machen würden, wollte ich mir lieber gar nicht ausmalen.

Als sich die Fahrstuhltür öffnete, schaute ich kurz nach dem Fahrstuhlführer. Er war bewusstlos. Ich drehte den Hebel der Steuerung auf die Marke NOT-HALT und ging nach draußen. Die Aussichtsplattform mochte einen Querschnitt von acht Metern haben. Acht mal acht sind vierundsechzig Quadratmeter, genau die passende Größe für die Wohnung eines alleinstehenden Mannes, dachte ich völlig irrational.

... aufhören! Du musst hier weg ...

Wenigstens hast du Zeit, um dir etwas einfallen zu lassen, denn einen zweiten Fahrstuhl gibt es nicht, und dieser fährt nicht mehr.

... Irrtum ...

Er fuhr sogar richtig gut, und zwar abwärts. Der Fahrstuhlführer schien in der Zwischenzeit zu sich gekommen zu sein. Ich schaute über die Brüstung der Aussichtsplattform. Zwanzig Meter tiefer stand das Energienetz, dass der Mutant der Nazis erzeugte. Es war so stabil, als sei es nie ausgeschaltet gewesen.

Der Fahrstuhl erreichte das Restaurantgeschoss. Gleich würde er wieder hochfahren und Goebbels Männer mitbringen. Ich schloss meine Augen und bemühte mich, nicht von Panik übermannt zu werden. Dabei hörte ich Guys Umhang knistern, den ich immer noch trug. Ohne lange nachzudenken, befestigte ich die unteren Schlaufen an meinen Schuhen.

Der Aufzug setzte sich nach oben in Bewegung. Ich kletterte auf die Brüstung der Aussichtsplattform, breitete meine Arme aus, ließ ich mich nach vorne fallen und stieß mich im richtigen Moment kräftig mit den Füßen ab.

»Wo ist das Schwein?«, rief ein Mann, aber da segelte ich schon durch die Luft. Oberhalb des Energienetzes steuerte ich meinen Segelflug mit meinen Fähigkeiten. Die letzten hundert Meter werden so gehen müssen, dachte ich, während ich dem Netz immer näher kam. Dann tauchte ich darin ein.

Es gelang mir, auf dem Schulhof der *Waldschule Charlottenburg* zu landen, ohne mich zu verletzen. Lediglich Guys Umhang wurde richtig schmutzig vom sandigen Boden. Ich zog ihn aus, steckte ihn in einen der Mülleimer und stand nun in der Waldschulallee im feinen Smoking. Ich nahm die alberne Fliege ab, warf sie weg und ging vorsichtig zurück, denn ich musste zu Sisko, der auf dem Ausstellungs- und Messegelände auf mich wartete.

Ich fand den Rüden sofort. Er lag gemütlich in einem Gebüsch hinter einer Parkbank. Ich legte mich neben meinen Hund, um einen Moment auszuruhen. Meine Arme zitterten und schmerzten, der Sprung vom Berliner Funkturm hatte mich meine gesamten körperlichen Kräfte gekostet.

Plötzlich spitzte Sisko seine Ohren und drückte sich gegen den Boden. Knirschende Schritte waren auf dem Sandweg zu hören. Ich drehte mich mit der Brust nach unten, damit mein weißes Smokinghemd nicht zu sehen war, und rührte mich nicht.

Zwei Männer näherten sich der Bank und setzten sich. Es klickte leise. »Nehmen Sie auch eine, Hansen«, erklang die Stimme des Reichspropagandaministers. Ich wagte kaum zu atmen, während ein Sturmfeuerzeug angerissen wurde.

»Der Kerl ist wie vom Erdboden verschwunden«, sagte einer. »Glauben Sie, das war ein Mutant, Herr Minister?«

»Selbst wenn! Unser großer Freund ist wieder gesund und der Schirm steht stabil, wir brauchen uns also keine Sorgen zu machen. Kommen wir zu wichtigen Dingen. Die Umbauarbeiten sind fertig und Projektstufe zwei kann jetzt beginnen. Wir müssen diesbezüglich einige Anpassungen mit Alain durchführen, deshalb fahre ich in der nächsten Woche ins PG-Hauptquartier.«

»Dann grüßen sie ihn schön von mir«, sagte Hansen.

Goebbels lachte. »Als ob er das in seinem Zustand wahrnehmen könnte, Sie Witzbold! Lassen Sie uns weitergehen, ich habe heute Abend noch einen dringenden Besuch zu erledigen.«

Die beiden Männer erhoben sich und gingen langsam weiter. Ich ließ das Gehörte Revue passieren. Auf jeden Fall kochte der Reichspropagandaminister sein eigenes Süppchen, wie ich bereits im Olympiastadion vermutet hatte. Irgendwie hing der Mutant, der das Energienetz über dem Deutschen Reich erzeugte, in dieser Geschichte mit drin. Die erschreckendste Erkenntnis aber war, dass er tatsächlich Alain hieß, wie der Enkel von Andrew Winter alias Graf Andraschi. Meine seit Jahren gehegten Vermutungen waren also richtig gewesen.

War Goebbels auf dem Weg zu ihm? Ich beschloss, den Männern zu folgen und erhob mich aus dem hohen Gras. Vielleicht bot sich mir die einmalige Chance, Alains Aufenthaltsort herauszufinden.

Im Reich der Finsternis

Wilhelmstraße stand auf dem Straßenschild. Hier, im Regierungsviertel des Deutschen Reichs, hatten sich die Nazis eingenistet und ihre Schaltzentralen der Macht eingerichtet wie eine Rattenplage, die man nicht wieder loswerden kann. Das Gebäude, vor dem mein Taxi hielt, trug die Hausnummer dreiundsiebzig.

Zwei Nummern weiter, bei der siebenundsiebzig, war die Reichskanzlei, in deren erster Etage Adolf Hitlers so genannte ›*Führerwohnung*‹ lag, bestehend aus einem privaten Arbeitszimmer, einem Schlafzimmer mit Bad und einem Jugendzimmer für seine kleine Freundin Eva Braun. Goebbels Wagen war gerade in die Einfahrt abgebogen. Der Reichspropagandaminister besuchte spät abends um dreiundzwanzig Uhr seinen Führer.

Sisko und ich gingen langsam in Richtung des großen Gebäudes. »Wie kommen wir nur hinein?«, murmelte ich. Der Rüde blieb stehen und knurrte leise. Ich folgte seinem Blick und bemerkte, dass der gelbe Energieschirm über uns flackerte und in sich zusammenfiel. Sisko richtete sich in voller Länge an mir auf, legte seine Vorderpfoten auf meine Schultern und war mit seiner Schnauze jetzt auf meiner Augenhöhe.

»Gehen wir wirklich in die Höhle des Löwen?«

Mein Hund schaute mir intensiv in die Augen und ich wusste, dass wir uns einig waren. Wir würden in das Heiligtum des deutschen Volkes eindringen: in die Privatwohnung von Adolf Hitler. Solange der Energieschirm verschwunden war, konnte ich uns vor den Blicken der normalen Menschen verbergen.

Wir versteckten uns im Konferenzsaal der Reichskanzlei, der seit Jahren nur noch zum alljährlichen Aufstellen von Geburtstagsgeschenken für den Führer diente. Ich hatte die Tür einen Spalt geöffnet, um verstehen zu können, was nebenan gesprochen wurde. Einige Führungsgrößen waren zu Besuch. Ich schloss meine Augen und konzentrierte mich auf das Gespräch.

»... ein Anschlag?«, vernahm ich eine mir wohl bekannte, knarrende Stimme.

»Das war nur irgendein Verrückter«, antwortete Goebbels.

Hitler wandte sich an Himmler. »Lass die Verrückten alle ausmerzen, Heinrich! Und die Krüppel gleich mit, dann ist das ein Aufwasch! Ein gesundes Deutschland braucht sie nicht! - Was ist eigentlich mit deinem persönlichen Irren?«

»Graf Eckner, dieser verdammte Betrüger, der mich jahrelang an der Nase herumgeführt hat? Der ist endlich da, wo er hingehört: in der Klapsmühle!«

»Er soll zusammen mit den anderen Idioten aus den Irrenanstalten vergast werden. - Wie weit ist das *Ahnenerbe* mit dem *Zepter der Macht*?«

»Wir konnten keine zusätzlichen Hinweise in den alten Quellen finden«, knurrte Himmler gepresst.

»Höchstens noch zwei Jahre, dann müsst ihr es gefunden haben, Heinrich! Vergiss es nicht, sonst rollen Köpfe!«

Das darauf folgende Murmeln war nicht zu verstehen. In diesem Moment schnüffelte es außen an der Tür des Konferenzsaals.

Sisko wedelte freundlich mit dem Schwanz. Eine schlanke Schäferhündin kam langsam durch die Tür und lief in unterwürfiger Haltung auf meinen Rüden zu. Sie beugte ihr Vorderteil herunter und schaute ihn auffordernd an, als wolle sie mit ihm spielen. Er gab ein tiefes Brummen von sich.

»Pscht!« machte ich und die Hunde waren leise. Ich versuchte etwas von dem zu verstehen, was die Nazigrößen nebenan beredeten.

»... Wir müssen diese Untermenschen töten, bevor sie uns töten«, sagte Hermann Göring mit völlig verschmierter Stimme.

Er schien irgendetwas genommen zu haben, was seine Sinne benebelte. »So einfach ist das! Überhaupt ist alles ganz einfach auf der Welt! Ein rechter Mann muss sich trauen, zu tun, was getan werden muss! A man got to do what a man got to do.«

So einen Scheiß habe ich noch nie gehört, dachte ich.

Hitler murmelte etwas von » ... Jahren einsatzbereit ...«

Mehr konnte ich leider nicht verstehen. Die Gäste verabschiedeten sich und gingen gemeinsam. Auch wir mussten zusehen, dass wir so schnell wie möglich wieder aus der Führerwohnung herauskamen.

Das laute Klacken von Hundekrallen auf dem glatten Parkettboden schreckte mich auf. Auf was für eine blöde Idee sind die Hunde denn jetzt gekommen?, dachte ich und drehte mich um. Mein Rüde Sisko hing auf der kleinen Schäferhündin und befruchtete sie. Nach dem dämlichen Gesichtsausdruck von beiden schien es ihnen auch noch zu gefallen. Das kann doch alles nicht wahr sein!, dachte ich.

In diesem Moment knarrte eine Tür. Ich schaute durch den Spalt der Konferenzraumtür. Eine jüngere Frau betrat das Zimmer. Als sie sich dem Führer näherte, sah ich, dass sie gar nichts anhatte bis auf braune Seidenstrümpfe, die unordentlich bis zum Knie heruntergerollt waren.

... unästhetisch ...

Sie war nicht besonders schön, hatte krumme Beine, Löckchen und ein doofes Pfannkuchengesicht.

»Komm, Adolf!« gurrte sie und schob lasziv ihre Hüften vor. »Lass uns herrlich versaute Wasserspiele machen!«

... ein Schwimmbad in der Reichskanzlei? ...

Die Frau hielt ihre kleinen, schlaffen Brüste vor sein Gesicht, rieb sie langsam mit den Händen und zog ihre Brustwarzen mit den Fingerspitzen lang.

»Nein, Eva, ich mag jetzt nicht! Ich habe anständige Kopfschmerzen!«, knarrte Hitler und wischte sich theatralisch mit dem Handrücken über die Stirn.

»Ich musste heute wieder einmal bis zur Erschöpfung regieren! Vor fünf Minuten erst schuf ich aus dem Stegreif ein geniales Gesetz zur Ausmerzung der Verrückten! Das Herrschen laugt mich aus, es wird mich eines Tages noch umbringen!«

Der Diktator erhob sich aus seinem Sessel und schaute sich um. »Wo ist Blondi? Ich will einen Nachtspaziergang mit ihr unternehmen.«

Das Klappern der Hundekrallen auf dem Parkett hinter mir ließ mich hören, wo sie gerade war. Sisko hatte nichts Besseres zu tun, als für vierbeinigen Nachwuchs im Reich der Finsternis zu sorgen.

Hoffentlich bist du bald fertig!, dachte ich inbrünstig. Nicht, dass die Doofe hereinkommt!

»Du kannst nicht mit ihr spazieren gehen«, schmollte die abgewiesene Eva Braun, ohne Anstalten zu machen, sich etwas anzuziehen.

»Erstens ist es Nacht und zweitens ist sie läufig! Stell dir vor, so ein großer, böser Rüde fällt über deine kleine Blondi her! Sie könnte sich ja gar nicht wehren, Adolf!«

Würde sie auch gar nicht, dachte ich und schaute nach den Hunden. Beide standen inzwischen ganz ruhig da, Hinterteil gegen Hinterteil gedrückt, grinsten dämlich um die Wette und hatten ihre Schwänze umeinander gerollt.

»Aber ich bin der Führer!«, knarrte Hitler.

»Meinst du, ein großer, böser Rüde weiß das auch?«, sagte die nackte Eva Braun. So doof schien sie doch nicht zu sein.

»Ich schau mal nach, ob sie sich im Konferenzraum versteckt. Irgendwer hat die Tür aufgelassen.«

Blondi hechelte. »Scheiße!«, dachte ich inbrünstig. In diesem Moment sah ich das gelbe Energiefeld durch die Fenster hereinschimmern. Nochmal Scheiße!

Die schlanke Hündin rannte zur Tür, während sich Sisko auf den Parkettboden setzte und laut schnaufend und schmatzend sein Geschlechtsteil säuberte.

»Pscht!«, machte ich leise.

»Hallo Süße, da bist du ja!«, sagte Eva Braun zu der kleinen Schäferhündin und schloss die Tür hinter sich. Das war gerade noch einmal gut gegangen, half uns aber nicht wirklich weiter, denn wir mussten die Reichskanzlei verlassen und ich konnte uns nicht vor den Augen der Wachen nicht verbergen, weil das Energiefeld wieder eingeschaltet war ...

Mein Drang, auf die Toilette zu gehen, wurde immer stärker. Sisko hatte kein Problem mit der Behebung solcher Regungen. Er pinkelte seelenruhig gegen die holzgetäfelte Wand des Konferenzraums und setzte einen mächtigen, stinkenden Hundehaufen in eine Ecke.

Wir warteten bis vier Uhr morgens, dann fiel das Energiefeld nach heftigem Flackern in sich zusammen. Alain scheint doch noch nicht ganz gesund zu sein, dachte ich, während wir die Führerwohnung unbemerkt verließen.

Wir gingen schnellen Schrittes Richtung Norden, bis wir in der Nähe des *Humboldt-Hains* eine Kneipe fanden, die schon geöffnet hatte. Ich bestellte einen Filterkaffee und drei mit Käse belegte Berliner Schrippen. Ich gab meinem Rüden eins der Brötchen und aß im Stehen.

Plötzlich war der gelbe Schutzschirm wieder da. Ich trank lustlos meinen Kaffee und zermarterte mir das Gehirn, wie wir ohne Papiere unbeschadet aus Deutschland herauskommen sollten. Draußen vor der Tür hielt ein knatterndes Motorrad mit einem Beiwagen.

»Heil Hitler!«, sagte der dicke Kneipenwirt grinsend, als er den Motorradfahrer hereinkommen sah. Der Fremde hob seinen Arm zum Hitlergruß und ließ donnernd einen fahren. Ich erkannte ihn sofort. Es war Oberleutnant Marchewka, den ich vor drei Jahren auf dem deutschen Fliegerhorst Lipezk bei Moskau kennen gelernt hatte.

»Und? Wie geht`s voran mit dem Großdeutschen Reich?«, lachte der Wirt. Kaum waren die Worte über seine Lippen, rief der Angesprochene »Auf die Gesundheit des Führers, Genossen!«, und rülpste so laut, dass einem schlecht davon werden konnte.

»Du bist so ein dummes Arschloch, Heiner, dass du mich immer damit aufziehst! Gib mir 'n Kaffee. Schwarz.«

»So, numa ernz. Wie is et denn nu bei dir mit Arbeit?«

Marchewka winkte ab. »Vergiss es! War wieder nix! Keiner will mich haben mit meiner Behinderung! Dabei kann ich gar nichts dafür! Hat der Klappsmühlendoktor in der Charité auch gesagt, hab ich sogar schriftlich - hilft mir aber nicht weiter! Wenn ich mich vorstell' und muss beim deutschen Gruß furzen, dann hat sich das mit der Arbeitsstelle schon erledigt!«

Der Wirt stellte dem Mann wortlos seinen Kaffee hin.

»Seit sie mich bei der Luftwaffe rausgeworfen haben, geht's mir wie dem alten Hiob ... der Fritze aus der Bibel, dem alles den Bach runtergeht, weißt'?«

Der Dicke nickte. »Kenn' ich! Der Kerl mit den vielen Weibern, näh?«

Verzweifelt fuhr Marchewka fort. »Frau weg, Kinder weg, Wohnung weg, Karriere weg! Selbst mein Vater will mich nicht mehr sehen! Ein SS-Rottenführer hat mich gestern einen Volksschädling genannt und mir mächtig eine reingehauen. Siehst du? Mein Auge ist ganz blau geschlagen!«

Er hielt dem Wirt sein Gesicht hin. »Ach Heiner, wenn ich doch nur wüsste, wie ich das wieder loswerde! Keiner der Ärzte kann mir helfen, es ist wie verhext!«

Bei diesen Worten kam mir eine Idee ...

Eine Stunde später brausten wir auf der *Oranienburger Straße* durch den Berliner Stadtteil *Reinickendorf-West*, immer Richtung Norden. Unser Ziel war das nördliche Schleswig-Holstein, wohin das gelbe Energiefeld des Nazi-Mutanten Alain nicht reichte. Ich wollte an der deutschen Westküste die Grenze nach Dänemark überqueren, um Bettina Larsson in Esbjerg zu besuchen. Seit dreiundzwanzig Jahren lag Andrew Winters Koffer auf ihrem Dachboden, für dessen Inhalt ich mich sehr interessierte.

Sisko saß im Beiwagen, schüttelte seinen Kopf und nieste mehrmals unwillig - das Tragen der Motorradfahrerbrille gefiel ihm gar nicht.

Hinter der Stadtgrenze Berlins gab ich ordentlich Gas. Das Motorrad des Oberleutnants a.D. Marchewka fuhr sich gut. Vor allem aber gehörte es mir. Er war sofort bereit gewesen, auf mein Geschäft einzugehen. Während eines kurzen Ausfalls des gelben Energiefelds hatte ich ihn von seinen Blockaden befreit und dafür die Zündapp mit sämtlichen Papieren erhalten. Ich wusste, dass ich ihm trauen konnte, denn für den Fall, dass er uns verraten sollte, hatte ich ihm versprochen, dass sich seine Behinderung von selbst wieder aktivieren würde.

Ich tankte an einer Tankstelle auf der eingedeichten Insel Stillhorn an der Süderelbe von Hamburg, passierte die Elbbrücken und fuhr ab Stellingen die Altona-Kieler Chaussee hoch, immer weiter Richtung Norden. Bei Lentföhrden ließen wir endlich Alains gelb schimmerndes Energiefeld hinter uns.

Von hier an fühlte ich mich sicher, weil ich ungehindert meine übersinnlichen Kräfte einsetzen konnte. Während der Fahrt sorgte ich dafür, dass die Menschen an uns vorbeisahen, als wären wir gar nicht da.

Am späten Nachmittag erreichten wir die deutsche Grenze zu Dänemark, überquerten sie ungesehen und trafen gegen zwanzig Uhr in Esbjerg ein. Wir übernachteten bei Bettina Larsson und ihrem Sohn Ole.

Am folgenden Morgen half mir der Kapitän, Andraschis großen, schwarzen Reisekoffer auf dem Gepäckträger des Beiwagens zu befestigen. Ich fuhr nach Kopenhagen und buchte einen Flug nach London über Edinburgh.

Meine Töchter befanden sich auf einer mehrtägigen Exkursion in Liverpool, wie man mir bei der BBC mitteilte. Also ließ ich mich und Sisko mit einem Taxi zum Flughafen Heathrow fahren, nahm die nächste Linienmaschine nach Paris und flog von dort weiter nach Nizza.

Die letzten Tage hatte ich mich immer wieder gefragt, was mich in Genf erwarten würde. War meine Ehe mit Jasmin gescheitert? Steckte die Post des Scheidungsanwalts schon im Briefkasten? Mein Herz schlug jedes Mal bis zum Hals, wenn ich daran dachte.

War es bei mir genauso wie bei dem Artisten Guy Rivage? Stand mir Ähnliches bevor?

Die Räder der Maschine berührten das Rollfeld. Aus dem Fenster sah ich Laurents Citroën neben der Rollbahn stehen. Noch eine Minute, dann würde ich mehr wissen. Kam heute das Ende meiner Ehe?

Ivo machte ein ernstes Gesicht. »Du musst dringend nach Philadelphia, mein Freund. Jasmin ist schon vor zehn Tagen mit Vasilij zurückgeflogen. In einer Stunde geht dein Flugzeug zurück nach England, damit du den Atlantikliner in Southampton noch erwischt.«

»Verdammt! Ich war doch gerade erst in London! Was ist eigentlich los, Ivo?«

»Du bist über eine Woche zu spät! Das war nicht gut geplant, Robert«, sagte mein bester Freund und legte seinen Arm um meine Schulter. »Sie konnte nicht länger warten! Folg ihr, so schnell du kannst! Mehr darf ich dir nicht verraten, ich habe es geschworen bei meiner Ehre! Du solltest dich wirklich beeilen, nachhause zu kommen!«

Ich schaute auf den Boden und dachte an den Fremden, den Jasmin in Berlin auf dem Bahnhof geküsst hatte.

... abgeleckt! ...

»Ich weiß, was du denkst, Robert. Es ist komplizierter, als du dir vorstellen kannst.«

»Sie will sich von mir trennen!«

»Sie wird dich verlassen, das ist richtig. Fahr nachhause und sprich mit ihr! Und jetzt werde ich das Thema wechseln.«

Er zog sein silbernes Zigarettenetui aus seiner Jackentasche, nahm sich eine Zigarette heraus und zündete sie an. Mithilfe dieses Etuis hatte er mir vor vielen Jahren das Leben gerettet.

... Konsul Radenković, der serbische Botschafter in Wien ...

»Weißt du noch, damals im Salon des Hotels Fürstenhof, als der österreichische Geheimdienst mein Hotelzimmer in die Luft gesprengt hat?«, fragte ich leise. Ich sah auf und bemerkte, dass Ivo gegen die Tränen kämpfte. Er nahm einen tiefen Zug und räusperte sich.

»Das war unsere Jugendzeit, Robert. Ich kann mich an alles erinnern, als wäre es erst gestern gewesen. «

Wir saßen lange schweigend da. Jasmin wollte sich von mir trennen! Meine Gedanken schweiften zu den vielen schönen Dingen, die wir gemeinsam erlebt hatten. Wirklich hässliche Konflikte hatte es nie zwischen uns gegeben, bis auf den üblichen Streit, der bisweilen in jeder Ehe auftritt.

»Merke dir Montag, den fünften September 1938«, sagte Ivo leise. »Präge dir dieses Datum genau ein, Robert! Es ist der Tag, an dem wir uns hier in Nizza wiedersehen werden.«

»In zwei Jahren, Ivo? Du sprichst in Rätseln! Wie kommst du nur darauf? Was hat das alles zu bedeuten? Ich habe nicht vor, so lange wegzubleiben, selbst wenn sich Jasmin von mir trennen sollte!«

»Es geschehen Dinge, von denen du nichts weißt«, antwortete mein bester Freund und biss sich so heftig auf die Unterlippe, dass sie blutete. »Montag, der fünfte September 1938 - vergiss dieses Datum nicht, es ist lebenswichtig!«

Das Glück zerbricht

Rachels Erinnerungen - 10. bis 13. Pergament

1640. Pfingstsonntag, 27. Mai. Sieben Uhr morgens

Hafen von Rovigno. An Bord der venezianischen Galeere *Regina die Mari*

»Lass uns aufhören, ich kann nicht mehr«, keuchte Rachel und drehte sich schweißbedeckt und erschöpft aus der Umarmung ihres Mannes.

»Ich verstehe es nicht«, sagte der Herzog und strich seiner Frau zärtlich mit der rechten Hand über den nackten Rücken.

»Seit Jahren wünschen wir uns sehnlichst ein Kind, aber du wirst einfach nicht schwanger, mein Schatz. Ob Gott uns bestrafen will für den Betrug an meiner Familie?«

Sie schaute ihm in die Augen. »Es liegt nicht an Ihm, sondern an mir. Wahrscheinlich bin ich unfruchtbar geworden, weil ich als Zehnjährige für längere Zeit der Strahlung des Universums ausgesetzt war. Das scheinen meine Eierstöcke nicht vertragen zu haben.«

»Was ist das - Strahlung?«

»So etwas ähnliches wie unsichtbares Licht«, entgegnete sie und erhob sich von ihrem Bett. Der Herzog betrachtete bewundernd seine Frau, die in dem Schlafraum der Galeere vor ihm stand, wie Gott sie erschaffen hatte.

»Du siehst immer noch aus wie mit zwanzig, Rachel - wie auf dem Gemälde, das Rubens von dir gemalt hat! Ich hingegen werde alt und hässlich!«

Sie setzte sich auf die Bettkante und strich ihrem Mann zärtlich über sein ergrautes Haar. »Ich liebe dich, Thomas. Alt wird man nur im Kopf, und wenn es danach geht, bist du nicht älter als ich.« Sie lächelte. »Und im Bett erst recht nicht, mein Schatz! Du machst mich jedes Mal glücklich.«

Er zog seine Frau zu sich heran und küsste ihre kleinen Brüste. Sie entzog sich ihm sanft, ging zum Fenster der Galeere und schaute hinaus. »Wie es scheint, sind unsere Pferde eingetroffen. Wir sollten uns anziehen und aufbrechen. Ich bin schon sehr gespannt auf das, was du mir zeigen willst! Verrätst du mir, was es ist?«

Der Herzog schüttelte lächelnd seinen Kopf. »Dann wäre es doch keine Überraschung mehr!«

»Und die Osmanen werden sicher nicht über uns herfallen? Immerhin gehört Istrien zu ihrem Reich!«

»Sei unbesorgt, meine Liebste! Sie lassen sich nur noch in dieser Gegend blicken, wenn es sich gar nicht vermeiden lässt. Deshalb ist die gesamte Küstenregion so beliebt bei den Schmugglern. Die Muselmanen sind dumm und abergläubisch und fürchten sich vor dem, was ich dir zeigen will, dabei ist es völlig ungefährlich.«

Hoffe ich jedenfalls, dachte er.

Eine halbe Stunde später ging das Paar in einfacher Reisekleidung von Bord. Die letzten Pferde trugen das Gepäck und den Proviant.

Am Nachmittag lag Rachel neben ihrem Mann auf einer großen Decke zwischen hohen Gräsern auf der Kuppe des Monte Maggiore. Die Pferdeknechte waren am Fuß des Berges zurückgeblieben. Die der Sonne zugewandte Seite des Berghangs war bewachsen mit Blumen, die kleine, pechschwarze Blüten hatten und wie die Miniaturausgaben von Orchideen aussahen. In der Wärme der Mittagssonne strömten sie einen betörenden Duft aus, der das Paar wie eine unsichtbare Wolke umfing. Rachel lag auf dem Rücken, hielt ihre Augen geschlossen und fühlte sich wohl wie zuletzt in ihrer Kindheit.

»Ist das Leben nicht schön?«, sagte der Herzog.

»Ja, mein Schatz. Und was ist nun die Überraschung?«

»Wir müssen geduldig sein und warten, bis es dunkel ist, dann wirst du es sehen.«

Sie knöpfte ihr Kleid auf und streifte es ab. Sie trug nichts darunter.

»Da wir also mehr als genügend Zeit haben, will ich, dass du mich liebst, wie du mich noch nie geliebt hast, Thomas!«

Beide erreichten den Höhepunkt gleichzeitig. Auch diesmal wollte es nicht enden, aber Rachel geriet nicht wie sonst an den Rand einer Ohnmacht. Stattdessen wuchsen ihre Sinne weit über sich hinaus, und als sie zum zweiten und zum dritten Mal kam, da wusste sie, dass sie ein Geschenk erhielt, dass sie sich schon lange sehnlich gewünscht hatte: Sie spürte, dass sie empfing, hier auf der Wiese des Monte Maggiore.

Danach lagen sie nebeneinander, hielten sich in den Armen und schliefen ein. Als die Sonne unterging, erwachte sie, weckte ihren Mann und küsste ihn. »Wir werden endlich ein Kind bekommen, Thomas, einen Sohn! Ich habe ihn vorhin von dir empfangen, mein Liebster, ich weiß es ganz sicher!«

Kurz bevor es dunkel wurde, grub der Herzog einige der Pflanzen mit den kleinen, schwarzen Blüten aus und wickelte sie vorsichtig in ein wassergetränktes Tuch.

»Was machst du?«, fragte Rachel verwundert.

»Diese Blumen sollen in unserem Garten in Padua wachsen und gedeihen, mein Schatz. Vielleicht stellen wir mehrere Blumentöpfe in das Schlafzimmer. Ihr Duft weckt in mir die Kräfte der Jugend.«

Stunden später. Thomas Howard legte sich zu seiner Frau und schaute zu dem schmalen Fluss, dessen Wasserlauf im fahlen Licht des Mondes wie ein dünnes, silbernes Band zu ihnen herüber schimmerte.

»Da hinten bewegt sich etwas«, flüsterte der Herzog. »Kannst du es sehen, mein Schatz?«

Rachel nickte und rührte sich nicht. Immer deutlicher schälte sich ein Wesen aus dem Bodennebel heraus, das lautlos über die feuchten Flussniederungen schlängelte. Es mochte zwanzig Meter lang sein und hatte Ähnlichkeit mit einer riesigen Schlange mit zwei kurzen Flügeln. Auf seinem Rücken besaß es einen Kamm aus senkrecht hochstehenden Hornplatten. Der Kopf sah aus wie bei einem chinesischen Drachen mit großen, runden Augen und kleinen, spitzen Ohren. Die Zunge ähnelte der eines Hundes, sie war rosa und nicht gespalten, wie es bei Reptilien üblich ist.

»Was ist das für ein Tier Thomas?«, flüsterte Rachel aufgeregt.

»Ich hörte davon, dass die Osmanen diese Gegend fürchten, weil hier ein Lindwurm wohnen soll, und die Seefahrer meiden dieses Gebiet aus Angst vor einer Seeschlange, die angeblich Spaß daran hat, Schiffe umzukippen.«

»Ein Drache also? Hoffentlich tut er uns nichts, falls er uns entdeckt.«

»Warum sollte er uns etwas tun?«, fragte der Herzog verwundert. »Wir bedrohen ihn ja nicht. Kein Lebewesen auf der Welt - außer uns Menschen - ist aus sich heraus böse. Wenn die Schlange uns sieht, schauen wir einfach freundlich, dann wird sie uns gewiss in Ruhe lassen.«

Fasziniert schauten beide dem Tier zu, das die Pflanzen fraß, die am Hang des Monte Maggiore wuchsen. Emsig rupfte es die Blumen mit den winzigen, schwarzen Blüten ab, kaute sie gründlich durch und schluckte den Brei herunter. Langsam näherte es sich der Stelle, an der das Paar flach auf seiner Decke lag.

Sie bewegten sich nicht und wagten kaum zu atmen. Plötzlich hörte die Seeschlange auf zu kauen, richtete den vorderen Teil ihres Körpers auf und schaute knurrend auf die Menschen herab.

Rachel konnte ihren Blick nicht von dem kleinen Drachen abwenden, der eine Schönheit ausstrahlte, die ihr wehtat.

Vor seinem Kopf schwirrten Millionen farbiger Lichtpünktchen wie ein Mückenschwarm.

»Er besitzt die gleichen übersinnlichen Fähigkeiten, die ich einmal besaß!«, dachte sie erfreut. Ein feiner, roter Lichtstrahl entstand vor seiner Nase, drang in ihre Augen ein, versetzte ihr einen elektrischen Schlag und sie verlor das Bewusstsein.

Als sie wieder zu sich kam, graute bereits der Morgen. Die Seeschlange war verschwunden, aber sie war wirklich da gewesen, denn die vielen kleinen Blumen mit den schwarzen Blüten waren restlos abgefressen. Thomas Howard lag neben seiner Frau auf der großen Decke und schlief.

Rachel weckte ihn. »Wann bist du eingeschlafen?«, fragte sie ihren Mann, als er seinen Oberkörper aufrichtete.

»Ich habe dem Lindwurm in die Augen geschaut, und sofort durchfuhr meinen Körper ein schmerzhaftes Brennen. Ich wurde auf der Stelle ohnmächtig.«

»Er ist ein Kleinkind«, sagte sie leise. »Fast noch ein Baby! Deshalb kippt er auch die Schiffe um - er spielt mit ihnen!«

»Na, ich weiß nicht«, antwortete Thomas Howard zweifelnd. »Wenn das ein junges Tier war, wie lang müsste dann wohl ein Erwachsenes sein? Fünfhundert Meter? Das ist nicht möglich, mein Schatz. Bestimmt denkst du ständig an Kinder, weil du glaubst, heute Nachmittag empfangen zu haben. Natürlich wäre es wunderbar, falls sich deine Vision bewahrheiten sollte und du wirklich schwanger bist. Wir werden es sehen ...«

In der Nacht darauf, als sie nach Venedig segelten, bemerkte Rachel, dass sie außer dem Sohn, den sie gebären würde, noch ein weiteres Geschenk erhalten hatte: Ihre Kräfte aus der unsichtbaren Welt kehrten zurück. Thomas Howard lag neben ihr und schlief. Vorsichtig hob sie ihren rechten Arm und deutete mit ihrem Zeigefinger auf einen verschrumpelten Apfel, der in einem der hinteren Fensterrahmen des Schlafraums lag. Ein feiner, blauer Lichtstrahl hob ihn an. Sie ließ ihn eine Kreisbahn in der Luft beschreiben und setzte ihn wieder an seinen Platz.

»Ich bin glücklich«, dachte Rachel. »Alles habe ich, was man sich wünschen kann: Einen wunderbaren Mann, ich bin schwanger von ihm und werde einen gesunden Sohn gebären - das fühle ich - und

meine Kräfte, die ich für immer verloren glaubte, sind zurückgekehrt. Was will ich mehr vom Leben?«

Zufrieden schlief sie ein. Es herrschte kaum Seegang, und die Galeere glitt langsam und geräuschlos auf Venedig zu.

Rachels Erinnerungen - 14. und 15. Pergament

1641. Donnerstag, 1. März. Vormittag

Padua. Villa *Fonti Romani* des Herzogs und der Herzogin von Sussex

»Henry soll mein Sohn heißen«, sagte Thomas Howard zu dem Priester. Das Neugeborene, vor zwei Stunden geboren, lag in seinen Armen. Das Kind war in eine kleine Decke gewickelt war und schlief. Seine Mutter lag erschöpft in ihrem Ehebett und döste vor sich hin. Die Geburt war schnell gegangen und ganz leicht gewesen war - die natürlichste Sache der Welt.

Der Herzog stand am Fenster des Schlafzimmers und schaute nachdenklich hinaus, während ein Diener den Geistlichen hinausgeleitete. Sechsundfünfzig Jahre war er alt und hielt zum ersten Mal in seinem Leben die Frucht seiner Liebe in den Armen.

Das Kind hatte ein fein gezeichnetes Gesicht und würde ein feinfühliger, sensibler Junge werden. Thomas Howards Gedanken wanderten zu seinen anderen, längst erwachsen Söhnen. Sie durften ihren Halbbruder nie kennen lernen, damit der große Betrug ihres Vaters an seiner Familie niemals herauskam. In England glaubten alle, er wäre während der Überfahrt von Antwerpen nach London ertrunken.

Der Herzog bereute nichts. Dass er ein Bigamist war und als Katholik eine Todsünde beging, war ihm bewusst - es interessierte ihn nicht. Am Tag des Jüngsten Gerichts würde er die volle Verantwortung für sein Handeln auf Erden übernehmen. Gott musste ihn verstehen. Jeder Mensch hat das Recht auf Glück, dachte er. Manchmal werden wir am falschen Ort, in einer falschen Zeit oder im falschen Stand geboren. Es kann keine Sünde sein, wenn wir das ändern, um glücklich leben zu können.

Er drehte sich vom Fenster weg und ging langsam zu dem großen Ehebett, in dem seine Frau lag und schlief. Über dem Kopfende hing das Gemälde, das Rubens vor vielen Jahren gemalt hatte. Wie auf dem Original des italienischen Malers Giorgio da Castelfranco *lag Rachel nackt in der Pose der schlafenden Göttin Venus mitten in der Natur. Eine Hand bedeckte ihre Scham. Thomas Howard betrachtete das Bild voller Liebe.*

»Wie schön sie ist«, sagte er leise. »Mir scheint, sie wird niemals älter.«

Während der kleine Henry heranwuchs, geliebt und behütet von seinen Eltern, kehrten die übersinnlichen Fähigkeiten seiner Mutter vollständig zurück. Als ihr Sohn drei Monate alt war, zupfte sie vorsichtig einige schwarze Blütenblätter von den Pflanzen ab, die in ihrem Garten standen und prächtig gediehen, trocknete sie und kochte aus ihnen einen Tee. Dieser war sehr bekömmlich, schmeckte leicht nach Minze und funktionierte wie erhofft: Ihre Kräfte entwickelten sich zu einer Stärke, die sie nicht für möglich gehalten hatte.

Rachels Erinnerungen - 16. bis 20. Pergament

1646. Donnerstag, 4. Oktober. Mittag

Padua. Auf dem Marktplatz vor der

Basilika des Heiligen Antonius

Sie schlenderten über den Markt. Schöne Sachen gab es hier zu sehen und zu kaufen, von Schiffen aus fernen Ländern mitgebracht. Da hingen bunte Tücher und Teppiche aus Arabien und dem geheimnisvollen Indien, verziert mit kunstvollen Zeichen und Mandalas. Winzige Hühner in der Größe von Amseln liefen in hölzernen Käfigen herum, und am nächsten Stand lagen die wunderbar süß schmeckenden Leckereien aus Ägypten, die weiß und ganz hart waren und deren leichter Geschmack nach Rosenblättern sich erst im Mund entfaltete. Viele leckere Sachen gab es hier, die Henry interessierten.

»Mama, bitte, ich möchte von diesen Süßigkeiten haben! Bitte, Mama!«

Er ließ die Hände seiner Eltern los und zog heftig an der Schleife, die das Kleid seiner Mutter auf der Rückseite zusammenhielt. Sie konnte gerade noch nach hinten greifen und es zusammenhalten. Thomas Howard sah, was geschehen war, und machte seiner Frau schnell eine neue Schlaufe.

»Danke, mein Schatz!«

Rachel gab ihrem Mann einen Kuss und beugte sich herunter. »Diese Sachen sind nicht gut für deine Zähne, Henry«, sagte sie etwas strenger, als sie eigentlich gewollt hatte.

Sie sah den enttäuschten Blick ihres Sohnes, dessen Augen sich langsam mit Tränen füllten. Und dann bemerkte sie, was in den letzten Monaten immer öfter geschah, wenn er wütend wurde oder sich aufregte: Viele winzige, blaue Punkte schwirrten um seinen Kopf herum wie ein Schwarm Glühwürmchen. Das beunruhigte sie allerdings nicht, denn sie war auch als Kind damit zurechtgekommen.

Der kleine Henry stampfte mit dem Fuß auf und rief: »Ich will diese Leckereien!«

Als sein Schuh den Boden traf, zersprang an dem Stand hinter ihnen eine von mehreren großen, zum Verkauf ausgestellten Tonschalen in tausend Stücke, als sei sie von einem schweren, unsichtbaren Hammer getroffen worden.

»Er ist schon fast so stark wie ich«, dachte Rachel, völlig irrational erfreut über diese eigentlich erschreckende Feststellung, denn um verantwortungsvoll mit diesen Kräften umgehen zu können, war ihr Sohn noch viel zu jung.

Das laute Gezeter des Geschirrhändlers lenkte sie von ihren Gedanken ab.

»Hast du das gesehen, Schatz? Wie konnte die Schale nur zerspringen?«, sagte der Herzog überrascht. »Niemand war in ihrer Nähe! Wie ist das möglich?«

Seine Frau, die genau wusste, wer dafür verantwortlich war, legte ihre Hand auf seine Schulter. »Wahrscheinlich hat ein Witzbold mit einer Steinschleuder auf die Tonschale gezielt und sie zerschossen. Lass uns schnell alles einkaufen, was wir brauchen, ich möchte wieder nachhause. Unser Sohn ist heute unleidlich, vielleicht wird er krank.«

Sie sah sich um, aber der fünfjährige Henry Howard war verschwunden. Er versteckte sich vor seinen Eltern hinter einem Stand mit Gewürzen. Sie waren böse, denn sie hatten ihm die Leckereien nicht gekauft, die er haben wollte. Er spürte den verlockenden Geschmack der Rosenblätter auf seiner Zunge.

Sie sollen sich ruhig Sorgen um mich machen, dachte der kleine Junge. Warum kauft Mama mir nicht die Süßigkeiten, die ich für

mein Leben gerne mag? Bei diesem Gedanken fiel ihm plötzlich ein, wie er doch noch zu den heiß begehrten Näschereien kommen konnte.
Der Marktplatz lag vor der Basilika des Heiligen Antonius. Henry ging langsam auf die geöffneten Türen zu. Entsetzlicher Gestank quoll ihm entgegen. Viele fromme Gläubige befanden sich hier. Die Büßer, in härene Gewänder gekleidet, rutschten tagelang mit blutigen Knien auf dem harten Steinboden des Innenraums herum und beteten mit verzückten Augen, um durch ihr gottgefälliges Treiben von allen Sünden reingewaschen zu werden und die ewige Glückseligkeit zu erlangen. Die meisten von ihnen hatten sich seit Wochen nicht gewaschen und benutzten den Bereich vor den Kirchentüren als Abort. Einige verließen nicht einmal die Kirche und kackten in die Ecken. Der Gestank war gewaltig, aber der kleine Junge nahm ihn nicht wahr, weil ihm der Duft von Rosenblättern in der Nase steckte. Er drängte sich zwischen den vielen erbärmlich stinkenden Menschen hindurch und stieg die Treppe hinauf, die in den Kirchturm führte.
Henry!«, tönte es energisch in seinem Kopf. »Wo bist du? Komm sofort zu mir!«
Er schaltete Rachels Stimme aus und erreichte nach einer ganzen Weile die Turmspitze. Niemand befand sich hier, und das freute ihn. Seine Mutter würde ihm bestimmt die Leckereien kaufen, wenn sie sah, was er konnte!
Er kletterte auf die Brüstung und stellte sich mit den Zehenspitzen in den Rahmen der Maueröffnung.
»Schau, was ich kann, Mama!«, rief er laut. »Krieg ich jetzt die Süßigkeiten?«
»Um Himmels willen!«, sagte Thomas Howard leise und deutete mit seinem rechten Arm zum Turm, wo sein kleiner Sohn freihändig im Fensterrahmen stand und zu ihnen herunterschaute. Rachel griff mit ihren Kräften nach ihm, aber Henry riss sich los.
»Nein«, schrie er wütend. »Du sollst mich nicht festhalten!«
Für einen Moment empfand sie heftigen Schwindel von der ungeheuren Energie, die der Junge ihr entgegenschleuderte. Immer mehr Menschen sammelten sich auf dem Platz vor der Basilika und starrten erwartungsvoll zu dem Knaben hinauf.

»Schau, was ich kann! Jetzt musst du mir die Süßigkeiten kaufen!«, rief ihr Sohn und sprang. Ein Aufschrei ging durch die Menge, teils vor Entsetzen der Mitfühlenden, teils vor Begeisterung der Voyeure, denn eine Sache war allen Anwesenden klar: Das Kind würde auf dem harten Pflaster des Vorplatzes zerschmettert werden.

Thomas Howard stöhnte und griff fest nach Rachels Oberarm.

Der kleine Henry fiel die Hälfte der Strecke, aber dann schien sein Fall von unsichtbarer Hand gebremst zu werden und er schwebte in drei Meter Höhe, ohne herunterzufallen.

Lautes Raunen. Das hatte man noch nie gesehen!

Der Junge hielt Ausschau nach seinen Eltern, entdeckte sie zwischen den anderen und bewegte sich - über die Köpfe der Menschen hinweg fahrend - auf sie zu. Erst direkt vor ihnen sank er zu Boden und strahlte sie an, weil ihm das mit dem Schweben so schön gelungen war.

Thomas und Rachel Howard knieten nieder und umarmten ihren Sohn. Für einen Moment bildeten sie ein undurchdringliches Knäuel, die Arme um den Kleinen gelegt, und küssten ihn und tasteten ihn ab, ob ihm auch nichts geschehen war, während das Raunen immer lauter wurde. Henry war nämlich ein gravierender Fehler unterlaufen: Prahlerisch hatte er vor der Menge zur Schau gestellt, dass er fliegen konnte, wenn er es nur wollte, und jedermann damit gezeigt, dass er nicht durch Gottes schützende Hand gerettet worden war, sondern dass Mächte im Spiel waren, die ein guter Christenmensch fürchten musste, schon um des eigenen Seelenheils willen.

Der Priester, der in der breiten Holztür der Basilika stand, bekreuzigte sich und rief mit fester Stimme: »Das ist Hexenwerk! Das ist die Magie des Bösen! Ergreift das Hexenkind, ihr frommen Leute, und schlagt es tot! Der Teufel hat ihm geholfen! Im Namen Christi! Erschlagt diese Ausgeburt der Hölle!«

Die Stimmung in der Menschenmenge kippte. Die Worte »Hexerei«, »Hexenkind« und »Ausgeburt der Hölle« machten die Runde. Die Menschen gruppierten sich in einem großen Kreis um die Eltern, die ihr Kind umarmten und drückten, aber sie hielten vorsichtig einen Abstand von einigen Metern zu den Dreien, die nichts von dem mitbekamen, was sich um sie herum zusammenbraute.

»So was darfst du nie wieder machen, Henry!«, flüsterte Rachel. »Versprichst du mir das, mein Schatz? Und jetzt kaufen wir die Süßigkeiten, die du so gerne haben möchtest.«

Sie richtete sich auf, während Thomas Howard seinen Sohn auf den Arm nahm. Tränen standen in den Augen des Herzogs.

Er küsste den Kleinen auf die Wange. »Ich bin so froh, dass dir nichts passiert ist! Lass uns zu dem Händler mit den Näschereien gehen, wie Mama gesagt hat.«

Henry, auf dem Arm des Vaters, strahlte. Seine Idee war großartig gewesen! Ungeahnte Möglichkeiten taten sich auf in seiner kindlichen Phantasie. Er hatte einen Weg gefunden, um alles von seinen Eltern bekommen zu können, was er sich nur wünschte!

»Komm mein Schatz«, sagte Thomas Howard zu Rachel und fasste mit der linken Hand nach seiner Frau, um sie mit sich zu führen.

»Halt!«, rief ein Mann, der die Kleidung der Kaufleute von Venedig trug. Unwillkürlich blieb der Herzog stehen und drehte sich um, während die Menge den Kreis um die drei Personen enger zusammenzog.

»Was ist?«, fragte er mit drohender Stimme.

»Ihr könnt gehen, mein Herr«, antwortete der Kaufmann mit dergleichen Schärfe, »aber das Teufelskind und die Hexe bleiben hier!«

Das Raunen wurde lauter.

... Teufel seine Hand im Spiel ... rote, stechende Augen hat sie ... Kind schwebte über dem Boden ... junge Frau mit schneeweißen Haaren ...

»Schaut, was für glühende Teufelsaugen sie hat!«, kreischte eine Bäuerin. »Die Hexe wird uns alle töten! Erschlagt sie, bevor sie uns in die Hölle schickt! Sie steht mit Luzifer im Bunde!«

Rachel spürte die Gefahr und errichtete einen Schutzschirm aus blauer Energie um sich, Thomas und Henry. Der Kleine aber verstand falsch, was geschah – er war ja erst fünf Jahre alt. Er ließ den Energieschirm wieder zusammenbrechen und sandte seiner Mutter ein deutliche »Nein!« in seinen Gedanken, weil er dachte, jetzt würde er die heiß begehrten Süßigkeiten doch nicht bekommen.

»Lasst uns durch!«, rief der Herzog von Sussex mit lauter, beherrschender Stimme. Die Menge wich vor ihm zurück. Langsam gingen die Drei auf die Menschen zu. Diese bildeten unwillkürlich eine Gasse, um das Paar durchzulassen.

»Satan und seine Dämonen sind auf die Erde gekommen und wollen uns alle in die ewige Verdammnis schicken!«, kreischte dieselbe Bäuerin, die sich vorhin bereits mit ihrem Gekeife hervorgetan hatte. Dann fing sie an zu heulen vor Entsetzen über ihren kurz bevorstehenden Tod und die anschließende Höllenfahrt, die jeder erleiden musste, der vom Teufel von dieser Welt geholt wurde.

»Bitte Gott, lass uns heil hier herauskommen!«, betete Rachel inbrünstig, und fühlte im selben Moment, dass ihr Mann stolperte.

»Im Namen Christi, fahrt zurück in die Hölle!«, rief ein Händler, der Arbeitsgeräte für Bauern auf dem Markt anbot, und stieß zu.

»Nein!«, schrie Rachel, aber es war zu spät. Thomas Howard blickte verwundert an sich herunter. Ganz ruhig betrachtete der Herzog die drei spitzen Metallzinken, die aus seiner Brust herausragten. Sein Blut lief zäh an den beiden äußeren Zinken entlang und tropfte von der tiefsten Stelle auf den Boden. Der mittlere Metallsporn war durch Henrys rechtes Auge gedrungen und schaute aus seinem Hinterkopf heraus, überzogen mit einer gelben Masse.

Mit einem starken Ruck zog der Händler seine Gabel aus dem Körper, schließlich wollte er sie noch verkaufen. Vielleicht würde er sogar mehr dafür bekommen, weil es die Mistgabel war, mit der er den Teufel besiegt und von der Erde vertrieben hatte.

Das alles geschah in Bruchteilen von Sekunden. Rachel wirbelte herum, konnte aber den Ablauf der Geschehnisse nicht mehr verhindern. Blut quoll aus den Löchern in Thomas Howards Brust, während er unverändert aufrecht stand.

Mit einer gewaltigen Kraftanstrengung legte sie einen Schutzschirm aus blauer Energie um ihren Mann und ihren Sohn und hielt die Zeit an. Die Menschen außerhalb des Schirms erstarrten und bewegten sich nicht mehr. Sogar die Blutstropfen blieben bewegungslos in der Luft hängen.

In aller Eile tastete sie Henry mit ihren übersinnlichen Fähigkeiten ab. Sein linkes Auge war ausgestochen und große Bereiche seines Gehirns waren zerstört.

Seine Seele wollte sich entfernen, aber Rachel griff nach ihr und fixierte sie in dem kleinen, unverletzten Teil von Henrys Stammhirn. Die Kräfte der unsichtbaren Welt zerrten an ihr und zogen sie langsam ins Zentrum des Universums. Sie hatte dieses Gefühl schon einmal erlebt, als sie zehn Jahre alt war.

Sie wusste, was zu tun war, um Mann und Sohn zu retten - sie brauchte nur eine Stunde in die Vergangenheit zurückgehen und verhindern, dass die letzten Ereignisse überhaupt stattfinden würden.

Roter Schaum sprühte aus den Löchern in Thomas Howards Brust. Die Zeit lief langsam wieder an, Rachel konnte sie nicht länger festhalten. Der blaue Schutzschirm begann zu flackern. Sie schloss ihre Augen und konzentrierte sich. Die Kräfte aus dem Zentrum des Universums zerrten immer stärker an ihr, und dann erklang ein Schrei, wie ihn kein Lebewesen je zuvor vernommen hatte. Henrys Seele schrie, weil sie fortwollte aus dem todgeweihten Körper. Schließlich geschah, was unmöglich ist und noch nie geschehen war seit der Schöpfung der Welt: Seine Seele zerriss in zwei Teile. Der kleinere blieb in seinem Kopf zurück, während der größere durch das helle, weiße Licht zurückeilte in die Ewigkeit.

Rachel musste sich beeilen, bevor ihre Kräfte sie vollständig verließen. Sie tastete nach dem oberen Rand des Strudels der Zeit, um eine Stunde in die Vergangenheit zu reisen, und rutschte ab. Sie griff mit ihren Händen ins Leere und streifte die Körper von Thomas und Henry mit ihren Fingerspitzen.

Ganz langsam löste sich ein Blutstropfen und fiel Richtung Boden. Er brauchte lange, um unten anzukommen, aber er bewegte sich, angezogen von der Schwerkraft, unaufhörlich abwärts ...

Der Schutzschirm aus blauer Energie knisterte und flackerte. Blitze in allen Farben des Regenbogens sprühten von Rachels Mittelfinger in die Körper von Thomas und Henry Howard. Beide wurden durch die Dimensionen fortgeschleudert an fremde Orte, während sie endgültig den Halt verlor und hinabstürzte in den Strudel der Zeit. Sie fiel wie in dem Albtraum, den sie als Kind jede Nacht geträumt hatte, bis sie zum ersten Mal ihrem Mann begegnet war.

Für die Menschen auf dem Marktplatz geschah wenig in dieser einen Sekunde. Die Hexe, der Herzog und das Teufelskind ver-

schwanden einfach. Lediglich die Blutlachen auf dem Boden bewiesen, dass Satan und zwei seiner Dämonen Padua heimgesucht hatten.
Der Priester ging selbstgefällig zum Stand des Werkzeughändlers und verlangte die Herausgabe der schweren Metallgabel. Er beabsichtigte, einen Bericht über die Geschehnisse der letzten Minuten nach Rom zu senden, mit der Bitte, die Mistgabel als heilige Reliquie anzuerkennen.
Immerhin war mit ihr in seiner Kirchengemeinde der Teufel von der Erde vertrieben worden. Dieser erfolgreiche Exorzismus war durch seine bibelkundigen Anweisungen überhaupt erst möglich geworden - vielleicht würde der Papst ihn dafür zum Kardinal ernennen.

Thomas Howards Leiche landete hundert Kilometer weiter östlich im Mittelmeer. Tagelang trieb sie im Wasser und diente den Fischen als Futter. Nach einer Woche war von dem Herzog nichts mehr übrig.

Rachels Erinnerungen - 21. Pergament
Im Zentrum des Universums.
Auf der Grenze zwischen der sichtbaren
und der unsichtbaren Welt

Sie wurde hinabgesogen in den dunkelblauen Trichter der Unendlichkeit, wo Vergangenheit und Zukunft eins sind. Ein höllischer Lärm drang an ihre Ohren. Es war wie bei ihrer ersten Zeitreise, aber es war auch anders. Diesmal schloss sie ihre Augen nicht, wie damals, als sie ein kleines Mädchen von zehn Jahren gewesen war.
Sie sauste auf einer kreisförmigen Bahn an der Trichterwand entlang. Ungeheure Kräfte zerrten an ihr, wie bei der Fahrt mit einer grenzenlosen Achterbahn. Die freigesetzte Energiemenge - ausgelöst durch ihr Entsetzen und die grauenhafte Angst um Thomas und Henry - würde sie weit ins Gestern befördern. Ein Hauch davon hätte ausgereicht, um die Zeit eine Stunde zurückzudrehen. Rachel wusste, dass sie nicht mehr eingreifen konnte - ihre Energie war aufgebraucht.
Verzweifelt schaute sie auf die gegenüberliegende Wand des riesigen Trichters, der wie das Wasser des tiefen, blauen Meeres aus-

sah, und bemerkte die schweren Beschädigungen des Raumzeitkontinuums. Plötzlich verstand sie, was damals schiefgegangen war, als sie noch ein Kind gewesen war und zusammen mit Andrew in die Vergangenheit gereist war. Erinnerungen kamen in ihr hoch.

> *Das kleine, zehnjährige Mädchen konnte die großen Aluminiumkoffer ihres Bruders nicht mehr festhalten, ließ sie los und schloss ängstlich die Augen. Andrew griff zwar mit seinen Kräften nach den Koffern, bekam sie aber nicht richtig zu fassen. Deren Aluminiumoberfläche lud sich auf mit der Energie der unsichtbaren Welt. Die schweren Gepäckstücke pendelten hin und her und schlugen unkontrolliert gegen die wasserblauen Trichterwände, als hingen sie an einem langen Seil. Jeder Treffer hinterließ tiefe Löcher und Risse im Kontinuum von Zeit und Raum ...*

Rachel begriff von einer Sekunde auf die andere, dass sie schuld war an diesen Beschädigungen des Raumzeitkontinuums. Wegen ihr stand das Universum kurz vor seinem Ende - es würde in der Mitte des Zwanzigsten Jahrhunderts zerreißen, weil sie und ihr Bruder es bei ihrer ersten Zeitreise beschädigt hatten! Es gab nur eine Chance zu seiner Rettung - sie musste diese zweite, unfreiwillig begonnene Reise überleben, um die nachfolgenden Generationen zu warnen. Das würde von nun an ihre vorbestimmte Aufgabe sein.

... nur nicht an Thomas und Henry denken ...

Sie fuhr an der Trichterwand entlang und schaute sich um. Über ihr, auf der Oberfläche des halbkugelförmigen Deckengewölbes, bildete sich das komplexe, geometrische Muster der mathematischen Lie-Gruppe E8 deutlich ab. Hier, im Zentrum des Universums, wo vor Milliarden Jahren alles mit dem Urknall begonnen hatte, liefen sämtliche zweihundertachtundvierzig Dimensionen zusammen. Als sie diesen Zusammenhang begriff, verstand sie plötzlich, warum Zeitreisen überhaupt möglich waren. Die ungeheuren Energien und Gravitationskräfte an diesem Ort schufen einen schmalen Dimensionsspalt zwischen dem elften und einundzwanzigsten Jahrhundert - 1000 bis 2024. Dieser Spalt war der Fehler im System der göttlichen Schöpfung, denn durch ihn konnte der Geist eines übersinnlich begabten Lebewesens ins Zentrum des Universums und von da aus in jede Zeit gelangen, die es besuchen wollte.

Rachel prägte sich die Lage der vier großen Beschädigungen und deren Entfernung zu den Trichterrändern ein. Diese Löcher mussten verschlossen werden, bevor die normale Zeitlinie das jeweils nächste erreichte, sonst würde das Raumzeitkontinuum den Kräften zwischen den Dimensionen nicht mehr standhalten und zerreißen.

Auf ihrer spiralförmigen Bahn nach unten rutschte sie mehrmals dicht an einer der Öffnungen vorbei. Eiskalte Luft pfiff heraus aus diesen Bruchstellen im Gefüge von Raum und Zeit - sie waren die Tore des Windes. *Bei diesem Gedanken verlor sie das Bewusstsein.*

Je t'aime de tout mon coeur

Am fünften September 1936 traf ich gegen vierzehn Uhr zuhause in Pennsylvania ein. Es war merkwürdig ruhig auf der Farm. Wohnte Jasmin überhaupt noch hier oder war sie bereits fortgezogen? Als Erstes brachte ich Andraschis großen, schwarzen Lederkoffer, den kein normaler Mensch öffnen konnte, in die Bibliothek. Meine Pinnwand mit meinen Notizen und der Fotoband von dem Voynich-Manuskript, den Leo hatte anfertigen lassen, lagen wieder da, wo sie hingehörten.

Sisko machte sich gleich auf den Weg in die Stallungen, um bei den Pferden nach dem rechten zu sehen. Ich ging ins Schlafzimmer, um mich umzuziehen. Als ich es betrat, entdeckte ich meine Frau. Sie lag in unserem Bett und schlief. Ich zog mich leise aus und öffnete die Tür des Kleiderschranks, um meinen Bademantel herauszuholen, weil ich duschen wollte.

»Robert! Da bist du ja! Wie schön, dass es dir gut geht!«

Ich drehte mich um. »Wie kommst du darauf, dass es mir gut gehen würde?«, fragte ich schroff und griff nach einem frischen Schlafanzug.

»Nein«, sagte sie und richtete sich auf. »Bitte bleib so - ich muss dir etwas erklären.«

... jetzt ist es so weit ...

»Ich habe gewiss nicht vor, mit dir zu schlafen!«

Jasmin erhob sich aus dem Bett. Ihr Anblick tat mir weh. Sie war immer noch so schön wie vor über zwanzig Jahren, als wir kennen gelernt hatten.

Sie stellte sich neben mich und deutete auf den großen Spiegel, der sich innen in der Schranktür befand.

»Was siehst du Robert?«

»Ein Paar, da keins mehr ist ... zwei Menschen, die einen Teil ihres Lebenswegs gemeinsam gegangen sind und sich trennen werden ...«, sagte ich und schaute in ihre Augen.

Ihre Unterlider füllten sich langsam.

»Verdammt! Ich wollte nicht heulen, wenn ich es dir sage! Ich hatte es mir so fest vorgenommen, aber jetzt geht es doch nicht, ich kann es nicht steuern. Moment ...«

Sie drehte sich zur Seite, wischte mit dem Handrücken ihre Tränen fort und räusperte sich. »Dann also deutlicher, Robert. Schau dich genau an! Sieht so ein Mann von achtundvierzig aus? Findest du, dass du aussiehst wie jemand, der in zwei Jahren fünfzig wird?«

»Ich habe mich eben gut gehalten, Jasmin. Ist mein Aussehen der Grund, aus dem du mich verlässt?«

Sie nahm meine Hand, die ich ihr nur widerstrebend ließ, und zog uns zum Bett. Wir setzten uns auf den Rand. »Heute ist die Stunde der Wahrheit, Robert. Sei endlich ehrlich und gestehe dir ein, was du schon so lange weißt und trotzdem nicht wahrhaben willst: Du siehst noch genauso aus wie mit Ende zwanzig!«

Sie strich mir mit ihrer Hand sanft über die Wange. »Du wirst nicht älter, mon Amour, du bleibst ewig jung!«

Sie deutete auf den Spiegel und sagte leise: »Schau hinein und sag mir, dass ich mich irre!«

Ich atmete tief ein und aus. »Das brauche ich nicht, Jasmin. Du hast es so gesagt, wie es ist. Ich habe mich viele Jahre gegen diese Erkenntnis gewehrt und mich oft mit einer leichten Illusion umgeben, die mich vor den Augen der Menschen altersgemäß aussehen lässt. Was aber hat das mit uns und unserer Liebe zu tun?«

Ich legte meinen Arm um ihre Schulter. »Es ist mir egal, Cherie, dass du alt wirst und ich nicht! Ich liebe dich wie mein Leben und will dich nicht an einen anderen Mann verlieren! Bleib bei mir, ich bitte dich!«

Meine Frau räusperte sich wieder. »Versprichst du mir, mich nicht zu unterbrechen und mir zuzuhören, bis ich dir alles gesagt habe, Robert? Schwörst du es bei deiner Ehre?«

»Ja.«

»Was jetzt kommt, muss ich in meiner Muttersprache sagen, sonst bekomme ich es nicht heraus. Ist das in Ordnung für dich?«

»Natürlich! Ich spreche fließend französisch, das weißt du!«

»Je vais mourir«, sagte Jasmin leise, während eine Träne von ihrem Gesicht auf meine Hand tropfte. Sie fiel ganz langsam herunter und bildete beim Zerplatzen eine Krone. Eine hübsche Krone aus Tränen.

Ich werde sterben.

»Das müssen wir alle irgendwann!«

»J'ai encore plus de cent ans, Robert!«

Mir bleibt höchstens noch ein Jahr.

»Ach Jasmin, so was kann man nicht wissen! Wir Menschen ...«

»Jetzt sei still und hör mir zu - du hast es versprochen! Ich habe mich bei namhaften Medizinern in New York, Boston, Paris, London und Genf untersuchen lassen. Es ist nichts mehr zu machen, es zerfrisst mich von innen.«

Nur langsam verstand ich die Bedeutung ihrer Worte.

»Seit wann weißt du, dass du krank bist?«, fragte ich erschüttert.

»Ich erfuhr es vor genau eintausendeinhundertundzwei Tagen - kurz bevor du aus der Sowjetunion zurückkehrtest. Zuerst dachte ich mir nichts dabei, aber als die Schmerzen immer häufiger wurden, ging ich zum Arzt und ließ mich untersuchen. Den Rest kennst du.«

»Und wer war der Mann, in dessen Begleitung ich dich auf dem Kurfürstendamm und auf dem Bahnhof in Berlin gesehen habe?«

»Das war Siegfried Gebhard. Dr. Siegfried Gebhard. Er ist einer der Assistenzärzte von Professor Sauerbruch an der Berliner Charité. Ich ließ mich auch von ihm untersuchen. Leider kam er zu dem gleichen Ergebnis wie alle seine Kollegen vor ihm.«

Jasmin nahm meine Hand und lächelte.

»Du würdest ihn nicht mögen, Robert, das weiß ich! Er ist wohl ein hervorragender Arzt, aber ansonsten ein merkwürdiger Mensch, der ganz offen mit den Nazis sympathisiert und gleichzeitig Hitler für den verrücktesten Kriminellen der Welt hält!«

Meine Frau stöhnte, als ich sie in den Arm nehmen wollte, und verzerrte ihr Gesicht. »Warte bitte!«

Sie griff nach einer Schachtel auf ihrem Nachttisch, zog eine Spritze daraus hervor, schob die Nadel unter die Haut ihres linken Oberschenkels und drückte den Kolben langsam herunter.

»Was machst du, Jasmin?«, fragte ich entsetzt.

»Ohne Morphium kann ich die Schmerzen manchmal nicht mehr ertragen. In fünf Minuten ist es wieder in Ordnung.«

»Hast du genügend Morphiumspritzen im Haus?«

Sie nickte. »Keine Angst, mon Amour, mir bleiben etwa vierzig Wochen. Für die letzten Tage habe ich ein Medikament von Siegfried Gebhard erhalten, das sich noch im Entwicklungsstadium befindet und nur in Deutschland produziert wird. Wenn es dem Ende zugeht, wirst du mir diese Spritzen geben müssen.«

Mir war hundeelend. Wie falsch hatte ich die Geschehnisse der vergangenen Monate interpretiert ...

»Verzeih mir«, sagte ich leise. »Ich liebe dich so sehr!«

Jasmin kuschelte sich in meinen Arm. »Ich liebe dich, seit ich dich zum ersten Mal sah. Damals war ich dreizehn, und an meiner Liebe zu dir hat sich bis heute nichts geändert. Ich möchte meine letzte Zeit immer mit dir zusammen sein.«

Sie lehnte sich gegen mich und schloss ihre Augen. »Wir lebten unser Leben, als stünde uns unbegrenzt Zeit zur Verfügung. Du gingst in die Politik und ich zog die Kinder groß. Alles Schöne, was wir gemeinsam hätten erleben können, verschoben wir auf später, und nun ist es plötzlich zu spät. Du wirst sehr alt werden und in einem Jahr alleine sein. Bevor du Gouverneur wurdest, sprachen wir so oft davon, einmal nach Neuseeland zu segeln, aber dann vergaßen wir unseren Traum und verkauften die Yacht. Ich hätte das so gerne mit dir erlebt, Robert.«

Sie legte sich auf den Rücken. »Die Schmerzen sind weg. Nimm mich in die Arme und halt mich ganz fest!«

So lagen wir eine Weile eng umschlungen. »Lass uns diese Fahrt gemeinsam unternehmen, ehe meine letzte Reise beginnt ...«, flüsterte Jasmin undeutlich und schlief ein. Wie gelähmt von meiner Machtlosigkeit lag ich neben meiner Frau, die ich über alles liebte, und begriff nur widerwillig, was ihre Worte bedeuteten. Bleierne Gewichte zogen an meinen Armen und Beinen und ein dunkler Schleier senkte sich auf mich herab. Auf der schmalen Schwelle zwischen Wachsein und Schlaf sah ich einen großen, dunkelblauen Trichter, der langsam rotierte und versuchte, mich in seinen Mittelpunkt hineinzuziehen. Der Sog verstärkte sich und ich wurde hinabgezogen in die Unendlichkeit, wo Vergangenheit und Zukunft eins sind, wo vor Urzeiten alles begann ...

Vasilij Douglas besaß immer noch seine Yacht und stellte sie uns ohne zu fragen zur Verfügung. Vier Tage nach meinem klärenden Gespräch mit Jasmin brachen wir auf.

Alles, was man für eine Weltreise braucht, befand sich an Bord. Eine Mannschaft benötigten wir nicht, ich steuerte die Independence mit meinen Kräften, wie ich es von der Freedom kannte.

Nachdem wir den zweiundachtzig Kilometer langen Panamakanal vom Atlantik in den Pazifik passiert hatten, lag ein Viertel des Globus vor uns und nur Wasser. Wir achteten nicht auf den Kalender, schauten nicht auf die Uhr und genossen die gemeinsame Zeit, die uns blieb.

Ich erfuhr, dass sich Jasmin schon in Europa von Vivian, Vanessa und Leo verabschiedet hatte. Die Kinder wussten, dass sie ihre Mutter nicht wiedersehen würden. Abgesehen von Ivo war kein außen Stehender über ihren Zustand informiert.

Mehrmals machte ich ihr den Vorschlag, ob ich nicht mithilfe meiner Fähigkeit versuchen sollte, ihre Erkrankung zu heilen.

»Das kannst du nicht, Robert Clymer«, antwortete sie ernst.

»Du bist doch nicht Gott! Was willst du denn tun? Milliarden von Körperzellen einzeln untersuchen und reparieren? Das funktioniert nicht, mon Amour! Wenn die Menschen beginnen, mit ihrem beschränkten Verstand an den Bauplänen des Lebens herumzupfuschen, werden sie es nur noch schlimmer machen! Vielleicht würdest du mich, ohne es zu wollen, in ein grauenhaftes Monstrum verwandeln.«

Bei ihren Worten kamen mir die Tränen, weil ich wusste, dass sie Recht hatte.

»Du darfst nicht traurig sein, Robert! Es ist doch nicht zu ändern! Nachdem ich gegangen bin, musst du weiterleben und die Menschheit retten! Es wird dir gelingen, die restlichen Tore des Windes zu finden und zu schließen, daran glaube ich ganz fest! Du tust das auch für unsere Kinder, und deshalb bin ich glücklich!«

Mehrere Wochen später wurde ihr ständig schlecht. Als sich dieser Zustand nicht besserte, begann ich mir ernsthaft Sorgen zu machen. Eines Abends legte meine Frau ihre Arme um meinen Hals und gab mir einen Kuss. »Es ist noch nicht so weit, Robert, ich muss nicht sterben.«

»Was hast du denn nur?«

»Ich bin schwanger.«

Ich musste mich sehr bemühen, um mein Entsetzen zu verbergen.

Wir verbrachten eine wunderschöne Zeit auf See. Irgendwann im Januar oder Februar 1937 kam Land in Sicht. Nach meinen Seekarten handelte es sich um die Südinsel Neuseelands.

Am Nachmittag gingen wir im Hafen von Christchurch von Bord und übernachteten zum ersten Mal seit einem halben Jahr in einem Gästehaus. Jasmins Bauch wölbte sich bereits ganz ordentlich. Sie ließ sich im Krankenhaus der Stadt untersuchen. Das Kind schien sich völlig normal zu entwickeln, allerdings warnte uns der Arzt vor den Folgen der täglichen Morphiumspritzen. Sie konnten sich nachteilig auf die Entwicklung des Fötus im Mutterleib auswirken.

In einer Nacht Mitte April weckte mich meine Frau. Sie war schweißgebadet, zitterte und stöhnte. »Robert! Die blaue Packung!«

Ich verabreichte ihr eine intravenöse Spritze, die ein neues Medikament enthielt, das nur in Deutschland produziert wurde.

Fast augenblicklich hörte das Zittern auf und Jasmin war ganz ruhig und entspannt.

»Danke, mon Amour«, sagte sie und pustete heftig. Dicke Schweißperlen standen auf ihrer Stirn. »Wir reisen heute zurück, ich möchte nachhause.«

»Heißt das ...?«

»Ja, Robert - die letzte Phase meiner Krankheit hat begonnen. Aber keine Sorge, wir haben immer noch vier bis sechs Wochen Zeit.«

»Was soll nur mit dem armen Kind werden, mein Schatz? Ich mache mir große Vorwürfe! Wir hätten besser aufpassen müssen, dass du in deinem Zustand nicht auch noch schwanger wirst!«

»Wie kannst du so etwas sagen! Ich bin schon im achten Monat und trage ein Kind der Liebe unter meinem Herzen! Möglicherweise wechseln wir uns ab, weißt du? Ich meine, vielleicht wird es in dem Moment geboren, in dem ich sterben muss ...«

Ich schluckte kräftig. »Und wie versorge ich allein ein Neugeborenes auf hoher See?«

Jasmin lächelte und nahm meine Hand. »Genauso, wie du es bei Leo, Vivian und Vanessa getan hast! Du bist immer ein wunderbarer Vater gewesen, und so was verlernt man nicht! Was du brauchst, habe ich in der Stadt gekauft, es befindet sich alles an Bord! Eine Wiege, Windeln, vor allem Trockenmilch, die hält sich monatelang, und der ganze Kleinkram, den man braucht. Du wirst es schaffen, mon Amour!«

Der dicke Kloß in meinem Hals löste sich endlich und ich begann, hemmungslos zu weinen.

Zärtlich umarmte mich meine Frau. »Liebst du mich, Robert?«

»De tout mon coeur!«

»Dann sei nicht traurig! Du hast es versprochen!«

Zwei Stunden später segelten wir los, immer Richtung Nordosten, auf Amerika zu. Eines Nachts, wir hatten ruhigen Seegang, wurde ich durch Jasmins lautes Stöhnen geweckt.

Sie klapperte mit den Zähnen. »Noch eine Spritze, bitte! Es tut so weh!«

Danach fühlte sie sich besser, aber selbst das deutsche Medikament aus der blauen Schachtel wirkte nicht mehr lange und nach kurzer Zeit fing sie wieder an, zu ächzen.

Ich drehte mich um. »Was ist, mein Schatz?«

»Halt meine Hand, Robert, es tut so weh! Die Fruchtblase ist geplatzt und das Kind kommt! Wenn es ein Junge wird, möchte ich, dass er Jean heißt, wie mein Vater! Hast du gehört? Versprich es mir!«

Alle zehn Minuten kamen Wehen in schmerzhaften Wellen. Nach zwei Stunden wurde Jasmin bei jeder Wehe ohnmächtig. Ich spürte, dass es heute zu Ende ging.

Warum, Gott?, dachte ich. Warum tust du mir das an?

Irgendwann schlug meine Frau die Augen auf, schaute durch mich hindurch und sagte mit völlig klarer Stimme: »Je viens à toi, Papa! Attends-moi!«

Ich komme zu dir, Papa! Warte auf mich!

Dann stützte sie sich auf ihren Ellenbogen und legte ihren rechten Arm um meinen Hals. Ganz leise vernahm ich ihre Worte.

»Prends soin de toi, Robert de Mérignac! Je t'aime de tout mon coeur!«

Pass auf dich auf, Robert de Mérignac!
Ich liebe dich von ganzem Herzen!

Sie ließ sich zurückgleiten, stieß einen langen, lauten Schrei aus, der von einer schweren Wehe begleitet war, und dann kam das Kind. Ich sprang um sie herum, um es abzunabeln, aber es war tot, das sah ich sofort. Auch Jasmin atmete nicht mehr.

Die Zeit verlor jede Bedeutung für mich. Ich kann mich nicht erinnern, wie viele Stunden oder gar Tage ich neben ihrem Leichnam saß und ihre Hand hielt.

Irgendwann stand ich auf, wickelte meine Frau und Jean, den Neugeborenen, vorsichtig in eine große, weiche Decke und trug sie nach oben. Das Wasser des Pazifiks war glatt, ganz glatt, und das Licht des Mondes warf lange, silbrig schimmernde Streifen auf die

Wasseroberfläche. Behutsam hauchte ich ihr einen letzten Kuss auf die Wange. Sie sah friedlich aus, als würde sie schlafen.

»Je t'aime«, sagte ich leise. »Je ne vous oublierai jamais!«
Ich liebe Dich! Ich werde dich nie vergessen!

Ich hielt sie in den Armen, während meine Erinnerungen mich forttrugen nach Paris, wo wir uns 1914 zum ersten Mal geküsst hatten. Siebzehn war sie damals gewesen. Ich durfte nicht darüber nachdenken, um nicht verrückt zu werden.

Nach einer Weile ließ ich das Bündel aus meinen Armen fünf Meter über dem Wasser schweben und umhüllte es mit einem Kokon aus grauer Energie, der Kraft der Liebe. Sie verbrannten zu Staub und der seichte Nachtwind trug ihre Asche weit fort, hinaus aufs tiefe, blaue Meer.

Mitte Juli 1937 lief die Independence im Hafen von Los Angeles ein. Ich fuhr mit einem Taxi zur Villa meiner Nichte Giselle in Pacific Palisades und quartierte mich ungefragt bei ihr ein. Von dort aus rief ich meine Töchter in London und meinen Sohn in Genf an, um ihnen zu berichten, dass ihre Mutter vor sechs Wochen gestorben war. Dann betrank ich mich sinnlos.

Die Sehnsucht nach Jasmin war jeden Morgen besonders groß, wenn ich allein erwachte. Zum Frühstück trank ich eine halbe Flasche Kognak, um meine Gefühle zu betäuben. Das war der einzige Zustand, in dem ich das Leben ertragen konnte. So ging es bis zum September, als ich eines Tages an einem Zirkusplakat vorbeilief. Ich blieb stehen und las.

Ringling Bros. and Barnum & Bailey Circus stand darauf. Daneben war ein älterer Mann abgebildet mit einem Tropenhelm auf dem Kopf. Der Zirkus gastierte in Los Angeles. Ich beschloss, mir die Abendvorstellung anzusehen.

Das Zelt war riesig und bot für mindestens zehntausend Zuschauer Platz. Ich beobachtete alle Nummern. Am folgenden Tag besuchte ich den Zirkusmanager John Ringling North. Ich stellte mich unter dem falschen Namen Henri Simeon vor und beschrieb ihm, was ich vorhatte. Nach einer Probevorführung erhielt ich den Vertrag, den ich wollte.

Der *Ringling Bros. and Barnum & Bailey Circus* bot von heute an seinen Besucher eine Vorstellung mit *Giga-Chiropterüs, dem Fleddermousmahn.* Ich bat Mr. North, die Ankündigung mit dem gleichen französischen Akzent aussprechen zu lassen, wie ich es von Direktor Bosch vom *Cirque Baldassare* kannte.

»Warum ist Ihnen das so wichtig, Henri?«

»Damit ehre ich Guy Rivage, den Erfinder dieser Nummer, der im letzten Jahr in Berlin von den Nazis ermordet wurde.«

»Oh! Das verstehe ich. Vielleicht wird es dadurch sogar ihr Markenzeichen.«

An diesem Tag begann meine Karriere beim größten Zirkus Amerikas. Ich hatte meinen richtigen Namen nicht angegeben, da ich nicht erkannt werden wollte. Rein äußerlich veränderte ich mich. Dank der täglichen Übung bekam ich mit der Zeit einen athletischen Körperbau, und ich sah nach wie vor aus wie ein Mann von Ende zwanzig, obwohl ich mittlerweile neunundvierzig Jahre alt war.

Die wenigen Sekunden des Flugs durch das große Zirkuszelt ließen mich für einen Moment die Bilder vergessen, die ständig vor meinem inneren Auge herumkreisten, und die ich nicht verscheuchen konnte. Immer wieder sah ich unser neugeborenes, totes Kind, wie es reglos im Schoß der Frau lag, die ich über alle Maßen geliebt hatte. Und ich sah Jasmin und hörte ihre letzten Worte in meinem Kopf. *Prends soin de toi, Robert de Mérignac! Je t'aime de tout mon coeur!* Dieser Name war mir völlig unbekannt. Man sagt, dass Sterbende auf der Schwelle des Todes in die Zukunft sehen können. Was mochte sie nur gesehen haben?

Konzentrier dich auf deinen Sprung!, dachte ich, breitete meine Arme aus und stieß mich mit den Füßen ab. Ich segelte wie ein riesiges, schwarzes Flughörnchen unter der Plane des großen Zirkuszelts. Ein Aufschrei ging durch das Publikum - die Menschen sahen die Todesgefahr vor Augen. Mehrere Sekunden später richtete ich mich in der Luft auf, bremste dadurch meinen Flug und landete sicher in der Mitte der Manege. Während ich mich verbeugte, ließ der nicht enden wollende Beifall das Zelt erbeben wie an allen Abenden in den vergangenen Monaten. Heute hatte ich wieder meinen persönlichen Kampf gegen den Tod gewonnen.

Die Trauer über Jasmins Tod entließ mich nur sehr langsam aus ihren Klauen. Ich sprach mit niemandem und zog mich nach jeder

Vorstellung in meinen Zirkuswagen zurück, ohne am Leben der mich umgebenden Menschen teilzunehmen. Meine Arbeit als Fledermausmann war mein einziger Halt in diesen Tagen meiner Trauerverarbeitung. Ich suchte die tägliche Konfrontation mit dem Tod, begab mich absichtlich in Lebensgefahr. Ein kleiner Fehler bei meinem Sprung aus vierzig Meter Höhe würde mein Ende bedeuten, und dieses Bewusstsein half mir, nicht verrückt zu werden.

Aus diesem Spannungsfeld zwischen Todesmut und eisernem Lebenswillen schöpfte ich neue Kraft. Es dauerte lange, bis diese Entwicklung Folgen zeigte. Erst im Sommer 1938 war ich wieder vollständig hergestellt. Von einem Tag auf den anderen hatte sich die tiefe Wunde in meiner Seele geschlossen, ich verspürte keinen Widerwillen mehr, wenn ich unter Menschen war, und konnte endlich über die Geschehnisse der vergangenen zwei Jahre reden.

Am fünfzehnten August verabschiedete ich mich von Mr. North, der mich nur ungern ziehen ließ, weil Henri Simeon, der Fledermausmann, die Hauptattraktion der Abendvorstellungen geworden war. Ich hinterließ keine Anschrift und fuhr von Detroit, wo wir gerade gastierten, mit der Bahn nach Philadelphia.

Als ich die Bibliothek betrat, lag Sisko in seinem Weidenkorb und schlief. Auf dem Boden lag wieder mal ein aufgeschlagenes Buch über das alte Ägypten.

»Du solltest nicht so viel lesen, mein Freund, das schadet deinen Augen!«, sagte ich scherzhaft. Er lüpfte ein Augenlid, war schlagartig wach und überschlug sich fast vor Freude. Er mochte zwar das Verwalterehepaar der Farm, aber die behandelten ihn wie jeden anderen Hund.

... Waheela ...

Ich dachte an die Worte von John Blackwolfs Großvater und beschloss, den Rüden auf meine kommende Europareise mitzunehmen. Es konnte nicht schaden, einen Gott dabei zu haben, auch wenn dieser vier Pfoten hatte und heimlich Bücher über das alte Ägypten las.

Am Sonntag, dem vierten September 1938 traf ich in der Mittagszeit mit der Bahn in Nizza ein und ließ mich von einer der wenigen offenen Pferdedroschken vor dem Bahnhof zur Gautier-Villa bringen. Mein Freund Ivo saß an seinem Schreibtisch und arbeitete. Als er mich hereinkommen sah, stand er auf und umarmte mich. »Wie schön, dass du gekommen bist! Hast du deine Trauer endlich überwunden?«

Wir setzten uns. »In den letzten zwei Jahren ging es mir gar nicht gut«, sagte ich. »Ich wäre fast verrückt geworden. Inzwischen kann ich das Leben wieder ertragen. Woher wusstest du damals auf den Tag genau, wie lange ich brauchen würde, um Jasmins Tod zu verarbeiten?«

Ivo zog sein silbernes Zigarettenetui aus der Jackentasche und steckte sich eine an. »Deine Frau nannte mir das exakte Datum, Robert. Sie kannte dich wohl besser, als du denkst, mein Freund. Sie betonte mir gegenüber mehrmals, wie wichtig es sei, dass du dich nach ihrem Tod um die Rettung der Welt kümmerst. Bei ihrem letzten Besuch in Nizza - das war direkt nach der Olympiade in Berlin - gab sie mir einen Brief für dich, den ich dir erst nach ihrem Tod aushändigen soll.«

Ivo zog einen verschlossenen Umschlag aus der Tasche.

»Hier ist er.« Er stand auf. »Du möchtest ihn gewiss in Ruhe lesen, deshalb solltest du hoch in deine Wohnung gehen. Heute Abend treffen übrigens deine Kinder ein, um dich wiederzusehen. Ich habe mich in der Zwischenzeit um sie gekümmert.«

»Danke, Ivo! Du bist ein wahrer Freund!«

Er lächelte. »Nun geh schon und lies deinen Brief!«

Berlin, 10. August 1936

Mein geliebter Robert!

Wenn du diese Zeilen liest, bin ich gegangen, du hast deine Trauer so weit verarbeitet, dass du wieder am Leben teilnehmen kannst und alles zwischen uns wird gesagt sein. Es ist nicht meine Absicht, meine Gefühle zu Papier zu bringen, weil das nur schmerzhaft wäre, und ich möchte nicht mehr niedergeschlagen sein in der kurzen Zeit, die mir noch bleibt.

Du wirst dich fragen, aus welchem Grund ich dir schreibe. Es geht um ein erschreckendes Erlebnis, das mir heute Nachmittag widerfahren ist. Ich weiß, dass Leo und du versuchen wollt, um die Mittagszeit das zweite Tor des Windes zu verschließen. Ich hatte mich zur gleichen Zeit mit Siegfried Gebhardt getroffen, um ein neues Medikament in Empfang zu nehmen, und ging anschließend ins Café Kranzler, um mich abzulenken von der Angst, die ich um euch empfand.

Plötzlich überfiel mich Traurigkeit, weil mir gestern auch Professor Sauerbruch bestätigte, dass man gegen meine Krankheit nichts unternehmen kann. Ich vermisste euch so sehr und begann zu weinen.

Völlig ungebeten setzte sich ein Fremder an meinen Tisch. Er fragte, was mit mir los sei, und ich erzählte ihm von meiner Erkrankung.

Als ich fertig war, sagte er: »Könnten Sie Ihr Schicksal leichter akzeptieren, wenn Sie wüssten, dass sich selbst bei einem grundlegend anderen Verlauf Ihrer Lebensgeschichte nichts verändern würde?«

»Was wollen Sie damit sagen?«, entgegnete ich entrüstet. »Wer sind Sie überhaupt, dass Sie sich darüber ein Urteil anmaßen?«

Er verbeugte sich höflich vor mir. »Mein Name ist Richard.«

Er schaute auf seine Armbanduhr. »Ich werde Ihnen etwas zeigen.«

Er legte seine Hand auf meinen Unterarm, und bevor ich ihn zurückziehen konnte, entstand in Höhe der Tischplatte eine glatte Wasseroberfläche, auf die ein großer Tropfen fällt. Die Wasserfläche war überall um mich herum. Konzentrische Wellen kamen auf uns zu, und als sie mich erreichten, sah ich dich und mich - wie in einem Tagtraum - auf den Vordersitzen eines offenen Maybach. Du lenktest den Wagen und Maria Radenković und Sigfried Gebhard saßen auf der Rücksitzbank. Wir fuhren auf einer Schnellstraße auf eine Brücke zu, und plötzlich schossen SS-Männer auf uns. Du fuhrst gegen den Brückenpfeiler und das Auto explodierte. Ich zog erschrocken meinen Arm weg und der ganze Spuk war vorüber.

»Was wollen Sie von mir?«, schrie ich den Fremden an. »Warum erschrecken Sie mich dermaßen? Musste das sein? Ich bin sowieso schon schwer krank!«

Er zuckte mit den Schultern. »Ich wollte Ihnen nur zeigen, wie Ihr Schicksal in einer alternativen Variante der Wirklichkeit aussehen würde.«

»Was waren diese wasserartigen Wellen?«

»Ihr Mann und Ihr Sohn halten sich zurzeit in der Kaiser-Wilhelm-Gedächtniskirche auf. Dort schufen sie gerade eben mit ihren Kräften einen der seltenen, kurzen Momente, in den sich unterschiedliche Universen berühren. Das ist die einzige Gelegenheit, um eine völlig anders verlaufende Realität beobachten zu können.«

»Woher wissen Sie das alles?«

Er zuckte mit den Schultern. »Man muss die Vergangenheit begreifen, wenn man die Zukunft für sich entscheiden will. Sagen Sie Robert, er hat am Montag, dem fünften September 1938 unbedingt in Nizza zu sein, egal was geschicht! Prägen Sie sich dieses Datum genau ein! Adieu, Madame!«

Bei diesen Worten erhob sich der Fremde und verschwand. Ich weiß nicht, was diese Erlebnis zu bedeuten hat, mein Schatz, aber ein Gefühl sagt mir, dass ich es dir nicht vorenthalten darf. Vielleicht fällt dir ja etwas Sinnvolles zu diesem eigenartigen Vorfall ein. Auf jeden Fall wirkte der Fremde (im Nachhinein gesehen) nicht wie ein Verrückter, sondern erschreckend ernsthaft und glaubwürdig.

Ein Gedanke lässt mich nicht mehr los, je länger ich über dieses Erlebnis nachdenke: Könnte der Mann ebenfalls ein Zeitreisender gewesen sein, genau wie Andrew Winter? Das würde zumindest erklären, woher er so viel wusste.

Leider kann ich nicht mehr bei dir sein, wenn du diese Zeilen liest. Ich liebe dich und werde dich immer lieben, über den Tod hinaus in alle Ewigkeit.

Jasmin

Ich las den Brief gewiss hundertmal und war meiner Frau während des Lesens ganz nah. Ihr Erlebnis war vermutlich auf Halluzinationen durch den häufigen Morphiumkonsum zurückzuführen, aber ihre Handschrift zu sehen erfüllte mich mit Freude und Glück. Irgendwann schlief ich auf dem Sofa ein und wurde Stunden später von dem Klingeln an der Wohnungstür geweckt.

Genie und Wahnsinn

Vivian, Vanessa und Leo standen vor der Tür. Wir umarmten uns, gingen ins Wohnzimmer und unterhielten uns bis weit in die Nacht über Jasmin. Erst beim Frühstück am folgenden Morgen betrachtete ich meine Kinder genauer.

Die Zwillinge waren mittlerweile zwanzig und zu jungen Frauen herangewachsen. Das Mädchenhafte an ihnen war einer bezaubernden, zerbrechlich wirkenden Weiblichkeit gewichen. Mit ihren blondierten Haaren sahen sie aus wie die schöne Lilian Harvey in dem Film ›*Die drei von der Tankstelle*‹. Leo hingegen war in den letzten zwei Jahren viel zu schnell gealtert, hatte einen kahlen Kopf und sah aus wie Mitte achtzig. Ich versuchte, mein Entsetzen über seine Veränderung zu verbergen.

Wir beschlossen, einen gemeinsamen Spaziergang in die Stadt zu unternehmen. In der *Avenue de la Gare*, hinter dem großen Gebäude der *Crédit Lyonnaise*, lag der *Temple Russe*, an der Kreuzung der *Rue Langchamp* und der *Rue Cotta*. Wir kauften jeder eine Kerze in dem Gotteshaus und entzündeten sie im Gedenken an Jasmin. Anschließend machten wir uns auf den Rückweg.

»Wie lange bleibt ihr in Nizza?«, fragte ich.

»Wir fliegen schon heute Nachmittag zurück nach London, Daddy«, sagte Vanessa. Ihre Augen strahlten, und ich wunderte mich, dass sie mir antwortete, denn eigentlich war sie die ruhigere von beiden Mädchen.

»Du willst nur bei Patrick übernachten!«, knurrte ihre Schwester und verzog ihren rechten Mundwinkel. »Wir hätten die Nachtmaschine nehmen können, aber nein, das ist ja nicht möglich, weil sich der arme Mann vor Sehnsucht nach dir verzehrt!«

»Um wen geht es?«, fragte ich.

»Um den Toningenieur der Abendsendung bei der BBC, der aussieht wie der deutsche Schauspieler Hans Albers«, antwortete Vivian.

Bei diesen Worten lief Vanessa rot wurde. »Du solltest Daddy doch nichts sagen, Vivi! Du weißt, wie eifersüchtig er ist! Aber da es dir schon mal rausgerutscht ist, spielt es auch keine Rolle mehr. Patrick ist mein Freund.«

»Ein Arsch ist er, genau wie sein arisches Vorbild, das er so sehr verehrt!«, brummte ihre Schwester verächtlich. »Hans Albers! Tah!«

Ich überhörte ihre böse Bemerkung und nahm Vanessas Hand.» Ist er nett? Erzähl mir etwas über ihn!«

Während meine unverkennbar verliebte Tochter redete, machte die andere ein grimmiges Gesicht. Den blumigen Schwärmereien konnte ich nur wenige Informationen entnehmen. Ich erfuhr zumindest, dass Patrick Spencer aus gutem Hause stammte und der schönste, klügste und überhaupt süßeste junge Mann war, der je auf Gottes wunderbarem Erdeboden gewandelt war.

... immerhin ...

Drei Stunden später begleitete ich die Zwillinge zum Aéroport Nice. Ihre Maschine hob ab und war nach wenigen Minuten am Horizont verschwunden. Als ich zurück in die Villa kam, wartete Leo auf mich. »Wir müssen reden, Dad, am besten sofort, denn ich reise morgen Früh ab.«

»Wohin fährst du, Leo?«

»Ich gehe nach Rom, um dem Jesuitenorden beizutreten. Bevor ich abreise, werde ich dir alle Informationen übergeben, weil ich nicht mehr mit dabei bin, wenn die letzten beiden Tore des Windes sich öffnen.«

»Was ist, falls ich es allein nicht schaffe, sie zu schließen?«

»Dann ist es Gottes Wille, gegen den du als Mensch sowieso machtlos bist.«

»So einfach ist das für dich, Leo?«

Er nickte. »Inzwischen schon. Und jetzt lass uns endlich hochgehen, ich bin ein alter Mann und kann nicht so lange stehen, mir wird dauernd schwindelig.«

Zehn Minuten später hielt ich eine Mappe mit Leos Notizen in der Hand. Auf dem obersten Zettel standen in großer Schrift die Worte TORE DES WINDES. Darunter waren vier Daten notiert.

```
1.   27.06.1908        - Tunguska-Ebene
2.   10.08.1936        - Berlin, KWG-Kirche
3.   25.01.1943        - ?
4.   03.08.1945        - ?
```

»Diese Datumsangaben konnte ich in dem Voynich-Manuskript ausfindig machen«, sagte Leo. »Der Autor hat sie auf kuriose Weise in den farbigen Punkten auf den Blüten, Blättern und Wurzeln der gezeichneten Pflanzen verborgen. Im Prinzip geht es darum, ob sie ausgemalt sind oder nicht. Bunt steht für › 1 ‹, farblos für › 0 ‹. Soweit klar?«

»Nein.«

»Schau her, Dad!«

Leo nahm einen Zettel und einen Bleistift zur Hand. »Eine Folge von Nullen und Einsen auf einem Blütenblatt lautet zum Beispiel:

1100111001110111010010100.

Das ist eine Zahl aus dem Dualsystem, das der deutsche Mathematiker Leibniz Ende des siebzehnten Jahrhunderts entwickelte. In der Darstellung des Dezimalsystems wird daraus:

27 061 908.

Als Datumsangabe gruppiert ergibt das den 27.06.1908 ...«

»Moment«, unterbrach ich. »Das Voynich-Manuskript ist wesentlich älter als die Erfindung der Dualzahlen ...«

»... was beweist, dass sein Autor oder seine Autorin ein Zeitreisender gewesen sein muss«, nickte Leo.

»Eine Frage bleibt trotzdem. Nach Professor Leonid Kulik fand die Katastrophe in der Tunguskaebene am dreißigsten Juni statt und du hast den Siebenundzwanzigsten errechnet.«

»Das liegt daran, dass die Tore des Windes zwei Phasen durchlaufen. Schließt man ein Tor innerhalb von drei Tagen nach seinem Entstehen, passiert weiter gar nichts. Wenn es länger dauert, bildet sich der Riesenkegel, den wir in der Sowjetunion vorgefunden haben, und löst eine ständig wachsende Naturkatastrophe aus. Man kann das Tor dann zwar immer noch verschließen, aber es wird von Tag zu Tag schwieriger.«

»Die dazugehörigen Orte konntest du nicht herausfinden?«

Leo schüttelte bedauernd seinen Kopf. »Dafür müsste ich den Text des Voynich-Manuskripts entschlüsseln, und das ist mir trotz jahrelanger Bemühungen nicht gelungen, Dad. Tut mir leid!«

Leo ging auf die Toilette und ich rief ich in der Küche an und bat darum, uns eine Kanne mit frisch gebrühtem Kaffee heraufzubringen. Zwei Minuten später klopfte es an der Tür. Madame Massena, die für Lorenzs Agenten das Essen zubereitete, brachte eine Kaffeekanne. Kurz darauf kam Leo zurück und pustete.

»Was ist mit dir?«, fragte ich.

»Du fragst, was mit mir ist? Ich bin dreiundzwanzig und sehe aus wie neunzig! Ich habe Arthrose in den Gelenken und bekomme keine Luft mehr, wenn ich eine Treppe hochsteige! Ich altere fünf- bis zehnmal so schnell wie ein normaler Mensch, während du noch immer so aussiehst wie in meinen frühesten Kindheitserinnerungen! Ich kann jeden Tag an Altersschwäche sterben und du hast die Perspektive, fünfhundert oder gar tausend Jahre zu alt werden! Das ist nicht gerecht! Das ist nicht gerecht! Das ist nicht gerecht!«

Leo griff nach der vollen Kaffeekanne und warf sie gegen die Wand. Die Porzellansplitter flogen in alle Richtungen auseinander und brauner Kaffee lief an der bunten Blumentapete herunterlief. Er starrte auf den Boden und schwieg.

»Dein Schicksal hat mich von Anfang an erschüttert, mein Sohn«, sagte ich. »Wenn ich wüsste, wie es geht, würde ich mit dir tauschen, das darfst du mir gerne glauben! Leider kann ich dir nicht helfen, und das zerreißt mir das Herz! Ich habe mir wegen dir das Gehirn zermartert, und bin bisher nur auf eine Idee gekommen, die auf den ersten Blick verrückt klingen mag. Auf unerklärbare Weise hat jeder deiner Besuche in einem der Tore des Windes eine Verwandlung bei dir bewirkt. Vielleicht verwandelst du dich beim nächsten Mal wieder zurück in einen Mann in deinem Alter! Wäre das nicht möglich?«

Er sah mich mir geröteten Augen an und begann zu zittern.

»Das will ich nicht, Dad! Im dritten Tor würde ich mich in ein Monstrum verwandeln, wie du noch keins gesehen hast! Ich zeichne es dir auf.«

Er nahm ein Blatt Papier und einen Bleistift in die Hand und skizzierte.

»Wie kommst du nur auf solche Ideen?«, fragte ich.

»Schweig, Vater! Ich muss mich konzentrieren ... darf nicht die Kontrolle verlieren ...«

Ich wartete, bis er mir nach zehn Minuten seine Zeichnung hinschob. »Siehst du es Dad? Meine ungeheuren körperlichen Kräfte und übersinnlichen Fähigkeiten könnten ausreichen, um der *Herr der Welt* zu sein, aber ich wäre unendlich grausam und böse.«

Ich schaute auf die Skizze und erschrak bis ins innerste Mark. Sie zeigte ein Wesen mit den Muskeln eines Hochleistungssportlers. Es war mindestens zwei Meter fünfzig groß, wie man an der daneben gezeichneten Meterskala erkannte, und sah einem Huhn ähnlicher als einem Menschen. Es besaß einen kleeblattförmigen Schädel, keine Ohren, einen winzigen, schmalen Unterkiefer und überlange Finger und Zehen mit spitz zulaufenden, runden Krallen. Seine Beine waren verdreht, mit den Knien nach hinten, die Füße allerdings wieder normal herum. Und es hatte böse Augen und einen boshaften, gefühlskalten Blick.

»Oh mein Gott«, stöhnte ich erschüttert. »Wie kommst du nur auf so was, Leo? Das ist ein Monsterwesen aus einem Albtraum! Hast du das geträumt?«

Meinem Sohn tropften Schweißperlen von der Stirn. »Es steckt in mir, Dad, und in dir! Sämtliche Phasen meiner Verwandlung stecken in mir, weil du sie mir vererbt hast! Nicht die Tore des Windes tragen die Schuld daran, sie haben den *Klick* Verwandlungsprozess nur ausgelöst! Diese Veränderungen vererben sich seit Generationen in unserer Familie! Du hättest niemals Kinder in die Welt setzen dürfen!«

Ich fühlte mich entsetzlich und schwieg. Lag Leo richtig mit seiner Theorie? Ich spürte, wie mir die Tränen kamen.

»Nicht«, sagte er sanft und umarmte mich. »Ich bin der intelligenteste Mensch auf dieser Erde und habe die Wissenschaften bis in ihre geheimsten Winkel studiert. Die Naturwissenschaften stoßen zunehmend auf Fragen, die sich nicht mehr rational beantworten lassen. Wieso beenden die Elektronen ihre Rotation um die Atomkerne, wenn man sie auf den absoluten Nullpunkt herunterkühlt? Warum lösen sich im subatomaren Bereich die Symmetrien auf, wie Heisenberg entdeckte? An dieser Schwelle konnte er Gottes Existenz nachweisen. Dort, wo die Erkenntnis endet, beginnt der Glaube! Das ist einer der Gründe, aus denen ich Priester werde, denn am Ende wartet immer der Schöpfer auf uns, um uns zu zeigen, dass wir wieder einmal eine der von ihm gesetzten Grenzen erreicht haben.«

Am nächsten Morgen stand ich früh auf, um mich von Leo zu verabschieden.

»Wo kann man dich erreichen?«, fragte ich.

»Nirgends«, antwortete mein Sohn. »Wozu sollte das gut sein, Dad? Mom lebt nicht mehr, meine Schwestern sind selbstständig und – sei ehrlich - du bist doch froh, wenn du nichts von *Klick* mir hören musst, nicht wahr?«

»Aber Leo, das stimmt nicht!«

»Ist schon gut, Dad. Mein Taxi kommt. Ciao!«

Im Flur kam mir Ivo entgegen. »Hallo, Robert! Ich habe euer Gespräch ungewollt mitgehört. Komm, ich muss dir etwas zeigen!«

In dem ärztlichen Bericht des Chefarztes der Nervenheilanstalt ging es um meinen Sohn, der seit zwei Jahren in der geschlossenen Abteilung dieser Anstalt untergebracht war und manchmal Freigang erhielt, wenn es ihm halbwegs gut zu gehen schien.

Der Befund lautete auf *intrapsychische Ataxie (Spaltungsirresein).* Im Mittelalter hatte man von einer *zerrissenen Seele* gesprochen. Nach dem Arztbericht konzentrierte sich Leos subjektive Wahrnehmung der Umwelt ganz auf sich. In den Phasen seiner gesteigerten Aktivität fantasierte er immer wieder von Stimmen, die ihn verfolgten, und von fremden Gedanken, die versuchen würden, die Herrschaft über sein Bewusstsein zu erlangen. Angeblich kämpfe er gegen diese finsteren Mächte an, um seine Verwandlung in einen brutalen Hühnermenschen zu verhindern. In den Phasen völliger Gehemmtheit hingegen saß er tagelang erstarrt in der Ecke seiner Zelle, ohne sich bewegen.

... Genie und Wahnsinn ...

»Es tut mir leid«, sagte Ivo. »Zwei Tage nach ihrer Rückkehr aus Berlin erkannte Jasmin, dass Leos Geisteszustand nicht in Ordnung ist, und ließ ihn umgehend in die Nervenklinik einweisen und entmündigen. Du wurdest in Abwesenheit zu seinem Vormund bestellt. Seine absolut unverständliche Erklärung, aus welchen Gründen er Priester werden will, gehört übrigens auch zum Krankheitsbild.«

»Ach du lieber Gott!«, rief ich erschrocken. »Er ist verrückt und weiß nicht mehr, was er tut, und in diesem Zustand läuft er frei herum! Wenn er anderen Menschen etwas antut, bin ich daran schuld!«

»Sei unbesorgt«, lächelte Ivo. »Leo ist völlig harmlos und bei jedem seiner Freigänge geschieht das Gleiche - er sitzt immer nur auf dem Bahnhof, starrt Löcher in die Luft und steigt nie in einen Zug. Lorenz Detektive haben ihn vorhin - wie schon oft in den vergangenen zwei Jahren - an einem der Bahnsteige gefunden und zurück in die Anstalt gebracht.«

Er legte seinen Arm um meine Schulter. »Auch wenn das kein Trost sein kann, Robert - als Wissenschaftler ist dein Sohn nach wie vor genial! Alle Berechnungen zu den Datumsangaben im Voynich-Manuskript sind korrekt, wir konnten sie nachprüfen. Auf die Idee mit den bunten Punkten in den Pflanzen wäre keiner von uns gekommen! - Und nun lass uns essen gehen.«

Nach dem Mittagessen setzte ich mich in den Salon. Dabei fiel mein Blick auf Andrew Winters schwarzen Reisekoffer. Aus einer spontanen Eingebung heraus hatte ich ihn mit nach Nizza genommen, um ihn hier zu untersuchen. Fünfundzwanzig Jahre war er nicht mehr geöffnet worden.

Erinnerungsfetzen aus meiner Jugend drangen mit Macht in mir nach oben. Mutanten mit übersinnlichen Kräften war ich niemals begegnet und die Existenz eines Grafen Andraschi, der aus der Zukunft stammte und die Geschichte manipulierte, hätte ich damals schlichtweg für unmöglich gehalten.

Sommer 1913. Das Abteil der ersten Klasse im D-Zug von Wien nach Kopenhagen war leer. Ich hob meinen Koffer in das Gepäcknetz. Im Fach rechts daneben lag ein großer Reisekoffer aus schwarzem, glänzendem Leder. Der Besitzer schien kurz hinausgegangen zu sein ...

Das Erinnerungsbild löste sich auf und gab den Blick auf diesen alten Lederkoffer frei. Ich legte ihn auf den Tisch, konzentrierte mich und tastete den auf der Innenseite angebrachten Mechanismus mit meinen Gedanken ab. Ich entdeckte das gleiche komplexe Modul, das sich 1914 im Sicherheitssystem von Andraschis Mühle auf Elba befunden hatte. Ich durchschaute zwar in keiner Weise, welche komplizierten Prozesse darin abliefen, fand aber schnell die Zahlenkombination. Vorsichtig nahm ich mit meinen Kräften die notwendigen Einstellungen vor und betätigte ich Auslöser.

Mit leisem Klicken sprang der Schlossmechanismus auf. Die Sicherung war deaktiviert und ich konnte das Gepäckstück gefahrlos öffnen. Oben auf der Kleidung lagen ein Chapeau-claque und ein deutsches Buch mit dem Titel ›Der Tunnel‹ von einem Schriftsteller namens *Bernhard Kellermann*. Ich legte beides beiseite und nahm die ordentlich zusammengelegten Kleidungsstücke heraus.

Andrew Winter hatte auf jeden Fall einen exklusiven Geschmack besessen. Mehrere Maßanzüge und edle Stehkragenhemden vom feinsten Schneider Londons, schwarze, italienische Lackschuhe und Gamaschen vom besten Schuhmacher aus Mailand sowie Luxusrasierzeug, Pomade und sündhaft teures Parfum vom edelsten Parfümeur aus Paris stapelten sich vor mir auf dem Tisch. Der mit rotem Seidenstoff ausgeschlagene Koffer war leer.

Das sollte alles gewesen sein? Ich mochte es nicht glauben. Mit meinen Fingerspitzen fuhr ich an dem Futterstoff entlang, entdeckte den doppelten Boden und klappte ihn auf. In dem flachen Fach lagen verschiedene Gegenstände.

Als Erstes fiel mir eine große, runde Blechdose mit der Aufschrift **5425.0117.DIST.XX9 - UNIVERSAL NEWSREEL** ins Auge. Ich öffnete sie und fand einen Sechzehnmillimeterfilm darin, der eine Vorführdauer von etwa dreißig Minuten haben musste, wenn man vom Durchmesser der Filmrolle ausging. Oben auf der Rolle lag ein handgeschriebener, vergilbter Zettel, der voller dunkelbrauner Spritzer war, die wie getrocknete Blutflecken aussahen.

Helen darling,
What you got to do with this film is:
digital conversion into
high resolution 16/9
colorization process LT4
as mail attachment to me until Monday!
I know that I'm a terrible boss,
but the project-time is getting short!
Thanks, Ian

Was mit diesem Auftrag gemeint war, verstand ich nicht, denn ich kannte die Bedeutung der Begriffe nicht, aber es schien um die technische Bearbeitung dieses Films zu gehen.

Helen, mein Schatz,
Wie du diesen Film bearbeiten sollst:
digitale Konvertierung in Hochauflösung 16 zu 9
Einfärbungsprozess LT4
Bis Montag als Postanhang zu mir.
Ich bin ein schrecklicher Chef, ich weiß,
aber die Projekt-Zeit läuft uns davon!
Danke, Ian

Ich drehte den Zettel herum. Auf seiner Rückseite waren die folgenden Worte aufgedruckt:

UPS Phoenix / Arizona
Cusomer ID 000-811-004-769, Mrs. Helen Winter
Delivery on Apr. 3rd, 2019

Es schien sich um den Lieferschein eines Transportunternehmens zu handeln, das UPS hieß. Erschreckend fand ich die handschriftliche Notiz, die darunter stand.

The day Mom was murdered

Der Tag, an dem Mama ermordet wurde. Verschiedene Gedanken gingen mir gleichzeitig im Kopf herum. Auf wundersame Weise hielt ich Gegenstände in der Hand, die nur aus der Zukunft stammen konnten. Aus welchem Grund hatte Andrew Winter diese Dinge auf seine Reise in die Vergangenheit mitgenommen? War Helen vielleicht seine Mutter gewesen? Ich verschloss die Blechdose wieder.

Lorenz Kleinmeir kannte gewiss jemanden, der uns für heute Abend einen Filmprojektor ausleihen würde.

Eine flache, sehr kleine Schachtel aus einem leichten, mir unbekannten Material folgte als Nächstes. Die obere, aufklappbare Seite enthielte ein Farbfoto, das einen älteren Mann abbildete, der schulterlanges Haar und einen Vollbart trug. Er hielt eine Gitarre in der Hand. Über das Foto war Schrift gelegt.

JOHN WINTER
GREATEST HITS
LONG PLAY CD

Ich klappte die Schachtel auf. In ihrer rechten Hälfte war eine silbern glänzende Scheibe mit einem Durchmesser von etwa zehn Zentimetern eingeklemmt. Silberscheiben dieser Art hatte ich vor vielen Jahren schon einmal in Graf Andraschis Hauptquartier auf Elba gesehen. Meine damalige Vermutung, dass es sich um die Schallplatten der Zukunft handelte, schien sich zu bestätigen, denn siebzehn Musiktitel waren in mikroskopisch kleiner Schrift auf der Rückseite der Schutzhülle aufgedruckt. Unter der Hülle steckte ein kurzer, unordentlich mit der Schere ausgeschnittener Zeitungsausschnitt.

7. November 2019. Phoenix. In den gestrigen Abendstunden kam der ortsansässige Filmkomponist John Winter (75) bei einem Verkehrsunfall ums Leben. Kunden fanden den Leichnam des Musikers in den frühen Morgenstunden am Rande des WAL-MART-Parkplatzes im Osten der Stadt. Nach Auskunft der Polizei hatte der Komponist einen Fußgängerüberweg überqueren wollen und war dabei von einem schrottreifen Ford Mondeo erfasst worden, den der Täter am Tatort stehen ließ. Der Fahrer des Unfallfahrzeugs ist flüchtig.

Jetzt begann ich zu begreifen, welche Bedeutung diese Gegenstände aus der Zukunft besaßen - John und Helen Winter mussten Andrews und Rachels Eltern gewesen sein. Die besondere Tragik bestand darin, dass ihre Mutter im April ermordet worden war, und dass ihr Vater sieben Monate später das gleiche Schicksal hatte erleiden müssen.

Bei diesen Gedanken empfand ich eine tiefe Verbundenheit zu den Geschwistern, denn ich kannte das Leid und den Schmerz, den selbst erwachsene Kinder beim plötzlichen Tod geliebter Menschen empfinden. Nachdenklich legte ich die flache Schachtel mit der Silberscheibe in den Koffer zurück.

Der letzte Gegenstand im doppelten Boden war ein mit Sägespänen gepolsterter Briefumschlag, der zugeklebt und unbeschriftet war. Vorsichtig schnitt ich den Umschlag auf und zog ein zusammengefaltetes, einseitig beschriebenes Briefblatt heraus. Ich faltete es auseinander und las die Notizen, die mein Vater seinerzeit zu Papier gebracht hatte.

30. Mai 1913 // Anfang August: Lieferung von 50 Pferden nach St. Petersburg. Folgende Fragen für Besprechung mit Nikolai Voroschin vorbereiten:

A. *Keine neuen Hinweise auf das ›Buch des Lebens‹*

B. *Betreff Graf Andraschi:*

1. Unterschlupf in Rio de Janeiro und Paris?

2. Pazifikinsel? - Kapitän D. findet sie nicht.

C. *Was planen Meerwald und von Landeck?*

Ich faltete das Blatt zusammen und steckte es in meine Jackentasche. Ich würde mich später damit beschäftigen. Dann ging ich zu Lorenz hinunter, um ihn zu bitten, einen Filmprojektor zu besorgen.

Wochenschau

Der Film knatterte laut in dem Sechzehnmillimeterprojektor. Schnittmarken flimmerten über die Leinwand, und dann erschien der Vorspann. Die Worte UNIVERSAL NEWSREEL standen zwischen zwei waagerechten Strichen, darunter der Text:

Akkon, Feb. 5th 1954

»Das ist ein Nachrichtenfilm für eine Kinovorführung und Akkon ist ein Kameltreiberkaff irgendwo in Palästina, wo kein Mensch hin will - na ja - aber neunzehnhundertvierundfünfzig? Das kann doch nicht sein! Das Datum liegt sechzehn Jahre in der Zukunft!« rief Lorenz.

»Bitte sei still! Lass uns erst den Film betrachten und nachher darüber reden, wenn wir alles gesehen haben«, sagte Ivo.

Im Hintergrund des Filmbilds war ein riesiges Hochhaus zu sehen, das eine gewisse Ähnlichkeit mit dem Empire State Building in New York aufwies, aber noch viel höher zu sein schien. Über dem obersten Stockwerk des Wolkenkratzers hatten mehrere große Luftschiffe festgemacht. Ich zählte acht von ihnen. Die Worte des Kommentators erklangen aus dem Lautsprecher.

Gestern begannen in der Welthauptstadt Akkon die dreitägigen Feierlichkeiten anlässlich des fünfzigjährigen Bestehens der United World Authority UWA, der Regierung der Erde.

Totale auf das flache Dach des Hochhauses. Man sieht mehrere Menschen, die auf langen, freitragenden Brücken die Luftschiffe verlassen, die sternförmig über der riesigen, achteckigen Plattform angedockt haben.

Gegen Mittag trafen alle acht Regionalgouverneure unseres Planeten bei dem eintausendeinhundertelf Meter hohen Regierungsgebäude in Akkon ein, in dem die Weltregierung UWA ihren Sitz hat. Die Landeplattform auf dem Dach des dreihundertsten Stockwerks ist ausschließlich Luftfahrzeugen von Regierungsvertretern vorbehalten. Anlässlich der Feierlichkeiten wurde eine Ausnahme für die Journalisten der Weltpresse erteilt.

Schwenk auf eine Gruppe Menschen. Sie tragen Hüte, lange Mäntel und stehen vor einer riesigen Glasfront mit mehreren Schiebetüren. Ein Blitzlichtgewitter beginnt.

Fröhlich und gut gelaunt stellen sich die Regionalgouverneure den Reportern. Die Aufnahmen zeigen den amerikanisch-kanadischen Gouverneur William Foster ganz links im Bild, neben ihm sein Amtskollege Ernesto Guevara de la Serna aus Mittel- und Südamerika.

– kurze Sprechpause –

Daneben Shaka Zulu der Fünfte, Gouverneur des afrikanischen Kontinents. Er begrüßt den chinesisch-japanisch-pazifischen Gouverneur Mao Zedong sehr herzlich. Beide Männer sind seit Jahren persönlich befreundet.

– kurze Sprechpause –

Der australisch-neuseeländische Gouverneur James Wilson Hunt unterhält sich mit dem fünfundsiebzigjährigen Lew Dawidowitsch Bronstein, dem Gouverneur der slawisch-osmanischen Föderation. Ganz rechts im Gespräch der Präsident der europäischen Konföderation KSZE, Ivo Randenković, mit der Präsidentin der arabisch-indischen Liga, Maya Modschtahed Hindi.

»Oh mein Gott!«, stöhnte Ivo leise.

Ole Larsson, der Regierungschef des Freistaats Island, das als einzige Region der Erde noch nicht der UWA beigetreten ist, überbringt persönliche Grüße an James Wilson Hunt, der heute seinen Geburtstag feiert. Über den Beitritt des Inselstaats als neuntes und letztes Gouvernement der UWA wird im demokratisch gewählten Parlament der Weltregierung in den nächsten Wochen verhandelt.

Schnitt. Kamerafahrt in einen riesigen Saal. Von der Totale auf das Publikum fährt die Kamera auf einen sehr alten Mann zu.

- Großaufnahme -

Im Rahmen der Feierstunde im großen Plenarsaal des Regierungsgebäudes wurde dem neunzigjährigen Alterspräsidenten der UWA, Dr. Franz Ferdinand Habsburg-Este, eine besondere Ehrung zu Teil. Der Politiker hatte maßgeblichen Anteil am Zusammenschluss der Nationalstaaten Europas zur KSZE, den konföderierten Staaten von Zentraleuropa. Dieses erste Gouvernement der UWA entstand vor genau fünfzig Jahren am fünften Februar 1904.
KSZE-Gouverneur Radenković würdigte das Lebenswerk Dr. Habsburg-Estes und dankte dem Jubilar für sein unermüdliches Streben nach Freiheit, Demokratie und sozialer Gerechtigkeit. Er überreichte dem weltweit beliebten und angesehenen Politiker die höchste Auszeichnung der Welt, die goldene Sonne.

- Zoom zurück auf Halbtotale -

Präsident Habsburg-Este beendete seine Dankesrede mit den Worten:

- Tonüberblendung auf Originalton -

»Die Einigung der Welt war nur ein kleiner Schritt für mich, aber ein gewaltiger Schritt für die Menschheit! Frieden und Demokratie sind das höchste Gut, das wir besitzen!«

Tosender Beifall aus den Reihen der Zuschauer.

Schnitt. Die Kamera fährt auf einen Krüppel zu, der im Rollstuhl auf dem Podium sitzt.

Ich erkannte sofort, wer das war und hatte plötzlich Schwierigkeiten, Luft zu bekommen. Für einen Moment erschienen farbige Blasen vor meinem inneren Auge.

Posthume Ehrungen wurden den Wissenschaftlern Rudolf Diesel und Richard Stirling zu Teil für ihre Forschungsarbeiten im Bereich der kostenlosen Energiegewinnung durch künstliche Fotosynthese. Professor Leo Randenković, Neffe des KSZE-Regionalgouverneurs, nahm diese Auszeichnungen stellvertretend für die beiden verstorbenen Forscher entgegen.

Die Kamera fährt zurück in die Halbtotale. Man sieht, dass der Krüppel im Rollstuhl keine Arme hat und dass seine Beine falsch herum sind, mit den Knien nach hinten.

Der weltberühmte Physiker, Biologe, Mediziner und Philosoph Leo Randenković, der als intelligentester Mensch der Erde gilt und schwerbehindert geboren wurde, war maßgeblich an der Weiterentwicklung der Stirling-Diesel-Generatoren beteiligt, die heute jeden Haushalt auf der Welt mit kostenloser Energie versorgen. Professor Radenković fuhr im Rollstuhl auf die Bühne, um die Auszeichnung für seine verstorbenen Vorgänger in Empfang zu nehmen.

- Schnitt. Abendhimmel. -

Der Weltfeiertag fand seinen Ausklang mit einem Feuerwerk, das die Welthauptstadt Akkon eine Stunde lang in bunte Lichter tauchte. Der Feuerschein war bis Jerusalem zu sehen.

- Sternblende - -

- neue Schrifttafel - -

Terroristen gefasst!

Ein Schlag gegen den internationalen Terrorismus gelang der Polizei im deutschen Großraum München. Bei einer Großrazzia konnten mehrere Terroristenverstecke der im Untergrund operierenden NSDAP ausgehoben werden.
Der Kopf der Terrororganisation, der fünfundsechzig Jahre alte Adolf Hitler, der sich seit Monaten in einem Erdloch bei Freilassing versteckt hielt, wurde von UWA-Agenten verhaftet. Der Chef des Terrornetzwerks hatte sich einen Vollbart wachsen lassen, um nicht erkannt zu werden. Bei seiner Verhaftung leistete er keinen Widerstand.
Hitler sitzt inzwischen im Hochsicherheitsgefängnis des Weltgerichtshofs in Jerusalem. Ihn erwartet eine Anklage wegen Massenmords und Völkermords. Wie aus dem Büro des Generalweltanwalts verlautet, muss der Angeklagte mit dem Urteil der Todesstrafe rechnen.

Schnitt. Ältere Archivaufnahmen von London, Kopenhagen, Paris und Warschau.

Durch weltweite Terroranschläge der NSDAP sind in den letzten einundzwanzig Jahre Millionen Menschen zu Tode gekommen. Besonders schreckliche Folgen für die Bevölkerung hatte der Angriff auf die KSZE-Bundesstaaten England, Dänemark, Deutschland, Frankreich und Polen mit selbst entwickelten, biologisch-chemischen Waffen, bei dem sechs Millionen Menschen hauptsächlich jüdischen Glaubens ums Leben kamen.

Schnitt. Ein dicker Mann in Handschellen wird abgeführt.

Ebenso in Haft genommen wurden der Berliner Bordellbesitzer Hermann Göring, Organisator und Finanzexperte der Terrororganisation, sowie der Volksschullehrer Joseph Goebbels und der Hilfsarbeiter Heinrich Himmler, die nach den Erkenntnissen der Ermittlungsbehörden dem Kopf des Terrornetzwerks zuzurechnen sind.

Der Projektor knatterte und das Bild wurde weiß. Es war minutenlang ganz still. Irgendwann sagte Lorenz: »Dieser Film lag angeblich seit 1913 in einem Koffer auf irgendeinem Dachboden in Dänemark und gehörte dem bösen Graf Andraschi? Wie ist es möglich, dass er die Welt zeigt, wie sie 1954 sein wird - mehr als vierzig Jahre später, von damals aus gerechnet? Das verwirrt mich total!«

Ivo zündete sich eine Zigarette an. »Ich habe keine Ahnung, wie viel Robert dir über unsere gemeinsamen Erlebnisse vor dem Weltkrieg erzählt hat. 1914 drangen wir in Andraschis Unterschlupf auf der Insel Elba ein und fanden einen Forschungsbericht, der aus der Zukunft stammte. Danach würde sich die Menschheit im Jahr 2020 selbst vernichten. Wir sind immer davon ausgegangen, dass der Mann - zusammen mit seiner Schwester Rachel - eine Zeitreise unternahm, um die Welt vor dem Untergang zu bewahren. Irgendetwas scheint dabei schiefgegangen zu sein, denn sie landeten im Jahr 1620.«

»Ich hielt diese Geschichte bisher für Seemannsgarn«, antwortete Lorenz und lief rot an. »Außerdem erklärt es nicht meine Fragen zu dem Nachrichtenfilm, den wir gerade gesehen haben.«

»Im Gegenteil«, entgegnete ich. »Die einzige Erklärung für die Existenz dieses Films besteht darin, dass Andrew Winter die Filmrolle aus seiner Zukunft mitgebracht hat. Sie zeigt die Vergangenheit, wie sie für ihn Wirklichkeit war, bevor er 2020 seine Zeitreise unternahm - es gab eine vereinigte Weltregierung, keinen Weltkrieg, kein Attentat auf Franz Ferdinand von Habsburg, die Nazis erscheinen als gejagte Terroristen. Die gravierenden Unterschiede zu unserer Gegenwart wurden höchstwahrscheinlich von Andraschi selbst ausgelöst. Ich vermute, zuerst veränderten sich nur winzige Kleinigkeiten und entwickelten sich selbstständig weiter zu den riesigen Veränderungen, die wir im Nachrichtenfilm gesehen haben.«

»Jetzt verstehe ich gar nichts mehr«, brummte Lorenz.

»Ist auch schwierig zu begreifen«, nickte Ivo beipflichtend. »Mit einfachen Worten: Der Film zeigt uns, wie die Geschichte verlaufen wäre, wenn Andrew Winter keine Zeitreise unternommen hätte.«

»Was?«, sagte Lorenz.

»Wir konnten sehen, wie das Gestern war, bevor er seine Reise ins Jahr 1620 unternahm. Das erklärt, warum wir eine andere Vergangenheit haben als er. Stell dir vor, zwei Menschen tauchen plötzlich in einer Zeit auf, in die sie nicht gehören. Ihre bloße Anwesenheit sorgt bereits für Veränderungen mit gravierenden Folgen. Beispiel: Ein Kutscher muss Rachel ausweichen und überfährt einen kleinen Jungen, der Isaac Newton heißt. Dessen Axiome würden nie formuliert werden. Andersherum genauso: Andrew rettet ein unbekanntes Kind vor dem Ertrinken. Einige Jahre später entwickelt der Gerettete schon im siebzehnten Jahrhundert die Relativitätstheorie.«

Lorenz sprang auf. »Das ist mir zu hoch! Willst du sagen, es gibt zwei verschiedene Vergangenheiten, nämlich Andraschis und unsere?«

»Vielleicht«, erwiderte ich schulterzuckend. »Ich weiß nur, dass viele Entwicklungen ab 1620 anders abgelaufen wären, wenn sich die Menschheit friedlich weiterentwickelt hätte. Was dieser Film zeigt, ist zwar recht interessant, aber unwichtig für uns, weil er mit der Wirklichkeit, in der wir leben, nichts zu tun hat.«

»Richtig«, nickte Ivo. »Vergessen wir, was wir eben sehen durften, und kümmern uns lieber darum, dass die Nazi-Verbrecher in unserer schönen Welt nicht noch mehr Unheil anrichten können!«

»Ich bin nicht im Bilde über die aktuelle Lage«, entgegnete ich. »Informiert ihr mich kurz?«

Lorenz murmelte irgendetwas Unverständliches, zog eine große Landkarte aus einem der Schränke und rollte sie auf dem Tisch aus. »Auf unserem Kontinent liegen Frieden und Demokratie inzwischen im Sterben, denn das schlicht gestrickte, teutonische Gedankengut von Intoleranz, Unterdrückung und Diktatur greift auch in vielen anderen Staaten Europas immer schneller um sich.«

Ivo zeigte mit dem Finger auf die Karte. »In den letzten fünf Jahren verloren Rumänien, Griechenland, Estland, Lettland, Litauen, Polen und Portugal ihre demokratischen Verfassungen und wurden zu autoritär regierten Ständestaaten degradiert. Kein wesentlicher Widerstand aus dem Volk, die Menschen arrangieren sich widerstandslos mit Militärdiktaturen nach deutschem Vorbild. Lediglich in Spanien tobt seit 1936 ein Bürgerkrieg, der während der Berliner Olympiade begann. Das spanische Volk wehrt sich mit allen Kräften gegen den faschistischen Militärdiktator *Francesco Franco*, kämpft aber auf verlorenem Posten, denn immer mehr Staaten erkennen den Diktator als Regierungschef an.«

Ivo richtete sich auf. »Das Naziregime hat inzwischen seinen Schwerpunkt von der Innenpolitik auf die Außenpolitik verschoben. Die Eroberung der Welt startete im März mit der gewaltsamen Auflösung und Einverleibung des souveränen Österreich. Von den Nazis bezahlte, jubelnde Volksmassen empfingen die einmarschierenden Soldaten der deutschen Wehrmacht!«

Das kalte Grauen kroch meinen Rücken hoch und ließ mich erschauern. »Was soll nur aus Europa werden, wenn das so weitergeht?«

»Leider geht es weiter, Robert! Der nächste Prozess ist schon am Laufen! Ich zeige es dir, schau her!«

Ivo deutete auf die Tschechoslowakische Republik. »Provokateure der Nazis schüren seit Jahren immer neue Konflikte zwischen deutschstämmigen und tschechischen Bürgern, um den Eindruck zu erwecken, dass die im westlichen Grenzgebiet Tschechiens lebenden *Sudetendeutschen* benachteiligt und unterdrückt würden. Selbst kleinste Vorfälle werden hochstilisiert und in den Presseorganen der NSDAP breitgetreten. Dahinter steckt die Absicht, auch dieses Gebiet dem Großdeutschen Reich einzuverleiben.«

»Um dieses Ziel zu erreichen, müsste die deutsche Wehrmacht in ein fremdes Land einmarschieren. Das wäre gleichbedeutend mit einer Kriegserklärung. Glaubt ihr, dass sie es dazu kommenlassen?«

Lorenz schüttelte seinen Kopf. »Sie gehen geschickter vor. Es ist den Nazis wahrhaftig gelungen, diesen sudetendeutschen Blödsinn zum internationalen Verhandlungsthema zu erheben. In drei Wochen, am neunundzwanzigsten September, treffen sich Hitler, Mussolini, Großbritanniens Premierminister Chamberlain und der französische Ministerpräsident Daladier in München, um abschließend über das internationale Vorgehen in der Sudetenkrise zu beraten.«

»Zwei Diktatoren und zwei Demokraten - das scheint mir keine gute Konstellation zu sein. Was soll dabei herauskommen?«

»Wir wissen von einem Berliner Kontaktmann in der NSDAP, dass die Nazis die ersatzlose Abtretung der angeblich rein deutsch besiedelten Randgebiete Böhmens, Mährens und Schlesiens an das Großdeutsche Reich verlangen. Die Verträge sind schon fertig geschrieben und liegen in Hitlers Schreibtisch bereit.«

»Lässt sich abschätzen, wie England und Frankreich darauf reagieren werden?«

Ivo tippte sich mit dem Zeigefinger gegen die Stirn. »Die Regierungen beider Länder haben sich intern auf einen außenpolitischen Kurs gegenüber Deutschland festgelegt, den sie hochtrabend als *Appeasement-Politik* bezeichnen. Dahinter steckt ein simples Kalkül: Sie geben den Nazis, was diese fordern, in der irrigen Erwartung, dass deren Ansprüche irgendwann befriedigt wären, und hoffen insgeheim, selbst in Ruhe gelassen zu werden ...«

Das Telefon klingelte. Lorenz nahm den Hörer ab und unterhielt sich mit gedämpfter Stimme.

»Komm, Robert«, sagte Ivo leise. »Lass uns noch einmal die Karte von Europa betrachten. Ich will dir zeigen, welche langfristige Entwicklung ich befürchte.«

Wir traten zu dem Tisch. Lorenz hatte inzwischen sein Telefonat beendet, saß in seinem Sessel, hielt seine Augen geschlossen und bewegte sich nicht.

»Alles in Ordnung?«, fragte ich.

Er erwachte übergangslos aus seiner Erstarrung. »Nachher, Jungs! Macht ohne mich weiter, ich muss telefonieren.«

Er sprang auf und rannte hinaus.

»Also«, sagte Ivo kopfschüttelnd »Hitler als Kopf des Terrornetzwerks – den Ausdruck habe ich aus dem Nachrichtenfilm, er gefällt mir – Hitler verwendet außenpolitisch eine Strategie, die schon Alexander der Große und Julius Caesar kannten: die Zangenbewegung. Nach dem Münchner Abkommen wird von der Tschechoslowakei nur ein schmaler Reststaat übrig bleiben, dessen westliche Hälfte mit Prag im Zentrum auf drei Seiten von Deutschland umgeben ist. Wenn die Braunhemden - bildlich gesprochen - die Kneifzange zudrücken, können sie Tschechien von dem slowakischen Teil abkneifen und einkassieren. Danach ist Polen dran, denn es liegt dann ebenfalls in einer solchen Zange. Schau hier!«

Ivo zeigte auf der Karte, was er meinte. »Im letzten Schritt werden die Nazis über die Sowjetunion herfallen, weil ihr Führer mindestens genauso verrückt ist wie Napoleon Bonaparte, der gleichfalls seine Finger nicht von Russland lassen konnte.«

»Deine Prognosen für Osteuropa sehen mehr als düster aus, mein Freund«, sagte ich schaudernd. »Man kann nur hoffen, dass sie sich nicht erfüllen! Was aber ist mit Westeuropa? In all deinen Überlegungen kommen Frankreich, England und die Beneluxländer nicht vor.«

»Im Westen bildet Großbritannien das Zünglein an der Waage, und das hat mit den innenpolitischen Entwicklungen der letzten Zeit zu tun. Edward der Achte saß nur zehn Monate auf dem Thron und dankte im Dezember 1936 ab - angeblich, um seine mehrfach geschiedene Geliebte Wallis heiraten zu können. Er erhielt den Titel *Herzog von Windsor*, dazu eine hohe Abfindung, und reiste schon tags darauf nach Wien ...«

»Halt, Ivo«, unterbrach ich meinen Freund. »Was hat die Geschichte des abgedankten Königs von England mit Frankreich und den Beneluxländern zu tun?«

»Hör mir weiter zu«, lächelte Ivo. »Von General Wood erfuhren wir, dass die Simpson dabei erwischt wurde, wie sie dem deutschen Geheimdienst britische Geheimdokumente zuspielte. Das war der wirkliche Anlass für Edwards Abdankung. Die beiden heirateten, reisen seitdem in der Weltgeschichte herum und tragen ihre Sympathien für den Faschismus offen zur Schau. Allein im letzten Jahr besuchten sie Mussolini in Italien, Franco in Spanien, Hitler sogar zweimal auf dem Obersalzberg. Von einem Insider aus dem privaten Umfeld des Herzogs von Windsor haben wir erfahren, dass er nur noch auf einen Krieg gegen die USA und einen Sieg der Nazis über die Amerikaner wartet, um nicht etwa als König, sondern als Führer des britischen Volkes nach London zurückzukehren! Verstehst du, was das bedeutet? Nur mit einem gewaltsamen, politischen Umsturz ließe sich das urdemokratische Großbritannien in eine Militärdiktatur verwandeln, und Edwards feine Freunde in Rom, Madrid und Berlin sind ihm gewiss gerne behilflich, seinen perfiden Plan umzusetzen ...«

»Jetzt erkenne ich den Zusammenhang«, sagte ich erschüttert. »Mit *Fuhrer Eddi von Saxe-Coburg-Gotha* könnten die internationalen Faschisten das gesamte Westeuropa militärisch in die Zange nehmen, im Nordwesten von England aus und im Südwesten von Spanien.«

»Du hast die Gefahr verstanden«, nickte Ivo. »Damit wäre geklärt, was Frankreich und den Beneluxländern bevorsteht, wenn das Vorhaben des Herzogs gelingt. Nun spulen wir die ganze Geschichte wieder zurück in die Gegenwart. Um zu verhindern, dass sich die Dinge in Europa so entwickeln, wie wir befürchten, müssen wir den Ausdehnungsprozess des Nazireichs so schnell wie möglich beenden, und zwar von internationaler Ebene aus. Deshalb habe ich mich entschlossen, nach London, Paris und München zu fahren und vor Ort im Gespräch mit Chamberlain und Daladier dafür zu sorgen, dass dem Großdeutschen Reich auf keinen Fall das so genannte Sudetenland zugesprochen werden darf. Anschließend muss es ...«

»Hallo Jungs«, erklang Vasilijs Stimme aus Richtung der Tür. »Nehmt ihr mich in eure Runde auf?«

»Was machst du hier, General Douglas?«, rief Ivo und sprang auf, um unseren Freund zu begrüßen.

»Ich muss mir dringend etwas einfallen wegen Grigori Seizhev! Er ist in die Schusslinie von Stalins Geheimdienst geraten. Vor seiner Verhaftung konnte er sich samt Frau und Sohn rechtzeitig absetzen und hält sich an einem geheimen Ort versteckt. Es ist ihm gelungen, mir ein Telegramm zukommen zu lassen, in dem er mich um meine Hilfe bittet, denn ohne Unterstützung von außen kann es den drei Menschen nicht gelingen, die UdSSR zu verlassen.«

»Hast du die *White Eagles* gleich mitgebracht?«, fragte ich.

Vasilij schüttelte seinen Kopf. »Noch so eine Aktion wie bei deiner Befreiung aus dem Lager Dachau wird es nicht geben. Präsident Roosevelt hat sich verbindlich festgelegt, dass die USA sich aus sämtlichen Konflikten in Europa heraushalten werden, egal, was geschehen sollte. Außerdem wurde meine Abteilung vor Kurzem aufgelöst.«

»Also bist du alleine hier?«, sagte Ivo.

Vasilij nickte. »ja, aber das ist ...«

Lorenz Kleinmeir kam schimpfend herein. »Verdammt, verdammt, verdammt! Das kann doch alles nicht wahr sein!«

»Was ist mit dir? Warum schimpfst du wie ein Rohrspatz?«, fragte Ivo.

Lorenz ließ sich in seinen Sessel fallen und stöhnte. »Meine Familie ist in ein Konzentrationslager verschleppt worden, und die Scheißkerle von der SS haben meinen Vater umgebracht, weil er sich gegen die Verhaftung gewehrt hat!«

»Du hast Angehörige in Deutschland?«

»Ja! Mein Bruder Franz, seine Frau Sabine, ihre Kinder Roswitha, Minna und Anne sowie meine Schwester Laura, ihr Mann Hermann und ihr Sohn Herbert.«

»Insgesamt also acht Personen«, murmelte Vasilij. »Aus welchem Grund wurden sie verhaftet? Was haben sie verbrochen?«

»Gar nichts! Mein Neffe brauchte Abstammungsurkunden für den Ariernachweis, weil er vorhatte, in die SS einzutreten! Dabei ist herausgekommen, dass es in einer der Abstammungslinien unserer Familie einen jüdischen Großvater gibt!«

»Also mal ehrlich - so bestraft Gott die Idioten«, sagte Ivo kopfschüttelnd.

Lorenz warf ihm einen bösen Blick zu.

»Was ist mit deinen Eltern?«, fragte ich, um von Ivos Bemerkung abzulenken.

»Meine Mutter lebt schon lange nicht mehr. Mein Vater wollte die Verhaftung von Franz und Sabine verhindern. Dafür schlugen ihn die SS-Leute zusammen, fesselten ihn und steckten ihn kopfüber ins Klo! Er ist zuhause auf der Toilette ertrunken.«

In diesem Moment kam einer der Wachmänner hereingestürmt. »Entschuldigung, wenn ich störe, meine Herren! Es ist wichtig, Chef!«

»Was ist denn?«, fragte Lorenz unwirsch.

»Die von der Klapsmühle haben gerade angerufen! Der Irre ist verschwunden!«

»Was?«

»Na, der bekloppte Opa, der immer zum Bahnhof rennt, weil er nach Rom fahren will, um Priester zu werden! Hoffentlich fällt er ins Hafenbecken und ersäuft, dann hat das wenigstens ein Ende!«

Eine Stunde später liefen mehrere Detektive durch Nizza, um Leo zu suchen, und wir saßen wieder gemeinsam im Besprechungsraum der Geheimdienstzentrale in der Gautier-Villa. Ivo hatte sich verabschiedet, um nach Paris, London und München zu reisen und Chamberlain und Daladier im Vorfeld zu überzeugen, endlich eine harte Linie gegenüber den Nazis zu fahren.

»Wir haben eine schwierige Aufgabe vor uns«, sagte Vasilij. »Die Seizhevs halten sich zurzeit bei Freunden versteckt und können die UdSSR nicht verlassen, weil die Grenzen auf dem Land-, Luft- und Seeweg peinlich genau kontrolliert werden. Um sie herauszuholen, müssen wir nach Sewastopol. Das ist eine Hafenstadt auf der Halbinsel Krim im Schwarzen Meer.«

Er zog eine aufgerollte Karte aus einem Regal und hängte sie an einen Kartenständer.

»Wir fliegen von Nizza über Algier und Tunis in Französisch-Nordafrika nach Ankara. Überflugrechte und Landeerlaubnis für die Türkei habe ich bereits, ein Freund hat seine guten Verbindungen spielen lassen.«

»Er hat sicherlich direkt bei Präsident Mustafa Kemal angerufen, der seit Kurzem den Nachnamen Atatürk trägt, nicht wahr?«

»Darf ich nicht sagen«, lächelte Vasilij. »Douglas würde arge Schwierigkeiten bekommen, wenn das herauskommen sollte. Aber weiter im Thema. Zwanzig Kilometer vor Sewastopol springen wir mit dem Fallschirm ab ...«

»... ins Schwarze Meer? Das kannst du vergessen«, sagte Lorenz. »Ich habe Höhenangst und möchte nicht ertrinken - da, wo du abspringen willst, ist kilometerweit nur Wasser ...«

»... und ein griechischer Frachter mit Kleidung, falschen Papieren und Waffen für uns. Wir gehen als Seeleute verkleidet von Bord. Das ist ungefährlich, denn die Sowjets achten zwar auf alle, die abhauen wollen, aber nicht auf jene, die ins Land kommen. Außerdem sind die Einreisekontrollen in den russischen Häfen nachts eher lasch.«

»Weißt du das oder hoffst du das nur?«

»Ich wünsche es mir.«

»Prost Mahlzeit«, stöhnte Lorenz.

»Es wird schon gut gehen«, antwortete Vasilij. »Wir sammeln die Seizhevs ein, holen das Flugzeug, das Grigori unbedingt mitnehmen will – dafür brauchen wir auf jeden Fall Robert mit seinen Fähigkeiten – fliegen nach Ankara und lassen die Maschine auftanken. Rückweg wie gehabt über Algier und Tunis zurück nach Nizza.«

»Moment!«, sagte ich. »Dein Freund hat vor, ein sowjetisches Flugzeug zu stehlen? Ein dämliches, blödes Flugzeug? Das ist hirnrissig! Warum spielst du dabei mit?«

»Weil diese Tupolew einmalig ist auf der Welt! In der UdSSR existiert nur dieser eine Prototyp. Es geht uns nicht darum, sie zu besitzen! Wir benötigen sie, um Lorenz Großfamilie aus dem deutschen Konzentrationslager zu befreien. Danach geben wir sie freiwillig wieder zurück.«

Eine Woche später.

An Bord des griechischen Frachters Kefallinea.

»Seid ihr fertig?«, fragte der Kapitän. Ich sah an mir herunter. Die dunkelblaue Uniform der Handelsmarine passte gut.

Wir gingen mit falschen Pässen in Sewastopol an Land. Währenddessen wurde unsere in wasserfeste Folien eingeschlagene

Ausrüstung zusammen mit den Küchenabfällen auf einen LKW verladen, um an der sowjetischen Zollkrontolle vorbeizukommen.

Wir liefen durch viele Straßen. Grigori, Natascha und Jurij Seizhev hielten sich in einer verschlossenen Dachbodenkammer eines dreigeschossigen Mietshauses versteckt, das wir nur noch finden mussten. Vor einem grauen, unscheinbaren Gebäude blieb Vasilij stehen.

»Hier ist es!«

Lautlos schlichen wir die Stiegen hinauf bis zum Dachboden.

»Kommt leise heraus!«

Ein verborgener Holzverschlag öffnete sich. Wir begrüßten uns mit einem kurzen Kopfnicken. Natascha Seizhev schaute ängstlich und griff mit beiden Händen nach dem Oberarm ihres Mannes. Wenn sie das Haus zusammenschreit, werden die Soldaten der Roten Armee schneller da sein, als uns lieb ist, dachte ich.

»Ganz ruhig, mein Schatz! Das sind unsere Freunde!«, flüsterte Grigori seiner Frau ins Ohr und gab ihr einen Kuss. Sie nickte und kniff ihre Lippen zusammen.

»Jetzt mach uns alle bitte unsichtbar, Robert«, raunte Vasilij. »Ich erinnere mich, dass es nicht wirklich unsichtbar sein bedeutet, aber mir fällt kein besseres Wort dafür ein. Jedenfalls soll uns kein Mensch bewusst wahrnehmen können.«

»Ich weiß schon, was du meinst«, sagte ich und legte einen Schirm aus blauem Licht über uns. Angespannt schlichen wir die Stiegen hinunter. Es war gegen Mitternacht. Geräuschlos traten wir auf die Straße.

»Lasst bloß nicht die Tür zufallen, der Mechanismus ist kaputt«, flüsterte Grigori. Im selben Moment krachte die schwere Holztür in ihre Metallzarge. Wie vom Donner gerührt blieben wir stehen.

»Verdammte Säufer und Idioten! Seid gefälligst leise!« schimpfte eine Männerstimme aus einer der oberen Wohnungen.

»Halt's Maul, Iwan der Schreckliche!«, keifte eine Frauenstimme durch das Treppenhaus. In einem der Fenster flammte ein Licht auf und in der Ferne bellte ein Hund. Unwillkürlich musste ich an Sisko denken, den ich in Nizza zurückgelassen hatte.

»Nichts wie weg hier«, flüsterte Vasilij. »Komm schon, Robert! Träumst du? Drück bloß nicht versehentlich den Auslöser deiner MP, du hast sie nicht gesichert!«

Erschrocken nahm ich meinen Zeigefinger vom Abzug der Maschinenpistole. Wir gingen einige Häuserblocks Richtung Hafen und bogen um eine Hausecke. Ein Pferdefuhrwerk mit zwei großen Arbeitspferden kam auf uns zu. Der hölzerne Leiterwagen war hoch mit Stroh beladen. Dass die Ladung innen hohl war, konnte man nicht erkennen.

Lorenz, der seine Uniform der griechischen Handelsmarine mit einfacher Bauernkleidung getauscht hatte und auf dem Kutschbock saß, hielt im Schatten der Häuser. Wir krochen unter das Heu, wo bereits drei unserer Männer lagen. Während der gesamten Fahrt redete keiner von uns. Gegen fünf Uhr morgens blieben die Pferde stehen.

»Ich schätze, wir sind da«, flüsterte Vasilij und schob einen der Strohballen zur Seite. Der Wagen stand neben der Seitenwand einer riesigen Wellblechhalle.

Lorenz gab seinen Leuten Anweisungen. »Ihr leistet Personenschutz für die Frau und den Jungen! Von der Waffe macht Ihr nur im äußersten Notfall Gebrauch! Alles klar?«

Wir schlichen lautlos bis zum geöffneten Hallentor. Vorsichtig schaute ich um die Ecke und sah ein Flugzeug, wie ich noch keins gesehen hatte. Die Spannweite des Flachdeckers betrug über sechzig Meter, sein Rumpf war mindestens vierzig Meter lang und schien komplett aus Leichtmetall zu bestehen. Von ihrer Form her ähnelte die Maschine der Tupolew TB-3 von unserem Abenteuer auf der Ebene von Tunguska. Sowohl im Heck als auch unterhalb der Pilotenkanzel befanden sich mit Maschinenkanonen bestückte, drehbare Geschütze in gläsernen Kanzeln. Das Erstaunlichste aber stellten die zwölf kleinen Kampfflugzeuge dar.

Sechs von ihnen standen auf den Tragflächen, sechs weitere waren darunter eingeklinkt. Das Ganze sah aus, als hätte das große Flugzeug Junge bekommen, die auf ihm herumkrochen.

Ich zog meinen Kopf zurück. »Was ist das, Grigori?«

»Awiamatka!«

»Airborne mothership«, ergänzte Vasilij leise. »Ein fliegender Flugzeugträger, ähnlich wie die USS Macon, nur mit einem Trägerflugzeug anstelle des Luftschiffs. Für weitere Erklärungen ist jetzt keine Zeit! Wir müssen die Wachen ausschalten. Kannst du sie mit deinen Fähigkeiten einfrieren, wie du es damals in Nizza bei dem Gärtner gemacht hast?«

Ich konzentrierte mich auf die vier Soldaten der Roten Armee, die zur Bewachung der Maschine abgestellt waren. Nach wenigen Sekunden standen die Männer reglos da und schliefen mit offenen Augen. Vor Ablauf von sechs Stunden würde es niemandem gelingen, sie aufzuwecken.

Wir gingen um das Flugzeug herum. Technisch schien es in Ordnung zu sein, vollgetankt war es auch.

»Das neueste Geheimprojekt der UdSSR!«, sagte Grigori.

»Es läuft unter der Bezeichnung Zveno-SPB II. Ich war an der Entwicklung dieser Tupolew TB7-II beteiligt - in ihr steckt die modernste Luftfahrttechnik unserer Zeit!«

Wir stiegen ein und verschlossen die Tür. Lorenz blieb mit Natascha und Jurij Seizhev sowie seinen Detektiven im hinteren Frachtbereich, wo mehrere Notsitze montiert waren.

Ich nahm Platz auf dem Sitz des Bordtechnikers, Vasilij und Grigori setzten sich in die Pilotensitze und starteten die acht wassergekühlten Zwölfzylindermotoren, von denen jeder zweitausend PS lieferte.

Nach einigen Minuten erreichten wir unbehelligt das Schwarze Meer und flogen Richtung Süden. Wir würden Ankara in circa zwei Stunden erreichen. Entspannt lehnte ich mich zurück.

»Siehst du jetzt, warum wir dieses Flugzeug unbedingt brauchen, um Lorenz Familie zu befreien?«, fragte Vasilij.

»Ich denke, du willst so ähnlich vorgehen wie bei meiner Befreiung aus dem Konzentrationslager Dachau.«

»In etwa. Das Mutterschiff wird in siebentausend Meter Höhe kreisen, bis die kleinen Kampfjäger mit den Befreiten zurückkehren und sich wieder einklinken. Die Tupolew ist für einen Luftkampf gerüstet wie ein Schlachtschiff. Sie besitzt fünfzehn SchKAS-Maschinenkanonen in drei Geschützständen in Bug und Heck. Wir wollen ihr einen großen Zusatztank verpassen, damit wir über ganz Deutschland operieren können. Leider wissen wir ja immer noch nicht, wo sich die Gefangenen aufhalten.«

Von Ankara aus flogen wir mit zwei Maschinen zurück nach Algier. Dort lag ein Telegramm für uns. Dank Major Rosens Unterstützung durften wir einen Militärflughafen auf Korsika ansteuern, auf dem der Treibstofftank des Mutterschiffs umgerüstet werden konnte. Außerdem hatte der Geheimdienstchef zehn Kampfpiloten der französischen Luftwaffe auf den Luftwaffenstützpunkt beordert, um uns zu helfen.

Vasilij beschloss daraufhin, die Tupolew direkt auf den Stützpunkt zu bringen und mit seinen neuen Piloten Start- und Andockmanöver der Polikarpow-Jäger an dem fliegenden Schlachtschiff zu üben. Ich kehrte mit der zweiten Maschine und den Befreiten nach Nizza zurück.

Die Seizhevs reisten ohne Aufenthalt weiter Richtung Lissabon, um von dort ein Schiff in die USA zu nehmen. Grigori sollte Geschäftspartner bei Douglas-Air werden und deshalb wollte sich seine Familie in einem der Staaten an der Ostküste niederlassen.

General Manuel Alvarez, der ehemalige spanische Geheimdienstchef, lebte in Frankreich, seit die Faschisten im Bürgerkrieg seines Heimatlandes die Oberhand gewonnen hatten. Er erschien täglich in der Gautier-Villa, um von hier aus seinen Kampf für Frieden und Demokratie in Spanien zu führen.

Lorenz ließ sämtliche Kontakte spielen, um herauszufinden, in welchem Lager seine Angehörigen inhaftiert worden waren, während Ivo in privater, diplomatischer Mission zwischen Paris, London und München pendelte.

In der Nacht zum dreißigsten September 1938 saßen wir an einem der großen Funkempfänger und hörten die Nachrichten. Das Münchner Abkommen war an diesem Abend von den Regierungschefs Großbritanniens, Frankreichs, Italiens und Deutschlands unterzeichnet worden, ohne dass man einen Vertreter der souveränen Tschechoslowakischen Republik dazu eingeladen hätte. Mit diesem schändlichen Vertragswerk erhielt der Diktator Adolf Hitler die offizielle Zustimmung zur Besetzung und Eingliederung tschechischen Staatsgebiets in das Großdeutsche Reich.

Interessanterweise brachen alle Vertragspartner damit den Versailler Friedensvertrag und verletzten internationales Recht, schoben aber genau dieses vor mit der Scheinbegründung einer nachgereichten Erfüllung des Selbstbestimmungsrechts der Völker. In Wirklichkeit steckten Angst und Feigheit hinter ihrem Handeln, denn sie hofften, durch die Opferung eines kleinen, unabhängigen Staates einen Krieg zu verhindern, in den ihre Länder mit hineingezogen würden.

Wir warten eine Woche auf Ivos Rückkehr aus München, und als er nicht zurückkehrte, wussten wir, dass irgendetwas schiefgegangen war.

Am sechsten Oktober kam einer von Lorenzs Agenten hereingeplatzt. »Kommen Sie schnell, Doktor Clymer! Wir haben Ihren Großvater gefunden! Er liegt im Sterben!«

Ich folgte den Männern im Laufschritt. Sie hatten Leo im Hafen zwischen dicken Planen entdeckt. Er war wohl schon vor mehreren Tagen gestolpert und nicht fähig gewesen, sich mit eigenen Kräften aus dieser misslichen Lage zu befreien. Er war völlig dehydriert und sah aus wie ein Hundertjähriger. Ich nahm seine knöcherne Hand in meine. Er wollte sprechen, aber es ging nicht. Dann empfing ich einen schwachen Gedankenimpuls.

»Dad! Dring in meinen Kopf!«

»Ist gut, Leo«, dachte ich in seine Richtung.

»Hör mir zu, Dad! Nur du kannst verhindern, dass ich sterbe! Versetz mich umgehend in die Winterstarre, in der ich schon einmal gelegen habe! Weck mich erst auf, wenn du das nächste Tor des Windes erreicht hast! Ich muss durch dieses Tor, egal, was, dabei mit mir geschieht! Die erneute Verwandlung ist meine einzige und letzte Chance!«

»Es geht mit ihm zu Ende«, sagte der Agent. »Ich fühle keinen Puls mehr.«

Ich zwang Leo mit meinen Gedanken in den Winterschlaf, es dauerte nur eine Zehntelsekunde.

»Der alte Mann ist tot, Dr. Clymer. Es tut mir aufrichtig leid.«

»Er ist nicht tot«, antwortete ich. »Und er ist nicht mein Großvater, sondern mein dreiundzwanzigjähriger Sohn! Er schläft nur und muss umgehend in sein Krankenzimmer in Genf gebracht werden. Er wird irgendwann wieder aufwachen, das weiß ich.«

Der Agent warf mir einen bedauernden Blick zu - er glaubte mir nicht. Alles, was Leo betraf, regelte ich telefonisch von Nizza aus. Am folgenden Tag traf sein erstarrter Körper mit einer Wachmannschaft bei unserer Genfer Villa ein. In drei Schichten tätige Pfleger brauchten nichts weiter zu tun, als den Reglosen zu beobachten und mich anzurufen, falls sich sein Zustand ändern sollte.

Am Abend dieses Tages ging ich mit großer Sorge um meinen Freund Ivo ins Bett. Zum ersten Mal seit Jahren träumte ich in dieser Nacht wieder ganz klar und deutlich.

Ich stand in der kleinen Kapelle in den böhmischen Wäldern, wo ich Ivo 1913 gesundgepflegt hatte. Er lag auf einer der hölzernen Kirchenbänke und stöhnte. »Wo bleibst du nur, Robert? Ich denke jeden Tag an dich! Ob du meine Botschaft heute wohl empfängst? Willst du mich nicht nachhause holen? Ich habe Lorenz Geschwister und seinen Neffen gefunden. Die Mädchen halten sich nicht hier auf und niemand weiß, wohin sie gebracht wurden. Wir sind im Konzentrationslager Flossenbürg; es liegt bei Weiden im Oberpfälzer Wald nahe der alten Grenze zur ČSR. Fliegt nicht über tschechisches und slowakisches Gebiet, das wäre zu gefährlich. Nähert euch von Westen her und ...«

Ein gelber Vorhang legte sich auf das Bild von der Kapelle und ließ es verblassen. Aus der Dunkelheit schälte sich der Engel von Perlach, der mit mächtigen Flügelschlägen auf mich zuflog.

Rachel Winter!

»Hilf uns!«, rief ich ihr zu. »Wir können dein Manuskript nicht entziffern!«

Eine warme, sanfte Frauenstimme antwortete mir. »Der Schlüssel ist der Code des Lebens, den Professor Leo Radenković, 1925 entdeckte! Außerdem existiert möglicherweise eine Übersetzung, das sehe ich nicht genau.«

»Wo kann ich sie finden?«

»Unklar und nebelhaft die Zukunft scheint. Deine Suche beginnen du sollst in Wales«, hauchte die Stimme in meinem Kopf, während der Engel sich schnell entfernte und lautlos am Horizont verschwand. Als ich morgens erwachte, war ich zum ersten Mal seit Monaten ganz ruhig, denn die Vision aus meinem Traum stand deutlich vor meinem inneren Auge.

Das Energienetz über Deutschland schien ausgefallen zu sein, sonst hätte mir Ivo seine Botschaft nicht senden können. Gott sei Dank wusste ich jetzt, was zu seiner Rettung zu tun war. Kopfzerbrechen bereiteten mir allerdings Rachel Winters rätselhafte Worte, bis mir der alte Nachrichtenfilm aus dem Koffer ihres Bruders einfiel.

Sie war in der Vergangenheit aufgewachsen, die der Film abbildete! In diesem Moment ahnte ich, dass wir den Dekodierungsschlüssel für das Manuskript niemals finden konnten, denn das Universalgenie Leo Radenković würde in unserer veränderten Welt zu keiner Zeit existieren.

Synagogen in Flammen

In der Nacht vom fünften auf den sechsten November 1938 gehörte uns das Rollfeld des Aéroport Genève von Mitternacht bis zwei Uhr morgens. Sämtliche verantwortlichen Personen waren mit hohen Geldgeschenken in der Tasche nachhause gegangen. Um ein Uhr landete die riesige Tupolew TB7-II mit ihren sechzig Metern Spannweite und den zwölf eingeklinkten Polikarpow-Jagdflugzeugen.

... airborne mothership - ein fliegendes Schlachtschiff ...

Lorenz Kleinmeir und ich schoben einen Rollwagen mit vier großen Transportkisten auf die Maschine zu, während sie betankt wurde.

»Jagdmaschinen eins bis sechs sind aufgetankt!«, rief ein Mann, der auf der linken Tragfläche stand.

Vasilij öffnete die hintere Frachtraumtür.

»An Bord mit euch beiden! Meine Jungs kümmern sich um die Kisten. Wir dürfen nicht lange in Genf bleiben! Es wäre fatal, wenn die falschen Leute dieses Flugzeug sehen oder gar fotografieren!«

»Jäger sieben bis zwölf und Mutterschiff vollgetankt!«, hörte ich von draußen rufen. Ich wusste seit gestern, dass wir nach den auf

Korsika durchgeführten Umbauarbeiten elf Stunden in der Luft bleiben konnten, ohne nachtanken zu müssen.

Krachend fiel die Tür des Frachtraums in ihren Verschlussmechanismus. Lorenz und ich setzten uns in den Passagierbereich zu den Piloten der französischen Luftwaffe, die ihren Jahresurlaub gegen ein Abenteuer und einen vollen zusätzlichen Jahressold eingetauscht hatten.

Vasilij kam zu uns nach hinten. »Es geht los! Die Maschine hat eine Kabinenheizung, damit wir da oben nicht erfrieren. Bitte schalten Sie jetzt die Heizung ein, Kapitän Latour!«

»Oui, mon General!«, antwortete der Angesprochene und legte einen Hebel um. Ein anderer startete die Motoren. Ich wusste, dass wir eine lang gezogene Spirale über Schweizer Staatsgebiet fliegen würden, bis wir auf knapp achttausend Meter waren. Erst in dieser Höhe wollten wir in großdeutschen Luftraum eindringen.

Seit gestern lag eine dichte, niedrige Wolkendecke auf Süd- und Mitteldeutschland, die ideale Voraussetzung, um vom Boden aus nicht entdeckt zu werden.

Der Steigflug auf Operationshöhe dauerte eine Stunde. In dieser Zeit öffneten wir die Frachtkisten und zogen uns um. Für jeden der Männer gab es eine vollständige SS-Uniform mit Rangabzeichen, lederne Reitstiefel und sogar echte, arische Feinrippunterwäsche und Socken, um völlig authentisch gekleidet zu sein.

Zu guter Letzt verteilte ich die deutschen Zivilpapiere und SS-Dienstausweise. Major Rosen war wieder einmal so freundlich gewesen, diese Dokumente für uns herstellen zu lassen. Niemand hätte diese Papiere als Fälschungen erkennen können, denn die Passfälscherabteilung des französischen Geheimdiensts war mit hervorragenden Spezialisten besetzt.

Am Schluss erhielten alle eine verchromte Dienstpistole mit lederner Pistolentasche und mehreren Ersatzmagazinen mit Munition, sowie eine leistungsfähige Maschinenpistole aus amerikanischer Produktion.

Ich schaute mich um und ein kalter Schauer lief mir über den Rücken. Angst einflößend sah unser Trupp in den schwarzen Uniformen mit den silbernen Totenköpfen auf den Kragenspiegeln aus, brutal und einschüchternd.

Fünf Männer hatten sich nicht umgezogen, da sie an Bord blieben. Zwei Piloten würden die Tupolew auf Kurs halten und am Funkgerät alle Anweisungen von Vasilij empfangen und durchführen. Drei weitere saßen in den Geschützkanzeln an den *SchKAS-Maschinenkanonen.* Jeder der Schützen bediente mehrere Geschütze gleichzeitig, sodass das fliegende Mutterschiff im Falle eines Angriffs durch deutsche Jagdflugzeuge mit insgesamt fünfzehn Bordgeschützen verteidigt werden konnte.

Ich saß in meiner SS-Uniform auf meinem Sitz und döste vor mich hin. Wir hatten vor, mit neun der Jäger herabzusegeln, von denen einer doppelt besetzt war. Lorenz Kleinmeir musste nämlich als Passagier mitkommen. Damit verfügten wir über acht freie Plätze.

Plötzlich wechselte die Innenbeleuchtung im Passagierraum zu Blau. Wir zogen dicke, gefütterte Stoffmäntel, Kopfhauben und Handschuhe an, denn in dieser Höhe betrug die Außentemperatur minus zweiunddreißig Grad Celsius. In festgelegter Reihenfolge verließen wir den Rumpf der Tupolew durch die Pilotentüren am hinteren Ende der Tragflächen und kletterten auf wacklig aussehenden Lauf- und Haltestangen zu unseren Maschinen. Nach einigen Minuten kam Vasilijs Funkbefehl zum Ausklinken.

»Das ist vielleicht ein Scheißgefühl!«, rief Lorenz, während ich kurz nach oben schaute und beobachtete, wie das fliegende Schlachtschiff immer kleiner wurde. Wir segelten mit ausgeschalteten Motoren im lautlosen Formationsflug.

Es knackte im Funkgerät.

»Sparrow eins an alle! Zweitausend Meter über Adlerhorst, aber Bodenhöhe nur sechshundertfünfzig! Blaue Blinklichter einschalten und in den Wolken auf Abstand bleiben! Ende.«

Als wir die dicke Wolkendecke durchbrachen, sah ich den gelben Energieschirm unter uns. Wir kamen aus südwestlicher Richtung.

Die beiden einzigen Siedlungen, die wir überflogen, hießen Spielberg und Wampenhof. Das Konzentrationslager Flossenbürg lag schön außerhalb, damit die Schweinereien, die dort stattfanden, nicht so leicht zu entdecken waren.

Der Waldweg, auf dem wir landen wollten, lag vor uns.

»Sedierung starten! Jetzt!«, knarrte Vasilijs Stimme aus dem Funkgerät. Ich richtete meine Gedanken auf das Gebiet links vor mir, wo die Lagergebäude standen. Mit einem Gedankenimpuls erfasste ich etwa achthundert Personen. Noch vierhundert Meter Höhe.

Ich musste jede meiner Aktionen in derart kurze Energieimpulse aufteilen, dass Alain erst darauf reagieren konnte, wenn ich meinen Geist schon wieder zurückgezogen hatte.

Ich konzentrierte mich und fand die sechs von uns Gesuchten. Nun ließ ich, einem Platzregen gleich, spitze Impulse auf alle Menschen herabregnen, die sich unter uns befanden. Sie schliefen auf der Stelle ein, egal, ob sie Bewacher oder Bewachte waren. Ich drückte den Sendeknopf des Funkgeräts. »Küken schlafen. Ende.«

»Ab in den Hühnerstall!«, kam Vasilijs erleichterte Stimme aus dem Lautsprecher. Wir landeten auf dem schmalen Waldweg und kletterten aus unseren russischen Jagdmaschinen. In breiter Formation marschierten wir auf das Lager zu. Neben der Einfahrt lag ein umgestürztes Motorrad mit laufendem Motor auf einem Uniformierten. Dessen verdrehte Arme standen in unnatürlichen Winkeln von seinem Körper ab. Er hatte das Pech gehabt, während des Motorradfahrens einzuschlafen.

Vasilij befestigte zwei kleine Sprengladungen an den eisernen Lagertoren. Die Explosionen rissen die Tore aus ihren Angeln und schleuderten sie in den Hof. Ich konzentrierte mich auf das Bild vor meinem inneren Auge und begab mich an die Stellen, wo Lorenzs Angehörige und Ivo lagen und schliefen.

Jeder der Piloten nahm sich eine schlafende Person über die Schulter und trabte zurück zu den Polikarpow-Jägern. Auf dem Rückweg kamen wir an einem der Wachtürme vorbei. Vor einem lag ein SS-Mann mit zur Seite abgeknicktem Kopf.

»Der ist von der Leiter gefallen und hat sich das Genick gebrochen«, sagte Lorenz ohne Bedauern in der Stimme. »Um so ein Arschloch ist es nicht schade! Eigentlich sollten wir alle SS-Mannschaften erschießen, solange sie schlafen! Die armen Menschen, die sie an diesem Ort gefangen halten! Schau dir an, wie wenig Kleidung sie anhaben trotz dieser Scheißkälte! Siehst du, unter welchen menschenunwürdigen Umständen sie vegetieren müssen? Als wären sie Tiere!«

Seine Augen füllten sich mit Tränen.

»Ich sehe es genauso wie du«, sagte ich. »Nur bin ich kein Mörder und erst recht kein Henker! Für jede Gräueltat, die hier geschieht, tragen diese Vollstrecker des Unrechts die volle Verantwortung und haben zweifelsfrei die Todesstrafe verdient - ich mag nur nicht ihr Scharfrichter sein! Wenn dieser Albtraum in Deutschland vorbei ist, wird man alle Schuldigen zur Rechenschaft ziehen! Nicht einer dieser Verbrecher in Uniform darf jemals seiner gerechten Strafe entgehen! - Und jetzt nimm deine Schwester über die Schulter, wir müssen wieder raus aus diesem Drecksland.«

Wir passierten die offene Latrine. Hier stank es gewaltig. Lorenz deutete an eine Stelle, an der vier Beine in ledernen Reitstiefeln mit den Sohlen nach oben aus der stinkenden Kloake schauten, schwarze Uniformhosen und weiße Feinrippunterhosen auf den Knöcheln. Mehr war von den Männern nicht mehr zu sehen.

»Schau mal, Robert«, sagte er grinsend. »Zwei der SS-Schergen sind auf dem Donnerbalken eingepennt, in die Kacke gefallen und ertrunken.«

Ich zuckte mit den Schultern. »Wie man sieht, kann man in Deutschland ganz schön tief in die Scheiße geraten!«

Um fünf Uhr morgens durchstießen unsere Jäger die dichte Wolkendecke und erreichten schnell eine Höhe von dreitausend Metern. Nach kurzer Zeit entdeckte ich das fliegende Mutterschiff. Wir begaben uns auf West-Südwest-Kurs. Damit wir andocken konnten, mussten wir uns im Geradeausflug befinden. Wir überflogen ein riesiges Waldgebiet, nordwestlich der Stadt Weiden. Hier wollten wir die Andockmanöver ausführen. Nahezu parallel klinkten sich alle sechs unter den Tragflächen beheimateten Jagdflugzeuge in ihre Fangtrapeze ein. Wir halfen uns gegenseitig, die bewusstlosen Befreiten an Bord zu bringen. Inzwischen waren auch die drei Maschinen gelandet, die auf den Flügeln des Mutterschiffs standen.

Kaum war die letzte Pilotentür verschlossen, ging Awiamatka in Steigflug und erreichte nach dreißig Minuten eine Höhe von fünftausend Metern.

Ivo und Lorenzs Familienangehörige lagen im hinteren Passagierbereich auf Wolldecken und schliefen. Wir hatten einen Kurs

Richtung Westen ausgearbeitet, der uns nur über ländliches Gebiet führen sollte. Wir überflogen die Gegend zwischen Ansbach und Feuchtwangen und alles schien glatt zu gehen. Ich döste vor mich hin, bis Vasilij sich neben mich setzte.

»Vor uns liegt Sinsheim, dann kommt schon die Grenze nach Frankreich. Höchstens noch zwanzig Minuten, Robert!«

Die Tupolew wurde von einigen heftigen Windböen geschüttelt.

»Vier deutsche Kampfjäger auf fünf Uhr!«, rief der Mann aus der gläsernen Kuppel des vorderen Geschützturms.

»Feuer frei für alle Geschütze!«, antwortete Vasilij.

Die SchKAS-Maschinenkanonen in den Geschützständen in Bug und Heck begannen zu rattern.

Unsere französischen Piloten waren hervorragende Schützen; drei Jagdflugzeuge gingen fast gleichzeitig in einem Feuerball auf.

»Plong, plong, plong«, machte es leise auf der Backbordseite. Der Polikarpow-Jäger, der ganz außen unter der linken Tragfläche hing, hatte einen Treffer erhalten und brannte.

»Wir müssen ihn loswerden! Jäger sieben ausklinken!«, rief Vasilij nach vorne in die Kanzel.

»Geht nicht, mon General!«, antwortete der Copilot. »Die Hydraulik klemmt! Der Mechanismus bewegt sich nicht, er scheint verbogen zu sein!«

Der letzte deutsche Jäger trudelte ohne Leitwerk dem Boden zu. Ich zog mir eilig meinen dicken Mantel an und band mir einen der Fallschirme um.

»Was hast du vor?«, fragte Lorenz.

»Wenn das Feuer auf die Tragflächen des Mutterschiffs übergreift, haben wir ein Problem. Willst du warten, bis wir alle in die Luft fliegen?«, sagte ich ganz ruhig. »Wo ist das Werkzeug?«

Der große Aufnehmerhaken zum Andocken von Jäger sieben war durch einen Treffer zusammengebogen wie eine Öse. Ich steckte die Brechstange in die Öffnung und versuchte, den Haken mit heftigen Schlägen meines Hammers aufzubiegen. Die Zeit wurde knapp, weil sich die Flammen auf dem Rumpf der sowjetischen Jagdmaschine nach vorne Richtung Tank fraßen.

Ich holte weit aus und schlug zu. Das Metall des Hakens riss mit einem knirschenden Geräusch und gab die Maschine frei, die in einer Spirale steuerlos davontrudelte, einen langen Feuerschweif hinter sich herziehend.

Ich begab mich auf den Rückweg. Plötzlich gab die Haltestange vor der Mitte der Tragfläche nach. Ich rutschte mit den Händen ab und griff nach der Halterung des Handlaufs, aber der hatte ebenfalls einen Treffer erhalten, brach mit lautem Knacken ab und flog weg.

Ein Teil der abgebrochenen Stange verhakte sich in meinem Fallschirmgurt und löste ihn aus, wurde durch den Schwung nach oben gerissen und schlug mir gegen den Kopf.

Für einen kurzen Moment sah ich Awiamatka über mir Richtung Westen davonfliegen, dann verlor ich das Bewusstsein.

Als ich wieder zu mir kam, fühlte ich mächtige Sturmböen an meinem Fallschirm zerren. Ich trieb nach Nordosten, immer tiefer hinein ins Nazireich, und wusste nicht, wie viel Zeit inzwischen vergangen war - drei Minuten oder fünf Stunden? Ich wollte auf meine Automatikuhr sehen, aber die war nicht mehr da. Anscheinend war das Armband gerissen.

Als der Sturm nachließ, erkannte ich unter mir eine verschneite Landschaft, die den deutschen Mittelgebirgen ähnelte. Gemeinsam mit Milliarden hübscher, weißer Schneeflocken sank ich langsam zu Boden. Es schneite wie verrückt. Ich landete auf einer kleinen Waldlichtung, legte meinen Fallschirm zusammen und versteckte ihn neben einem Baum.

Von unserem Einsatz in Flossenbürg trug ich immer noch meinen gefütterten Mantel und die SS-Uniform. Sogar meine schwarze Schirmmütze steckte - etwas zerdrückt - unter meiner Uniformjacke. Ich setzte sie auf. Wenn schon in Deutschland, dann als Beherrscher und nicht als Beherrschter. Meine Ausweispapiere hatte ich in der Tasche. Sie wiesen mich aus als den SS-Obergruppenführer Kurt Ahrens, geboren in Duisburg, wohnhaft in Köln. Gelobt sei Major Rosen!, dachte ich. Ebenfalls danke für die fünfhundert Reichsmark, die sich für den Notfall bei meinen Papieren befanden.

Es musste um die Mittagszeit sein. Langsam verließ ich die Lichtung und stapfte in Richtung der wenigen Häuser, die ich am Hang eines flachen Berges sehen konnte. Meine Fußspuren schneiten nach kurzer Zeit zu. Sollte ich Menschen begegnen, würde ich ihnen von einem Motorradunfall vorlügen.

Das erste Gebäude, das etwas abseits von den anderen und am höchsten Punkt der Siedlung lag, schien die Dorfschule zu sein. Hier begann das Straßendorf. Das hölzerne Ortsschild, an dem ich vorbeikam, war zerbrochen. Lediglich die Anfangsbuchstaben ›HOLZ...‹ waren noch zu erkennen. Ich ging die holprige, zugeschneite Dorfstraße bergab, die mehr oder minder steil das Dorf hinabführte.

Ich musste ins Tal. Wenn überhaupt, dann fahren Eisenbahnen in den Tälern. In den frühen Abendstunden, als es bereits dunkel war, erreichte ich einen kleinen Ort namens Rhina, mietete ein Zimmer in der Gastwirtschaft und legte mich sofort hin, weil ich Schüttelfrost bekam. Die Wirtin trocknete meine Uniform und der Wirt brachte mir mit beachtlicher Ehrerbietung mein Essen auf die Stube, als sei ein König bei ihm abgestiegen.

... SS - das ist schon was ...

Zwei Tage blieb ich mit hohem Fieber im Bett liegen. In der Nacht vom neunten auf den zehnten November wurde ich von lautem Geschrei geweckt. Heller Feuerschein drang in das Fenster meiner Gaststube. Ich schob die Gardinen zurück und schaute hinaus. Im südwestlich gelegenen Ortsteil brannte ein großes Gebäude. Viele Menschen standen auf den Straßen herum und unterhielten sich. Ich öffnete die Fensterflügel, um etwas zu verstehen.

»Die hässliche Synagoge brennt! Geschieht den Itzigs ganz recht!« rief einer der Männer.

»Lasst uns diese verdammten Ratten endgültig aus Deutschland vertreiben! Bewaffnet euch, und folgt mir! Wir müssen unseren deutschen Volksgenossen helfen, endlich diese verfluchte jüdische Brut loszuwerden!«

Mit lautem Getöse setzte sich der Mob in Bewegung. Was war hier los? Ich zog mich an und begab mich in die Gaststube. Auf einem der leeren Tische lag der Völkische Beobachter von gestern. Ich überflog den Leitartikel.

Am siebten November hatte der in Paris lebende, siebzehnjährige polnische Jude Herschel Grynszpan den der NSDAP angehörenden Legationssekretär Ernst Eduard vom Rath erschossen.

> Es ist ein unmöglicher Zustand, dass in unseren Grenzen Hunderttausende von Juden ganze Ladenstraßen beherrschen und das Geld deutscher Mieter einstecken, während ihre Rassegenossen draußen zum Krieg gegen Deutschland auffordern. Die Schüsse in der Pariser Botschaft werden nicht nur den Beginn einer neuen Haltung in der Judenfrage bedeuten ...

Ich ließ die Zeitung sinken. Was für ein entsetzlicher Schwachsinn war das wieder? So blödsinnig der Inhalt solcher Hetzartikel war, so eindeutig war die unterschwellig darin enthaltene Aufforderung zum Handeln an die einfach Gestrickten und die Idioten, von denen es in Deutschland eine ganze Menge zu geben schien.

Ich schaute aus dem Fenster und sah, dass ich niemandem würde helfen können, denn der gelbe Energieschirm befand sich wie üblich hundert Meter über uns.

Ich verließ die Gaststube und folgte dem Pöbel in einigem Abstand. Die Flammen des Gebetshauses der jüdischen Gemeinde schlugen hoch. Weinende Menschen standen, vom Mob umringt, auf dem Platz zwischen dem brennenden Haus und dem Ufer der Haune.

Ich blieb stehen. Mehrere Männer droschen brutal auf die wehrlosen Juden ein und traten nach ihnen. Dann geriet alles außer Kontrolle. Ein dicker, blonder Bauer mit versoffenem Schlägergesicht stieß dem knienden Rabbiner von hinten seine Mistgabel durch die Brust.

»Recht so Heinzi!«, rief eine ältere, fette Bäuerin mit Freudentränen in den Augen und klopfte dem Säufer auf die Schulter. »Bist ein richtiger Held! Ein anständiger Arier! Ach, wenn der Vater das noch erleben könnt'!«

Ich drehte mich um und ging auf wackligen Beinen zurück zum Gasthaus. Ich musste umgehend hier weg, trotz meines Fiebers. Der Gastwirt besaß ein Automobil. Barsch forderte ich ihn auf, mich sofort in die nächste Stadt zu fahren. Der Feuerschein der Hersfelder Synagoge leuchtete uns schon von Weitem entgegen. Mit der Eisenbahn fuhr ich bis Frankfurt am Main. Die gesamte Bahnfahrt über hörten die Feuer neben der Bahnstrecke nicht auf. Viele Juden lebten friedlich in Deutschland, und etwas Entsetzliches geschah an diesem Abend mit ihnen.

Vom Hauptbahnhof ließ ich mich mit einem Taxi zum Flug- und Luftschiffhafen Rhein-Main bringen, wo ich nachts um zwei Uhr eintraf. Lediglich eine Junkers JU 52 Frachtmaschine der *Deutschen Luft Hansa AG* stand auf dem Rollfeld und wurde beladen. Nach Auskunft der Frachtarbeiter sollte sie in einer halben Stunde mit Luftfracht an Bord nach Zürich starten. Ich betrat das kleine Büro der Fluggesellschaft und schickte die Nachtsekretärin nachhause. Sie gehorchte, ohne zu zögern, meinem forsch vorgebrachten Befehl.

... SS, das ist schon was ...

Ich rief die Zentrale in der Gautier-Villa in Nizza an und gab auf Französisch einige kurze Anweisungen, dann ging ich hinaus aufs Rollfeld zu der Junkers, setzte mich auf den Platz des Copiloten und wartete auf den Flugkapitän. Nach zehn Minuten kamen zwei Männer, die sich lachend unterhielten, auf das Flugzeug zu. Sie betraten es und verstummten, als sie mich sahen.

»SD der SS!«, sagte ich mit forscher Stimme. »Der zweite Pilot bleibt hier! Kein Wort zu irgendjemandem, meine Herren! Das ist ein Geheimauftrag zur nationalen Sicherheit. Und Abflug!«

Während des gesamten Flugs schwiegen wir. Überall unter uns leuchteten Feuer herauf. In dieser Nacht schienen die arischen Übermenschen sämtliche jüdischen Synagogen im Deutschen Reich angezündet zu haben. Ich konnte ihren grauenhaften Gesang fast hören.

Wir werden weiter marschieren,
bis alles in Scherben fällt,
denn heute gehört uns Deutschland
und morgen die ganze Welt.

Um sechs Uhr landeten wir in Zürich. Als die Maschine stand, schaute ich dem Kapitän fest in die Augen. »Sie haben mich nie gesehen! Es gibt mich gar nicht! Verstanden?«

Er nickte nur und antwortete nicht. Ich sprang aus der Junkers und rannte in Richtung meiner Handley-Page auf dem Rollfeld neben uns. Kaum saß ich auf dem Sitz des Copiloten, waren wir schon wieder in der Luft.

Vasilij lächelte. »In Deutschland ist seit gestern der Teufel los. Wie du es bis in die Schweiz geschafft hast, musst du mir gleich erzählen, mein Freund! Aber geh erst mal nach hinten und zieh diese grauenhafte Naziuniform aus! Ordentliche Kleidung habe ich dir mitgebracht.«

Ivo hatte sich in den wenigen Tagen meiner Abwesenheit gut erholt und arbeitete schon wieder. In der Villa auf dem Montboron liefen die Nachrichten zusammen. Wir kamen gerade rechtzeitig zurück zu einer Besprechung, an der auch General Wood, Major Rosen und Ex-General Alvarez teilnahmen.

Ivo begrüßte uns. »Zunächst möchte ich allen danken für ihren mutigen Einsatz zu meiner Befreiung! Ohne euren Mut säße ich jetzt nicht hier.«

Er nickte jedem von uns freundlich zu. »Was das schändliche Münchner Abkommen betrifft: Ich kam gar nicht erst bis München, man nahm mich gleich an der deutschen Grenze fest, als ob man auf mich gewartet hätte, um meine Einmischung zu verhindern. Eigenartig, nicht wahr? ...«

Ivo sah sich langsam in der Runde um und kniff seine Augen zusammen. »Nun zu den Ereignissen der letzten Tage, wegen denen wir heute zusammensitzen. Wie schon beim Reichstagsbrand 1933 nutzt das NS-Regime das Attentat von Paris zur endgültigen Verdrängung und Enteignung der Juden aus dem Wirtschafts- und Kulturleben. Dem Ausland gegenüber bemühen sie immer noch die Fiktion von einer jüdischen Weltverschwörung, um die Willkür und Brutalität ihres Vorgehens zu rechfertigen. In sämtlichen deutschen Zeitungen ist die Rede vom so genannten *Volkszorn* als Ursache der Unruhen, aber das ist nicht wahr! Die Progrome sind staatlich gelenkt! Alle Übergriffe verliefen nach demselben Schema. Auf die Schnelle wurden NS-Ortsversammlungen einberufen, dort hielten Gauleiter oder Sturmbannführer Hetzreden gegen die Juden und ließen die Teilnehmer zu jüdischen Geschäften, öffentlichen Einrichtungen und zur örtlichen Synagoge marschieren, um diese anzuzünden!«

Ivo zog sein silbernes Zigarettenetui aus seiner Jackett-Tasche, nahm eine Zigarette heraus und zündete sie an. Ich sah, dass seine Finger zitterten. Er war eindeutig mit seinen Erlebnissen im Lager Flossenbürg noch nicht fertig.

Er blies einige dicke Rauchringe aus und fuhr fort. »Robert war zufällig fast genau im Zentrum der Ereignisse. Am Abend des siebten November brannte in Hersfeld in Kurhessen die erste Synagoge im Großdeutschen Reich. Besonders brutal tobten sich die Barbaren in den umliegenden Landkreisen Fulda und Melsungen aus. In Eschwege, Fritzlar, Rotenburg, Witzenhausen und allen anderen Orten schlugen sie jüdische Wohnungen und Einzelhandelsgeschäfte kurz und klein und zündeten Gotteshäuser, Betstuben und sonstige Versammlungsräume an. Dabei kam es zu zahlreichen Misshandlungen an Juden. Von Hessen aus breiteten sich die Progrome wie ein Flächenbrand über ganz Deutschland aus.«

Ivo nahm einen Notizzettel von seinem Schreibtisch und warf einen Blick darauf. »Bis jetzt wurden mindestens vierhundert Menschen ermordet, tausende Geschäfte, Wohnstätten und Friedhöfe zerstört. Soviel zur aktuellen Statistik meine Herren! Die Zahlen erhöhen sich stündlich, denn die staatlich verordneten Ausschreitungen sind immer noch nicht vorbei!«

»Warum tun die Nazis das nur, Ivo?«, fragte General Alvarez. »Welchen Sinn macht es, landesweite Zerstörungen anzurichten? Sie schaden sich doch nur selbst!«

Ivo drückte seine Zigarette im Aschenbecher aus und lächelte. »Das ist ein Trugschluss, Manuel! Betrachten wir einmal die wirtschaftliche Gesamtsituation Deutschlands. Zum Jahresbeginn 1938 lag das offizielle Haushaltsdefizit bei zwei Milliarden Reichsmark, und damit stößt die staatliche Schuldenaufnahme an ihre Grenzen. In einem geheimen Papier an Adolf Hitler äußerte das Reichsfinanzministerium seine Befürchtung, das Deutsche Reich würde spätestens Ende dieses Jahres zahlungsunfähig.«

Ivo zog sein Portmonee aus der Tasche und deutete darauf.

»Machen wir's ganz unkompliziert und nehmen das fehlende Geld den fünfhunderttausend Juden weg, die im Lande leben - das wären viertausend Reichsmark pro Kopf. Diese Rechnung ist natürlich falsch, weil die meisten dieser Menschen arm sind, aber es gibt auch Vermögende unter ihnen. Bei einem Anteil von zehn Prozent Reichen kommen wir beispielsweise auf vierzigtausend Reichsmark pro Person. Andererseits genügen schon zweitausend einfache Millionäre, um das deutsche Haushaltsdefizit mehr als decken zu können. In Wirklichkeit stellt der Besitz der jüdischen Mitbürger ein noch wesentlich höheres Milliardenvermögen dar. Das, was gerade in Deutschland geschieht, ist also nichts als die nächste Phase staatlich organisierten Raubmords an einer ganzen Volksgruppe.«

»Na ich weiß nicht«, brummte General Wood. »Das klingt mir zu sehr nach Gräuelmärchen.«

Ivo runzelte seine Stirn, zog eine Zeitung unter seinen Unterlagen hervor und schlug die hinteren Seiten auf. »Märchen? Das hier ist eine Wiener Tageszeitung von vorgestern. Allein in dieser einen Ausgabe stehen über dreißig so genannte *›Veräußerungsaufträge‹* für jüdische Firmen und Privatvermögen. Der Text ist immer der gleiche, bis auf die Namen. Ich zitiere:

> Ich gebe Manuel Israel und Christina Sara Schmidt, derzeit unbekannten Aufenthaltes, auf, ihre Liegenschaft innerhalb von vierzehn Tagen zu veräußern. Eine Verlängerung der Frist ist ausgeschlossen. Ich bestelle gleichzeitig Herrn Hans Wiszniewskij, Bahnassistent, zum Treuhänder. Der Reichsstatthalter in Niederdonau. …

Natürlich können sich die genannten Personen nicht melden, denn entweder haben sie es geschafft, rechtzeitig abzuhauen oder sie sitzen im Konzentrationslager! So sieht staatlich organisierter Diebstahl in der Praxis aus! Terror ganz bürokratisch! Allein der Wert an Grundbesitz und Firmen, der auf diese Weise per Federstrich seinen Besitzer wechselt, ist wesentlich größer als die zwei Milliarden, die dem Deutschen Reich zur Deckung seines Haushaltsdefizits fehlen.«

Ivo faltete die Zeitung zusammen und legte sie zurück auf den Schreibtisch.

Major Rosen murmelte erschüttert: »Diese wirtschaftlichen Zusammenhänge kannte ich nicht! Was kommt danach, Ivo? Das ist ja kaum noch steigerbar!«

Mein Freund lächelte und sagte leise: »Oh doch! Als Nächstes folgen Massenversklavung und Massenvernichtung aller Nichtarier und ein Krieg, wie die Welt noch keinen gesehen hat!«

Am folgenden Morgen frühstückte ich nicht, ließ mir gleich nach dem Aufstehen ein Taxi rufen und fuhr mit Sisko zum Aéroport Nice. Neben meiner Handley-Page standen Manuel, Vasilij und Ivo. Ich bezahlte den Taxifahrer, stieg aus und ging zu den Männern.

»Was ist mit euch los, Jungs?«

Ivo lächelte. »Wir bitten um Asyl an Bord deiner Maschine. Irgendetwas stimmt nicht auf dem Montboron. Entweder werden wir abgehört oder es gibt einen Maulwurf.«

»Das denken wir alle«, ergänzte Manuel. »Niemand außer uns konnte wissen, dass Ivo zur Münchner Konferenz reisen wollte. Es war, als ob die Nazis bereits an der Grenze auf ihn warteten, um ihn zu verhaften.«

»Habt ihr einen konkreten Verdacht gegen jemanden?«

»Nein«, antwortete Vasilij. »Aber lass uns gemeinsam überlegen. Lorenz kann es nicht sein, dafür hasst er die Faschisten viel zu sehr. Somit bleiben nur noch Major Rosen und General Wood übrig, denn andere waren nicht in Ivos Reisepläne eingeweiht.«

Manuel Alvarez fuhr fort. »Welcher von beiden allerdings dahintersteckt, wissen wir nicht. Auf jeden Fall müssen wir uns in acht nehmen.«

Wir standen neben der Maschine auf dem Rollfeld und schwiegen eine Weile.

»Vor Jahren hielt ich Lorenzs Idee von einem privaten, internationalen Geheimdienst für eine gute Sache«, sagte ich schließlich. »Ich unterstütze ihn seit 1933 mit vielen Millionen, die er jährlich von mir erhält. Meine Hoffnung war damals, dass seine Arbeit die Ausbreitung des Faschismus verhindern könnte. Wie man sieht, funktioniert es nicht. Stattdessen hat ein Wust aus Intrigen und Verrat die Gautier-Villa erreicht und sorgt dafür, dass ihr nicht einmal mehr wisst, wer Freund und wer Feind ist.«

Ich bemerkte Ivos nachdenklichen Blick.

»Europa hängt mir zum Hals heraus!«, fuhr ich fort. »Ich hatte mir vor fünf Jahren geschworen, mich nur mit den Toren des Windes zu beschäftigen, und was ist geschehen? Ich saß zum Tode verurteilt im Konzentrationslager, beobachtete den Idioten Hitler in seiner Führerwohnung, knatterte mit einem Motorrad durch ganz Nazideutschland, stahl der UdSSR ein wertvolles Flugzeug, sprengte das halbe Lager Flossenbürg in die Luft und geriet immer tiefer in Dinge hinein, mit denen ich nie wieder etwas zu tun haben wollte! Mir reicht es, ich möchte nur noch zurück in die USA - zu meiner Farm in Philadelphia.«

Bei diesen Worten blinzelte Sisko mit den Augen, als hätte er mich verstanden, und wedelte heftig mit dem Schwanz.

Vasilij schaute sehnsüchtig gegen die Wand. »Auch ich bin mit Europa fertig, Robert. Ich werde in diesem Monat endgültig nachhause fahren und nicht hierher zurückkehren. Marianna und die Kinder mussten schon viel zu lange auf mich verzichten. Hier wird sowieso alles den Bach runtergehen, das lässt sich wohl nicht mehr verhindern.«

Ivo betrachtete sein silbernes Zigarettenetui, ohne es zu öffnen. »Ich gehe stramm auf die sechzig zu und brauche eine Neuorientierung für mein Leben! Wanda und ich wollen in zwei Wochen nach Boston zu reisen, um Maria und Jerry über die Weihnachtszeit zu besuchen. Unser Enkel Viktor kann inzwischen laufen und fängt an zu sprechen. Wir haben überlegt, ob wir ganz in die USA ziehen sollen.«

Manuel schaute traurig auf seine Hände.

»Meine Frau und mein Sohn wurden bei dem Luftangriff der deutschen Legion Condor auf Guernica getötet. Wenn es in Amerika eine katholische Kirche gibt, begleite ich euch. In Europa wartet niemand mehr auf mich und ich möchte in den Weihnachtstagen nicht alleine sein.«

Mitte Dezember trafen wir in Philadelphia ein. Ich kehrte nach zwei Jahren Abwesenheit zurück auf meine Farm, wo nur noch das Verwalterehepaar und der Manager der Pferdezucht lebten.

Alles schien mir fremd und an jeder Ecke spürte ich, dass dieser Ort ohne meine Frau und Kinder nie wieder mein Zuhause werden konnte.

In der ersten Woche arbeitete ich mich durch Berge von Post. Einige Tage vor dem Heiligen Abend nahm ich mir die Zeit, John und Alan jeweils einen langen Brief zu schreiben, in dem ich über die Ereignisse der letzten zwei Jahre und Jasmins unerwarteten Tod berichtete.

Am Morgen des vierundzwanzigsten Dezember trafen Weihnachtskarten von Vivian aus Hongkong und Vanessa aus Tokyo ein. Es ging den Zwillingen gut. Ihre Arbeit als Radiokorrespondentinnen für die BBC forderte sie täglich heraus.

Trauer und Stolz mischten sich in meinen Gefühlen. Ich hätte meine Kinder gerne um mich gehabt, aber sie führten inzwischen ihr eigenes Leben und meisterten es hervorragend, bis auf meinen Sohn Leo, der als hundertjähriger Greis in Genf im Winterschlaf lag und innerhalb weniger Sekunden sterben würde, wenn man ihn aufwecken sollte.

Am späten Nachmittag fuhren Manuel und ich zur *Cathedral Basilica of Saints Peter and Paul* in Philadelphia, um an dem römisch-katholischen Weihnachtsgottesdienst teilzunehmen. Die Kathedrale füllte sich, wie jedes Jahr, in kurzer Zeit. Während der Predigt schaute ich immer wieder verstohlen hinauf zu dem riesigen Jesus an seinem Bronzekreuz. Keine Vision - nichts. Am Ende des Gottesdienstes sangen eintausendfünfhundert Menschen das schönste Weihnachtslied der Christenheit.

... silent night, holy night, all is calm, all is bright ...

Mitte Januar verabschiedete sich Manuel Alvarez auf eine mehrmonatige Mexikoreise und ich begann, alle Erlebnisse der letzten sechs Jahre aufzuschreiben. Zu den siebzehn dicken Bänden mit über sechstausend handgeschriebenen Seiten kamen drei weitere hinzu. Ich schrieb täglich, bis der Frühling Einzug hielt, und erreichte Ende April 1939 die Gegenwart.

... zwanzig Bücher, die mein gesamtes Leben beschrieben ...

Die meisten alten Karten an meiner Pinnwand in der Bibliothek nahm ich ab und warf sie weg, weil sie im Laufe der Jahre bedeutungslos geworden waren. So bestand keine Chance mehr, die Ereignisse, die mit der Ermordung meines Bruders Laurent in Zusammenhang standen, jemals restlos aufzuklären. Alfred Graf Eckner, der mutmaßliche Drahtzieher dieses Unternehmens, saß im Irrenhaus und die SS-Organisation ›Das Ahnenerbe‹ hatte sämtliche Aktivitäten auf der Suche nach dem SCEPTRE DU VRIL eingestellt. Die Gruppe der MAÎTRES DU MONDE war nie wieder in Erscheinung getreten, und die Nazis würden die Welt auch ohne Wunderwaffe erobern. Als ich das nahezu leere Pinnbrett vor mir sah, kam ich auf die Idee, neue Notizen anzufertigen, die jene ungeklärten Fragen enthielten, auf die ich beim Verfassen meiner Erinnerungen gestoßen war.

Thema eins: *George Robert Clymer. Ein alter Notizzettel meines Vaters aus dem Jahr 1913 barg Informationen, die es eventuell wert waren, verfolgt zu werden. Nach ihnen hatte Graf Andraschi außer seinem Stützpunkt auf Elba weitere Verstecke auf verschiedenen Kontinenten besessen. Einer davon schien in der Nähe der brasilianischen Stadt Rio de Janeiro zu liegen, ein Zweiter in Paris und vielleicht ein Dritter auf einer unbekannten Insel im Pazifik.*

Thema zwei: *Malrauxs Sohn Alain. Mir war immer noch keine Idee gekommen, welcher tiefere Sinn hinter dem gelben Energiefeld über dem Deutschen Reich stecken mochte. War es nur die Angst der Nazis, dass Mutanten wie ich ihre Aktivitäten stören konnten? Auf rätselhafte Weise war der Reichspropagandaminister in diese Geschichte verwickelt. Der Mann war ein Verrückter, was ihn besonders gefährlich machte, und er besaß eine eigene Truppe, die sich als* Omega PG *bezeichnete. Lorenzs Agenten hatten zwar herausgefunden, dass seit 1930 eine Film-Produktions-Gesellschaft mit diesem Namen im*

Handelsregister der Stadt Chemnitz auf Dr. Joseph Goebbels eingetragen war, allerdings schien weit mehr dahinter zu stecken, denn warum fotografierten seine Leute junge Frauen? Ob es einen Zusammenhang gab mit den unzähligen Zetteln von Vermisstenanzeigen an den Bäumen, die uns 1936 in Berlin aufgefallen waren? Ausnahmslos Mädchen im Alter zwischen vierzehn und achtzehn Jahren.

Thema drei: *Die Mutanten von Arkadi Island. Wo verbargen sich meine Freunde, die 1922 die Insel in der Adria verlassen hatten? Vielleicht war Alains Mutter Malraux der Schlüssel für viele Fragen, aber wo sollten wir mit der Suche anfangen?*

Am Abend betrachtete Manuel, der gerade aus Mexiko zurückgekehrt war, meine Notizzettel an der Pinnwand, während wir gemeinsam in der Bibliothek ein Glas Rotwein tranken. »Was ist das, Robert?«

»Ich habe versucht, mein Leben zu sortieren. Als Erstes werde ich in der kommenden Woche eine Reise nach Rio de Janeiro unternehmen, in der Hoffnung, die Spuren eines Mannes zu finden, der bis vor fünfundzwanzig Jahren die Welt verändern wollte.«

»Wenn es dir recht ist, begleite ich dich. Ich spreche fließend portugiesisch, meine Frau stammte aus Lissabon.«

Am Nachmittag des vierten Mai 1939 trafen wir in der brasilianischen Hauptstadt ein. Im Hafen begrüßte uns das neue Wahrzeichen von Rio.

»Schau, Robert!«, sagte Manuel. »Mehr als siebenhundert Meter ist der Corcovado hoch, und oben auf dem Gipfel steht die Statue von *Cristo Redentor*, also Christus dem Erlöser. Er hält seine Hände schützend über uns Menschen.«

Wir ließen uns zum *Copacabana Palace Hotel* bringen. In den Tagen vor unserer Abreise hatte ich von einem mir bekannten Polizeizeichner eine Zeichnung von Andrew Winter anfertigen lassen, die ihn zeigte, wie ich mich an ihn erinnern konnte, und Fotografien davon angefertigt. Mit Hilfe dieser Fotos wollten wir versuchen, eine wenigstens fünfundzwanzig Jahre alte Spur des geheimnisvollen Mutanten zu finden - ein schier unmögliches Unterfangen, aber ich vertraute auf mein Glück.

Am Abend unserer Ankunft fühlte ich eine starke innere Unruhe und begab mich hinaus auf die Hotelterrasse. Ich dachte an Jasmin, wurde traurig, trank vier oder fünf Whiskys und rauchte zum ersten Mal nach langer Zeit wieder eine Zigarette. Tausend Gedanken schwirrten mir durch den Kopf.

»Señor Clymer? Bitte kommen Sie schnell, ein wichtiger Anruf für Sie aus der Schweiz!«, sagte die freundliche Bedienung. Wenige Minuten später saß ich im Büro des Hotelmanagers und hielt einen Telefonhörer an mein Ohr. Am anderen Ende war Leos Pfleger. Er telefonierte von dem Apparat im Krankenzimmer meiner Genfer Villa.

»Was ist los, Albert?«

Der eigentlich recht patente Krankenpfleger bekam kaum ein Wort heraus. »Ihr ... Ihr ... Ihr Sohn! Er zuckt ganz fürchterlich, wird immer jünger und durchsichtig und löst sich gerade vor meinen Augen auf!«

Ich sandte meinen Geist über die viele tausend Kilometer lange Telefonleitung und konzentrierte mich. So gelang es mir, durch Alberts Augen zu sehen. Leo verwandelte sich zurück in einen Mann von Mitte zwanzig.

»... jetzt ist er weg ...«, sagte der Pfleger fassungslos. Das Rauschen in der Leitung wurde von Knacksen und Krachen übertönt.

»Was ist geschehen?«, rief ich in die Sprechmuschel, aber die Verbindung stand nicht mehr, weil einige Schaltrelais auf der Kabelstrecke verschmort waren. Plötzlich vernahm ich Leos Stimme in meinen Gedanken.

»Hallo Dad! Ein winziges Tor des Windes, das Rachel nicht entdeckt hat, entstand gerade in meinem Kopf und weckte mich auf! Es war ein unbedeutender Kratzer nur! Sei unbesorgt, ich habe es verschlossen! Uns geht es gut! Wir Klick besuchen dich im Sommer in Philadelphia!«

Ich saß verdattert im Büro des Hotelmanagers. Das war weder eine Vision noch ein Tagtraum gewesen. Ich begab mich in mein

Hotelzimmer und telefonierte erneut mit Albert, erfuhr aber von dem Pfleger nichts Neues. Beim genaueren Nachdenken erschienen mir einige Umstände recht merkwürdig und gingen mir in den kommenden Tagen nicht mehr aus dem Kopf: Wieso war Leo spurlos verschwunden und warum wollte er sich Zeit bis zum Sommer lassen, um mich zu sehen?

... uns geht es gut ...

Wieder einmal hatte er von sich in der Mehrzahl gesprochen. Zum ersten Mal machte ich mir Gedanken über eine seiner Marotten, die mir schon vor Jahren an ihm aufgefallen war. Genauso fügte er manchmal an den unpassendsten Stellen ein ›Klick‹ in seine Worte ein. Lag das an seiner psychischen Erkrankung oder steckte mehr dahinter? Wie hieß es in dem Gutachten des Chefarztes aus der Nizzaer Nervenklinik?

... eine zerrissene Seele ...

Am nächsten Vormittag ließen wir uns zum Hafen von Rio fahren, um den dort arbeitenden Menschen ein Foto von Andrew Winter zu zeigen. Da ich kein portugiesisch konnte, bat ich Manuel, das Reden zu übernehmen.

»Haben sie diesen Mann schon einmal gesehen?«

Drei Tage lang ernteten wir nur Kopfschütteln.

»Ich denke, wir geben es auf«, sagte ich. »Nur den einen Alten noch, der da hinten auf den Tauen sitzt, dann muss ich mir etwas anderes einfallen lassen.«

Wir gingen auf den Fischer zu, der entspannt auf einer Rolle Tau saß und rauchte.

Manuel zog die Fotografie hervor und fragte, wie dutzende Male an den Vortagen: »Você viu este homem antes?«

Der Angesprochene warf einen kurzen Blick auf das Foto, kam hoch wie von der Tarantel gestochen, bekreuzigte sich und rief: »Das ist der Teufel! Er hat meinen Papa verrückt gemacht!«

Es gelang uns nur mit Mühe, den Mann zu beruhigen. Manuel unterhielt sich eine Zeit mit dem Aufgeregten, reichte ihm schließlich die Hand und verabschiedete sich.

»Was ist los?«, fragte ich. »Warum geht er?«

»Ich weiß, wohin wir fahren müssen. Der Alte erschrak, weil er vor vierzig Jahren dabei war, als sein Vater sich weigerte, für Andrew Winter zu arbeiten. Dieser schaute ihn nur kurz an, und seitdem hat der Vater nicht mehr gesprochen - bis heute!«

Erinnerungen an René den Gärtner und Oberleutnant Marchewka gingen mir durch den Kopf. Eine Blockade, die nur der Verursacher selbst wieder entfernen kann ...

Ich ließ Manuel gewähren, er wusste, was zu tun war. Wir mieteten einen Kleinlastwagen und fuhren in die Berge des Hinterlandes von Rio. Während der Fahrt schlief ich ein und erwachte erst einige Stunden später, als der Lastwagen stand.

Wir befanden uns auf einem flachen Bergplateau. Darauf war ein winziges Fachwerkhaus erbaut. Vom Aussehen her gehörte es eher in die Schweizer Alpen und nicht nach Brasilien.

»Andrew Winter hatte vor, auf diesem Plateau eine große Fabrikanlage zu errichten«, sagte Manuel.

»Jedenfalls berichtete das der Alte. Man planierte das Gelände, errichtete einen hohen Zaun darum und stellte 1912 das Häuschen auf, das als Ingenieurbüro gedacht war. Zum Bau der geplanten Werkhallen kam es nicht, weil der Eigentümer nie wieder auftauchte. Seitdem steht alles hier unberührt noch genauso da wie damals.«

»Niemand kann Andraschi seit 1914 mehr gesehen haben, denn in dem Jahr brachten wir ihn um«, antwortete ich und stieg aus.

Das kleine Fachwerkhaus sah von außen so sauber und ordentlich aus, als sei es gestern erst gründlich gereinigt worden. Kein Staub an den Wänden, kein Vogelkot auf dem Dach. Beim Näherkommen bemerkte ich, woran das lag. Das Gebäude war von einem schwachen Energiefeld umhüllt, das Dreckpartikel, Insekten und auch größere Tiere von ihm fernhielt. Ich schloss meine Augen und konzentrierte mich auf die Tür. Sie enthielt den gleichen Mechanismus wie der schwarze, lederne Reisekoffer von Andraschi. Ich drang mit meinen Gedanken in das hochkomplexe Schaltmodul ein, fand den Code und schaltete den Sicherheitsmechanismus aus. Der Energieschirm erlosch.

»Wir können hineingehen, Manuel.«

»Der Alte sagte, man kann das Haus nicht betreten, weil man einen heftigen Stromschlag bekommt, wenn man es versucht!«

Ich trat zu der Tür und öffnete sie. Das kleine, einstöckige Fachwerkhaus war vollständig leer, bis auf einen Schreibtisch, drei Stühle und ein hölzernes Wandregal, in dem ein einziger dicker Ordner und mehrere große, aufgerollte Pläne lagen. Ich legte sie auf den sauberen Tisch und rollte sie auf.

Regierungsluftschiff der Regionalgouverneure
Ingenieurbüro Van Dyke, Akron, Ohio.
Abnahme durch Luftfahrtministerium
EÜW Akkon, UWA, 04.05.2017

Es handelte sich um Konstruktionsunterlagen, die aus Andrew Winters verlorener Vergangenheit stammten! Er musste sie 2020 auf seine Zeitreise mitgenommen haben! Die vielen hundert Seiten des Ordners enthielten die komplette Bauanleitung - technische Zeichnungen, elektrische und mechanische Schaltpläne sowie exakte Fertigungshinweise für jedes Einzelteil. Da waren komplizierte Aggregate abgebildet, Maschinenteile, Beschreibungen von Materialien und Produktionsprozessen. Es schien sich um die Weiterentwicklung der Luftschiffe zu handeln, die wir in dem alten Nachrichtenfilm aus dem Jahr 1954 gesehen hatten.

... eine Gesamtlänge von siebenhundertzehn Metern ...

Nur langsam dämmerte mir, welcher Schatz mir mit diesen Unterlagen in die Hände gefallen war.

»Dieser ganze Aufwand nur für einen blöden Zeppelin?«, fragte Manuel enttäuscht. »Sonst ist hier gar nichts? Das kann doch nicht sein!«

»Ich ahne, was Andrew Winter vorhatte«, sagte ich. »Vermutlich sollte an diesem Ort eine Fabrikationsanlage für Riesenluftschiffe entstehen. Er ist nicht mehr dazu gekommen, weil er vorher starb! Zu seinen Lebzeiten bestand sein Problem darin, den richtigen Zeitpunkt abwarten zu müssen, ab dem ein Nachbau technisch möglich wurde. 1914 war noch zu früh, denn es gab zwar schon die ersten Luftschiffe, aber die waren wesentlich kleiner und taugten nichts. Außerdem konnte damals niemand Helium in der Menge produzieren, die zur Befüllung der Traggaszellen notwendig ist. Seine Idee, die Konstruktionspläne hier liegen zu lassen, bis die Zeit reif ist, scheint mir deshalb gar nicht so falsch zu sein. Immerhin war bisher kein normaler Mensch in der Lage, in das Fachwerkhäuschen einzudringen und die Unterlagen zu stehlen. Wir nehmen sie natürlich mit.«

»Was willst du denn mit diesen Plänen anfangen?«

»Ich weiß es noch nicht, Manuel, aber ein starkes Gefühl sagt mir, dass ich sie eines Tages benötigen werde.«

Wir reisten am nächsten Tag zurück und trafen Mitte Mai in Philadelphia ein. Am Abend unserer Ankunft telefonierte ich mit Nizza. Es gab Neuigkeiten: Der britische Geheimdienst hatte gestern die Zusammenarbeit mit den übrigen Nachrichtendiensten aufgekündigt.

In welches Konzentrationslager seine drei Nichten verschleppt worden waren, wusste Lorenz immer noch nicht, allerdings war es seinem achtzehnjährigen Neffen Herbert gelungen, ein merkwürdiges Gespräch zwischen den Lagerwachen in Flossenbürg zu belauschen. Nach Wochen des Schweigens hatte er sich endlich dem Onkel anvertraut.

Als die Mädchen zu einem grauen Lastwagen geführt wurden, um sie abzutransportieren, sagte einer der Wachen: »Schon wieder neues Futter für Alain? Mein lieber Mann! Der Junge hat ja'n ordentlich'n Verschleiß! Was macht er nur mit den Bräuten? Dreht er ihnen den Hals um?«

»Kann dir doch egal sein«, antwortete der Fahrer grinsend. »Du kriegst sowieso keine von den Pflaumen ab, die sind alle handverlesen für den Eierkopf! Wir müssen sie inzwischen in den Lagern rekrutieren, denn die Volksgenossen in der Umgebung von Berlin werden langsam unruhig, weil so viele Mädel spurlos verschwinden.«

Herbert war aufgefallen, dass die SS-Zeichen auf den Kragenspiegeln der Uniformjacken und Mützen der Lastwagenfahrer verbogen waren und mehr wie Kreise ausgesehen hatten.

Omega mit den Buchstaben PG darunter, dachte ich. Die geheime Geheimabteilung von Dr. Goebbels, die keiner kennt. Was tun sie nur mit den jungen Frauen und was hat die Aussage *neues Futter für Alain* zu bedeuten? Während ich darüber nachdachte, beschlich mich ein ausgesprochen mulmiges Gefühl.

Mitternacht.

Der Fremde saß auf den Stufen des Altars der *Cathedral Basilica of Saints Peter and Paul* in Philadelphia. Wie immer trug er einen dunklen Anzug, ein hellblaues Oberhemd, eine dunkelrote Fliege und schwarze Lederschuhe. Seine Arme hielt er vor der Brust verschränkt - gedrungene Figur mit breiten Schultern, kurz geschnittene, graue Haare, grobporige Gesichtshaut, markantes Kinn und eisblaue Augen.

»Die Dinge geraten außer Kontrolle, John! Die Welt steht unverhofft an einem Abgrund, wie er tiefer kaum vorstellbar ist. Deine Aufgabe ist es, den Menschen Trost und Hoffnung zu schenken in der furchtbaren Zeit, die ihnen bevorsteht.«

»Geht es dabei um Deutschland?«

Der Fremde schüttelte seinen Kopf.

»Nein. Zwischen Philadelphia und Akron in Ohio werden in den folgenden Jahren unvorstellbar grauenhafte Taten stattfinden, die wir nicht verhindern können. Es scheint so, als wenn sie unweigerlich zum Schema gehören. DU wirst gebraucht werden, mein alter Freund! Spende den Menschen Trost und gib ihnen Frieden in ihren Herzen, so gut du es vermagst!«

Er stand auf und umarmte den alten Priester.

»Jetzt muss ich gehen.«

»Wohin gehst du, Richard?«

»Wo ich hingehe, kannst du mir nicht folgen, John.«

Er verließ die Kirche. Ein heller Reflex blitzte auf von dem silbernen Kruzifix auf dem Altar. Vater James bekreuzigte sich und murmelte leise: »Domine, quo vadis?«

Das Rachel-Manuskript

Rachels Erinnerungen - 22. bis 24. Pergament

1190. Dienstag, 20.Februar. Nacht

Varna. Zehn Kilometer vor dem Heerlager der Kreuzfahrer

Es war stockfinster. Begleitet von lautem Knistern entstand ein Kreis aus blauem, irisierendem Licht auf einem Feld. Es roch nach Ozon. Rachel kam zu sich. Nur langsam gewöhnten sich ihre Augen an die Dunkelheit. Der Lichtkreis um sie herum pulsierte und löste sich auf. Noch vor wenigen Sekunden hatte sie auf dem Marktplatz von Padua gestanden.

... Thomas und Henry ...

Ein tiefer Schmerz strömte durch ihren Körper und sie begann hemmungslos zu weinen, weil es ihr nicht gelungen war, die Menschen zu retten, die ihr alles bedeuteten. Sie ließ ihre Trauer zu, bis sie fühlte, dass sie ruhiger wurde, dann verbannte sie diese Empfindungen in die hinterste Ecke ihres Gehirns. Sie musste sich dringend orientieren, sonst war sie verloren.

Plötzlich vernahm sie das Schnauben von Pferden.

»Passt doch auf, ihr verdammten Hundesöhne!«, schimpfte ein Pferdeknecht. Sein Englisch klang fremd und altertümlich. Einige Laternen, die an mehreren Trosswagen hingen, warfen ein trübes Licht auf den Boden.

Warum reiten diese Menschen durch die stockfinstere Nacht?, dachte Rachel verwundert und näherte sich, von der Dunkelheit verborgen, den Wagen.

Der Letzte war mit Frachtkisten und der Ausrüstung von Soldaten beladen. Sie zog sich an der Bordwand hoch und kroch unter die Plane, die in einem Bogen über die Ladefläche gespannt war und von halbrunden, metallenen Reifen in ihrer Position gehalten wurde. Sie schaute nach vorne zu dem Kutscher und konzentrierte sich. Seine Gedanken waren sehr einfach gestrickt und ziemlich durcheinander. Es fiel ihr schwer, in seinem Kopf etwas Hilfreiches zu finden, bis sie das Bild von Richard Löwenherz entdeckte. Sie folgte dieser Spur im Gedächtnis des Mannes und hatte nach zehn Minuten eine ungefähre Vorstellung davon, wann und wo sie gelandet war.

Dieser kleine Tross war eine Vorhut des englischen Königs, der in einigen Monaten gemeinsam mit dem französischen König Philip auf den deutschen Kaiser Friedrich treffen sollte, den die Menschen wegen seines roten Bartes Barbarossa nannten. Die drei Herrscher Europas befanden sich auf einem Kreuzzug, um Jerusalem von der Besetzung durch die Truppen des muslimischen Sultans Saladin zu befreien. Diese Pferdewagen waren von Galeeren aus England an Land gesetzt worden, um in der Nähe der Stadt Varna auf das Kreuzfahrerheer zu stoßen.

Rachel sortierte ihre mageren Geschichtskenntnisse. Sie wusste, dass es mehrere Kreuzfahrten gegeben hatte und dass Richard Löwenherz ins zwölfte Jahrhundert gehörte. Genauere Details fielen ihr nicht ein. Aber sie verstand, dass Sie unbedingt dafür sorgen musste, dass sie eine Chance bekam, als alleinstehende Frau in der Männerwelt des finsteren Mittelalters zu überleben - das war ihre dringlichste Aufgabe. Vielleicht konnte sie sich den Kreuzfahrern anschließen und mit ihnen reisen. Auf dem Weg nach Jerusalem lag Akkon - ein guter Ort, um sich niederzulassen und ihren eigentlichen Plan in Angriff zu nehmen - ein Buch über die Gefahren zu schreiben, die von den Toren des Windes ausgingen.

Der Gedanke an die Stadt, wo die Regierung der Erde - die United World Authority - im Einundzwanzigsten Jahrhundert ihren Sitz haben würde, verlieh ihr ein Gefühl von Sicherheit. Der Pferdewagen fuhr durch ein tiefes Loch im Boden. Sein heftiges Schaukeln holte sie zurück in die Wirklichkeit. Es war Zeit, sich für den

Augenblick zu schützen. Sie sah sich um. Die Laterne, die hinter dem Kutscher hing, warf ihr gelblich-trübes Licht bis auf die Ladefläche. Sie konnte verschiedene Uniformstücke und Waffen ausmachen. Sie sandte einen feinen blauen Lichtstrahl nach vorne. Der Mann würde sie nun nicht sehen können, egal, was geschah. Sie schaute an sich herunter. Sie trug noch immer das bodenlange Gewand, in dem sie mit Thomas und Henry in Padua einkaufen gegangen war.

»Nur nicht daran denken!«, zwang sie sich. Sie zog sich aus und riss ihr Kleid in Höhe der Taille auseinander. Auf die gleiche Weise entfernte sie den unteren Saum, sodass der Rock nun knielang war. Dann trennte sie die rechte Seitennaht bis zum Oberschenkel auf, damit sie im Notfall weite Schritte machen und schnell laufen konnte, und zog ihn wieder an.

Anschließend legte sie einen knappen, ledernen Brustpanzer, der zwischen anderen Uniformstücken auf dem Wagen lag, an ihren nackten Oberkörper. Er schien einem Knaben zu gehören und passte ihr wie angegossen. Die Lederbänder des Panzers mussten am Rücken zusammengebunden werden, was ihr nach einiger Zeit gelang. Gott sei Dank bin ich schlank und habe sehr kleine Brüste, es drückt überhaupt nicht, dachte sie und kicherte unwillkürlich bei dem Gedanken, wie komisch es ausgesehen hätte, wenn sie körperlich ausgestattet gewesen wäre wie eine richtig dicke Bauersfrau.

Sie fand schmale Reitstiefel in ihrer Größe und entdeckte eine unscheinbar aussehende Holzkiste in derselben Ecke. Darin befanden sich viele Schmuckstücke und ein mit Leder bezogener Holzstab von etwa einem halben Meter Länge. Instinktiv zog sie mehrere dünne Bänder aus verschiedenen Uniformteilen und befestigte mit ihnen etliche Edelsteine aus der Kiste an dem schmucklosen Lederstab. Sie arbeitete sehr sorgfältig, und nach einer Stunde war ein prächtig geschmückter Stab entstanden, der bedeutend und wichtig aussah. Die Menschen des Mittelalters dürften einfach zu beeindrucken sein. Rachel freute sich: Sie hatte wertlose Dinge in ein Symbol der Herrschaft verwandelt, in ein Zepter! Es lag nur an ihr, dieses verzierte Stück Holz zu dem zu machen, was es in der Fantasie der Menschen darstellen sollte.

Ein bestickter, breiter Gürtel fiel ihr ins Auge. Sie band ihn um ihre Hüften und stellte fest, dass er den Rock am Herunterrutschen hinderte. Nachdem sie nun ausgerüstet war, musste sie sich darum kümmern, dass niemand den Diebstahl der Kleidung entdecken konnte.

Sie stieg aus dem langsam fahrenden Wagen, ging eine Zeit neben ihm her, bis sie die Höhe des Kutschbocks erreichte, und erteilte dem Kutscher Gedankenbefehle. Sofort ließ der Mann die Pferde anhalten und wendete, um den weiten Weg zurück zur Küste zu fahren. Er handelte wie in Trance und wusste nicht, was er tat. Erst in drei Tagen würde er aus dem Bann erwachen und sich an nichts mehr erinnern können.

Rachel eilte hinter dem übrigen Tross her. Vorsichtig und leise kletterte sie auf den Wagen, der jetzt als hinterster fuhr, legte sich erschöpft auf die Ladefläche und versuchte zu schlafen, aber augenblicklich kamen die Gedanken an Thomas und Henry Howard zurück, die vor wenigen Stunden gestorben waren, und der Schmerz drohte sie zu zerreißen. Sie richtete ihren Blick nach oben. Der schwarze Nachthimmel war klar und wirkte wie ein halbkugelförmiges Himmelszelt. Tausende von Sternen funkelten daran und ihr fiel ein, dass die Menschen in dieser Zeit glaubten, die Erde sei eine Scheibe und der Himmel wölbe sich über ihre Welt. Die vielen Gespräche mit ihrem Bruder gingen ihr durch den Kopf. Alles, was sie taten, konnte den Lauf der Geschichte verändern. Andrew hatte sich immer neue, plastische Beispiele dafür ausgedacht.

»Stell dir vor, ein Kutscher muss dir ausweichen und überfährt dabei einen kleinen Jungen, der Isaac Newton heißt. Seine Axiome würden nie formuliert werden. Andersherum genauso: Du rettest ein unbekanntes Kind vor dem Ertrinken. Einige Jahre später entwickelt dieser Mensch schon im siebzehnten Jahrhundert die Relativitätstheorie. Du kannst es also drehen und wenden, wie du willst: Allein unsere Anwesenheit in dieser Zeit sorgt bereits für Veränderungen mit vielleicht gravierenden Folgen, ohne dass wir es rechtzeitig erkennen und abstellen können.«

Rachel beschloss, sich keine weiteren Gedanken über dieses Thema zu machen. Sie musste von heute an ihr Ziel konsequent verfolgen: Botschaften an Mutanten in die Zukunft senden, die im Zwanzigs-

ten Jahrhundert lebten und die Beschädigungen des Raumzeitkontinuums reparieren konnten. Wenn ihr das nicht gelingen sollte, würde die Welt in einigen hundert Jahren untergehen und mit ihr das gesamte Universum ...

Rachels Erinnerungen - 25. Pergament

1190. Freitag, 23. Februar. Nachmittag

Varna. Heerlager der deutschen Kreuzfahrer

Unbarmherzig sandte die Sonne ihre glühenden Strahlen auf das riesige Heer aus über achtzigtausend Menschen. Drei Tage benötigte Rachel, um sich zu orientieren und Informationen zu sammeln. Sie brachte eine Menge in Erfahrung.

Im Vorjahr war Barbarossa von Regensburg aus zum dritten Kreuzzug aufgebrochen, um Jerusalem von der Besetzung durch die muslimischen Truppen Sultan Saladins zu befreien. Philipp der Zweite von Frankreich und Richard Löwenherz von England würden ihm folgen.

Friedrich hatte seine gewaltige Kreuzfahrerarmee die Donau entlang auf den Balkan geführt. Sie waren gut vorangekommen, aber völlig unerwartet verweigerte ihnen der byzantinische Kaiser Isaak Angelos die Weiterreise und die Überfahrt nach Kleinasien, die in der Nähe der Stadt Gallipoli stattfinden sollte.

Das Riesenheer kam zum Stehen. Logistische Probleme entstanden bei der Versorgung der achtzigtausend Menschen mit Wasser und Nahrungsmitteln, es musste dringend eine Lösung her.

Vor einem großen Holztisch standen Friedrich Barbarossa und seine Söhne Philipp von Schwaben, Konrad von Schwaben und Heinrich von Sizilien. Die Männer hielten Rat. Rachel, die dafür sorgte, dass niemand sie sehen konnte, näherte sich unbemerkt dem Tisch. Dies war ihre Chance. Sie wusste nur wenig über das Mittelalter. Als Kind hatte sie die Kinofilme ›Excalibur‹ *und* ›Kingdom of Heaven‹ *im Fernsehen gesehen und vertraute darauf, dass die Menschen im zwölften Jahrhundert tatsächlich so unwissend, abergläubisch und leicht zu beeindrucken waren, wie sie in den Filmen dargestellt wurden. Forsch musste sie von Anfang an auftreten, immer fordernd, niemals bittend.*

Rachel gab sich innerlich einen Ruck und trat zu den Männern. Johann von Wittelsbach, einer der Berater Friedrich Barbarossas,

deutete gerade auf eine einfach gezeichnete Karte, die den Weg bis Gallipoli zeigte. Er bemerkte die fremde Frau als Erster, kam hoch und schaute böse und mit hochrotem, verschwitztem Kopf in ihre Richtung.
»Wer seid Ihr, unverschämtes Weib!«, herrschte er sie an. »Was wollt Ihr in unserem Kreise, verdammtes Frauenzimmer? Verschwindet auf der Stelle, oder ich lasse Euch auspeitschen und fortjagen!«
»Ich bin Morgana, Herzogin von Arundel, Königin des Schattenreichs und Tochter des mächtigen Zauberers Merlin!«, schallte Rachels Stimme über den Platz.
»Hört mich an, Ihr heiligen Krieger des Abendlandes! Vertraut mir, denn ich werde Euch helfen, Sultan Saladin zu besiegen und Jerusalem von den Muselmanen zu befreien!«
Friedrich Barbarossa, der die sechzig bereits überschritten hatte, ließ seinen Blick wohlwollend über ihren schlanken Körper gleiten. Noch nie war ihm eine so ungewöhnliche Frau begegnet.
Ihr hüftlanges, weißes Haar fiel offen über den nackten Rücken, der schmale, lederne Brustpanzer bedeckte nur knapp ihre mädchenhaften Brüste und verlieh ihr eine Ausstrahlung von Weiblichkeit, die ihn zu übermannen drohte.
Seine Augen wanderten tiefer. In diesem Moment machte Rachel einen großen Schritt auf den Kaiser zu. Dabei sprang ihr Rock auf und gab den Blick auf ihre schönen Beine frei.
Barbarossa wurde durchströmt von einem wärmenden Gefühl, wie es die Sonne verursacht, wenn sie auf unbekleidete Haut scheint. Trotz seines Alters fühlte er mit jeder Faser seines Körpers, dass er diese wunderschöne, junge Frau begehrte, die kaum zwanzig Jahre alt sein mochte und mutig und selbstsicher im Kreise der Herrscher des Deutschen Reiches stand und mit ihnen sprach, als sei das eine Selbstverständlichkeit.
Er öffnete seinen Mund, um zu sprechen. Im selben Moment legte Konrad von Schwaben seine rechte Hand auf Barbarossas Schulter.
»Johann, seid still! Lassen wir Lady Morgana reden!«
Friedrich Barbarossa warf Wittelsbach einen warnenden Blick zu. »Ich schließe mich der Bitte meines Sohnes an, Lady Morgana. Was könnt Ihr für uns tun?«
Rachel atmete auf.

Die erste Kontaktaufnahme war einfacher gewesen, als sie sich vorgestellt hatte. Nun kam es darauf an. Sie zog den fantasievoll mit wertlosem Schmuck verzierten Holzstab aus seinem Futteral, nahm ihn wie einen Degen in die Hand und streckte ihren rechten Arm aus.

»Wir werden die Ungläubigen besiegen mit diesem Zepter der Macht, das vor Urzeiten geschaffen wurde, als Tier und Blume noch eins waren! Es wird uns helfen, das Heer der Kreuzfahrer bei Gallipoli überzusetzen!«

Sie zielte auf eine metallene Ritterrüstung, die in fünfzig Meter Entfernung an einem Gestell aus Holz hing, und erzeugte einen sichtbaren, fingerdicken Strahl aus blauer Energie, der die eiserne Rüstung traf und zum Glühen brachte. Diese fiel zu Boden, schmolz und hinterließ eine Pfütze aus flüssigem, dampfendem Eisen im Sand, während das Holzgestell in Flammen aufging und zu grauer Asche zerfiel.

»Das war beachtlich!«, sagte Friedrich Barbarossa anerkennend. »Kann das jedermann tun, der dieses Zepter der Macht in der Hand hält?«

»Ich muss aus freien Stücken anwesend und einverstanden sein mit dem, was der derjenige tun will, der es benutzt«, antwortete Rachel vorsichtig. Sie hielt ihm den Stab hin. »Versucht es, mein Kaiser! Ich helfe Euch dabei! Ihr müsst mir nur sagen, was Ihr treffen wollt!«

In diesem Augenblick trat der Ritter Gottfried von Arnsberg, der einer der Berater Barbarossas war und bis eben geschlafen hatte, an den Tisch. Niemand schenkte dem Neuankömmling Beachtung. Die meisten der Männer mochten ihn nicht wegen seiner weibischen Art und seiner hohen Stimme.

Barbarossa nahm das Zepter in seine rechte Hand, deutete auf eine große Sykomore in hundert Metern Entfernung und sagte: »Wir wollen diesen Baum verbrennen!«

»Es wird Euch gelingen, Kaiser Friedrich! Schließt für einen kurzen Moment Eure Augen und schaut dann Euer Ziel scharf an!«

Rachel ließ erneut einen sichtbaren, blauen Energiestrahl entstehen und brachte das Wasser im dicken Stamm der Sykomore zum Kochen. Der Baum dampfte aus allen Poren und explodierte mit einem gewaltigen Donnerschlag, der dem Rollen eines Gewitter-

donners glich. Mächtige Holzstücke flogen hell lodernd durch die Luft, als würden sie in einem Schmiedeofen stecken, und nur weiße Asche fiel zu Boden. Wo der Baum eben noch gestanden hatte, war ein mannstiefer Krater in der Erde.

Barbarossa hielt ihr das Zepter hin. »Nehmt es wieder«, sagte er leise und fuhr mit lauter Stimme fort. »Ich heiße Euch willkommen in unserer erlesenen Runde, Lady Morgana von Arundel, Tochter des großen Zauberers Merlin! Jedermann soll Euch die nötige Achtung und Ehre erweisen, denn Ihr seid ab heute meine Beraterin!«

Johann von Wittelsbach senkte beschämt seinen Kopf und genierte sich über sein unbeherrschtes Auftreten von vorhin. Er beschloss, von nun an besonders freundlich zu der Zauberin zu sein.

So zog Rachel Winter mit dem Kreuzfahrerheer nach Gallipoli. Dort überreichte ein Bote des Kaisers von Byzanz ein Dekret seines Herrn, das den christlichen Kriegern die Überfahrt nach Kleinasien untersagte. Barbarossa setzte daraufhin dessen Schiff mit dem Zepter der Macht in Brand und das Übersetzen ging zügig vonstatten. Die Kreuzfahrer siegten bei Philiomelium und bei Iconium und in zwei Schlachten gegen die muslimischen Rum-Seldschuken. Reihenweise schoss Friedrich die feindlichen Reiter von ihren Pferden. Schließlich erreichten sie das befreundete Reich Kleinarmenien und überquerten das Taurusgebirge.

Rachels Erinnerungen - 27. bis 29. Pergament

1190. Sonntag, 10. Juni. Vormittag

Lager der Kreuzfahrer am Ufer des Saleph,

nahe der Stadt Seleucia

»Lasst uns für heute ruhen, Vater«, sagte Konrad von Schwaben. »Die Männer sind müde und die Pferde auch.«

Barbarossa überlegte. Sein Sohn hatte nicht Unrecht. In diesem Moment zischte es und ein Pfeil durchbohrte den rechten Ärmel seines Gewands, ohne jedoch seinen Arm zu verletzen.

»Diese verdammten Heiden schießen aus dem Hinterhalt! Hier ist es zu gefährlich! Zieht die Rüstungen an, wir reiten weiter!«

Rachel war mit Friedrich von Schwaben auf die Jagd gegangen. Die Kreuzfahrer ließen vier Mann am Flussufer zurück, um den beiden Jägern nach ihrer Rückkehr den Weg zum Kreuzfahrerheer zu weisen. Barbarossa legte seine schwere Panzerung an und ritt als einer der Ersten in die nicht besonders flache Furt, die an dieser Stelle des Saleph nur zwei Meter breit war und an ihren Rändern steil hinunter führte. Das kalte Bergwasser reichte den Pferden bis zum Bauch.

Plötzlich zischte es und ein Pfeil traf den Hengst des Kaisers in die linke Flanke. Dieser schwang sich vom Pferderücken und berührte versehentlich den hölzernen Schaft des Geschosses mit seinem Fuß.

Das verletzte Tier spürte stechenden Schmerzen und sprang in Todesangst ins tiefe, eiskalte Wasser. Barbarossa blieb mit dem rechten Fuß in seinem Steigbügel hängen, rutschte ab und wurde durch das Gewicht seiner Rüstung unter die Wasseroberfläche gezogen. Er konnte nicht hochkommen, um zu atmen, denn sein Bein hing fest und sein rasendes Pferd zog ihn hinter sich her. Plötzlich begann das Stechen im linken Arm.

Ein Ring legte sich wie ein eherner Panzer um seine Brust und zog sich zusammen. Als er seinen Mund öffnete und das kalte Gebirgswasser in seine Lungen drang, blieb sein Herz stehen. Er versank in zäher Schwärze, und dann sah er ein helles Licht in der Ferne, das immer näher kam. Auf einmal war alles ganz leicht ...

Als Rachel und Friedrich von Schwaben das Heerlager erreichten, herrschte tiefe Trauer, denn der Kaiser war bei der Überquerung des Saleph ertrunken. Die meisten der Kreuzfahrer werteten dieses Ereignis als schlechtes Omen und beschlossen, ihre Teilnahme an diesem Kreuzzug zu beenden und nach Deutschland zurückzukehren.

***

Auch Gottfried von Arnsberg begab sich auf den Rückweg ins Heilige Römische Reich Deutscher Nation. Während der langen Rückreise saß er jeden Abend bei Kerzenlicht in seinem Zelt und schrieb auf Pergament, welche unglaublichen Dinge er auf dieser Kreuzfahrt erlebt hatte - Friedrich Barbarossa und das Zepter der Macht, das sogar Steine zum Schmelzen bringen konnte. Er durfte niemals von diesen Erlebnissen sprechen, ohne für verrückt gehal-

ten zu werden, aber das Wissen um diese fantastischen Ereignisse musste für die Nachwelt erhalten bleiben. Immer wenn Gottfried von Arnsberg an Ritter Hans dachte, erfüllte ihn tiefe Sehnsucht nach dem Mann, den er über alle Maßen liebte.

An einem Abend beschloss er, endlich zu seiner Liebe zu stehen, damit die Qualen seiner Seele ein Ende fanden. Er würde nach seiner Rückkehr endgültig zu dem Geliebten ziehen, der nordöstlich von Weimar lebte auf dem Schloss derer von und zu Tromsdorf. Er malte sich ihr gemeinsames Zusammenleben aus und untermauerte seinen Entschluss mit einem Liebesgedicht, das er seinen Aufzeichnungen hinzufügte.

Mîn Hanserl
Dû bist mîn, ich bin dîn: des solt dû gewis sîn.
Dû bist beslozzen in mînem Herzen:
verlorn ist das slüzzelîn:
dû muost immer drinne sîn.
Mîn stæter muot und mîn herze brinnet
nâch dînem süezen lîbe und nâch dîner minne!

Als der Ritter nachhause kam auf die Wewelsburg in Paderborn, ließ er in einem der untersten Räume der Burg ein tiefes Loch graben. In einer Nacht, in der niemand zugegen war, verschloss er seine auf Pergament festgehaltenen Erinnerungen und Gedanken in einer wasserdichten Kiste und legte sie hinein. Am nächsten Morgen verlegte ein Mosaikleger ein dickes Fundament und eine runde Bodenfliesung aus Natursteinen auf dem Boden. Irgendwann in der Zukunft musste jemand seinen Bericht ausgraben und würde lesen, was er im Morgenland erlebt hatte: Friedrich Barbarossa und das Zepter der Macht, das blaue Strahlen aussandte - die Waffe, mit der man die Welt beherrschen konnte. In dieser Nacht verschwand Ritter Gottfried von Arnsberg aus Paderborn und wurde niemals wieder in dieser Gegend gesehen.

***

Das Gros der deutschen Kreuzfahrer machte sich auf den langen Rückweg nachhause. Lediglich eine kleine Schar zog weiter, um Jerusalem von den Ungläubigen zu befreien und den ertrunkenen Kaiser dort zu beerdigen.

Friedrich von Schwaben ließ den Leichnam seines Vaters in einen riesigen, mit Essig gefüllten Ledersack stecken, um ihn vor der Verwesung zu bewahren. Man legte den bei jeder Bewegung gluckernden Sack auf einen Wagen, der zum Tross der Ritter gehörte.
Rachel dachte an eingelegte Gurken und ahnte, dass dieses Konservierungsverfahren bei einem Menschen nicht funktionieren konnte, aber Alkohol war nirgends zu beschaffen, und so hielt sie ihren Mund. Nach mehreren Tagen war der Gestank, unerträglich geworden, obwohl der Trosswagen inzwischen hundert Meter hinter den Männern fahren musste.
»So geht das nicht weiter«, sagte die junge Frau, als sie die Stadt Tarsos erreichten. »Ihr müsst Euren Vater an diesem Ort in allen Ehren beisetzen lassen!«
»Er wollte nach Jerusalem, und da werde ich ihn auch hinbringen«, knurrte der ansonsten recht verständige Friedrich von Schwaben. Eine Stunde später, nachdem ihm die meisten Kreuzritter mitgeteilt hatten, sie würden unter diesen Umständen umkehren und nachhause reiten, fasste er widerstrebend einen Entschluss und fand zwei Metzger, die bereit waren, für gutes Entgelt die Eingeweide und das Herz aus dem Leichnam Barbarossas zu entfernen. Man steckte die leicht verderblichen Überreste des Kaisers in Tonkrüge und setzte sie in der Stadt Tarsos bei.
»Der Rest muss es bis Jerusalem aushalten«, knurrte der Kaisersohn und ließ den Ledersack mit frischem Essig auffüllen. »Ich habe es versprochen bei meiner Ehre, und ich halte mein Wort!«
Aber das grausige Spiel wiederholte sich, und nach wenigen Tagen wurde der Gestank erneut unerträglich. Als eine Abordnung der Ritter Friedrich von Schwabens Zelt betrat, begann er zu stöhnen und raufte sich die Haare. »Ich weiß schon, was ihr wollt! Also gut! Das Fleisch bleibt hier, nur die Gebeine reisen nach Jerusalem!«
In Antiochia war es nicht so leicht, einen Metzger zu finden, der dazu bereit war, Barbarossas inzwischen halb verwesten, nach Essig stinkenden Leichnam in seine Einzelteile zu zerlegen und

jeden einzelnen Knochen abzuschaben. Letztlich fand der Sohn des Kaisers einen Mann, der sich bereiterklärte, diese Aufgabe durchzuführen. Das von ihm verlange Entgelt war allerdings Schwindel erregend.

Als Friedrich handeln wollte, unterbrach ihn der Fleischhauer mit einer Handbewegung und sagte: »Es ist ganz einfach: Für weniger mache ich es nicht! Ihr seid weder mein Lehnsherr noch mein Gebieter, sondern nur einer von vielen Reisenden, wie tausend andere auch! Wenn Euch mein Preis nicht gefällt, so mögt Ihr Euren Vater eigenhändig ausbeinen, mein Herr!«

Der Kaisersohn bekam einen Wutanfall und bezahlte den Metzger zähneknirschend, nachdem der Anfall vorüber war. Am nächsten Tag wurden Haut und Fleisch Barbarossas, die sich in verschlossenen Tonkrügen befanden, mit allen Ehren in der Peterskirche in Antiochia beigesetzt. Seine Knochen steckte man zurück in den großen Ledersack und ließ diesen erneut mit frischem Essig auffüllen.

Friedrich von Schwaben war seit dem Tod seines Vaters immer unbeherrschter und sonderbarer geworden. Eines Abends, als die Kreuzfahrer die Stadt Tyrus fast erreicht hatten, saß Rachel im Zelt des Kaisersohns. Der süße Duft von den verwesenden Überresten des deutschen Kaisers wurde vom seichten Abendwind hineingetragen, während sie sich unterhielten.

In einem unbedachten Moment runzelte sie ihre Stirn angesichts der Gerüche und sagte: »Der Gestank ist zurückgekehrt und wird erneut unerträglich werden! Mir scheint, dass der Metzger vergessen hat, das Gehirn Barbarossas herauszunehmen!«

Kaum war dieser Satz über ihre Lippen gekommen, sprang Friedrich wütend auf und brüllte mit hochrotem Kopf: »An allem Unglück tragt Ihr allein die Schuld, verdammte Hexe! Das Elend begann mit eurer Ankunft! Verschwindet, Morgana! Wenn Ihr morgen Früh noch da seid, lasse ich Euch verbrennen!«

Rachel stand wortlos auf und ging. Sie packte ihre wenigen Sachen, sattelte die Stute, die der alte Kaiser ihr geschenkt hatte, und führte ihr Pferd Richtung Akkon. Dort suchte sie sich eine kleine Wohnung und hielt sich vor den Kreuzfahrern verborgen, als diese Tage später die Stadt erreichten.

In den folgenden Monaten gelang es den Kreuzrittern, einen schmalen Küstenstreifen zwischen Akkon und Jaffa von den Sarazenen zurückzuerobern. Dieser Streifen sollte noch einhundert Jahre lang das Königreich Jerusalem bilden.
Auf den Straßen erzählte man sich, dass Barbarossas Knochen in der Kathedrale von Tyrus bestattet worden waren. Während der Beisetzungsfeier erlitt Friedrich von Schwaben einen Tobsuchtsanfall und lief blau an. Fünf Männer mussten ihn festhalten und an die frische Luft bringen, wo er sich nur langsam wieder beruhigte.

Nach mehreren Wochen zogen die Kreuzfahrer weiter und Rachel fand eine große, luftige Wohnung mit einem riesigen Dachbalkon, auf dem viele Pflanzen blühten.
Die junge Frau richtete sich gemütlich ein und begann, Notizen und Zeichnungen anzufertigen. Sie grub die Bilder vom Trichter im Zentrum des Universums aus ihrem Gedächtnis hervor und verbesserte ihre Skizzen jahrelang, denn die Lage der Löcher in der Trichterwand musste möglichst exakt eingezeichnet sein.

Irgendwann beschloss sie, ihre eigene Lebensgeschichte aufzuschreiben, weil ihre persönlichen Erinnerungen am besten erklärten, wie es zu den gefährlichen vier Beschädigungen des Raumzeitkontinuums gekommen war. Lange dachte sie darüber nach, ob es ihr gelingen konnte, Menschen zu erreichen, die in einigen hundert Jahren ihr Manuskript finden und verstehen würden. Von diesem Tag an aktivierte sie jeden Abend vor dem Einschlafen ihre übersinnlichen Kräfte, in der Hoffnung, in ihren Träumen bis in die Zukunft vorzudringen.

Sie gewöhnte sich an, morgens nach dem Aufstehen alle Erinnerungen und Visionen, so wirr sie auch sein mochten, auf kleine Papyrusstücke aufzuschreiben. Diese Traumnotizen sammelte und ordnete sie an einer der großen Wände ihres Wohnzimmers. Nach mehreren Jahrzehnten fügten sich die tausend und abertausend Teile zu einem Traummosaik mit einem immer klarer werdenden Gesamtbild zusammen.

Allerdings erfuhr sie nur, wie die Geschichte ihrer eigenen Nachkommen verlaufen würde, beginnend mit den grauenhaften Ereignissen, die ihrem Sohn Henry widerfahren sollten. Selbst den Lebensweg ihres Bruders Andrew kannte sie nur bis ins neun-

zehnte Jahrhundert. Das deutlichste Bild zeigte ihn, wie er in einem einsamen Tal vor einem kleinen Fachwerkhaus stand. In der Ferne begann ein Felsplateau, das auf einen Berg hinauf führte.

Rachels Erinnerungen - 30. und 31. Pergament

1278. Sonntag, 2. Januar. Morgen

Akkon, Königreich von Jerusalem.

Wohnung von Rachel d'Hibernier

An ihrem einhundertsten Geburtstag sah sie immer noch aus wie eine junge, fünfundzwanzigjährige Frau. In jahrzehntelanger, mühevoller Kleinarbeit war es ihr gelungen, die Datumsangaben und Orte zu berechnen, wo die vier Beschädigungen des Raumzeitkontinuums entstehen würden. Das erste Tor war besonders groß war und würde sich am 27.6.1908 in Russland bilden, das letzte Tor wies eigenartige Zacken und Risse auf und lag am 3.8.1945 in Japan. Die beiden dazwischenliegenden waren kleiner.

Ihr Manuskript war fertig. Es verwob die Warnungen vor den Toren des Windes mit Erinnerungen an ihr eigenes Leben, gefolgt von der Lebensgeschichte ihres Sohnes Henry und seiner Nachfahren.

Als Rachel überlegte, an welchem Ort sie ihr Werk unterbringen sollte, spürte sie plötzlich mit erschreckender Deutlichkeit, dass ihre Arbeit noch lange nicht getan war, denn sie würde sowohl den Text als auch die Daten in einer Weise verschlüsseln müssen, dass erst ein Forscher des Zwanzigsten Jahrhunderts den Zugang zu einer Übersetzung finden konnte! Nur ein geheimnisvolles Buch blieb nämlich für die Wissenschaftler interessant. Ein für jedermann lesbares Manuskript hingegen würde schnell als Spinnerei abgetan, in den Archiven verschwinden und in Vergessenheit geraten!

Bei den Datumsangaben entschied sie sich für eine Kombination aus dem Dual- und Hexadezimalsystem und beschloss, diese redundant in verschiedenen Zeichnungen unterzubringen - eingefärbte und nicht eingefärbte Punkte in Blütenblättern und Wurzeln von wundersam aussehenden Pflanzen.

Die Textverschlüsselung gestaltete sich schwieriger, da sie keinerlei Kenntnisse über Verschlüsselungsverfahren besaß. Also packte Rachel ihr Manuskript ein und machte sich auf den Weg nach

Damaskus. Ihr Freund, der muslimische Mathematiker Ahmad Modschtahed Hindi war weise und hatte gewiss eine Idee.

»Die kleinsten Teile, die uns Kreaturen formen, sind in einer Schrift geschrieben, die aus nur vier Bausteinen besteht. Jeweils drei von ihnen bilden eine Einheit, also ein Zeichen. Diesen Bauplan des Lebens solltest du als Schlüssel benutzen«, sagte der alte Mann lächelnd.

Rachel kam aus dem Staunen nicht mehr heraus. Aus ihrer Grundschulzeit wusste sie, dass der geniale Universalwissenschaftler Leo Radenković 1925 auf die Codierung stoßen würde, nach der die Erbinformationen eines Lebewesens in seinen Chromosomen abgespeichert werden: Adenin, Cytosin, Thymin, Guanin oder kurz A-C-T-G. *Nun erfuhr sie beiläufig, dass ihr Freund siebenhundert Jahre vor der Entdeckung der DNA sogar Details über die DNA-Verschlüsselung mit Basentriplets kannte.*

»Du weißt so viel von diesen Dingen, Ahmad! Woher stammt dein Wissen?«

»Ich verbrachte meine Jugend in Indien und lebte lange bei den Wächtern der Welt, den nine unknown men. *Sie unterwiesen mich in jenen Tagen, wie man durch seine Gedanken mit allen Lebewesen kommuniziert, selbst mit den Göttern, die einst von den Sternen zu uns kamen. Unsere Erde ist ein riesiger Organismus und in ihm ist die Weisheit sämtlicher Wesen gespeichert, die je auf ihr gelebt haben!«*

Er stand auf. »Ich werde dir später erklären, wie man auf dieses Wissen zugreifen kann. Jetzt aber scheint es mir an der Zeit zu sein, dass ich dir zeige, wie du deinen Text in der Sprache des Lebens codieren kannst.«

Er zeichnete ein hochkomplexes, farbiges Mandala auf eine große Holzplatte und setzte an verschiedenen Stellen fremdartig aussehende Buchstaben hinein, die älter waren als alle Hochkulturen der Menschheit.

Es waren die Schriftzeichen der Wesen, die einst von den Sternen gekommen waren, um den Menschen zu helfen, die führende Spezies auf dem Planeten zu werden.

Diese Vorarbeiten dauerten einen vollen Tag. Schließlich befestigte Ahmad mehrere Schnüre an kleinen Nägeln, die er in der

Nähe der Zeichen einschlug, und gruppierte die verschiedenfarbigen Bänder in vier breite Stränge mit jeweils einem Knoten am Ende:

A-C-T-G.

Letztendlich schrieb er alle lateinischen Lettern auf den Rand des Mandalas und zeigte der jungen Frau, wie man diese Codierung benutzte. Sie übte drei Tage und freute sich, denn sie hatte ihr Ziel erreicht. Nachfolgende Generationen würden den Text ihres Manuskripts erst ab 1925 entschlüsseln können.

Als sie eine Woche später Damaskus verließ, vergaß sie ein sorgfältig gezeichnetes Pergament mit ihrem neuesten Entwurf von dem Trichter im Zentrum des Universums, der den Strudel der Zeit und auch die vier Beschädigungen des Raumzeitkontinuums abbildete.

***

Ahmad Modschtahed Hindi starb kurz nach ihrem Besuch. Rachels Zeichnung übergab man - zusammen mit dem übrigen Nachlass des Mathematikers - an seinen einzigen Sohn. Von da an reichte man diese Dinge in der Familie weiter von Generation zu Generation, bis zu einem Greis im dreißigsten Glied der Nachfolge, der mit einem Zigeunerzirkus durch Deutschland zog und 1933 in Regensburg von den Barbaren der SA erschlagen wurde ...

***

Nach ihrem Besuch in Damaskus schrieb Rachel ihr Manuskript neu in der Verschlüsselung, die ihr Freund ihr gezeigt hatte. Sie fügte auf vielen Seiten Zeichnungen von geheimnisvoll aussehenden Pflanzen ein, in denen sie die Datumsangaben mehrfach in dualer Kodierung versteckte.

Zwischen mehrere bedeutungslose Abbildungen von nackten Menschen, die in Röhrensystemen steckten und aussahen, als wür-

den sie Badekuren machen, mischte sie sorgfältig angefertigte, detaillierte Federzeichnungen vom Strudel der Zeit im Zentrum des Universums. Alle Beschädigungen des Raumzeitkontinuums waren auf den Pergamenten deutlich zu erkennen.

Letztlich fügte sie in der Mitte ihres Werks aufklappbare astrologische Zeichnungen ein, die sie als Kind auf Tarotkarten gesehen hatte. Sie bedeuteten gar nichts, aber sie sollten die Neugierde der Wissenschaftler verstärken. Als Letztes versteckte sie in simplen Kochrezepten die Angaben über die Orte, an denen sich die Tore des Windes öffnen würden. Rachel plante jeden einzelnen Strich minutiös und schrieb und zeichnete manche Seiten immer wieder neu.

1288 ließ sie ihr Manuskript bei einem jüdischen Handwerker binden, der sich auf diese Kunst verstand. Vier Wochen später erhielt sie das fertige Buch zurück.

Die wesentliche Frage war nun, wo es die folgenden sechshundertfünfzig Jahre möglichst unbeschadet überdauern konnte, ohne zerstört zu werden. Sie überlegte lange, bis ihr die Antwort einfiel. Es musste nach England! Soweit ihr bekannt war, würden in London niemals königliche Gebäude und Einrichtungen durch Aufstände oder Kriege der Zerstörung zum Opfer fallen.

Also verpackte sie ihr Manuskript in mehrere Lagen wasserdichten Stoff, verschnürte das Paket ordentlich und begab sich auf den Weg zu Guillaume de Beaujeu, dem Großmeister des Templerordens in Akkon.

Auf dem Weg zur Eisenburg übermannten sie die Erinnerungen an Henry Howard. Sie setzte sich auf einen Felsen am Wegesrand und weinte. Wie grauenhaft würde sein weiteres Leben verlaufen, nachdem ein Zinken von der riesigen Mistgabel des Werkzeughändlers in Genua seinen Schädel durchbohrt und eines seiner Auge ausgestochen hatte ...

Rachels Visionen - 32. bis 35. Pergament

1646. Donnerstag, 4. Oktober

Vogodarzere, nordöstlich von Padua

Der sächsische Gewürzhändler Heinrich Wagner aus Waldenburg machte ein gutes Geschäft. Bereits einen Tag vor Ende des Marktes waren alle Gewürze verkauft. Seine Frau Elvira würde sich freuen über das viele Geld, das er verdient hatte! Ein bisschen davon war gewiss übrig für ein Bier oder zwei. Er reiste noch am selben Tag in Padua ab, lenkte seine Pferde bis Vogodarzere und ließ seinen Wagen hinter dem kleinen Dorf bei einer Wiese stehen, die mit Olivenbäumen bewachsen war. Zu Fuß ging er zurück, suchte die Taverne auf und betrank sich sinnlos, bis der Morgen graute.

***

Als Rachel ihren Sohn mit den Fingerspitzen berührte, wurde Henry Howard fortgeschleudert durch die Dimensionen des Raumes und landete in der Nähe des Dorfes Vogodarzere nordöstlich von Padua auf einer Wiese, die mit Olivenbäumen bewachsen war. Der kleine Junge war ohnmächtig und blieb liegen, bis die Nacht hereinbrach.

Jeder andere Mensch mit diesen tödlichen Verletzungen wäre einfach gestorben. Er jedoch konnte nicht sterben, weil ein Teil seiner Seele in dem schwer verwundeten Körper bleiben musste, fixiert von seiner Mutter mit den Kräften, die das Universum zusammenhalten. Bevor die Sonne aufging, erwachte er und verspürte keine Schmerzen.

Sein linkes Auge war ausgestochen und im Hinterkopf befand sich ein großes Loch, aber die Verletzungen fühlten sich für ihn nur dumpf an, denn sein Bewusstsein war kaum mehr vorhanden, nur noch sein Instinkt.

Wie ein verletztes Tier kroch er auf allen Vieren zu einem hölzernen Wagen am Wegesrand und verbarg sich unter einer stinkenden Plane. Er rollte sich zusammen und schlief auf der Stelle ein, während dickes Blut und Eiter aus seinen Wunden sickerten.

Mit dröhnendem Kopf und völlig betrunken kehrte Heinrich Wagner am Morgen zurück. Seine beiden Pferde grasten friedlich. Er spannte sie ein, was gar nicht so einfach war, weil er alles doppelt sah. Er fuhr den ganzen Tag bis zum Abend. Oft hielt er an, um Wasser zu lassen und sich zu übergeben. Langsam wurde er wieder nüchtern, aber er machte keine Rast, um zu essen.

Als er bei Einbruch der Dunkelheit nahe einem Dorf anhielt, um auf der Ladefläche seines Wagens zu schlafen, entdeckte er den schwer verletzten Knaben unter den dicken Planen. Dieser lag bäuchlings auf den Gewürzsäcken und war ohnmächtig. Am Hinterkopf klaffte eine mächtige Blessur, durch die man in den Kopf hineinsehen konnte, und sein linkes Auge war ausgestochen. Blut und eine gelbe Flüssigkeit sickerten aus der leeren Augenhöhle. Nach anfänglicher Scheu – Heinrich Wagner war kinderlos und kannte den Umgang mit diesen kleinen Geschöpfen nicht – untersuchte er den Jungen, der dem Tode näher war als dem Leben.

»Du arme Kreatur«, sagte er leise. »Was haben sie denn mit dir gemacht?«

Er wusch dem Knaben mit dem Wasser aus seinem Trinkwasservorrat die Wunden aus und dachte nach. Elvira und er wünschten sich lange schon ein Kind. Hier lag nun eins. Schwer verletzt zwar mit nur einem Auge und einem riesigen Loch im Hinterkopf, aber immerhin ein Kind, das zweifellos sterben würde, wenn er sich nicht seiner annahm. Vielleicht musste es sowieso seinen Geist aufgeben, aber einen Versuch war es wenigstens wert, also beschloss Heinrich Wagner in diesem Moment, mit Gott einen Pakt einzugehen. Er kniete auf der Ladefläche seines Wagens nieder und betete laut.

»Allmächtiger Herrgott! Du hast diesen Knaben als Prüfung in mein Leben gebracht! Ich werde ihn gesundpflegen als wäre ich sein Vater! Ich will ihn lieben wie mein eigen Fleisch und Blut, das schwöre ich bei meiner unsterblichen Seele, und falls er wieder gesund wird, soll er mein Sohn sein, so wahr ich ein guter Christenmensch bin!«

Er wandte sich dem bewusstlosen Jungen zu und sprach: »Wenn der Herr dir hold ist, dann wirst du von heute an Gotthold heißen!«

Beflügelt von seinem edlen Vorsatz fuhr er weiter bis in die nächste Stadt, mietete für ein Zimmer in einem Gasthaus, trug das Kind hinein und pflegte es Tag und Nacht. Zu seinem Erstaunen wuchs die große Öffnung am Hinterkopf sehr schnell zu und war schon nach vier Wochen vollständig von Knochen, Kopfhaut und Haaren bedeckt. Bis auf die leere linke Augenhöhle konnte man die schweren Verletzungen nicht mehr sehen. Heinrich kaufte eine lederne Augenklappe, die hinter den Ohren befestigt wurde, und stellte fest, dass sein Sohn Gotthold eigentlich ganz niedlich aussah.

Wochen später näherte sich das Pferdegespann dem Wagner-Hof in Sachsen. Diesen Winter lag noch kein Schnee und die Pferde kamen gut voran.
»Schau, wir sind gleich zuhause«, sagte der Kutscher. Der kleine Junge, der neben ihm auf dem Kutschbock saß und eine Klappe über dem linken Auge trug, verzog keine Miene.
Gotthold konnte alles, was ein normaler Fünfjähriger kann, nur das Sprechen erlernte er nie, obwohl er nach kurzer Zeit jedes Wort zu verstehen schien.
Den Nachbarn erzählte Heinrich, er hätte seinen Neffen zu sich genommen, aber eigentlich interessierte sich niemand dafür, woher der Knabe kam. Er war eben da, das würde am Lauf der Welt nichts ändern. Dachten die Menschen jedenfalls, und sie sollten nie erfahren, wie gründlich sie sich irrten.
Ein Jahr später bemerkte Elvira Wagner eines Tages, dass sie schwanger war. Nach neun Monaten gebar sie ein gesundes Mädchen, das den Namen Magdalena erhielt. Die Kinder wuchsen auf wie Geschwister.

Seit der alte Heinrich den Gewürzhandel hatte aufgeben müssen, bestritt die Familie ihren Lebensunterhalt durch den Anbau und Verkauf von Getreide. Auch Gotthold wurde Getreidebauer, wie sein Ziehvater. Mit zwanzig Jahren besaß er einen braun gebrannten, von der täglichen, anstrengenden Arbeit gestählten Körper. Wenn andere erschöpft waren, arbeitete er weiter, oftmals, bis er wegen der Dunkelheit nichts mehr erkennen konnte. Nur sein stets etwas schief gehaltener Kopf und das wie aus Wachs gegossene, ungerührt aussehende Gesicht wollten nicht so recht zu dem ansonsten stattlichen, jungen Mann passen.

Seine Ziehschwester Magdalena entwickelte sich bis zu ihrem vierzehnten Lebensjahr zu einem dicken, drallen Bauernmädchen. Sie sah genauso aus wie ihre Mutter und war intellektuell noch dürftiger ausgestattet.

Mit einer minderen Intelligenz und geistig etwas zurückgeblieben, interessierte sie sich für gar nichts, außer dafür, möglichst schnell erwachsen zu werden. Mit vierzehn hatte sie ihre erste Periode und fühlte sich von diesem Tag an als Frau. Innerhalb eines Jahres verdoppelte sich ihr ohnehin großer Körperumfang und sie bekam riesige, schwere Brüste. Ihre schwarze Schambehaarung wuchs ihren halbkugelförmigen Bauch hinauf wie ein dichtes Bärenfell und bedeckte ein Dreieck, das zwischen ihren fetten Schenkeln begann und erst unterhalb des Bauchnabels endete.

In den folgenden Monaten entdeckte Magdalena sich selbst. Eines Tages fand sie heraus, dass man nicht erst im himmlischen Paradies, sondern schon zu Lebzeiten für einen kurzen Moment die Glückseligkeit auf Erden erlangen konnte, sofern man mit den Fingern an der richtigen Stelle ein wenig nachhalf. Es dauerte nicht lange, bis das einfältige Mädchen jede Nacht mit seinem ungehemmten Stöhnen und Schreien das ganze Gehöft zusammenschrie ...

»So geht das nicht weiter!«, stöhnte Heinrich nach einigen Abenden. Er sah seine Frau Elvira streng an. »Wir müssen Magda so schnell wie möglich verheiraten, solange sie noch intakt ist, denn wenn es erst passiert ist, will sie sowieso keiner mehr haben! Es wird jetzt schon schwierig genug, einen Mann für sie zu finden! Bei den meisten Häusern passt sie nicht einmal durch Tür, weil sie so dick ist!«

Seine Frau zögerte, denn Magdalena war ihr Liebling, und sie wollte ihre Tochter so lange wie möglich bei sich behalten.

»Auf jeden Fall zieht Gotthold ab morgen in die Kammer über dem Heuboden im Stall!«, schnaubte Heinrich böse. »Und du wirst Magda erklären, dass das, was sie tut, nicht richtig ist! Sie hat gefälligst die Finger von ihrer verdammten Futt zu lassen! Was sie tut, ist kein gottgefälliges Werk! Verdeutliche es ihr meinethalben mit Beispielen aus der Bibel! Egal, wie du es machst, das Gestöhne muss auf der Stelle aufhören! Mir geht es gewaltig auf die Nerven,

und was soll der arme Junge denken bei dem Gekreische und Geschrei? «

Am nächsten Tag regnete es. Heinrich stand früh auf und beauftragte seine fünf polnischen Wanderarbeiter mit dem Ausbau der Kammer über dem Heuboden des Stalls. Aus rau gesägten Brettern zimmerten die Polen ein einfaches Bett und einen Schrank sowie einen Tisch und einen Stuhl.

Währenddessen nahm Elvira ihre Tochter beiseite und sagte ihr, dass das, was sie jeden Abend tat, nicht richtig war, denn davon wurde man blind und gelähmt. Dann erklärte sie ganz ausführlich, was die Männer mit den Frauen taten, um nach dem Auftrag des Allmächtigen den Fortbestand der Menschheit sicherzustellen. Erst, wenn ein Paar verehelicht wäre (Magda kannte dieses Wort nicht), *sei es ihre fromme Christenpflicht, für Kinder zu sorgen, weil in der Bibel Gottes Gebot verzeichnet wäre, fruchtbar zu sein und sich zu mehren.*

Magdalena versuchte sich vorzustellen, wie das gehen sollte. Sie verstand nicht alles, was die Mutter ihr erzählte, nickte aber dennoch eifrig mit dem Kopf. Sie fürchtete sich davor, blind und gelähmt zu werden, also beschloss sie, künftig den Ort in Ruhe zu lassen, wo die schönen Gefühle entstanden, denn er gehörte allein dem großen Michel, den die Männer mitbrachten. Wie war das noch gewesen mit der frommen Christenpflicht? Sie wollte so gerne ein rechtschaffener Christenmensch sein und ahnte in diesem Moment, was sie zu tun hatte ...

***

Im Alter von vierundzwanzig Jahren erfüllte Henry Howard, Sohn des Herzogs und der Herzogin von Sussex, seine Aufgabe, die im unermesslichen Plan Gottes für das Universum für ihn vorgesehen war.

***

Ein Geräusch, das vom Heuboden unter seinem Zimmer kam, weckte ihn. Die polnischen Erntehelfer konnten es nicht sein, die waren bereits am Abend weitergezogen. Vielleicht ein Tier? Er schob die Wolldecke von seinem unbekleideten Körper, erhob sich langsam aus seinem Bett, öffnete leise die Tür und schlich die Stiege hinunter. Auf halber Höhe schwang er sich auf das meterhoch aufgeschichtete Heu.

»Hallo Gotthold«, gurrte seine Schwester Magda mit seltsam klingender Stimme. Sie lag nackt auf dem Rücken im Heu und hatte ihre überaus fetten Beine angewinkelt und weit gespreizt. Dort, wo ihre Schenkel zusammenkamen, begann ein riesiger, schwarzer Urwald, der sich bis auf ihren dicken Bauch erstreckte. Darüber wölbten sich mächtige Brüste, deren daumendicke, harte Brustwarzen nach außen standen - Magdalena war das Urbild der weiblichen Fruchtbarkeit schlechthin.

»Komm her!«, flüsterte sie. »Du darfst deinen großen Michel *bei mir hineintun, dann werden wir beide verehelicht und fromme Christenmenschen!«*

In diesem Moment sah sie sein gewaltiges Gemächt emporsteigen. »Oh mein Gott, was ist das denn? ... Ja, das ist es! ... Tu ihn bei mir rein, das ist ein gottgefälliges Werk!«

Das ließ sich Gotthold nicht zweimal sahen. Er kniete zwischen ihren Schenkeln nieder wie zum Gebet, legte sich auf den dicken Bauch seiner Ziehschwester, packte ihre mächtigen Brüste mit seinen groben Händen, schob sein riesiges Glied in ihren jungfräulichen Schoß und ritt sie im Galopp. Magdalena geriet über die harten Stöße seiner Lenden völlig in Verzückung. Sie wand sich unter ihm und schrie vor Begeisterung. Das war es, wofür man auf der Welt war! Gemeinsam steuerten sie auf einen unbeschreiblichen Höhepunkt zu.

Heinrich Wagner schlief schlecht und erwachte von Magdalenas lauten Schreien. In aller Eile sprang er in Hemd und Hose. In den letzten Tagen war seine Tochter ruhig gewesen, aber nun drangen ihre Schreie aus dem Stallgebäude, kreischender und lang gezogener, als er es je vernommen hatte. Sollte einer der Wanderarbeiter heimlich zurückgekehrt sein und sich an dem jungfräulichen Kind vergehen? Als er das Haus verließ, griff er nach der schweren Holzkeule, die zur Verteidigung gegen Einbrecher und Zigeuner in der Ecke neben der Haustür stand, und lief auf den Stall zur. Magdalenas Schreie gellten in seinen Ohren.

In Panik kletterte er die Leiter hoch, die oben auf das aufgeschichtete Heu führte, und sah im düsteren Zwielicht des Mondes, was hier geschah.

Die fetten, weißen Schenkel seiner Tochter waren gespreizt, die Füße himmelwärts gestreckt, und zuckten unter dem muskulösen Mann, der auf ihr lag und sie vergewaltigte, während seine großen, braunen Hände ihre mächtigen Brüste kneteten. Heinrich Wagner holte weit aus und schlug dem Vergewaltiger die schwere Holzkeule auf den Kopf. Kurz bevor diese ihr Ziel traf, erlebte Gotthold gleichzeitig mit seiner Ziehschwester einen ungeheuren Orgasmus. Im selben Moment, als die Keule seinen Schädel einschlug bis herunter aufs Nasenbein, strömte sein Samen zusammen mit den Resten seiner Seele in den dicken Bauch von Magdalena, deren Gebärmutter dieses Geschenk gierig zuckend in sich aufnahm. Auf diese Weise floss sein Leben in ihren fetten, unförmigen Leib. Sie aber wurde ohnmächtig und schwebte auf einer Wolke des Glücks. Gott war herabgestiegen auf die Erde und hatte ihr geholfen, richtig fromm und ein guter Christenmensch zu werden ...

Erst langsam dämmerte Heinrich, dass der Erschlagene kein Vergewaltiger war, sondern sein eigener Sohn. Gottholds Schädel war unwiederbringlich zerstört, sein Körper hingegen, daran gewöhnt, stets mit wenig Seele und Steuerung von oben auszukommen, bemerkte kaum die Veränderung und schwang unvermindert die Lenden.

»Du Teufel ... Ausgeburt der Hölle ...«, zischte Heinrich durch die Zähne, als er sah, dass der Rasende nach wie vor auf Magdalena herumritt, als sei nichts geschehen. Erst Minuten später wurden die Bewegungen des Erschlagenen langsamer und hörten schließlich ganz auf. Er stieß ihn mit der Keule an, aber der bewegte sich nicht mehr. Mit allen Kräften zog er den Leichnam seines Ziehsohns von seiner Tochter herunter, die mit zuckenden Lenden und verdrehten Augen im Heu lag. Er zerrte den Toten zu der großen Abfallkuhle hinter dem Stall, wohin auch die menschlichen Exkremente vom Donnerbalken flossen, und lief ihn in die Gülle gleiten.

Gottholds sterbliche Überreste versanken mit leisem Glucksen in der stinkenden Brühe. Eilig warf Heinrich eine Lage Stroh darauf, damit niemand den Erschlagenen finden sollte. Er beschloss, nach

Anbruch des Tages eine neue Güllegrube anzulegen und die vorhandene mit dem ausgehobenen Sand zuzuschütten. Dann eilte er zurück.

Die dicke Magda lag unverändert da, ein Sinnbild der Fruchtbarkeitsgöttin in ihrer ursprünglichen Weiblichkeit, mit immer noch zuckendem Unterleib. Mit einem Lappen wischte Heinrich Wagner der Ohnmächtigen Blut, Gehirnmasse und Knochensplitter, die von Gottfrieds Schädel stammten, von Brust und Gesicht, nahm die Augenklappe, die durch den heftigen Schlag mit der Keule abgefallen war, an sich und warf beides fort. Er holte ein sauberes Tuch, tränkte es mit Wasser aus dem Behälter bei der Pumpe und ging zurück, um seine Tochter von den letzten Spuren der grausigen Mordtat zu reinigen. Als er gerade damit fertig war, stöhnte sie und kam zu sich.

»Ich habe Gott in mir gefühlt«, flüsterte sie benommen und schlug die Augen auf.

»Wie komme ich hierher?«

»Du bist im Schlaf gewandelt, mein Kind«, sagte Heinrich Wagner zärtlich. »Zieh dich an, geh ins Haus und leg dich wieder ins Bett.«

Magdalena, immer noch ein bisschen neben sich, schlüpfte in ihr Nachthemd. Hatte sie das alles nur geträumt?

»Wo ist Gotthold?«

»Ich habe deinen Bruder vor einer Stunde verabschiedet«, antwortete ihr Vater und war froh, dass er streng genommen nicht einmal log.

Die eigentliche Lüge, die im Grunde kurz sein musste und von der er niemals abweichen durfte, begann erst jetzt.

»Gotthold hat sich mit einem der polnischen Wanderarbeiter angefreundet. Kannst du dich an Jaroslaw erinnern, den mit den hellblonden Haaren?«

Magda nickte.

»Er ist mit ihm in die Welt hinaus gezogen, um sein Glück zu finden«, fuhr Heinrich Wagner fort. »Er lässt euch alle ganz lieb grüßen und wird uns besuchen, wenn er sein Schicksal gefunden hat.«

Während Gottholds Leichnam in der zugeschütteten Abfallkuhle vermoderte, wuchs Magdalenas Umfang zusehends an, und das wollte schon etwas heißen, denn sie war bereits unglaublich dick - allerdings geht es immer noch ein bisschen schlimmer, als man sich vorstellen kann. Heinrich vermehrte derweil seine Anstrengungen, einen passenden Schwiegersohn zu finden, aber keine der Familien aus der Umgebung von Waldenburg war gewillt, einem ihrer Söhne die idiotische Wagner-Tochter zuzumuten.

Diese tat ein Übriges zu ihrem eigenen Schaden und erzählte jedermann, Gott sei in der Nacht zu ihr herabgestiegen und sie hätte von ihm das Jesuskind empfangen. Dem Spott folgte bald das Mitleid mit der eingebildeten Jungfrau Maria, die geistig zurückgeblieben war, und niemals heiraten würde, denn wer wollte schon eine Frau haben, die aussah wie ein Weinfass, nicht alle Tassen im Schrank hatte und die Frucht einer Vergewaltigung im Leibe trug .

Luftschiff der Gouverneure

Vasilijs *Douglas Air* tat sich mit der *Pan American Airways* zusammen. Am achtundzwanzigsten Juni 1939 wurde der regelmäßige Flugverkehr aufgenommen von *Port Washington* auf *Long Island* mit dem Flugziel Marseille und Zwischenlandungen auf den Azoren und in Lissabon.

Eine Woche danach, am Morgen des vierten Juli, klingelte es an meiner Haustür. Seit ich wieder auf unserer Farm in Philadelphia lebte, hatte ich mir angewöhnt, erst mittags aufzustehen, und trat – immer noch ziemlich verschlafen - im Bademantel und unrasiert an die Tür, um zu öffnen. Draußen standen meine Freunde Ivo und Wanda, Vasilij und Marianna sowie Luigi Grimaldi.

»Dürfen wir hereinkommen, Robert?«

Ich duschte eilig, zog mich an und betrat eine halbe Stunde später den Salon. Der Duft frischen Kaffees kam mir bereits durch die Ritzen der Tür entgegen.

»Wie schön, das ihr mich besucht! Wollt ihr mit mir den Independence Day feiern?«, fragte ich und setzte mich auf einen der freien Plätze auf einem der Sofas. Einen Moment herrschte betretenes Schweigen, dann ergriff Vasilijs Frau das Wort. »Ich weiß nicht so recht, wie ich anfangen soll ... also ... jedem von uns ist aufgefallen, dass mit dir etwas nicht stimmt!«

»Was? Mir geht es gut«, entgegnete ich. »Zugegeben, es ist ruhig geworden auf meiner Farm, aber ...«

»Hör auf, Robert!«, unterbrach Ivo mich. Er legte seinen Arm um meine Schulter. »Ich erinnere mich genau an die letzte Feier zu deiner Wiederwahl als Gouverneur von Pennsylvania. Damals warst du ein erfolgreicher Politiker, hattest eine wunderbare Familie und alles war in Ordnung. Das ist mittlerweile sieben Jahre her. Dann starb Jasmin, Alan Freeman zog nach Rhodesien, John Blackwolf ging zu seinem Indianerstamm, Vivian und Vanessa führen in Asien ihr eigenes Leben und von Leo weiß ich nur, dass er sich irgendwie in Luft aufgelöst hat. Deine heile Welt ist zerbrochen, mein Freund, und deshalb vergräbst du dich auf deiner Farm, gehst nicht einmal mehr nach draußen und läufst am Mittag barfuß und unrasiert im Bademantel herum! Ich würde mich gar nicht wundern, wenn du abends auch noch säufst!«

Marianna setzte sich neben mich und ergriff meine Hand.

»Robert! Sei ehrlich! Du bist einer der reichsten Männer auf dieser Erde und könntest dir alles leisten, was du willst, aber führst du ein freies, selbst bestimmtes Leben?«

»Ich weiß ...«

»Nein«, rief Ivo, »das tust du nicht! Zieh endlich einen Schluss-Strich unter die Dinge, die geschehen sind! Du steckst in deiner Vergangenheit fest wie in einer Schleife und kannst deshalb deine Zukunft nicht sehen und deine Gegenwart nicht gestalten! Du bist ein Wanderer zwischen den Welten, mein Freund - zur Hälfte Professor und Clown, Familienvater und Eremit, normaler Mensch und Mutant, Jüngling und Greis! Du lebst ein bisschen in Nizza und manchmal in Genf und jetzt gerade hier auf deiner Farm, aber nirgendwo ist dein Zuhause - wie bei einem Zigeuner, der es an keinem Ort der Welt lange aushält!«

Marianna legte ihren Arm um meine Schulter. »Wir sorgen uns um dich, denn du vergräbst dich vor Kummer und kommst kaum noch aus deiner Höhle heraus! Ein selbst bestimmtes Leben führst du jedenfalls nicht!«

Betretenes Schweigen füllte den Salon, während mir die Gedanken meiner Freunde durch den Kopf gingen. Ivo zog sein silbernes Zigarettenetui aus seiner Jackentasche und zündete sich eine Zigarette an. »Machen wir's kurz, Robert. Ich glaube, dein Problem ist, dass du nicht mehr weißt, wer du wirklich bist und was deine Aufgabe ist auf dieser Welt! Bis auf Luigi ist jeder von uns über fünfzig Jahre alt. Man sieht es uns an - du allerdings hast dich kein bisschen verändert, seit ich dich kenne. Du siehst immer noch aus wie mit Ende zwanzig. «

»Ich weiß«, antwortete ich leise. »Ich versuche es zu verbergen, kleide mich absichtlich altmodisch und umgebe mich meistens mit der Illusion, altersgemäß auszusehen.«

»Diese Tatsache zu ignorieren ist aber der falsche Weg, denn alles, was geschieht, hat einen Grund. Wir haben uns lange darüber unterhalten, was es bedeuten mag, dass du nicht älter wirst, und sind auf einen gemeinsamen Gedanken gekommen.«

»Mach es nicht so spannend!«

»Kennst du einen anderen Menschen, der genauso langsam altert wie du?«

»Mir fällt nur einer dazu ein, und das war Graf Andraschi.«

Meine Freunde schwiegen und sahen mich auffordernd an.

»Was wollt ihr mir sagen? Ich verstehe nicht ...«

»Eine dermaßen seltene Veränderung der Erbanlagen plus ähnliche übernatürliche Fähigkeiten? ... Das lässt doch nur einen Schluss zu: Andrew oder Rachel Winter muss einer deiner Vorfahren sein!«

Vor meinen Augen drehten sich bunte Ringe. »Ihr glaubt allen Ernstes, dass ich von diesem Widerling abstamme?«

»Langsam«, sagte Ivo nachdenklich. »Niemand weiß, wie Menschen werden, die mehrere hundert Jahre leben. 1914 handelte der Mann zweifellos böse, aber was wissen wir wirklich über ihn, der als Jüngling im nächsten Jahrhundert eine Reise in die Vergangenheit unternehmen wird? Ich erinnere mich nur ungenau an die damaligen Geschehnisse. Auf irgendeine Weise war die Menschheit kurz davor, sich selbst auszurotten und er versuchte, die Katastrophe durch seine Zeitreise zu verhindern! Sein ursprüngliches Handeln entsprang also durchaus edlen Absichten!«

Vasilij räusperte sich. »Vielleicht musst auch du lernen, in viel größeren Zeiträumen zu denken, Robert! Ist es nicht vorstellbar, das alles, was du dir bisher aufgebaut hast – die Farm, deine Familie, dein Amt als Gouverneur – nur ein Zwischenschritt war? Wenn du genau so alt wie Graf Andraschi werden kannst, dann ist der Sinn deines Lebens möglicherweise noch gar nicht erkennbar!«

Ivo hustete mehrmals und legte seinen Zigarettenstummel in den Aschenbecher. »Führen wir Vasilijs Gedanken einmal weiter! Wir töteten Andrew Winter, er starb nicht an Altersschwäche! Woher wissen wir, dass er ohne unser Eingreifen nicht tausend Jahre alt geworden wäre oder gar biologisch unsterblich war? Wenn du genauso alt werden kannst, ist es vielleicht deine Aufgabe, die Zeitreise der Winter-Geschwister zu verhindern. Wer weiß, ob dadurch die schöne Welt aus dem Nachrichtenfilm von 1954 wieder aufleben würde? Was meint unser Physikprofessor dazu? Ob das möglich ist?«

Luigi Grimaldi saß nachdenklich in seinem Stuhl und presste seine Lippen zusammen. »Wohl eher nicht. Ich habe folgende Theorie: Der Zeitraum zwischen 1620 und 2020 bildet einen kosmischen Ausnahmezustand, in dem die Wirklichkeit doppelt existiert.«

»Darunter kann ich mir gar nichts vorstellen«, warf Wanda ein. »Wie meinst du das, Luigi?«

»Vor Andrew Winters Zeitreise war die Vergangenheit wie in dem Nachrichtenfilm - es gab eine vereinigte Weltregierung namens UWA und Nazis wurden als Terroristen gejagt. Ab 1620 kam es in einer zweiten Schleife der Realität zunächst nur zu winzigen Veränderungen, die bis heute eine völlig andere Welt entstehen ließen mit ausgeprägten Nationalstaaten, faschistischen Diktaturen und der konkreten Gefahr eines kurz bevorstehenden zweiten Weltkriegs. Dennoch hat alles, was einmal geschehen ist, seine Folgen und bleibt auf irgendeine Weise bestehen - nur so lässt sich erklären, dass Robert einen Nachrichtenfilm besitzt, der aus einer Zeit stammt, die es für uns nie geben wird. Deshalb glaube ich, dass eine Verhinderung der Zeitreise im Jahr 2020 eine dritte Variante der Vergangenheit, Gegenwart und Zukunft hervorbringen würde.«

»Also eine Art paralleles Univerum?«, fragte Wanda.

Luigi schüttelte seinen Kopf. »Nein. Obwohl der Zeitraum von 1620 bis 2020 zweimal existiert, laufen die Geschehnisse hintereinander ab, sonst würden die Inhalte der Naturkonstanten überlastet werden.«

Er wandte sich mir zu. »Bitte zeig uns den Film, Robert! Ich kenne ihn nur aus Ivos Erzählungen und möchte gerne eine Idee überprüfen, die mir gerade gekommen ist.«

Während der Film ablief, kreisten meine Gedanken um das, was meine Freunde gesagt hatten. Was war meine Aufgabe auf dieser Welt? Konnte ich sie überhaupt schon erkennen? Musste ich lernen, in Jahrzehnten, vielleicht gar in Jahrhunderten zu denken? Plötzlich überfiel mich ein Schwindel wie von einer Vision.

... ein Schloss in den Wolken ...
... und ich besitze die Konstruktionspläne ...

Der Projektor knatterte, dann wurde das Bild weiß. Luigi ergriff sofort das Wort. »Es werden viele Personen erwähnt, die wir kennen, insbesondere im Zusammenhang mit der Einigung Europas, aber die Name *Winter, Andraschi* oder *Clymer* kommen nirgends vor, das heißt, in dieser ursprünglichen Variante der Realität existieren keine Menschen mit übersinnlichen Kräften. Unsere Welt stellt demgegenüber eine zweite Wirklichkeit da. Sie beginnt und endet am selben Punkt im Jahr 2020 und hängt wie eine Zeitschleife beziehungsweise Seifenblase daran fest. Das ist die einzige plausible Erklärung, alles andere passt weder zu den Gesetzen der Physik noch in den Gesamtplan einer göttlichen Schöpfung. Nebenbei erklärt diese Theorie auch die Existenz von Mutanten, die es vor 1620 niemals gegeben hat, im Verlauf der gesamten Menschheitsgeschichte nicht.«

»Wie meinst du das?«, fragte Vasilij.

Luigi wiegte seinen Kopf hin und her. »Jetzt haltet mich bitte nicht für verrückt! Alle Mutanten, egal ob Andraschi, Rachel, Robert oder das französische Mutantenkorps, existieren nur innerhalb der Zeitschleife von vierhundert Jahren, in der wir leben. Sie sind die einzigen Wesen, die die Tore des Windes verschließen und damit verhindern können, dass das Universum zerstört wird. Also bilden sie zwangsläufig die Geheimwaffe Gottes ...«

... betretenes Schweigen ...

»Und wer ...«, sagte Wanda leise, » ... wer ist dann die Geheimwaffe des Teufels?«

Bei diesen Worten lief es mir kalt den Rücken herunter. Waren wir nur die Werkzeuge, die alle Fehler im System der göttlichen

Schöpfung wieder ins Lot bringen mussten? Was war mit Alain? Er gehörte zur geheimen Organisation des Reichspropagandaministers Dr. Goebbels.

Omega PG

War Andrew Winters Enkel vielleicht der Mutant des Teufels? Innerhalb von Sekunden begann ich so heftig zu schwitzen, dass mehrere dicke Schweißtropfen von meiner Stirn herunterliefen.

Am Nachmittag saßen wir wieder zusammen. Ich trank in Ruhe einen Schluck Kaffee. »Ich habe in den letzten Stunden viele Entscheidungen getroffen. Als Erstes trenne ich mich von allem, was ich nicht brauche. Nach der Zerstörung der USS Macon erwarb ich von Goodyear die riesigen Fabrikationsanlagen für Starrluftschiffe. Meine kleine Firma *Clymer-Construction* soll von New York auf dieses Gelände nach Ohio umziehen, damit meine Ingenieure mir das Riesenluftschiff der Regionalgouverneure bauen können, für das ich die Konstruktionsunterlagen besitze. Leo wird die Entwicklungsabteilung leiten, sowie er hier eingetroffen ist. Sämtliche diesbezüglichen Regelungen sind in einer Woche erledigt.«

Ich lehnte mich entspannt zurück und lächelte. »Vor allem aber: Noch in diesem Monat begebe ich mich auf eine lange Reise zu meinen Kindern - ich vermisse sie wahnsinnig ...«

In diesem Moment klingelte das Telefon. Gilbert Lacroix war dran. Aufgeregt berichtete er mir, dass die Gautier-Villa auf dem Montboron vor einer halben Stunde in die Luft geflogen war. Nach einer gewaltigen Explosion war das Gebäude in sich zusammengestürzt und brannte. Lorenz Kleinmeir lag mit schweren Verletzungen im Krankenhaus und wurde gerade operiert. Die Ärzte hatten sein linkes Bein abnehmen müssen. Ich legte auf und erzählte den anderen, was geschehen war.

»Natürlich stecken die verdammten Nazis dahinter«, schimpfte Ivo. »Lorenzs Geheimdienstorganisation dürfte ihnen schon lange ein Dorn im Auge gewesen sein!«

»Ich werde bei meiner Weltreise einen Abstecher über Nizza machen und unseren Freund besuchen«, sagte ich.

»Vorher solltest du dich vielleicht um eine neue Identität kümmern«, erwiderte Wanda. »Nicht, dass du auf deinen Reisen Probleme bekommst, weil du so viel jünger aussiehst, als in deinen Papieren steht.«

In den nächsten Tagen überschrieb ich Simon Taylor die Arkadia-Studios und verpachtete meinen Pferdezuchtbetrieb an den Sohn des Verwalterehepaars meiner Farm. Meinen Schweizer Rechtsanwalt Gerhard Greve beauftragte ich telefonisch, die Genfer Villa und das Grundstück auf dem Montboron in Nizza zu verkaufen.

An diesem Morgen traf Leo ein. Er stand plötzlich in der Küche und begrüßte mich freundlich. Er sah aus, wie ich ihn von 1932 erinnerte - ein junger Mann mit Schnauzbart und vollen Haaren. Er schien durch die letzte Verwandlung in dem mikroskopisch kleinen Tor des Windes wieder völlig normal geworden zu sein. Wo er sich in den vergangenen Wochen aufgehalten hatte, fragte ich nicht.

Nach unserer freudigen Begrüßung erklärte ich ihm, was ich vorhatte. An seinen leuchtenden Augen erkannte ich, dass ihm seine neue Aufgabe gefiel. Als Entwicklungsleiter von *Clymer-Construction* musste er eine Technologie verstehen, die aus der Zukunft stammte, und sämtliche Bauteile mit den Werkstoffen und Werkzeugen nachbauen lassen, die 1939 existierten - das war genau die richtige Beschäftigung für den klügsten Mann der Welt.

Ich ließ meinem Sohn freie Hand bei der Einstellung von Technikern, Ingenieuren und Wissenschaftlern. Meine einzige Bedingung bestand darin, alle tragenden Komponenten des Luftschiffs aus Titan zu fertigen. Eigenartigerweise war mir dieses eine Detail in einem Traum erschienen.

Ich stellte Clymer-Construction ein Jahresbudget von einhundert Millionen Dollar zur Verfügung. Der große Stirlinggenerator, den ich vor Jahren mit der USS Macon von Arkadi Island gerettet hatte, wurde zusammen mit den Konstruktionsunterlagen nach Ohio gebracht und einige Tage später nahmen die Werke ihre Arbeit auf.

Bei der ersten Durchsicht der Pläne war ich dabei. An diesem Tag analysierte Leo die Zeichnungen einer komplizierten Apparatur, mit deren Hilfe das Luftschiff auf eine Prallhöhe von zwanzigtausend Fuß steigen konnte, also etwas über sechstausend Meter. Nicht so einfach nachzuvollziehen war eine zentrale Steuerungsanlage, mit der ein einzelner Mann in die Lage versetzt wurde, das riesige Schiff zu steuern.

Getreu dem Rat meiner Freunde ließ ich mir einen falschen amerikanischen Pass anfertigen, der mich als Leos Zwillingsbruder Robert Clymer II. auswies. Es kostete mich viel Geld, gefälschte Urkunden herstellen und an den richtigen Stellen in die Archive einfügen zu lassen, aber es gelang.

Am zwanzigsten Juli wollte ich mich auf meine Weltreise begeben. Zwei Tage vorher, am Abend des Achtzehnten, rief Leo aus Akron/Ohio an und berichtete mir, dass er am Neunzehnten in Philadelphia wäre. Wir verabredeten uns in seiner neuen Stadtwohnung. Ich traf etwas früher ein. Die Haustür stand offen und ich ging hinein. Im Flur kam mir Leo mit einem blutigen Handtuch in seinen Händen entgegen.

»Was ist denn mit dir?«, fragte ich entsetzt.

»Beim Zubereiten des Abendessens geschnitten«, murmelte mein Sohn und warf das Tuch in den Abfalleimer in der Küche. »Nichts Ernstes, Dad!«

»Das hat aber ziemlich geblutet. Wie ist das passiert, Leo?«

»Mir ist beim Fleisch schneiden das Messer abgerutscht, genau ins Bein. Ist schon verbunden«, antwortete Leo lächelnd.

»Alles in Ordnung! Sei unbesorgt! Ich werde jetzt gewiss nicht meine Hose ausziehen, um es dir zu zeigen! - Anderes Thema. Du willst morgen abreisen, nicht wahr?«

Wir gingen in sein kleines Wohnzimmer. Die Couch war mit einer dicken Wolldecke bezogen.

»Setz dich auf den Sessel, Dad«, sagte Leo freundlich. »Das Sofa ist kaputt, eine der Federn hat sich durch die Polsterung gebohrt. Deshalb die Decke.«

Wir verbrachten einen gemütlichen Abend miteinander. Das Essen, das Leo zubereitet hatte, schmeckte vorzüglich. Später tranken wir ein Glas Wein.

Von einer Sekunde auf die andere bekam Leo einen starren Blick. Er würgte heftig, als würden die Worte in ihm feststecken und nur widerwillig herauskommen.

»Ich habe ... lass mich los! ... von Alain geträumt, Dad! Er unterscheidet sich von uns übrigen Mutanten. Wir beziehen unsere Energie aus der Kraft, die die sichtbare und die unsichtbare Welt zusammenhält, er hingegen kann alle zweihundertachtundvierzig Dimensionen gleichzeitig anzapfen! Ich konnte seinen voraussichtlichen Energiebedarf berechnen. Danach muss er völlig anders aussehen als wir und unglaublich groß sein, sonst wäre das, was er tut - mit dem Energieschirm über Deutschland meine ich - gar nicht möglich. Er ist stark genug, um die gesamten Britischen Inseln mehrere Meter anzuheben!«

Ich dachte unwillkürlich an Malraux. Sie war eine der stärksten Mutantinnen gewesen und selbst auf den zweiten Blick nicht als Mensch zu erkennen. Wie viel mochte ihr Sohn von ihr geerbt haben? Welche Eigenschaften besaß er von seinem Vater und seinem Großvater? Vervielfachten sich die übersinnlichen Fähigkeiten bei jeder folgenden reinrassigen Mutantengeneration?

»Was hast du noch von ihm geträumt, Leo?«

»Er scheint kaum zu denken - wie jemand, der in Narkose liegt. Die Zeit fließt an ihm vorbei, als hätte sie keinerlei Bedeutung für seine Existenz.«

Am nächsten Morgen flog ich Richtung Spirit Lake. Ich freute mich darauf, meine Kinder, Ziehkinder und Enkel zu treffen. Während des Flugs gingen mir die Eindrücke des gestrigen Abends nicht aus dem Kopf.

... die Wolldecke auf Leos kaputtem Sofa ...
... ein dunkelroter Schatten ...
... wie eine Blutlache ...

Ich schüttelte diese Gedanken ab, legte die kleine Maschine in eine Linkskurve und setzte zum Landeanflug an, als der See in Sicht kam. Ich musste zur Ruhe kommen und mich selbst wiederfinden, wenn ich nicht zu Grunde gehen wollte. Meine Kinder waren alles, was ich noch hatte auf dieser Welt. Sie waren die Zukunft, und es war wichtig, mich auf sie zu besinnen und meine Konflikte, Zweifel und schweren Gedanken zu vergessen.

Im Visier des FBI

Während meiner zweijährigen Weltreise verbrachte ich wundervolle Monate mit meinen Kindern. Mein erster Weg führte mich an die Ufer des Spirit Lake zum Stamm der Lakota, die John Blackwolf nach dem Tod seines Großvaters zu ihrem Häuptling ernannt hatten.

Maya war es durch ihre sympathische, offene Art gelungen, in kurzer Zeit vollständig in die Gemeinschaft integriert zu werden. Das Paar lebte mit seinen beiden entzückenden Söhnen Ahmat und Yussuf glücklich und zufrieden fernab von der Welt der Weißen. Ich erkannte schnell, dass sie nie dahin zurückkehren würden.

○

Mein nächster Weg führte mich nach Südrhodesien. Alan Freeman und seine Frau bewirtschafteten ihre kleine Farm, betreuten mehrere Projekte zur Trinkwassergewinnung und brachten den Kindern aus der Nachbarschaft das Schreiben und das Lesen bei.

»Wissen ist die Voraussetzung für Afrikas Weg aus der Unfreiheit in die Selbstständigkeit«, sagte Roxanna, als sie mir die Klassenräume in dem liebevoll eingerichtete Schulgebäude zeigte, das sie auf ihrem Farmgelände hatten errichten lassen.

»Die jungen Menschen, die heute unsere Schule besuchen, sind die späteren Führer eines modernen Afrika.«

Zufällig bekam ich mit, dass Alan Mitglied einer Untergrundorganisation war, die die Gründung eines unabhängigen, souveränen Staates anstrebte, der ausschließlich von seinen schwarzen Bewohnern regiert werden sollte.

○

Von Kapstadt aus fuhr ich auf dem Seeweg zur britischen Kronkolonie Hongkong. Meine Tochter Vivian lebte sehr zurückgezogen in ihrer kleinen, bescheiden eingerichteten Wohnung und verbrachte jede freie Minute mit dem Lesen. Sie hatte keinen festen Freund und ging nur selten mit Kollegen aus. Sie liebte ihre Arbeit als Auslandkorrespondentin der BBC. Ich las einige ihrer Artikel, die sich mit dem aggressiven und expansiven Vorgehen des japanischen Kaiserreichs gegenüber China beschäftigten, und war angetan von ihrer klugen Beurteilung der politischen Lage im Pazifikraum. Nach ihren feinfühligen Analysen konnte es nicht mehr lange dauern, bis Japan die gesamte Region in den inzwischen ausgebrochenen Zweiten Weltkrieg hineinziehen würde.

○

Der letzte Weg in Asien führte mich nach Nagasaki, wo Vanessa als Auslandskorrespondentin der BBC tätig war. Sie lebte ähnlich zurückgezogen wie ihre Zwillingsschwester. Ihre Artikel waren genauso brillant, aber sie musste sich sehr zurückhalten mit dem, was sie sagte und schrieb, um nicht des Landes verwiesen zu werden. Als frei aufgewachsene Amerikanerin fiel es ihr insgesamt schwer, sich in einem Staat zurechtzufinden, der faktisch ein mittelalterlich strukturierter, autokratisch regierter Ständestaat war.

Hinzu kam eine wachsende Abneigung der japanischen Bevölkerung gegenüber Ausländern, seit die wirtschaftlichen Auswirkungen der Beendigung des Handelsabkommens mit den USA von Tag zu Tag spürbarer wurden.

○

Mein Rückweg führte mich über Los Angeles, wo Giselle und Alex wohnten. Meine Schwägerin Catherine Gautier war vor einigen Monaten gestorben und konnte ihr erstes Enkelkind nicht mehr erleben, das vier Wochen vor meiner Ankunft das Licht der Welt erblickte. Ihre Eltern nannten sie ›Dji-Dji‹ nach den Anfangsbuchstaben ihres Namens: Geraldine Garner.

Von der amerikanischen Westküste flog ich weiter nach Ohio und traf zufällig auf Lorenz, der nach langer Genesungszeit wieder völlig hergestellt war. Er war im letzten Jahr mit seiner Familie in die USA ausgewandert und lud mich ein zu sich nachhause.

Er besaß ein Haus in einem Neubaugebiet außerhalb von Akron und lebte dort mit seiner Frau und seinen beiden Kindern im Kreise seiner Geschwister Franz und Laura.

Auch die Seizhevs wohnten in dieser Siedlung, und alle arbeiteten für die Clymer-Werke, bis auf Grigori, der als leitender Entwicklungsingenieur bei Douglas-Air angestellt war und selten zuhause sein konnte.

Sämtliche Kleinmeirs hatten bei ihrer Einbürgerung den Namen *Miller* angenommen, weil keiner mehr mit seinen deutschen Wurzeln zu tun haben wollte, selbst Herbert nicht, der noch vor wenigen Jahren so gerne ein strammer SS-Mann geworden wäre.

An einem der Nachmittage, die ich als Gast in Lorenzs Haus verbrachte, sprach ich ihn auf die eigentümliche, fonetische Ähnlichkeit zwischen unseren ursprünglichen Nachnamen an: *Kleinmeir* und *Clymer*. Jahrelang war mir der Gedanke im Kopf herumgegangen, ob es sich dabei nur um einen Zufall handeln mochte.

Er überlegte einen Moment und erinnerte sich wage an eine Geschichte aus seinen Kindertagen. Kurz vor ihrem Tod erzählte seine Großmutter, dass ihre Urgroßtante Minna um das Jahr 1750 zusammen mit deren Vater in die USA ausgewandert war. Die im Nürnberger Raum ansässige Familie hörte nie wieder von den beiden Auswanderern.

Von Lorenzs Telefon aus beauftragte ich einen Detektiv in Philadelphia, der schon mehrmals für mich gearbeitet hatte, in den Archiven nach Papieren meiner Vorfahren zu suchen. Er meldete sich noch am selben Tag zurück. Unterlagen aus dieser Zeit existierten nicht mehr, weil sämtliche Urkunden aus vergangenen Jahrhunderten vor achtzig Jahren bei einem Brand des Stadtarchivs vernichtet worden waren.

Drei Tage darauf flog ich von Akron nach New York und mietete am *Newark International Airport* einen Chevrolet. Gut gelaunt machten Sisko und ich uns auf das letzte Stück unserer zweijährigen Reise. Ich war braun gebrannt, hatte mich nicht nur erholt, sondern auch psychisch und emotional stabilisiert. Ich versuchte nicht mehr, älter zu wirken, als ich aussah - ich gab mich wie ein Mann, der dreißig ist, denn danach sah ich aus, obwohl mein dreiundfünfzigster Geburtstag kurz bevorstand. Es ging mir rundherum gut, als ich am achten August 1941 den alt vertrauten Weg von Philadelphia zu meiner Farm einschlug.

Einige hundert Meter vor dem großen Farmtor nahm ich irgendetwas aus den Augenwinkeln wahr, das mich irritierte. Ich bremste und hielt den Chevrolet an. Was war es, das mir unbewusst aufgefallen war? Ich öffnete die Fahrertür und stieg aus. Sisko runzelte seine Stirn, sog die Luft tief ein und brummte laut.

Ich schaute mich um. Die Aushänge an den Baumstämmen! Auf eigenartige Weise erinnerten sie mich an die vielen Zettel, die wir während der Olympiade in Berlin gesehen hatten. An jedem Straßenbaum waren mehrere von besorgten Müttern und Vätern geschriebene Vermisstenanzeigen von jungen Mädchen im Alter zwischen vierzehn und zwanzig befestigt gewesen. Bei der Erinnerung lief es mir kalt den Rücken herunter. Ich ging zu dem letzten Baum. Vier mit Reißbrettstiften angeheftete Notizblätter hingen an seinem Stamm.

16 year old Alice Caine - missing since October 10th 1940

15 year old Sara Jenssen - missing since November 3rd 1940

19 year old Monica Walton - missing since December 2nd 1940

14 year old Belinda Belling - missing since December 31st 1940

– please contact ...

Vier Mädchen in drei Monaten verschwunden! Langsam ging ich zu den anderen Bäumen vor mir und überflog die Texte auf deren Zetteln. Alle glichen sich auf grausige Weise. Ich zählte, bis ich die Achtzig erreicht hatte, und blieb stehen. Was war hier los? Trieb womöglich ein Massenmörder in Philadelphiasein Unwesen?

Simon Taylors Bruder Jeremy war seit einigen Jahren Polizeichef in unserem County. Ich beschloss, den Mann an einem der nächsten Tage zu besuchen und ihm meine Hilfe anzubieten bei der Aufklärung der vielen Vermisstenfälle.

Ich drehte mich um, ging zurück zum Chevrolet und fuhr nachdenklich weiter. Meine Farm lag in einer leichten Mulde ziemlich genau im Zentrum des zirka fünfundzwanzig Quadratkilometer umfassenden Farmgeländes.

Ich lenkte den Leihwagen durch das breite Tor, durchquerte den hohen Wald, der das Grundstück wie ein Ring umgab, und erreichte die freien Felder. Aus der Ferne erschien mein neues Zuhause vor mir in der Luft.

... mein Schloss in den Wolken ...

Es sah aus wie der große Bruder der USS Macon. Das *Luftschiff der Regionalgouverneure der Erde* war gewaltig! Der über siebenhundert Meter lange Rumpf des starren Tragkörpers war mit einer grau-blauen Folie bespannt und hob sich kaum vom Himmel ab.

Freedom

Ist es das, was du wirklich willst? Langsam und nachdenklich fuhr ich auf den Hof des Farmgebäudes bis an das Farmhaus heran. Es lag vollständig im Schatten des riesigen Luftschiffs, das aus dieser kurzen Entfernung aussah wie ein Raumschiff aus einer anderen Welt.

Als ich ausstieg, kam mir mein Ebenbild entgegen. Der Mann war annähernd so gekleidet wie ich, hatte meine Größe und sein Gesicht sah aus wie meins, inklusive dem Oberlippenbart und der Frisur. Er stürmte auf mich zu und umarmte mich fest.

»Daddy! Wie schön, dass du gesund und wohlbehalten zurück bist! Wir haben erst übermorgen mit dir gerechnet!«

»Leo?«, fragte ich leise.

Viele fleißige Handwerker, zum Großteil Tischler, Metallbauer und Elektriker, liefen auf dem Farmgelände herum, sägten, hämmerten und formten Teile aus Leichtholz und Aluminium. Sie statteten die Räume der Freedom mit Wandpanelen, Deckenpanelen und Parkettböden aus. Ich löste mich aus der Umarmung und schaute nach oben.

»Sie ist gewaltig geworden, Leo! So groß hatte ich sie mir nicht vorgestellt!«

Das Luftschiff schwebte ohne jede Befestigung in fünf Meter Höhe über dem Boden. Ab und zu sprangen einige Elektromotoren an und hielten sie genau auf Position.

»Hallo Dr. Clymer!«, erklang eine Stimme hinter mir. »Sind Sie zufrieden mit unserer Arbeit, Sir?«

Ich drehte mich um. Leos Chefingenieur John Jagger, den alle JJ nannten, kam auf mich zu.

»Gewaltig, nicht wahr, Sir? Leo hat zwei Jahre durchgearbeitet, sechzehn bis zwanzig Stunden am Tag und kein einziges Wochenende! Ohne ihren Sohn hätten wir es nie geschafft! Übermorgen wird die letzte Schraube reingedreht, dann noch ein Tag für das Einräumen der Leichtbaumöbel und ihre persönlichen Sachen von der Farm, und ihr neues Zuhause ist fertig! Pünktlich zu ihrem Geburtstag!«

Leo und JJ traten zur Seite, um Einzelheiten abzusprechen. Ich sah an dem Rumpf der Freedom hoch. Sein kreisförmiger Durchmesser betrug an der dicksten Stelle einhundert Meter, das wusste ich aus den Plänen. Viele Details waren allerdings verändert, so hing unterhalb des zigarrenförmigen Tragkörpers ein filigran aussehender, etwa fünfhundert Meter langer Flugzeughangar mit durchgehender Innenrollbahn. Er war unten sechzig Meter breit und weitete sich nach oben hin aus. Die Grundfläche der Landebahn war an Bug und Heck in Form eines Halbkreises ausgeführt.

Dreißig Meter darüber befand sich der Leitstand, der vollständig verglast war und aufgrund seiner Konstruktion einen Rundumblick von mindestens zweihundertsiebzig Grad erlaubte.

Leo verabschiedete seinen leitenden Ingenieur und trat zu mir.

»Wieso ist sie nirgends angebunden?«, fragte ich.

Mein Sohn lächelte. »Die Freedom verhält sich wie ein künstliches Lebewesen, Dad. Sie hat hunderte von verschiedenartigen Sensoren, die ständig Informationen über ihre Lage im Raum, Temperatur, Winddruck, Luftdruck und vieles andere mehr registrieren und an die elektrische Steuerung übergeben. Diese funktioniert ähnlich wie ein Gehirn: Sie wertet diese Daten aus und reagiert automatisch auf die kleinste Veränderung. Da ich sie im Moment so eingestellt habe, dass sie genau Position halten soll, würde sie auch bei einem Sturm mit Windböen bis Windstärke zwölf so bleiben wie jetzt. Übrigens sollte sie aus Sicherheitsgründen nie dichter als fünf Meter an den Boden herankommen. Diesen Bereich braucht sie, um sich auspendeln zu können.«

Ich deutete zu dem Hangar unter dem Tragkörper. »Du bist ziemlich von den Originalplänen abgewichen, nicht wahr?«

Leo nickte. »Ich konnte das Luftschiff weiter verbessern. Es sind einige Extras eingebaut, die ich mir ausgedacht habe. Wenn du möchtest, gehen wir an Bord und ich zeige sie dir! Komm, Dad!«

Wir stiegen eine breite, elektrisch ausgefahrene Aluminiumrampe hinauf, die am vorderen Rand der Rollbahn angebracht war. Über uns begann es leise zu zischen und zu gluckern.

»Die Steuerung hat unser zusätzliches Gewicht registriert und reagiert sofort darauf«, sagte Leo erklärend. »Sie lässt genauso viel Ballastwasser ab, wie wir beide wiegen!«

Ich schaute die fünfhundert Meter lange Landebahn entlang. Auf der Steuerbordseite standen zwölf Sparrowhawks, auf der Backbordseite zehn Polikarpow-Jäger mit Maschinenkanonen unter den Tragflächen. An den Längsseiten der Rollbahn befanden sich mehrere senkrechte Aluminiumröhren.

Leo bemerkte meinen Blick. »Die vorderen Fahrstühle gehen direkt in den Leitstand, die hinteren führen in deine Wohnräume und in die Mannschaftsquartiere. Komm, ich zeige es dir!«

»Mannschaftsräume?«, fragte ich irritiert.

»Du kannst kurzfristig zweihundert Personen auf der Freedom unterbringen. Für einen längeren Zeitraum können hier ständig achtzig bis hundert Soldaten leben.«

»Du hast mir ein Kriegsschiff gebaut, Leo!«, sagte ich entsetzt. »Mit diesem Luftschiff könnte ich eine Armee mitnehmen und Krieg führen gegen die ganze Welt! So hatte ich mir das nicht vorgestellt!«

»Ach was, Dad! Wenn es dir nicht passt, wirf doch die Flugzeuge raus, füll das Landedeck mit einer dünnen Schicht Erde und bau Getreide an! Stell Kühe und Schweine dazu, und auf diese Weise erhältst du einen fliegenden Bauernhof! Ist es dir dann friedlich genug?«

Er wandte sich erzürnt von mir ab, ging zu einer der Fahrstuhlröhren und drückte auf einen roten Knopf. Sofort öffnete sich die Fahrstuhltür. Ich folgte meinem Sohn.

»Das war doch wohl ein Scherz?«

»Nein, war es nicht«, sagte Leo böse. »Im Boden des Rollfelds an Bug und Heck sind mannshohe Metallgeländer verborgen, die sich elektrisch ausfahren lassen. Wie das genau geht, ist im Handbuch beschrieben.«

Wir fuhren mit dem Fahrstuhl in den Leitstand. Die Steuerungsanlage war so konstruiert, dass die Freedom von einer Mannschaft, von einer einzelnen Person oder sogar vollautomatisch ohne Besatzung gefahren werden konnte.

»Auf welche Höhe kann sie steigen? Die Prallhöhe, ab der die Heliumkammern platzen können, betrug bei der USS Macon nur knapp tausend Meter, das war recht wenig.«

»Das Problem haben die Konstrukteure aus dem Jahr 2017 gelöst. Du darfst gefahrlos auf zwanzigtausend Fuß gehen, etwa sechseinhalb Kilometer. Noch mehr wäre sinnlos, weil die Luft da oben zum Atmen zu dünn wird. Die Freedom lässt sich sogar unbemannt da hinaufschicken und wieder herunterholen. Dafür gibt es eine Funksteuerung, die ich dir nachher erklären werde.«

»Wie funktioniert der Antrieb?«

»Nichts läuft an Bord mit Verbrennungsmotoren. Auf der Oberseite des Rumpfs befinden sich acht riesige Stirlinggeneratoren. Es ist uns gelungen, sie nachzubauen und zu verbessern! Der erzeugte Strom würde ausreichen, um ganz Philadelphia damit zu versorgen! Auf beiden Außenseiten neben dem Hangar liegen insgesamt achtzig Hochleistungselektromotoren der Firma Sprague aus Frankreich. Du kennst sie aus den Zügen der Pariser Metro. Durch die elektrisch betriebenen Propeller fährt die Freedom lautlos und ist außerdem kaum zu sehen, denn die graublaue Farbe der Außenhülle spiegelt nicht und sieht aus wie der Himmel.«

Der Kopf begann mir zu schwirren von den vielen Details. Die Radarstation an Bord befand sich noch im Entwicklungsstadium. Sechs im Halbkreis angebrachte Fernsehmonitore übertrugen Bilder von den Geschützen unterhalb des Landedecks, die bei Bedarf ausgefahren werden konnten.

Meine Privaträume lagen direkt hinter dem Leitstand und umfassten vierhundert Quadratmeter mit mehreren Gästezimmern. Alle waren geschmackvoll und gemütlich eingerichtet. In der Bibliothek war sogar eine Kaminattrappe aufgebaut, die mir das Gefühl gab, zuhause auf meiner Farm zu sein.

Mit den Lebensmittelvorräten würde ich theoretisch zehn Jahre an Bord leben können, ohne zu landen. Für Frischwasser sorgten riesige Exhauster, die der Umgebungsluft das Wasser entzogen. Die Heizungsanlage war in der Lage, bis zu einer Außentemperatur von minus fünfzig Grad Celsius für angenehme Wärme zu sorgen. Bei großer Hitze ließ sie sich umschalten als Klimaanlage. Kurz vor Mitternacht beendeten wir die Besichtigung. Leo verabschiedete sich und fuhr zu seiner Wohnung in der Stadt.

Als ich am nächsten Morgen auf dem Hof der Farm eintrat, waren JJ und die Handwerker schon wieder am Arbeiten. Mein Sohn Leo war noch nicht eingetroffen. Ich frühstückte und brach auf, um Ivo und Wanda zu besuchen, die sich in Boston ein Haus gekauft hatten. Es lag etwas außerhalb des Stadtgebiets an der Küstenstraße des nordwestlich vom Stadtkern gelegenen Stadtteils *Somerville*. Das Hauptgebäude war eine Villa im *New-England-Style* des neunzehnten Jahrhunderts. Ich verliebte mich sofort in das Anwesen der Radenkovićs, als ich mein Auto an der Straße parkte.

Wanda begrüßte mich freudig an der Haustür. Ihr Schwiegersohn wollte gerade gehen. Ich war dem Mann bisher noch nie begegnet und wusste nur, dass der Mediziner gemeinsam mit seiner Frau in Boston eine Arztpraxis betrieb und zusätzlich in der Forschung tätig war.

Dr. Jerry Edwards verabschiedet sich freundlich und ich ging in die Hausbibliothek. Ivo saß an seinem Schreibtisch und las. An der Wand hinter ihm waren zwei große Wandkarten aufgehängt, wie man sie aus der Schule kennt. Die linke Karte bildete Europa ab, die rechte den pazifischen Raum.

»Nun, mein Freund, wie sieht es aus auf unserer Welt?«, fragte ich laut.

Ivo schrak hoch, erhob sich langsam und umarmte mich. »Robert! Wie schön, dass du uns besuchst!«

Er schob mich von sich und betrachtete mich. »Gut siehst du aus! Leo und du werdet euch immer ähnlicher! Aus der Ferne könnte ich ihn und dich nicht mehr auseinanderhalten! Setz dich, mein Freund!«

In diesem Moment kam Wanda herein und brachte uns frisch aufgebrühten Kaffee. Jeder von uns schenkte sich eine Tasse ein. Dann zog Ivo sein altes, silbernes Zigarettenetui hervor und zündete sich eine Zigarette an. »Die Villa ist ein Traum, findest du nicht? Wir sind froh, aus Europa heraus zu sein, denn dort wird niemals wirklich Frieden herrschen. Außerdem werden wir zum zweiten Mal Großeltern.«

»Das hörte ich schon an der Haustür. Dein Schwiegersohn war zu Besuch, als ich ankam.«

»Ja richtig, das hatte ich ganz vergessen. - Sollen wir einen Spaziergang unternehmen?«

Wir standen auf, verließen die Villa und gingen langsam die Küstenstraße entlang. Die Sonne brannte angenehm auf der Haut. »Hast du noch Kontakte nach Europa, Ivo?«

»Nein. Ich weiß nur, dass Major Rosen und sein Vater, der alte Kommissar, im Untergrund leben und in Südfrankreich und im Großraum um Paris Widerstandsgruppen der französischen *Résistance* ausbilden. Manuel Alvarez lebt mit seiner neuen, jungen Frau in Mexiko und betreibt ein recht erfolgreiches Geschäft als Gemüsehändler. Er will mit seinem Heimatland Spanien nichts mehr zu tun haben. Das ist alles, mein Freund. Wenn ich im Nachhinein darüber nachdenke, muss ich sagen, dass der türkische Staatspräsident Mustafa Kemal ein weiser Mann war, denn er hat vorhergesehen, was geschehen würde, inklusive dem Zweiten Weltkrieg, der seit zwei Jahren tobt.«

Ivo lächelte. »Aber anderes Thema. Gefällt dir die Freedom so, wie Clymer-Construction sie für dich gebaut hat?«

»Sie ist mir viel zu kriegerisch ausgestattet. Ich weiß nicht, was Leo geritten hat, aus meinem zukünftigen Zuhause ein fliegendes Schlachtschiff zu machen. Was mag ihn nur dazu bewogen haben?«

Ivo zuckte mit den Schultern. »Keine Ahnung, Robert, ich wundere mich auch darüber. Leo wirkt zwar seit seiner Rückkehr wieder völlig normal, aber ist er das wirklich? Was mag im Kopf eines Menschen vorgehen, der sich in Luft auflösen kann, monatelang verschwunden bleibt und plötzlich morgens in der Tür steht, als sei sein Verhalten alltäglich?«

Ivo blieb stehen. »Ich muss dir von einem merkwürdigen Ereignis berichten. Ich war vor drei Monaten aus privaten Gründen in Akron und besuchte deinen Sohn in seinem Büro. Als ich eintrat, verband er sich gerade eine Wunde in seinem rechten Oberarm. Er behauptete, er hätte sich die Verletzung an einem metallenen Werkstück zugezogen. Auf dem Boden des Büros war überall Blut! Es sah aus, als wäre dort jemanden abgestochen worden.«

... ein langer Schnitt im Arm ...
... ein tiefer Schnitt im Bein ...
... Zufall oder nicht? ...

Zwei Stunden später machte ich mich auf den Weg nachhause. Morgen war mein dreiundfünfzigster Geburtstag. Ich fuhr Richtung Süden. Hinter Boston drängte mich ein unbestimmtes Gefühl, nach Akron zu fahren. Als ich völlig übermüdet dort eintraf, fielen mir sofort die vielen Zettel an den Bäumen neben der Hauptstraße auf, die zum Werksgelände von Clymer-Construction führte. Ich hielt an und stieg aus.

17 year old Natalie Brown - missing since November 17th 1939

Ich brauchte mir die übrigen Aushänge nicht mehr ansehen. Entsetzt schwankte ich zurück zu meinem gemieteten Chevrolet und fuhr die ganze Nacht durch. Immer wieder versuchten wirre Träume, Besitz von mir zu ergreifen. Es fiel mir zusehends schwerer, sie abzuwehren und nicht am Steuer einzuschlafen.

Zwischen der Stadtgrenze Philadelphias und meiner Farm lagen acht Kilometer. Auf diesem letzten Stück erkannte ich vor Müdigkeit kaum noch die Straße. Im diffusen Dämmerlicht des heraufziehenden Morgengrauens bemerkte ich den Schatten hinter einem der Chausseebäume nicht ...

***

... als ich den Baum passiert hatte, erhob sich der Schatten aus dem Gras und beugte sich über eine junge Frau, die ohnmächtig vor ihm lag. Genüsslich riss er ihr die Kleider vom Leib und betrachteten den schönen Körper der rothaarigen Fünfzehnjährigen mit den kleinen, angedeuteten Brüsten und der buschigen, roten Scham. Dann vergewaltigte er sie brutal. Als er befriedigt war, drückte er die lange Kralle seines Zeigefingers in die Schläfe des Mädchens, zog sie langsam wieder heraus und saugte Blut und Gehirn aus ihrem Kopf. Anschließend trug er die Nackte zu dem Sumpf, wo er die anderen versenkt hatte. Dreihundertelf bis gestern - mit dieser waren es dreihundertzwölf. Der Schatten grinste. Morgen würde eine weitere Suchanzeige an den Bäumen hängen. Irgendwann dürften ihre Stämme nicht mehr ausreichen, um neue Zettel daran aufzuhängen. Plötzlich hörte er das Geräusch vom Durchladen eines Repetiergewehrs und Sheriff Taylors raue Stimme sagte: »Wenn du dich jetzt bewegst, Leo Clymer, bist du tot!«

***

Um vier Uhr früh erreichte ich die Farm. In der Küche lag neben der batteriebetriebenen Funkfernsteuerung des Luftschiffs ein Notizzettel auf dem Tisch, geschrieben von Leo.

Alles Gute zu deinem Geburtstag, Daddy!
Die Freedom ist fertig und steht zu deiner Verfügung.
Ich komme heute Nachmittag zum Kaffeetrinken.
In Liebe,
Dein Sohn Leo

Sisko lag in der Bibliothek und schlief, als ich hereinkam. Meine Bücher waren ausgeräumt und an Bord gebracht worden. Die Räume der Farm sahen unbewohnt und fremd aus. Ich war schon über vierzig Stunden auf den Beinen und spürte bleierne Müdigkeit in mir aufsteigen.

Ich setzte mich auf einen der Küchenstühle, schaute gedankenverloren nach draußen und bemerkte mehrere Männer in schwarzen Anzügen, die in gebückter Haltung auf dem Farmgelände herumliefen. Alle hielten Schusswaffen in den Händen.

... was hat das zu bedeuten ...

Ich erhob mich.

»Bleib um Gottes willen vom Fenster weg und lass das Licht aus!«, flüsterte es hinter mir. Ich drehte mich erschrocken um und bemerkte Vasilij, der im Türrahmen der Küchentür lehnte.

»Du befindest dich in Lebensgefahr, Robert! Wir müssen ungesehen an Bord der Freedom, bevor das FBI die Farm stürmen lässt!«

Ich griff nach der batteriebetriebenen Funksteuerung. »Nimm meine Hand! Ich sorge dafür, dass uns keiner sieht!«

In diesem Moment kam Sisko verschlafen die Treppe herunter. Ich schaute meinen Rüden auffordernd an.

»Du brauchst dich nicht mehr doof stellen - ich weiß, dass du jedes Wort verstehst! Kannst du das Gleiche machen wie ich oder nicht?«

Ich erzeugte einen Schirm aus blauer Energie und sah zu meinem Hund. Er zwinkerte mit beiden Augen und war unter einem ähnlichen Energieschirm verborgen.

»Na also!«, sagte ich. »Geht doch!«

Wir gingen vorsichtig nach draußen auf den Hof, schlichen leise die Laderampe hinauf und fuhren mit dem Fahrstuhl in den Leitstand. Ich setzte mich auf den drehbaren Sessel des Kommandanten und schob den Hebel hoch, der das Luftschiff aufsteigen ließ.

Schnell entfernten wir uns vom Boden. Unter uns schrien mehrere Männer und schossen auf uns, aber die Kugeln wurden durch einen Energieschirm aufgehalten, der bei jedem Schuss etwa zehn Meter außerhalb des Rumpfes aufflammte und die Geschosse pulverisierte, bevor sie ihr Ziel erreicht hatten.

»Was ist hier los, Vasilij? Wieso muss ich wie ein Krimineller von meiner eigenen Farm vor dem FBI flüchten? Ich bin mir nicht bewusst, ein Verbrecher zu sein.«

»Bitte gedulde dich mit Erklärungen, bis wir sämtliche Freunde aufgenommen haben. Sie warten auf uns an unwegsamen Orten in den Wäldern, fernab der Städte. Wir werden sie dort abholen.«

Um zwanzig Uhr am Abend meines dreiundfünfzigsten Geburtstags waren alle an Bord: Ivo und Wanda, Vasilij und Marianna, Henry und Yvonne Burton sowie Lorenz und Sarah Miller. Sisko freute sich über die Anwesenheit seines Bruders Lawrence, der genauso gesund und jung aussah wie er, obwohl beide Rüden inzwischen das biblische Hundealter von siebenundzwanzig Jahren besaßen.

Jedes Paar bezog eines der Gästezimmer in meinem Wohnbereich. Ich brachte die Freedom vor der Küste von Boston auf eine Höhe von dreitausend Metern und ließ sie stehen. Dann begab ich mich in den Salon und setzte mich zu meinen Freunden.

Wir tranken Wein. Marianna hob ihr Glas. »Lasst uns anstoßen! *Happy Birthday* Robert!«

»Danke! Ich bin sehr glücklich, dass ihr gekommen seid, um mir zum Geburtstag zu gratulieren, aber ihr habt gewiss nicht eine stundenlange Wanderung durch die Wälder auf euch genommen, nur um mir eine Freude zu bereiten. Hat eure Anwesenheit damit zu tun, dass FBI-Agenten mit gezückten Waffen auf meiner Farm herumlaufen, als sei ich ein Schwerverbrecher?«

Ivo lächelte mich an. »Lass uns gleich auf diesen Punkt zurückkommen. Zuerst musst du dir die Nachricht anschauen, die jeder von uns in der letzten Nacht erhalten hat.«

Yvonne Burton knöpfte den rechten Ärmel ihrer Bluse auf und schob ihn hoch. Auf der Innenseite ihres Unterarms hatte sich ein großer, blauer Bluterguss gebildet. Deutlich und klar gegen die normale Haut abgegrenzt zeigte er das Wort *Freedom*. Erschrocken schaute ich in die Runde. Alle besaßen dieses Mal.

»Warum habe ich es als Einziger nicht«, sagte ich. »Das ist merkwürdig.«

»Das war noch nicht die ganze Geschichte«, entgegnete Ivo. »Die meisten von uns können sich wage an einen wirren Traum erinnern, in dem ein weißhaariger Engel davon redete, dass wir dich auf einer langen Reise begleiten müssen ...«

»Es könnte sich wieder einmal um eine Botschaft von Rachel Winter handeln, die schon mehrmals versucht hat, aus ihrer Vergangenheit in Kontakt mit mir zu treten, aber wieso erreichte sie euch und nicht mich?«

»Was hast du gestern Abend getan?«, fragte Marianna, während sie ihren Ärmel herunter schob und zuknöpfte.

»Nach dem Besuch bei Ivo und Wanda fuhr ich nach Akron, um zu sehen, ob dort auch so viele Vermisstenmeldungen an den Bäumen hängen wie in Philadelphia. Ich bin die ganze Nacht durchgefahren, ohne zu schlafen.«

»Das erklärt es. Wer nicht schläft, kann nicht träumen und empfängt keine Visionen.«

Ich trank einen Schluck Wein.

»Aus welchem Grund interessieren dich die Vermisstenanzeigen?«, sagte Henry Burton ernst.

Ich schloss meine Augen.

»Mir kam der Verdacht, dass Leo irgendwie mit dem Verschwinden der Mädchen zu tun haben könnte. Ich wollte diese Befürchtung lange nicht an mich heranlassen, aber gestern ging es nicht mehr, also fuhr ich nach Akron, um mich davon zu überzeugen, dass diese Zettel an jedem Ort aushängen, an denen er sich aufhält.«

»Oh nein!«, flüsterte Wanda. »Das würde ja bedeuten ...«

»Leider ja«, entgegnete Henry.

»Vasilij und ich wissen schon Bescheid, die anderen noch nicht. Einer unserer Reporter in Philadelphia hört ständig den Funkverkehr der Polizei ab. In der letzten Nacht stellte der Sheriff eures

Countys deinen Sohn, während er ein Mädchen umbrachte. Das ist der Grund, warum das FBI deine Farm stürmen wollte! Leo konnte fliehen, und sie halten dich für ihn, weil ihr euch inzwischen so ähnlich seht wie ein Ei dem anderen! Wir mussten dich vor der Verhaftung retten. Deshalb war ich in deiner Küche.«

»Verdammt!«, knurrte Ivo. »Demnach war es im Nachhinein ein verhängnisvoller Fehler von dir, falsche Dokumente zu beschaffen, die dich als Leos Zwillingsbruder Robert Clymer II. ausweisen! Leider sind diese Papiere so gut und überzeugend, dass du dich als Person wahrhaftig neu erschaffen hast! Nicht einmal das FBI kann den Betrug bemerken! Sie hätten dich verhaftet und für viele Jahre eingesperrt, eventuell sogar zum Tode verurteilt!«

»Meine Befürchtung hat sich also bestätigt«, flüsterte ich erschüttert. »Leo hat mit dem Verschwinden der jungen Frauen zu tun.«

... ein langer Schnitt im Arm ...
... ein tiefer Schnitt im Bein ...
... kein Zufall! ...

»Leider ist die Geschichte damit noch nicht zu Ende. Eine Stunde, bevor wir an Bord der Freedom gingen, erfuhr ich durch unsere Kontaktleute beim FBI, dass sie deinen Sohn verdächtigen, über vierzig Mädchen umgebracht zu haben.«

... der schlimmste Massenmörder aller Zeiten ...

»Oh Gott, mir wird schlecht«, sagte ich und stand auf. »Ich glaube, ich muss mich übergeben!«

Ich rannte zur Toilette und erbrach mich, bis ich spürte, dass ich völlig leer war. Ich wusch mir das Gesicht, gurgelte mit Minze und begab mich zurück in den Salon.

»Bitte erzähl weiter, Henry«,

»Kannst du es wirklich ab, dir das anzuhören, Robert?«

Ich nickte.

»Na gut ... Man konnte bis vorhin fünfundvierzig unbekleidete Mädchenleichen aus dem Sumpf ziehen, der auf dem hinteren Teil eures Grundstücks liegt. Sie sind ausnahmslos brutal vergewaltigt worden. Merkwürdig daran ist, dass alle ein Loch im Kopf haben und ihr Gehirn verschwunden ist.«

»Weißt du etwas über meinen Leo?«

»Er schlug Sheriff Jerry Taylor nieder und floh. Es scheint so, als wenn er im Hafen von Philadelphia untergetaucht wäre. Genaues weiß man allerdings noch nicht.«

Es gelang mir nicht, das Grauen vor den Taten meines Sohnes in den Griff zu bekommen, deshalb betrank ich mich sinnlos an diesem Abend und schlief irgendwann auf dem Sofa ein. Am Morgen weckten mich die wärmenden Strahlen der Sonne, die durch die Fenster hineinschienen. Ein heller Lichtfleck strahlte auf einen Punkt meiner Pinnwand. Ich erhob mich und ging dichter heran. Der alte Notizzettel meines Vaters, der sich in Andraschis Koffer befunden hatte, wurde von einem Lichtpunkt angestrahlt: *30. Mai 1913: Graf Andraschi: Pazifikinsel?*

Gleich einer Eingebung wusste ich plötzlich, was ich tun musste. Ich stellte die Fahrtroute aus meinem Kartenmaterial zusammen und brachte die Freedom zunächst auf Südkurs. Wir fuhren in einer Höhe von dreitausend Metern und die zentrale Steuerung hielt den Kurs automatisch. Eine Stunde später kam Vasilij in den Leitstand. »Wir fahren? Wo ist das Ziel dieser Reise?«

»Wir suchen nach Spuren, die Andrew Winter im Pazifikraum hinterlassen hat. Genauer kann ich es dir zurzeit nicht sagen.«

Er zuckte mit den Schultern. »Wieder eine deiner Vorahnungen, Robert? Ich hoffe, dir fällt im Laufe der Zeit noch mehr dazu ein, denn die Gegend ist größer als alle Kontinente zusammen!«

Wir verteilten feste Aufgaben an die Mitreisenden. Marianna wechselte sich mit Wanda beim Abhören der Kurzwellensender ab, um die neuesten Nachrichtenmeldungen zu erfahren. Zwei Tage später überquerten wir den Golf von Mexiko. Bei der Halbinsel Yukatan änderte ich unseren Kurs Richtung Westen.

Aus den Radionachrichten erfuhren wir, dass die Zahl der geborgenen Mädchenleichen auf mehr als einhundert angestiegen war. Das FBI hatte daraufhin beschlossen, das Sumpfgebiet auf meiner Farm trockenzulegen. Das Ausmaß der Morde nahm unüberschaubare Dimensionen an. Egal, was noch geschehen sollte, ich würde nie wieder in Philadelphia leben können.

Da ich so überstürzt aufgebrochen war, kannte ich mein Luftschiff noch kaum und bemühte mich in den ersten Tagen unserer Reise, alle Funktionen zu entdecken und zu verstehen. Als Wissenschaftler und Ingenieur war Leo genial. Ein so komplexes, technisches Gerät wie die Freedom hatte es nie zuvor auf der Welt gegeben.

Bei einer Inspektion des Maschinenraums, in dem auch die zentrale Steuerung untergebracht war, entdeckte ich Andraschis schwarzen Lederkoffer. Er war geöffnet und an einem der Regale festgeschraubt. Viele dicke Kabelbäume kamen an dieser Stelle zusammen und liefen in eine elektrische Schaltung, von der eine komplizierte, miniaturisierte Verdrahtung in ein Kästchen im Inneren des Koffers führte.

Ich verstand sofort, was das bedeutete: Die Steuerungseinheit des Luftschiffs verwendete Andrew Winters Modul. Woher mochte es stammen, dass es in der Lage war, derart komplexe Aufgaben zu erfüllen?

Es war Leo auch gelungen, das Verteidigungssystem des Reisekoffers für die Freedom nutzbar zu machen. Wir konnten uns mit einem blauen Schutzschirm umgeben, der dem auf der Insel Elba entsprach. Nach kurzem Suchen in den fünfzehn dicken Handbuchordnern fand ich die Bedienungsanleitung. Die gewünschte Wirkung des Energiefelds ließ sich durch einen roten Drehschalter im Leitstand bestimmen. Zwei Einstellungen waren möglich, wobei die Erste lediglich Tiere davon abhielt, sich der Oberfläche auf mehr als zwanzig Meter zu nähern. Unterschritten zum Beispiel Vögel diese Entfernung, prallten sie ab wie von einem unsichtbaren Gummiball, ohne sich zu verletzen. Im aggressiven Zustand wurden Lebewesen bei der kleinsten Berührung des Energieschirms zerrissen. Leider war sie die Einzige, die auch Geschosse abwehren konnte.

Wir trafen uns täglich um zwölf Uhr zu einer Einsatzbesprechung. Die Frauen hörten nach wie vor die Radionachrichten ab.

An einem der folgenden Tage erschien Wanda und hielt ihren Notizblock und einige Fotos in den Händen. Im Funkerraum der Freedom stand eine Empfangsanlage für Funkbilder, wie sie von den großen Nachrichtenagenturen übertragen wurden.

»In dem trockengelegten Sumpf hinter deiner Farm hat man heute die dreihundertste Mädchenleiche geborgen. Leo ist immer noch flüchtig und wird landesweit vom FBI gesucht. Nach bisher unbestätigten Hinweisen eines Europakorrespondenten der New York Times in Portugal soll er in Lissabon gesehen worden sein und sich auf dem Weg nach Italien befinden.«

Am nächsten Vormittag.

»Clipperton-Island voraus«, sagte Vasilij. »Nach unseren Seekarten heißt die Insel *Île de la Passion*. Mir ist nicht ganz klar, ob sie zu Frankreich gehört, aber auf jeden Fall ist sie unbewohnt.«

Ich fuhr mit dem Fahrstuhl auf das Landedeck der Freedom und trat an den vorderen Rand des Rollfelds. Es war sehr warm, obwohl wir in sechstausend Fuß Höhe über dem Pazifik schwebten. Die Insel war ein typisches Atoll, einem absinkenden Vulkankomplex aufgelagert, mit einer eingeschlossenen Lagune in der Mitte. Die Breite des umgebenden Landrings schwankte zwischen etwa vierzig bis vierhundert Meter.

Ich setzte mich auf eine der an der Steuerbordseite festgeschraubten Sitzgelegenheiten und schaute voraus aufs tiefe, blaue Meer. Ich öffnete die Klappe, zog den roten Telefonhörer heraus und drückte den Sprechknopf.

»Hallo Robert«, meldete sich Vasilij. »Was ist?«

»Kannst du die Freedom herunterbringen? Ich glaube, wir haben eine Spur.«

Während wir an Höhe verloren, trat Ivo aus der Fahrstuhltür, nahm auf dem Sitz neben mir Platz und zündete sich eine Zigarette an. Als sie aufgeraucht war, wollte er aufstehen. Ich legte meine Hand auf seinen Unterarm. »Bitte bleib!«

Eine halbe Stunde saßen wir schweigend nebeneinander in der Sonne. Der Wind, der uns entgegen kam, war nicht stärker als der sommerliche Küstenwind an einem heißen Tag.

»Die Freedom ist dein fliegendes Arkadi Island, nicht wahr?«, sagte Ivo endlich. »Dein persönlicher Rückzugsort, von dem aus du die böse Welt beobachten kannst, ohne an den Geschehnissen teilhaben zu müssen. So war das mit dem *Schloss in den Wolken* zwar nicht gemeint, aber ich verstehe dich und ich weiß, woran du ständig denkst! Du bist nicht schuld an den Dingen, die dein Sohn getan hat! Du musst Leo aus deinen Gedanken ausblenden, sonst macht es dich kaputt, so wie dich Marias und Jasmins plötzlicher Tod fast zerstört hätte!«

»Danke, mein Freund«, sagte ich leise und schaute weit voraus. »Ist das da vorne eine Insel?«

Ich öffnete die Klappe, in der das rote Telefon hing, und zog ein Fernrohr hervor, das sich ebenfalls darin befand. Vielleicht zwei Kilometer vor uns kam ein flacher Felsen in Sicht, der nur wenig aus dem Pazifik herausragte. Zehn Minuten später stand die Freedom über dem Felsgestein, dessen Oberfläche mehrere meterlange, tiefe Schrammen aufwies. Ich wies Vasilij an, langsam bis auf Minimalabstand herunterzugehen. Ivo und ich fuhren mit dem Fahrstuhl herunter, dessen Röhre sich wie bei einem Teleskop fünf Meter nach unten schob. Wir verließen die Kabine und sofort sprangen die Exhauster an. Das Luftschiff glich automatisch den Gewichtsverlust aus, der durch unseren Ausstieg entstanden war.

Ich bückte mich und untersuchte einen der langen Kratzer. Es handelte sich um schnurgerade, halbkreisförmige Rinnen mit gläsern wirkender Oberfläche. Sie waren in das Gestein hineingeschmolzen worden!

»Schau mal«, sagte Ivo. »Das dürfte dich interessieren!«

Ich ging zu meinem Freund, der eine Menge Vogeldreck mit seinem Schuh von dem Felsen gekratzt und eine Inschrift frei gelegt hatte: **A.W. 1633**. Darüber befand sich eine Windrose mit einem Pfeil in Richtung Westnordwest.

»Wir haben die erste Spur gefunden! A.W. steht eindeutig für Andrew Winter! Er war tatsächlich vor über vierhundert Jahren an diesem Ort! Ich bin überzeugt davon, dass wir einen weiteren Hinweis finden, wenn wir der Richtungsangabe folgen. Die langen Rinnen können nur durch Energiestrahlen entstanden sein! Er hat irgendetwas beschossen und dabei wurde das Gestein geschmolzen, anders erklären sie sich nicht.«

Nach einer halben Stunde gingen wir zurück an Bord, fuhren hoch in den Leitstand und berichteten Vasilij von unseren Entdeckungen. Auch er war der Ansicht, dass es klug wäre, den angegebenen Kurs einzuschlagen. Die Freedom stieg auf fünfhundert Meter Höhe und setzte sich in Bewegung.

Die Auswanderer

Rachels Visionen - 36. bis 39. Pergament

1666. Dienstag, 20. April. Morgen

Waldenburg in Sachsen. Wagner-Hof

In den frühen Morgenstunden brachte die überaus dicke Magdalena einen gesunden Jungen zur Welt. Die Geburt des Knaben verlief normal. Er wurde abgenabelt und schrie wie jedes Neugeborene. Die Hebamme legte ihn in eine Decke und drückte ihn seiner Großmutter Elvira in die Arme. Die Reste von Gottholds zerrissener Seele flutschten mit der Plazenta aus Magdas fettem Leib heraus und begaben sich auf die letzte Reise ins weiße Licht. Die Mutter des Jungen verdrehte ihre Augen, stöhnte einmal leise und war tot.

Der Waisenknabe erhielt den Namen Eduard und wuchs bei seinen Großeltern auf. Heinrich bemerkte früh, dass der verschlossene Knabe klug war und niemals Bauer werden würde. Er hingegen spürte arges Reißen in den Gliedern und war kaum noch in der Lage, mit seinen gichtkrummen Fingern den großen Hof zu bewirtschaften. Deshalb verkauften die alten Leute ihr Anwesen und zogen in die Stadt, damit ihr Enkel auf das Realgymnasium von Waldenburg gehen konnte.

***

1696 wird der zu diesem Zeitpunkt dreißigjährige Stadtschreiber Eduard Wagner in den Kirchenbüchern als Erzeuger des Knaben Ottmar Wagner angegeben. Mutter ist die ledige Tochter eines Bauern, die im Kindbett ihr Leben aushaucht.

Das Kind glänzt mit seinen Leistungen auf dem städtischen Gymnasium. Latein und die Naturwissenschaften liegen ihm besonders. Nach der mit *summa cum laude* bestandenen Matura beschließt Ottmar Wagner, Mediziner zu werden. Erst an seinem einundzwanzigsten Geburtstag erfährt er, wer sein leiblicher Vater ist. Er besucht den etwas wunderlichen, in völliger Zurückgezogenheit lebenden Stadtschreiber. Zwischen beiden entsteht ein freundschaftlich-distanziertes Verhältnis.

***

An einem verregneten Sommertag schloss Eduard Wagner, mittlerweile dreiundsechzig, den Bund der Ehe mit der hässlichen, über dreißig Jahre jüngeren Käthe Krummholz. Die Hochzeitsfeier fiel bescheiden und fantasielos aus. Nur wenige Nachbarn und sein unehelicher Sohn Ottmar kamen zum Gratulieren.

Groß war das Erstaunen, dass Krüppel-Kätt, wie die Waldenburger die frischgebackene Ehefrau nannten, doch noch unter die Haube gekommen war. Sie war seit ihrem vierten Lebensjahr eine Waise und hinkte wegen eines schlecht verheilten Beinbruchs aus frühen Kindertagen. Die dürre Frau bestand nur aus Haut und Knochen und hatte zudem einen starken Damenbart, den sie täglich rasieren musste.

Zur Überraschung aller und entgegen jeder Vernunft wurde sie schon wenige Tage nach ihrer Hochzeit schwanger. Ottmar Wagner begleitete die Schwangerschaft seiner überaus hässlichen Stiefmutter. Sie sah so klapprig aus, als könne sie die vor ihr liegenden neun Monate niemals lebendig überstehen, nichtsdestotrotz nahm ihr Umfang ungewöhnlich rasch zu und die Bewegungen des ungeborenen Kindes begannen merkwürdig früh.

Als Käthes Wehen einsetzen, ließ Eduard nach seinem Sohn schicken und begab sich wie täglich unter der Woche pflichtbewusst zur Arbeit. Vor achtzehn Uhr würde er nicht wieder zuhause sein.

Ottmar setzte sich auf die Bettkante seiner Stiefmutter. Die Hebamme war für den Tag unabkömmlich auf dem nahe gelegenen Gut. Als die Wehen jede Minute kamen, verabreichte er ihr ein Schmerzmittel und erklärte, wann sie pressen sollte und wie sie atmen musste.

Die Austreibung des ersten Kindes ging schnell. Entsetzt starrte der junge Arzt auf das neugeborene Wesen in seinen Händen. Der im Vergleich zum übrigen Körper riesige Schädel wies kleeblattförmige Ausbuchtungen an der rechten und linken Seite und einen eierförmigen Buckel oberhalb der Stirn auf, der einem Hahnenkamm ähnlich sah und ihm das Aussehen eines Vogels verlieh. Ohren fehlten der Kreatur völlig. Der Unterkiefer wirkte winzig, und sowohl Finger als auch Zehen waren extrem lang und dünn und hatten spitze Krallen an ihren Enden anstelle von Nägeln. Kniescheiben schien es nicht zu besitzen, und so spitzwinklig, wie die Unterschenkel im Verhältnis zu den Oberschenkeln standen, musste das Kniegelenk andersherum funktionieren, so als seien die Beine verkehrt herum angebracht.

Ottmar Wagner konnte keine Lebenszeichen feststellen und legte den Körper eilig auf ein Tuch auf dem Fußboden, weil Käthe - benebelt von dem Schmerzmittel - erneut presste. Dann kam das zweite Kind, das genauso aussah wie das Erste und ebenfalls tot zu sein schien. Der junge Arzt wischte sich entsetzt den Schweiß von der Stirn. Derart Missgebildete waren ihm nie zuvor unter die Augen gekommen. Er beschloss, einen der Zwillinge zu verschweigen, denn es würde schon schwer genug werden, seinen Eltern beizubringen, dass sie ein Wesen gezeugt hatten, das kaum eine Ähnlichkeit mit einem Menschen aufwies.

Also bückte er sich, wickelte das leblose, erstgeborene Monstrum in ein Tuch und legte es in seinen großen Ärztekoffer. Er beabsichtigte, den Leichnam bei sich zuhause genau zu untersuchen, zu sezieren und anschließend spurlos verschwinden zu lassen.

Käthe war sehr traurig und begann zu weinen, als Ottmar ihr eine halbe Stunde später die Wahrheit erzählte. Nach anfänglichem Zögern zeigte er der Wöchnerin das zweite Kind, das sie geboren hatte. Als sie das missgebildete Neugeborene sah, übergab sie sich heftig in ihr Wochenbett, faltete dann ihre Hände, stützte ihre mageren Ellbogen in die Kotze und sagte: »Lieber Gott im Himmel, ich danke dir, dass dieses Wesen, das in meinem Bauch herangewachsen ist, nicht lebt! Ich verstehe zwar nicht, warum du ein Monstrum wie dieses in mir hast heranwachsen lassen, aber die Wege des Herrn sind unergründlich! In Ewigkeit, Amen!«

Auch diese Kreatur nahm der Arzt Ottmar Wagner an sich, um sie in seiner Arztpraxis zu untersuchen und den Grund für seine schweren Missbildungen herauszufinden. In seiner Praxis angekommen, legte er das Bündel mit dem Leichnam des Zweitgeborenen auf den metallenen Seziertisch und griff nach einem Skalpell. Plötzlich hörte er ein leises Geräusch aus seinem Arztkoffer, der neben dem Tisch auf dem Boden stand. Er hob den Körper des Erstgeborenen heraus und schlug das Tuch zurück, in das es eingewickelt war. Zu seinem Entsetzen starrten ihn zwei riesige, rote Augen an.

Die Kreatur knurrte böse und schnappte nach seiner Hand. Der Arzt betrachtete nachdenklich das Seziermesser und ließ es schließlich fallen. Das Monstrum war sein Halbbruder, er konnte es nicht töten, egal, was geschehen sollte.

Die Wagners bekamen vom Schicksal nicht die Zeit geschenkt, um weitere Kinder in die Welt zu setzen. Eduard starb drei Tage nach der Niederkunft seiner Frau an einem Blutsturz und sie folgte ihrem Mann einen Tag darauf, als sie sich beim morgendlichen Rasieren absichtlich die Kehle durchschnitt.

Ottmar tauchte eine Woche nach der Geburt der Monstren unter. Er zog nach Chemnitz und eröffnete eine Praxis. An der Tür hing ein Schild mit seinem neuen Namen: Gottlieb Friderici, Medicus. *Kein Mensch sollte die Spur zu den Wagners aus Waldenburg zurückverfolgen können. Vor allem aber durfte niemand entdecken, was - eingesperrt in einem Metallkäfig und verborgen vor den Augen der Welt - in seinem Keller heranwuchs.*

Er untersuchte den Leichnam der zweitgeborenen Kreatur, der in einem mit Spiritus gefüllten Jena-Glas steckte. Der Arzt stellte fest, dass das Monstrum auch im Körperinneren einige Besonderheiten aufwies: Leber, Herz und Lunge wiesen wesentlich größere Abmessungen auf als bei einem Menschen. Dieses Wesen wäre sehr ausdauernd und kräftig gewesen, wenn es seine Geburt überlebt hätte. Ottmar hielt es für männlich, weil sich in seinem Unterleib zwei kugelförmige Organe befanden, die er als Hoden identifizierte.

Er erkannte nicht, dass es sich in Wirklichkeit um voneinander unabhängige, leistungsfähige Gebärmuttern handelte. Im Laufe der Jahre schrieb er eine wissenschaftliche Abhandlung über seine Untersuchungsergebnisse und steckte den Leichnam seiner Halb-

schwester nach jeder Untersuchung zurück in das mit Spiritus gefüllte Glas, um ihren Körper der Nachwelt zu erhalten.

Monstrum humanum rarissimum

Das seltenste menschliche Ungeheuer

1737 vermachte Gottlieb Friderici sowohl den konservierten Leichnam als auch seine in Latein verfasste Abhandlung dem Naturalienkabinett des Museums von Waldenburg. Er ahnte, dass beides an diesem Ort relativ unbeachtet die Jahrhunderte überdauern konnte, und das schien ihm wichtig, denn es waren bei der Sezierung viele Fragen offengeblieben, die erst die Wissenschaftler kommender Generationen würden beantworten können.

Die Kreatur, die in seinem Keller heranwuchs und sein Halbbruder war, entwickelte sich auf unheimliche Weise immer weiter weg von allem, was menschlich war. An manchen Tagen benötigte der Arzt seine gesamte übersinnliche Energie, um das Monstrum in Schach zu halten.

Rachels Visionen - 40. - 45. Pergament

1747. Dienstag, 17. Januar. Mittag

Bremen. Frachthafen. An Bord

des englischen Frachtseglers *Esquire*

Der große, schwere Metallkäfig, der mit mehreren Planen bedeckt war, wurde auf dem Achterdeck des Seglers mit Stricken festgebunden, damit er bei Seegang nicht ins Rutschen geriet.

»... Hörst du, Jeremy?«, sagte Gottlieb Friderici eindringlich zu dem Kapitän, mit dem er befreundet war.

»Ich sage es dir noch einmal! Ihr dürft ihn nicht herauslassen, wenn ihr den Käfig auf einer unbewohnten Insel abgesetzt habt! Er ist in der Lage, sich selbst zu befreien! Ihr müsst sofort wieder an Bord gehen und euch in Sicherheit bringen, sonst wird er jeden von euch ohne zu zögern töten! Er kann Gedankenbefehle erteilen!«

»Hast du mir schon zum dritten Mal erzählt, mein Freund! Sei unbesorgt! Während der gesamten Fahrt soll einer meiner Leute neben dem Käfig Wache halten mit einer geladenen Schrotflinte in der Hand.«

»Ihr dürft ihm unter keinen Umständen in die Augen schauen!«, ergänzte der Arzt. »Niemals! Schon ein einziges mal wäre euer aller Ende!«

***

Sechs Wochen später trieb der Sturm die Esquire mit abgeknickten Masten und gebrochenem Ruder in die Hafenbucht von Philadelphia. Endlich schob sich der Rumpf des Seglers knirschend auf den Strand und das Schaukeln hörte auf. Knurrend sprang das Wesen über die hohe Kante der Steuerbordseite und entfernte sich schnell. Es lief in Richtung der Häuser und hinterließ Spuren im Sand, die denen eines riesigen Hahnes ähnelten. Der Regen spülte diese Abdrücke in Minuten wieder fort.

Am nächsten Morgen wurde das gestrandete Schiff vom Hafenmeister und seinen Gehilfen entdeckt. Sie gingen an Bord und ertrugen kaum, was sie zu sehen bekamen. Die Besatzung war buchstäblich zerrissen worden. Überall an Deck lagen grauenhaft verstümmelte Leichenteile herum: abgerissene Arme, ausgerissene Beine, aufgeschlitzte Rümpfe. Nur die Köpfe der Ermordeten fand man nicht.

***

Vor vier Tagen waren der Witwer Alois Kleinmeir und seine Tochter Minna in Philadelphia eingetroffen und hatten in Hafennähe für den Übergang eine kleine, schäbige Bretterhütte gemietet, nicht besser als ein deutscher Schweinestall. Der Fußboden war die nackte Erde, es regnete zum Dach herein und durch die Ritzen zwischen den Brettern an den Wänden pfiff der Wind.

Alois lehnte sich in seinem Stuhl zurück, verschränkte die Arme hinter seinem Kopf und dachte nach. Trotz der widrigen Umstände war es richtig, dass sie ausgewandert waren, um ein neues Leben zu beginnen. Seine Frau war vor einem halben Jahr gestorben, hatte eines Morgens einfach tot in ihrem Bett gelegen, und ohne sie konnte er seinen Hof in der Nähe von Nürnberg nicht bewirtschaften. Als sein Freund, der Felix Sedlmair, eines Tages kam, und verkündete, er wolle nach Amerika auswandern, um dort sein

Glück zu finden, zögerte er nicht lange, verkaufte seinen Hof und fuhr mit Minna nach Bremen, um eine Passage auf einem Auswandererschiff zu bekommen.

Und nun waren sie hier in Philadelphia. Endlich! Er schaute hinüber zu seiner Tochter, die ihm gegenüber an einem wackligen Tisch saß und beim trüben Schein einer Kerze mit einem Buch Englisch übte. Sie las jeweils ein Wort und sprach es dann leise aus.

»Du nuschelst fürchterlich, mein Kind«, sagte Alois und raufte sich die Haare. »Ich kann dich meistens überhaupt nicht verstehen, Minnachen! Das geht doch nicht! Wir müssen ordentlich reden können, also sprich deutlich und lern neue Begriffe, damit sie uns nicht zurückschicken, weil wir zu dumm sind für dieses schöne Land!«

»Allright, Sir!«, stöhnte Minna gelangweilt. Was Katharina jetzt wohl macht, dachte sie abgelenkt. Ihre Cousine war zwanzig und immer noch nicht verheiratet. Ein kratzendes Geräusch von draußen riss sie aus ihren Gedanken. »Hast du das auch gehört, Papa?«

Er sah seine Tochter streng an. »Englisch, Minnachen! Wott juh seeijh?«

»Heff juh nott sett ... hmmm ... Kratzen ... giehiert?«

»Noh, Ei heff sett nott giehiert«, antwortete er und war ganz stolz darauf, wie gut sie beide schon die neue Sprache sprechen konnten.

Minna zögerte einen Moment und fuhr dann auf Deutsch fort. »Da draußen ist was, Papa! Es hat an der Wand gekratzt!«

»Das ist nur der Wind, mein Kind! Die Äste der Bäume biegen sich ordentlich im Sturm. Außerdem sind wir endlich im Gelobten Land! Was soll uns hier schon geschehen? Mach dir keine Sorgen, wir wohnen sozusagen im Paradies.«

Alois Kleinmeir ärgerte sich, weil es ihm nicht gelungen war, eine so einfache Sache auf Englisch auszudrücken. Er würde wohl doch noch eine Menge lernen müssen.

»Lass uns ins Bett gehen und schlafen! Ich bin müde!«

Er ging zu der Tür, die in eine kleine Kammer führte, und blieb stehen. »Gute Nacht, mein Schatz! Sliep well!«

»Guht Neit, Dada«, antwortete die achtzehnjährige Minna. Sie legte ihr Buch mit den Vokabeln auf ein Brett, zog sich aus, schlüpfte unter ihre Decke und schlief ein. Die großen, roten Augen, die sie seit einer Viertelstunde durch die breiten Ritzen in der Bretterwand anstarrten, bemerkte sie nicht.

Das Monstrum sandte seine blauen Strahlen aus und fixierte Alois und Minnas Geist auf der Ebene der Bewusstlosigkeit. Dann richtete es seinen zwei Meter fünfzig hohen Körper auf und ging auf die Tür der Holzhütte zu. Die Gelenke seiner muskulösen Beine knackten laut.

... vielleicht hätte die Natur doch nicht
die Kniescheiben weglassen sollen ...

Es betrat die Schlafkammer des Mannes, setzte sich auf die Bettkante, stellte die lange Klaue seines Zeigefingers auf die Schläfe des Schlafenden und drückte sie in den Schädel hinein. Langsam zog es seinen Finger heraus, legte seinen kleinen Mund um das Loch im Kopf und begann schmatzend zu saugen.

Lebend schmeckten sie am Besten! Nach einer Minute war das Gehirn herausgesaugt. Köstlich, diese warme Speise!

Das Monstrum erhob sich, bückte sich tief in die Türöffnung und trat zurück in das Zimmer, in dem Minna Kleinmeir schlief. Es kniete sich neben das Bett und zog die Decke von der Schlafenden herunter.

Vor ihm lag die nackte, junge Frau. Ihr Körper sah anders aus als die der getöteten Männer, und ihr Geruch war aufregend! Es schnüffelte und fand die Quelle seiner Begierde, deren Duft sein Gemächt zum Schwellen brachte. Behutsam drückte es Minnas Schenkel auseinander und betrachtete diesen wundersamen, behaarten Ort, den es noch nie zuvor gesehen hatte. Ein Speichelfaden lief aus seinem kleinen, runden Mund. Für einen kurzen Moment wurde ihm schwindelig, als es fühlte, dass die Erfüllung all seiner Wünsche direkt vor ihm lag! Es legte sich vorsichtig auf die Schlafende. Sein Instinkt verriet ihm, was es tun musste ...

Stundenlang verging sich das Monstrum an Minna, die ab und zu im Schlaf stöhnte. Als der Morgen graute, ließ es endlich von seinem Opfer ab. Es richtete sich halb auf in diesem Zimmer der unentdeckten Qualen, denn ganz aufzurichten war ihm wegen der niedrigen Decke nicht möglich. Nachdenklich betrachtete es die Frau, die immer noch in tiefer Bewusstlosigkeit vor ihm lag. Es hob seinen rechten Arm und sandte einen feinen, blauen Lichtstrahl aus, der ihre Erinnerungen an die Geschehnisse der letzten Stunden auslöschte, auch die unbewussten.

Das Monstrum beschloss, von nun an jeden Abend zu Minna zu kommen. Dann fiel ihm der leergesaugte Mann im Nebenzimmer ein. Es tastete sich in Minnas Bewusstsein vor und löschte sämtliche Erinnerungen an ihren Vater, damit sie nach dem Aufwachen nicht von Trauer und anderen Gefühlen beherrscht war, denn das würde sie daran hindern, bei seinen kommenden Besuchen frisch und ausgeruht zu sein ...

Als der Morgen graute, verließ das Wesen auf zitternden Beinen und sehr befriedigt die Wohnung, ließ die Tür der Holzhütte offen stehen und eilte Richtung Wald. Die Erlebnisse der letzten Nacht kreisten durch seinen Kopf, besonders an die sieben oder acht brennenden Momente, von denen man hofft, dass sie nie enden, aber sie tun es doch, und man muss sie immer wieder neu erleben, um ihrer wenigstens für einen Augenblick teilhaftig zu werden.

Versunken in seinen verwirrenden Empfindungen bemerkte es die beiden riesigen, schwarzen Wölfe nicht, die hinter einem Felsen lagen und das Monstrum beobachteten, seit es das dichte Gehölz betreten hatte. Der Jüngere kräuselte seine Stirn und zog seine Lefzen hoch. Seine Fangzähne waren mindestens neun Zentimeter lang. Der Ältere nickte unmerklich mit dem Kopf. Sie folgten dem Hühnermann auf lautlosen Pfoten. Dieser spürte die Anwesenheit seiner Verfolger erst im letzten Moment.

Er blieb stehen, drehte sich herum, knurrte böse und schleuderte ihnen einen armdicken Strahl aus blauer Energie entgegen, der sich zu seinem Entsetzen zerstreute und die großen Tiere in keiner Weise aufhielt. Kurz bevor sie die Kreatur erreichten, traten rote Lichtstrahlen aus ihren Augen, die das Monstrum lähmten. Die Wölfe rissen es zu Boden, bissen seine Halsschlagadern durch und warteten, bis es verblutet war.

Dann hob der Ältere den ausgebluteten Leichnam mit seinen Kräften hoch, bugsierte den toten Körper zu einem Sumpfloch, das in einigen Metern Entfernung lag, und versenkte ihn darin. Sie standen eine Weile nur da, ohne etwas zu tun. Sie hatten die Katastrophe gerade noch verhindern können. Der Jüngere nickte und die Tiere verschwanden auf leisen Pfoten wieder in den Tiefen der Wälder, aus denen sie gekommen waren. Die Menschen würden noch viele Jahrhunderte benötigen, bis sie verstehen konnten, was heute geschehen war …

Als Minna erwachte, tat ihr alles weh. Sie richtete sich auf. Ein stechender Schmerz fuhr ihr durch den Unterleib und sie sank ohnmächtig zurück. Eine Viertelstunde später fiel einer Frau aus der Nachbarhütte die offene Haustür auf. Sie betrat die Holzhütte und fand einen Toten und eine Bewusstlose vor.

Am folgenden Tag kam der Deputy und fragte nach ihrem Namen.

»Minna Kleinmeir«, antwortete sie leise und undeutlich.

Er hörte nur ein Nuscheln, zuckte mit den Schultern und schaute sie fragend an. Sie bemerkte seinen Blick.

»Minna Kleinmeir«, sagte sie lauter, aber genauso verwaschen. Der Beamte runzelte seine Stirn, dachte einen Moment nach und schrieb in das Formular, was er verstanden hatte: ›Mina Clymer‹.

Auf die Frage, ob sie wisse, wer der Tote aus der Kammer war, schüttelte sie ihren Kopf. Den alten Mann kannte sie nicht.

Zwei Wochen später wurde ihr dauernd schlecht. Egal, wo sie sich gerade befand, sie musste sich ständig übergeben. Sie konnte sich nicht erklären, was mit ihr los war, und ging zu einem Arzt, der sie gründlich untersuchte.

Dieser lächelte und sagte freundlich: »Herzlichen Glückwunsch, junge Frau! Sie sind schwanger!«

Auf dem Rückweg dachte die katholisch erzogene Minna darüber nach, welches Glück ihr beschieden war: Sie bekam ein Jesuskind wie die unbefleckte Jungfrau Maria! Es musste so sein, denn sie hatte noch nie mit einem Mann geschlafen. Sie betrat die kleine Stube ihrer Bretterbude, sank auf die Knie, faltete ihre Hände und betete laut, den Blick gegen die Zimmerdecke gerichtet:

»Danke, lieber Gott, dass Du mich auserwählt hast, um Dein Kind auszutragen!«

Nach neun Monaten gebar sie einen gesunden Jungen, dem sie den Namen George gab. Drei Jahre später heiratete sie den mürrischen Sean O'Brian, der aus Irland stammte und sich nicht an dem Balg eines anderen Kerls störte.

Mina lehrte ihren Sohn das Lesen und das Schreiben. Er las für sein Leben gern, und als er zwanzig war, begann er sich für Politik zu interessieren. Er heiratete, gründete eine Familie und unterzeichnete am vierten Juli 1776 die Unabhängigkeitserklärung der Vereinigten Staaten von Amerika als Abgeordneter des Bundesstaates Pennsylvania.

Mumien, Monstren und Mutanten

Am Abend des Tages, an dem wir Andrew Winters Windrose entdeckt hatten, legte mich früh ins Bett, weil ich fror. Ich schlief schnell ein. In meinem Traum fiel ich aus großer Höhe in ein Sumpfloch und landete zwischen hunderten von nackten Mädchenleichen, alle mit einem Loch im Kopf.

»Robert! Schrei doch nicht so laut!«, sagte Vasilij und rüttelte an meiner Schulter. »Du musst aufwachen!«

Schweißgebadet kam ich zu mir. Die Ärmel meines Schlafanzugs klebten an meinen Armen fest, ich konnte sie kaum bewegen. Mein Puls schlug bis zum Hals und mir war eiskalt.

»Ich friere«, antwortete ich mit klappernden Zähnen. »Ich werde mir einen Kaffee kochen. Bestimmt wird es dann besser.«

Fünfzehn Minuten später hatte ich mich angezogen. Vasilij saß im Leitstand im Sessel des Kommandanten und beobachtete das Meer vor uns mit einem Fernglas. Steuern brauchte er das Luftschiff nicht, es blieb automatisch auf Kurs.

Ich ging mit meinem Kaffeebecher in der Hand zum Funkerraum. Lorenz und Sarah Miller hörten die Nachrichtensendungen ab. Plötzlich ratterte der Fernschreiber und schrieb über eine halbe Seite voll.

»Wo kommt das her?«, fragte ich.

»Aus der Arztpraxis von Jerry Edwards.«

Ich runzelte meine Stirn. »Ivos Schwiegersohn? Was hat der mit der ganzen Sache zu tun?«

»Er ist unser einziger Direktkontakt nach Amerika. Auf Leos Bitte hin hat Clymer Construction in seinen Räumlichkeiten eine Sendeanlage installiert, damit der Arzt uns im Notfall wichtige Nachrichten senden kann.«

»Was ist, wenn andere den Funkverkehr mithören?«

»Sie hören nur ein hohes Piepsen, denn die Funksignale sind kodiert. Leo hat sich ein richtig feines Codierungsverfahren ausgedacht.«

Das war merkwürdig. Leo hatte gar nicht wissen können, dass wir eine Reise unternehmen würden, als er die Funkausrüstung in Jerry Edwards Praxis installieren ließ. Welche Absicht mochte in Wirklichkeit dahinter stecken?

Lorenz nahm das beschriebene Blatt aus dem Fernschreiber und hielt es so hin, dass wir es alle drei lesen konnten.

<u>STUETZPUNKT BOSTON AN FREEDOM</u>

TOP1: Insgesamt 312 Maedchenleichen im Sumpf der Clymer-Farm gefunden

TOP2: Leo Clymer weltweit als Massenmoerder gesucht - FBI setzt eine Belohnung von 10.000 Dollar auf seine Ergreifung aus.

TOP3: Jahrhundertealte Mumie in dem Sumpf gefunden, unter den Maedchenleichen. Sie liegt bei uns im Institut, ist hervorragend erhalten.
Wesen sieht aus wie ein riesiges Huhn, wohl 2,5 Meter gross (weit ueber acht Fuss).
Beine verkehrt herum und ohne Kniescheiben, unfoermiger Kopf und Kral-

lenhaende. Ein Monstrum, wie wir Aerzte noch keines gesehen haben!

TOP4: Heute bei der Autopsie gefunden: (vor 2 Stunden): Monstrum hatte einen kleinen, silbernen Anhaenger in der linken Hand. Habe ihn gereinigt. Darauf steht:

Minna Cleinmeir zur Firmung
Nuernberg, im Jahre des Herrn 1763

Welche Sprache ist das? Koennte es deutsch sein? Was bedeuten die Worte?

Warte auf eure Antwort!
Love, Jerry

»Um Gottes willen!«, sagte Lorenz aufgeregt. »Mir wird ganz schlecht! Minna hieß die Schwester von der Großmutter meiner Großmutter meiner Großmutter ... oder so ähnlich ... also ... das ist ... das ist ... Ach, egal. Jedenfalls stammt meine Familie aus Nürnberg, und so häufig ist unser Name auch nicht, selbst wenn er auf dem Anhänger mit einem ›C‹ geschrieben ist! Damals hat man das so gemacht, es gibt kaum Wörter mit ›K‹ aus jener Zeit! Das bedeutet demnach, dass, dass, dass ...«

Dann schwieg er. Sein Gesicht war kreideweiß. Mir ging es nicht viel besser als ihm.

Der Zusammenhang war eindeutig - vor zweihundert Jahren war aus Kleinmeir Clymer geworden und Lorenzs Vorfahrin war die Ahnin meiner Familie in Amerika.

»Bitte, Ivo, kannst du Jerry ein Fernschreiben senden, dass er das Monstrum aus dem Sumpf fotografieren soll. Er möchte die Fotos über die Bildsendestelle der New York Times an uns schicken. Ich werde Henry wecken und ihn bitten, dass er ...«

»Nicht nötig«, erklang Henry Burtons Stimme aus Richtung der Tür.

»Wieso bist du auf?«, fragte ich überrascht.

»Keiner von uns schläft, wir sind alle wach. Jeder von uns fühlt, dass in dieser Nacht irgendetwas Bedeutsames geschieht.«

Neunzig Minuten später begann die Funkübertragung. Wir saßen hellwach im Salon, tranken Kaffee und warteten. Um Viertel nach drei war das empfangene Foto im Labor entwickelt. Ich befestigte es an der Wand, ging in die Bibliothek und holte die Zeichnung, die mein Sohn Leo vor Jahren in Nizza angefertigt hatte, um mir zu zeigen, in was für ein grauenhaftes Monstrum er sich verwandeln würde, falls er noch einmal in ein Tor des Windes gehen sollte.

Ich hängte sie wortlos neben die Fotografie der Mumie. Man sah auf den ersten Blick, dass beide das gleiche männliche Wesen abbildeten. Es war muskelbepackt wie ein Hochleistungssportler, mindestens zwei Meter fünfzig groß und sah einem Huhn ähnlicher als einem Menschen. Es besaß einen kleeblattförmigen Schädel, keine Ohren, einen sehr kleinen Unterkiefer und überlange Finger und Zehen mit dicken, krallenartigen Nägeln. Seine Beine waren verdreht, sodass die Knie nach hinten zeigten, die Füße waren wieder richtig herum.

... tiefes Schweigen ...

Das böse Gesicht des Monstrums starrte mich von der Zeichnung an.

»Woher stammt diese Skizze?«, fragte Ivo endlich.

Ich berichtete meinen Freunden von dem Gespräch, dass ich vor Jahren mit meinem Sohn in Nizza geführt hatte. Dabei wurde ich traurig. Marianna griff energisch nach meiner Hand. »Komm, Robert, wir beide gehen einen Moment an die frische Luft.«

Sie zog mich hinter sich her zu dem Fahrstuhl, der aus dem Salon meiner Wohnung auf das Landedeck der Freedom herunterführte. Wir setzen uns auf den vorderen Rand und ließen die Beine herunterhängen.

Sie legte ihren Arm um meine Schulter. »Weißt du noch, dass wir elf Jahre in die gleiche Klasse gegangen sind?«

»Ich erinnere mich genau. Wir haben oft so wie jetzt am Ostseestrand gesessen und uns vorgestellt, wie unsere Zukunft aussehen könnte. Was wollten wir alles tun! Und dann entdeckte ich dich nicht nur als Freundin, sondern auch als Frau. Das war wenige Wochen vor der Matura. Wir gingen Hand in Hand am Strand des Kieler Hafens entlang und ich küsste dich zum ersten und einzigen Mal. Am nächsten Tag verschwandest du.«

»Viele Jahre später trafen wir uns zufällig wieder«, nickte Marianna. »Ich erzählte dir, dass ich inzwischen als Hure arbeiten würde, und dich hat das nie gestört. Du besuchtest mich immer, wenn du in Hamburg warst. Dafür habe ich dich geliebt, Robert, aber ewig dankbar bin ich dir, weil du mir 1914 Vasilij vorstelltest.«

»Liebst du ihn immer noch?«

Sie schaute mir in die Augen. »Mehr als mein Leben, Robert. Er ist heute noch der Mann meiner Träume. Ich bin glücklich mit ihm, wie ich es mir nie hätte vorstellen können, selbst damals im Kieler Hafen nicht.«

Sie strich mir sanft mit ihrer Hand über die Haare. »Auch für dich gibt es ein Glück auf dieser Welt! Du darfst dir nicht zu Herzen nehmen, was wir in den letzten Tagen erfahren haben - wir werden herausfinden, was es mit der Mumie und Leo auf sich hat.«

Wir saßen eine lange Zeit auf dem Landedeck der Freedom und schauten schweigend hinaus auf den Pazifik. Langsam ging hinter uns die Sonne auf und vor uns lag das tiefe blaue Meer mit all seinen Geheimnissen, die vielleicht nie ein Mensch zu Gesicht bekommen würde.

Nachmittags schickte Ivos Schwiegersohn ein weiteres Fernschreiben. Bei der Obduktion der Mumie hatte er festgestellt, dass der Hühnermann zwei kräftige, leistungsfähige Herzen besaß und körperlich wie eine biologische Kampfmaschine aufgebaut war. Das Wesen war verblutet durch mehrere tiefe Bisswunden im Hals.

Drei mit einer Windrose und den Buchstaben A.W. markierte Felsen von wenigen Quadratmetern wiesen uns den Weg nach Westen. Am folgenden Tag kam vor uns eine größere Insel in Sicht, die auf unseren Karten nicht verzeichnet war. Wir befanden uns kurz vor dem Festlandsockel, etwa dreihundert Kilometer nordöstlich der japanischen Halbinsel *Shiretoko*.

»Wir sollten umkehren«, sagte Ivo. »Ein Wunder, dass wir noch nicht von irgendwelchen Kriegsschiffen der Schlitzaugen entdeckt worden sind.«

Ich schloss meine Augen, weil mich plötzlich ein Gefühl durchströmte, als sei die Luft um uns herum elektrisch aufgeladen. »Wir müssen vorsichtig sein! Ich fühle, dass da unten etwas nicht stimmt!«

Vasilij ließ die Freedom unverzüglich stoppen und auf dreitausend Meter steigen. Dann machten wir langsame Fahrt voraus. Durch unsere starken Ferngläser konnten wir einen hohen Stahlzaun ausmachen, der die etwa vier Quadratkilometer große Insel vollständig umgab. Mehrere japanische Kreuzer fuhren in weitem Abstand Patrouille.

»Kannst du dein Gefühl, dass irgendwas nicht stimmt, genauer beschreiben?«, knurrte Ivo.

Ich schloss meine Augen und konzentrierte mich. Sisko kam in den Leitstand getrottet, richtete sich an mir auf, legte seine Pfoten auf meine Schultern und leckte mir mehrmals über mein Gesicht.

In diesem Moment kam Lawrence herein und bellte einmal laut. Beide Hunde setzten sich vor mich auf den Boden und sahen mich erwartungsvoll an.

»Sie fühlen es auch «, sagte ich. »Da unten leben Mutanten.«

Vasilij ließ sein Fernglas sinken. »Na toll! Die Insel ist gesichert wie eine Festung und hinter dem Metallzaun patrouillieren bis an die Zähne bewaffnete Soldaten! Ich schlage vor, dass wir die Freedom bis auf maximale Prallhöhe bringen. In sechs Kilometer Höhe dürften wir relativ sicher vor einem Angriff sein, falls wir entdeckt werden sollten.«

Eine Stunde später war das Luftschiff auf der entsprechenden Position. Die Zeiger sämtlicher Höhenmesser, von denen sich einer in jedem Raum befand, standen bei der Marke 6492 Meter. Draußen schien es empfindlich kalt geworden zu sein, denn die Heizungsanlage lief auf Hochtouren. Auch die Luft war in dieser Höhe ziemlich dünn geworden .

»Liegt hier das Ziel unserer Reise?«, fragte Ivo.

»Ja, wir sind da«, antwortete ich. »Ich spüre es! Ein bisschen fühlt es sich an wie 1914, als wir uns Andrew Winters Energiekuppel auf Elba näherten. Dort unten ist ebenfalls so eine Kuppel. Ich kann ihre Energieverbindung mit der unsichtbaren Welt wahrnehmen. Ein Mutant, der sich innerhalb der Kuppel aufhält, nutzt diese Verbindung, um kurze Gedankenimpulse nach draußen zu transportieren - wie eine Art Leuchtfeuer auf übersinnlicher Ebene. So was macht man nur, wenn man gefangen ist. Wir sollten landen und nachsehen, was da los ist.«

»Nur nichts überstürzen«, sagte Ivo. »Zuerst müssen wir wissen, wozu diese Insel dient, wer auf ihr lebt und warum es diesen Zaun gibt. Erst dann können wir unser weiteres Vorgehen sinnvoll planen.«

Dank meinem Sohn Leo, dem genialen Physiker, Techniker, Monstrum und Massenmörder, war die Freedom erstklassig ausgestattet. Yvonne Burton, die seit langen Jahren fotografierte und schon etliche Auszeichnungen für ihre Fotoarbeiten erhalten hatte, stellte sich ein Kamerasystem mit den stärksten Objektivbrennweiten zusammen, die sie an Bord finden konnte, und verschoss im Laufe des Tages mehrere Rollfilme, um möglichst viele Details von der Insel zu erfassen.

Wanda und Marianna saßen den ganzen Tag vor den Kurz- und Langwellenempfängern, aber alle empfangenen Nachrichten waren unbrauchbar, da niemand von uns japanisch verstand.

Während Yvonne sich stundenlang im Fotolabor der Freedom aufhielt, um die Filme zu entwickeln und großformatige Papierabzüge anzufertigen, legte ich mich auf mein Bett und schloss meine Augen.

Ich schlief ein und begann zu träumen.

Ich flog wie der Engel aus meinen Visionen über ein hohes Gebirge. Kräftig schlug ich meine Flügel, um voranzukommen. Plötzlich erschien eine riesige, senkrecht abfallende Felswand vor mir. Sechs Wesen waren mit dicken Ketten daran festgeschmiedet. Links hing Malraux, dann folgten die Amiens-Drillinge Raoul, Pierre und Luc, seinerzeit die begabtesten Telepathen des ehemaligen französischen Mutantenkorps. Neben Luc war eine junge Frau mit breiten Schultern und zwei Köpfen angekettet, sowie ein Mann, der aussah, als sei er direkt aus einer altägyptischen Wandmalerei entflohen. Auf seinem schlanken, muskulösen Körper saß ein wohl proportionierter Hundekopf.

Blut tropfte aus den Löchern in Malrauxs rochenähnlichen Flossen, durch die man schwere Eisenringe für ihre Fesseln gebohrt hatte. »Hilf uns, Robert!«, stöhnte sie. »Jede Nacht zwischen zwei und drei Uhr ist Schichtwechsel bei den Wachen. In dieser einen Stunde sind alle Wächter im Hafen auf der Nordseite der Insel und unser Gefängnis unter der Energiekuppel ist unbewacht.«

Der Hundemann streckte mir seinen Arm entgegen und sagte mit tiefer Stimme, die klang, als würde sie mit halber Geschwindigkeit abgespielt: »Warte, bis der böse Mutant Masao Shiro verschwunden ist! Einmal im Monat fährt er für einen Tag aufs Festland. Das nächste Mal wird er ...«

Ich erwachte, ergriff sofort meinen Bleistift und den Notizblock auf meinem Nachttisch und notierte meinen Traum, um kein Detail zu vergessen. Dann schaute ich auf die Uhr. Es war sieben Uhr morgens.

Um acht Uhr erschien ich im Salon der Freedom. Vasilij kam aus dem Leitstand. »Nur zu eurer Information, meine Lieben: Zehn Kilometer östlich von hier liegen ein japanischer Flugzeugträger und ein schwer bewaffnetes Schlachtschiff der Schlitzaugen vor Anker.«

Wir warteten zwei Tage, ohne etwas zu unternehmen, bis ein Schiff die Insel außer der Reihe verließ. Ich streckte meine Gedanken nach ihm aus. »Ein Mensch mit übersinnlichen Fähigkeiten befindet sich an Bord. Das kann nur der böse Mutant Masao Shiro sein. Sollte er heute nicht zurückkehren, können wir in der Nacht unsere Freunde zu befreien.«

Es kehrte nicht zurück.

Nach Sonnenuntergang begaben wir uns auf die Rollbahn und stellten vier russische Jagdflugzeuge hintereinander auf. Vasilij erklärte Marianna, Henry und mir, was wir tun sollten.

»Die Jäger stehen in der Mitte des Decks. Dadurch habt ihr eine Startbahnlänge von etwa zweihundertfünfzig Metern. Denkt daran, dass sich über euch der Tragkörper des Luftschiffs befindet! Ihr dürft eure Maschinen nach dem Start also auf keinen Fall hochziehen, damit ihr nicht gegen die Hülle der Freedom kracht! Zehn Sekunden nach dem Verlassen der Startbahn schaltet ihr die Motoren aus! Wir werden in einer großen Spirale herabsegeln und auf der Schotterpiste landen, die man auf Yvonnes Fotos erkennen kann.«

Er wischte sich mit dem Ärmel den Schweiß von der Stirn. »Seid auf dem Rückflug genauso achtsam! Kommt beim Landeanflug flach und gerade herein und setzt erst im Hangar auf! Lasst eure Maschinen bis zum Ende der Landebahn ausrollen, auf diese Weise könnt ihr im Dreisekundenabstand hereinkommen, wenn es nötig sein sollte. Werdet ihr das hinkriegen?«

»Natürlich!«, lächelte Marianna. »Glaubst du, ich bin doof, General Douglas? Ich kann noch viel mehr außer Essen kochen, Windeln wechseln und Kinder kriegen, von denen du mir ja vier gemacht hast! Ich denke, ich bin eine umsichtigere Pilotin als du!«

»Ich weiß, mein Schatz«, antwortete Vasilij verlegen und gab ihr einen Kuss. »Ich sorge mich nur um euch, insbesondere um dich! Frauen sind nun mal keine Soldaten!«

»Was bist du manchmal für ein aufgeblasener Arsch!«, sagte Marianna so leise, dass nur ich es hören konnte.

Um zwanzig Uhr waren die vier Jagdflugzeuge betankt und zum dritten Mal durchgecheckt. Im Nachhinein war ich froh, dass die Freedom mit ihnen ausgerüstet war, denn wir brauchten die Kampfflugzeuge tatsächlich. War mein Sohn in der Lage gewesen, in die Zukunft zu sehen, als er eigenmächtig diese Änderungen an der Konstruktion und Ausstaffierung des Luftschiffs vorgenommen hatte, oder war es ihm in Wirklichkeit um es ganz anderes gegangen?

Vasilij und ich stellten unsere Ausrüstung zusammen. Gefütterte Kampfanzüge und Stiefel in den passenden Größen fanden wir in der Kleiderkammer der Mannschaftsräume. Ich war zum ersten Mal in diesem Teil der Freedom und staunte nicht schlecht, dass sich komplette Kampfuniformen für hundert Personen an Bord befanden.

In der Ecke dieses Raums standen drei riesige elektrische Waschmaschinen. In der danebenliegenden Waffenkammer lagerten Gewehre, Faustfeuerwaffen, Mörser, Granaten und Munition. Erneut beschlich mich ein unheimliches Gefühl. Hatte Leo das Luftschiff in Wirklichkeit gar nicht für mich, sondern für sich gebaut? Aber zu welchem Zweck? Ich schob diese Gedanken weit weg von mir. Über solche Dinge mochte ich jetzt nicht nachdenken.

Vasilij und ich suchten kleine, handliche Maschinenpistolen mit Stangenmagazinen aus. Um einundzwanzig Uhr wiesen wir Sarah und Yvonne in die Steuerung der Bordgeschütze mithilfe der Fernsehmonitore ein.

Vorsichtshalber fuhr ich alle sechs Geschütztürme oberhalb des Tragkörpers und unterhalb des Landedecks aus, denn im Verteidigungsfall würde jede Sekunde zählen.

Die Schotterpiste, auf der wir lautlos herunterkamen, lag im Süden der Insel und war lang, wir brauchten also die Polikarpow-Jäger nicht herumdrehen, um wieder starten zu können.

Gebückt liefen wir in der Dunkelheit auf das Gebäude im Zentrum der Insel zu. Wir drückten uns gegen die steinerne Wand und steckten unsere Köpfe zusammen.

»Nach Yvonnes Fotos ist zehn Meter links von uns der Eingang«, raunte Vasilij. »Wir müssen sehen, ob es Wachen im Eingangsbereich gibt!«

»Jetzt würde ich gerne eine Zigarette rauchen«, flüsterte Marianna. »Dabei habe ich schon vor fünfundzwanzig Jahren damit aufgehört. Komisch, oder?«

Ihr Mann verdrehte seine Augen.

»Wartet hier, ich werde den Bereich auskundschaften«, brummte ich und schlich gebückt an der Wand entlang bis zur Tür. Sie war vollständig aus Glas und gewährte mir Einblick in einen breiten, unbeleuchteten Flur, der völlig im Dunkeln lag. Links neben der Eingangstür befand sich ein Raum, in dem helles Licht brannte. Das Fenster war geöffnet, denn es war heiß in dieser Nacht. Ich hörte Stimmengemurmel und wurde neugierig.

Vasilij winkte mir mit dem Arm, ich solle zurückkommen. Trotzdem huschte ich weiter, bis ich unter den offenen Fensterflügeln hockte. Erst jetzt fiel mir ein, wie blöd die Idee war, ein auf japanisch geführtes Gespräch belauschen zu wollen.

Ich fasste mir an den Kopf und wollte gerade umkehren, als ich deutsche Worte vernahm. Der Mann in dem Zimmer sprach mit einem unüberhörbaren Akzent, war aber gut zu verstehen.

»Vermittlung! ... Hallo? ... Vermittlungsstelle Pankow? Wieso bin ich jetzt wieder in Berlin gelandet? ... Was? ... Wann steht die verdammte Telefonverbindung endlich? ... Wen ich sprechen will? Seid ihr Arier alle doof? Das habe ich schon dreimal gesagt! ... Was? ... Ja, richtig, Dr. Leonardo Conti. ... Sie sollen mich gefälligst mit Dr. Conti verbinden, dem Oberarzt des Chemnitzer Militärkrankenhauses! ...«

Jetzt wusste ich, was mir vorhin unbewusst aufgefallen war. Über der Tür dieses Gebäudes hatte ich ein rotes Kreuz bemerkt. Wir standen vor einem Krankenhaus!

»... zum letzten Mal: Ich bin Dr. Takeshi Araki, der höchste leitende Wissenschaftsoffizier des Kaiserreichs Japan, und wenn Sie mich nicht augenblicklich mit Dr. Conti verbinden, werde ich mich persönlich bei Ihrem Führer beschweren! Der wird Ihnen die Haut abziehen und sich einen Lampenschirm daraus machen lassen, und wo jetzt Ihr Schwanz ist, kommt der Lichtschalter hin, das verspreche ich Ihnen, Sie Volltrottel!«

Der Sprecher brüllte. Seine Stimme klang brutal, eiskalt und völlig gefühllos. Vasilij warf mir einen fragenden Blick zu. Einen Moment noch!, dachte ich.

»... Leonardo? Na endlich! Hier ist Takeshi! Sag mal, verblödet Ihr Arier so langsam? ... Wieso? Anscheinend reicht es nicht aus, blond und blauäugig zu sein, um ein simples Telefon fehlerfrei bedienen zu können ... Nah! ... Und? Wie schaut es aus? ... Weshalb ich anrufe? ... Wir haben die Quelle der übersinnlichen Fähigkeiten gefunden! ... Ja, stell dir vor! ... Ja ... Nein! ... Nicht so ein Dreck wie euer Omega-Präparat, mein Lieber! ... Richtig! In drei Monaten sind wir so weit, um es synthetisch herzustellen! ... Ja natürlich! Eine einzige Spritze reicht aus, um die VRIL-Kraft zu entfalten, genau, wie wir vor so langer Zeit geplant hatten! Projekt Genesis ist damit in die letzte Phase getreten!«

Um Himmels willen!, dachte ich. Worüber redet der Mann?

»... Wie geht es Alain? ... Aha ... Was seine Mutter macht? Ja, die lebt noch!«

Ein hässliches Lachen erklang aus dem Fenster über mir.

»Masao kommt morgen Früh vom Festland zurück. Ich schenke ihm die Mutanten, die unsere Experimente überlebt haben, wir brauchen sie nicht mehr. Du kannst dir sicherlich vorstellen, was er mit ihnen machen wird. Du hast ja schon erlebt, wie er mit seiner unliebsamen Konkurrenz umgeht, nicht wahr? ...«

Ich kann es mir auch vorstellen, dachte ich.

»... Nein, das kann sich niemand vorstellen, der noch nicht dabei war«, antwortete Dr. Takeshi Araki, der höchste leitende Wissenschaftsoffizier des Kaiserreichs Japan.

»Da ist sogar mir schlecht geworden ... Was? ... Ja, es bleibt dabei! Wir werden Masao, Alain und Klick wie verabredet zusammenführen. Ja, natürlich bei euch in Deutschland, Leonardo, nun reg dich nicht auf! Wir treffen uns in eurem Krankenhaus am ... Moment ...«

Ich hörte lautes Rascheln von Zetteln.

»Richtig! Am zehnten April startet die letzte Phase von Projekt Genesis! Die Schaffung einer Superrasse - unsere neue Menschheit - wir werden sofort die Weltherrschaft übernehmen! ... Ja, mit aller Härte! ... Hitler und Hirohito sind Waisenknaben gegen uns, ich sage es dir! ... Ja ja. ... Natürlich ist

das Päckchen an Dr. Goebbels unterwegs, damit er seine Fähigkeiten endlich aktivieren kann! Selbstverständlich, schließlich wird er der neue Führer der Erde - ein Supermutant, wie die Welt noch keinen gesehen hat! ... Oui! Nous sommes LES MAÎTRES DU MONDE! ... Ja, natürlich ... grüß dich, mein Freund.«

Dann war es still über mir. Vorsichtig schlich ich zurück.

»Was ist?«, flüsterte Vasilij. »Was hast du so lange unter diesem Fenster gemacht, Robert?«

Ich konnte ihm nicht antworten, denn es kam mir plötzlich hoch. Ich schloss meine Augen und holte tief Luft, um die Übelkeit zurückzudrängen. Nach einer Minute wurde es endlich besser.

Marianna sah mich besorgt an. »Alles in Ordnung mit dir?«

Ich nickte. »Wir müssen sofort hinein, morgen sollen die Mutanten umgebracht werden! Der leitende Arzt dieses Krankenhauses spricht deutsch. Er ist ein widerwärtiges Schwein, auf das wir keine Rücksicht zu nehmen brauchen. Was ich noch gehört habe, erzähle ich euch an Bord der Freedom. Nur in aller Kürze: Es ist viel schlimmer, als wir dachten - die MAÎTRES DU MONDE sind wieder da und streben nach der Weltherrschaft!«

»Ach du Scheiße!«, murmelte Vasilij.

Wir schlichen leise zu dem Eingang mit der großen Glastür und öffneten sie lautlos. Links von dem dunklen Flur ging eine einzige Tür ab, die in den Raum führte, aus dem Dr. Takeshi Araki telefoniert hatte.

»Kannst du ihn mit deinen Kräften bewegungsunfähig machen?«, flüsterte Henry.

»Ich weiß nicht, wie weit die Energiekuppel meine Fähigkeiten beeinflusst.«

»Dann muss es so gehen«, raunte Vasilij. »Du sagst, der Kerl spricht deutsch?«

Bei diesen Worten trat er die Tür ein und schoss dem Japaner, der vor einem Schreibtisch stand, zwei Kugeln aus seiner Magnum direkt vor die Füße. »Hände hoch! Sie sind unser Gefangener!«

Wir drangen in den Raum ein, mit den Waffen im Anschlag.

»Was wollt ihr Kretins?«, brüllte der Arzt und ergriff ein Samuraischwert, das vor ihm auf dem Tisch lag. Alles ging blitzschnell. Er stürmte brüllend auf uns zu, während er weit mit seinem Schwert ausholte.

Wir warfen uns zu Boden, gleichzeitig ratterte Mariannas Maschinenpistole. Sie schoss das komplette Magazin leer. Ich sah den Japaner mit durchlöcherter Brust auf mich zu fliegen und sprang zur Seite. Araki prallte gegen die Wand, rutschte daran herunter und blieb regungslos am Boden liegen.

»Das war sehr geistesgegenwärtig von dir, mein Schatz«, sagte Vasilij. »So schnell wie du hat keiner von uns reagiert!«

Marianna saß in der hinteren Zimmerecke, hielt ihre rauchende Waffe in der Hand und rief: »Dieser blöde Arsch! Ich hasse ihn! Wegen ihm ist mein Fingernagel abgebrochen!«

Dann begann sie, hemmungslos zu weinen.

»O weh, das ist der Schock«, knurrte Vasilij und nahm seine Frau in den Arm.

»Der nächste Schock kommt jetzt«, stöhnte Henry Burton. »Ich habe mir beim Fallen das Bein gebrochen.«

Erschrocken schauten wir zu ihm. Er saß gegen die Wand gelehnt. Sein linker Fuß stand in rechtem Winkel vom Unterschenkel ab, wo der Schaft seines Kampfstiefels zu Ende war.

In diesem Moment erklang lautes Brüllen und das Trappeln schwerer Stiefel auf dem langen Gang, der eben noch dunkel und unbelebt gewesen war.

»Die Wachen kommen!«, stöhnte Henry. »Zieht die Tür zu, schnell!«

Marianna steckte ein volles Magazin in ihre Maschinenpistole. Ich setzte mich auf den Boden und konzentrierte mich auf den Flur. Dort liefen acht Japaner mit gezogenen Pistolen in der Hand. Zwei hatten die Tür schon fast erreicht. Ich sandte einen feinen Strahl aus blauer Energie zu ihren Schusswaffen und erhitzte diese innerhalb einer Sekunde.

Schreiend ließen die Männer ihre Waffen fallen. Die vorderen blieben stehen, aber die hinter ihnen kommenden drängelten gegen die Tür und schoben ihre Kameraden in den Raum. Wir schossen alle gleichzeitig. Die Wachen brachen getroffen zusammen.

Plötzlich war es sehr still in dem großen Krankenhausgebäude. In diesem Moment knackste es im Funkgerät. »Freedom an Einsatzgruppe. Ihr müsst euch beeilen, das Schiff kehrt zurück! Euch bleiben höchstens dreißig Minuten für den Rückflug!«

Vasilij griff das Mikrofon. »Danke, verstanden!« Dann drehte er sich zu mir um. »Und nun?«

»Nun wird es eng«, entgegnete ich. »Wartet hier auf mich!«

Ich folgte meinen Gefühlen, rannte los und erreichte nach fünfzig Metern eine offene Tür. Die dahinterliegende Halle war mit dicken Bleiplatten an den Wänden und an der Decke verkleidet. Innerhalb des Raumes flackerte das blaue Licht einer kleinen Energiekuppel, wie ich sie in viel größeren Abmessungen von der Insel Elba her kannte. Das Krankenhaus war einfach um die Kuppel herumgebaut worden und die Bleiabschirmung verhinderte, dass sie vorher entdeckt hatte! Ich streckte meine Gedanken aus, fand sofort das komplexe Modul für den Öffnungsmechanismus und schaltete das Energiefeld aus.

Auf der Stelle erschienen sechs Liegen vor meinen Augen, auf denen die Mutanten lagen, die ich in meinem Traum gesehen hatte. Alle schliefen. Nur der Mann mit dem Hundekopf bewegte sich und stöhnte. Ich trat zu ihm und ergriff seine Hand. Er richtete sich langsam und benommen auf.

»Diese verdammten Spritzen, die sie einem ständig geben, machen einen ganz verrückt!«

Dann verspürte ich einen starken Schwindel, der sofort wieder verging.

Der Hundemann erhob sich.

»Ich bin Faisal. Keine Sorge, ich weiß Bescheid. Sie sind einer von den Guten, Dr. Clymer, das habe ich in Ihren Gedanken gesehen. Wir müssen hier weg, bevor Masao Shiro zurückgekehrt ist. Der böse Mutant ist ein widerliches Schwein und würde euch auf der Stelle töten.«

»Und wie sollen wir euch alle so schnell zu den Flugzeugen bringen?«, fragte ich und deutete auf die fünf Bewusstlosen.

»Gehen Sie zurück zu ihren Freunden, Dr. Clymer. Vertrauen Sie mir!«

Er schaute mich an und zog lächelnd seine Lefzen hoch.

Er trat zu Malraux, legte seine flache Hand auf ihren Körper und verschwand. Von der Stelle, wo er eben noch gewesen war, erklang ein leises ›Plopp‹, und auf dem Boden war ein Ring aus blauem, irisierenden Licht zu sehen.

Faisal konnte die Dimensionen des Raumes überwinden! Mir fiel der Silvestertag des Jahres 1913 ein, als Graf Andraschi auf die gleiche Weise aus einer Genfer Arztpraxis verschwunden war.

Der Hundemann wurde neben mir sichtbar. »Meine Reichweite ist leider auf fünfhundert Meter beschränkt, deshalb muss ich mehrmals teleportieren, um meine Freunde zu den Kampfjägern zu bringen. Führen Sie Ihre Kameraden zum Rollfeld! Schnell, jetzt, Masao Shiro wird schon in wenigen Minuten hier sein!«

Ich rannte zurück zu dem Raum, in dem der tote Dr. Takeshi Araki und acht erschossene Wachmänner lagen.

»Vasilij und ich tragen Henry, Marianna gibt uns Feuerschutz!«

Henry stöhnte laut, als wir ihn auf unsere Arme hoben. Der Bruch seines Beins war offen. Weiß schimmernde Knochen durchstießen seine Haut und Blut sickerte von innen durch seine Hose.

»Euch bleiben höchstens noch zehn Minuten«, erklang Ivos Stimme aus dem Funkgerät.

Als wir die Schotterpiste erreichten, saßen Malraux und die Amiens-Drillinge bereits auf den hinteren Plätzen der Polikarpow-Jäger und waren festgeschnallt. Vor dem Hundemann stand die junge Frau mit den zwei Köpfen.

»Ach du lieber Himmel!«, stöhnte Vasilij, als er die beiden sah. »Ich habe schon viel gesehen, aber das hätte ich trotz allem nicht für möglich gehalten!«

Ich deutete auf den Mann mit dem Hundekopf.

»Das ist Faisal.«

»Und ich bin Maryellen«, lächelte das Mädchen.

»Genau genommen bin ich Mary ...«, sagte die Linke, »... und ich bin Ellen«, ergänzte die Rechte. Sie kniete sich neben Henry und betrachtete sein gebrochenes Bein.

»Schließt eure Augen! Auch die Mutanten unter euch! Ihr würdet sterben, wenn ihr hinschaut und es seht!«

Durch meine geschlossenen Augenlider sah ich ein extrem helles, rotes Licht aufblitzen. »Ihr könnt die Augen öffnen, die Gefahr für euch ist vorüber.«

Henry Burton erhob sich langsam und machte ein erstauntes Gesicht. Er stand auf beiden Füßen, sein eben noch gebrochenes Bein war wieder in Ordnung.

»Wie hast du das gemacht, Maryellen?«, fragte er.

»Keine Ahnung, wie es geht. Ich besitze diese Gabe, soweit ich zurückdenken kann. Das ist alles, was ich weiß.«

»Ich will das Krankenhaus zerstören«, sagte ich.

»Dafür sollten wir mindestens fünfhundert Meter hoch sein. Könnt ihr mich mit euren Kräften unterstützen?«

»Natürlich!«, entgegnete Maryellen.

Ich zog meine Arme auseinander und ließ ein Energiefeld zwischen meinen Händen entstehen.

»Genau diese Farbe! Seht ihr?«

»Graue Energie? Ich dachte immer, ihre Existenz wäre nur eine Erfindung! Die beherrsche ich nicht, Robert! Aber was ist mit Rot?«

Sie erzeugte einen dunkelroten Energieball, der über ihrer rechten Handfläche schwebte.

»Gut«, sagte ich. »Dieses Rot nehmen wir!«

»Das Schiff legt an«, erklang Ivos Stimme aus dem Lautsprecher des Funkgeräts.

Vasilij schaute ungeduldig. »Wir müssen los! Maryellen fliegt mit Marianna, Faisal mit mir.«

Wenig später hatten wir die richtige Höhe erreicht. Ich streckte meinen rechten Arm aus und deutete mit meinem Zeigefinger auf das Gebäude in der Mitte der Insel.

Plötzlich wurde mir schwindelig und alles, was ich wahrnehmen konnte, war genauso unscharf, als wäre ich auf einmal stark kurzsichtig geworden. Masao Shiro griff nach meinen Gedanken!

»Mach schnell, Robert!«, hörte ich Maryellens Stimme aus dem Lautsprecher meines Funkgeräts. »Er versucht uns zu blenden! Beeil dich, sonst sind wir verloren!«

Ich nahm nur noch bunten Matsch ohne Konturen wahr.

Siedendheiß fiel mir ein, wie es mir gelungen war, Andrew Winters Enkel Alain die Nachricht von den Erdbeben auf der ganzen Welt zu übermitteln.

Ich konzentrierte mich auf den bösen Masao Shiro, der auf der Insel unter uns stand, und sandte ihm fünf starke, geballte Energieimpulse. Das würde ihn regelrecht umhauen müssen.

... war er vielleicht der Mutant des Teufels? ...

Wie umgeschaltet konnte ich völlig klar sehen. Als Erstes korrigierte ich den Kurs meines Jagdflugzeugs, dann richtete ich meine rechte Handfläche auf das Krankenhausgebäude und sah für einen kurzen Augenblick die beiden weißen Rüden an Bord der Freedom vor meinem inneren Auge.

»Sisko - Lawrence - Faisal - Maryellen: ›JETZT!‹«

Von meiner Hand schoss ein oberschenkeldicker, gebündelter Energiestrahl zum Krankenhaus. Mehrere heftige Explosionen dröhnten aus dem Gebäude und hohe, gelbe Flammen schlugen durch das Dach. Ich legte ringförmige Impulse aus weißer Energie um den Strahl herum, die daran heruntersausten und wie Granaten in den Boden einschlugen.

Das Atmen fiel mit zusehends schwerer, dann spürte ich einen stechenden Schmerz in meinem Kopf, ein unerträgliches Brennen hinter den Augen und fühlte eine dicke Flüssigkeit über mein Gesicht laufen.

»Du musst aufhören! ... Die Insel ist verdampft und der Pazifik kocht! ... Hör endlich auf, sonst wirst du uns alle umbringen! ... Robert! Hörst du mich?«, dröhnte Ivos Stimme aus dem Funkgerät.

Ich erwachte wie aus einer Trance, zog meinen Arm zurück und der Energiestrahl verschwand. Unter uns zischte das Meer, als sei gerade ein neuer Vulkan entstanden. Wo die Gefangeneninsel gewesen war, brodelte rot glühende Lava.

Mein Polikarpow-Jäger war ziemlich vom Kurs abgekommen. Ich griff zum Steuerknüppel, rutschte aber mehrmals ab. Meine Hände fühlten sich klebrig an.

Ein Blick auf das Armaturenbrett zeigte mir, dass die Instrumente mit einem roten Nebel bedeckt waren. Blut! Es spritzte mit hohem Druck aus meiner Nase. Mir wurde wieder schwindelig. Ich schien mehr von meinem Lebenssaft zu verlieren als gut für mich war.

»Von dem Flugzeugträger startet eine Staffel Kampfjäger!«, ertönte Ivos Stimme aus dem Funkgerät. »Beeilt euch, dass ihr an Bord kommt!«

Mein Puls hämmerte wie verrückt, und ich verlor das Bewusstsein. Ich erwachte in einem Krankenhausbett. Ab und zu bebte der Boden und mächtiges Geschützfeuer erklang unter uns und über uns.

Ich öffnete meine Augen. Eine junge Frau mit zwei Köpfen saß neben mir und hielt meine Hand.

»Maryellen!«, rief ich und sprang aus dem Bett. »Wo bin ich? Was ist geschehen?«

Ihre beiden Gesichter schauten ernst. »Deinen Blutverlust konnte ich ausgleichen, nachdem ich die geplatzte Arterie in deinem Schädel repariert habe. Du hast dich völlig überanstrengt und wärst fast gestorben, Robert!«

Mir fiel ein, wie sie Henry Burtons gebrochenes Bein geheilt hatte. »Du bist in der Lage, andere Menschen zu heilen, nicht wahr?«

»Nur Verletzungen und auch nur, wenn der Betroffene noch lebt. Ich kann keine Toten auferwecken, und abgetrennte Gliedmaßen kriege ich auch nicht wieder dran. Übrigens mussten wir dich entkleiden und die Sachen wegwerfen, sie waren mit deinem Blut durchtränkt. Du solltest etwas anziehen, du stehst nackt vor mir.«

Die junge Frau kicherte. »Ich dreh mich so lange um.«

Das war mir gar nicht aufgefallen. Ich schlüpfte in meine normale Straßenkleidung, die ordentlich zusammengelegt auf dem leeren Bett neben mir lag.

»Ok«, sagte ich und schaute mich um. »Wo sind wir eigentlich? Ich war noch nie in diesem Raum.«

»Du kennst dein eigenes Luftschiff nicht, Robert? Hier ist die Krankenstation im Mannschaftsbereich! Nebenan befindet sich sogar ein Operationssaal wie in einem Krankenhaus! Die Freedom ist eine richtige fliegende Stadt ...«

... die mein Sohn anscheinend für sich gebaut hat, ergänzte ich in Gedanken. Mit einem OP an Bord. Was hat er sich nur dabei gedacht?

Von draußen ertönte wieder heftiges Geschützfeuer von den elektrisch gesteuerten Waffensystemen. Kurz darauf erschütterten mehrere starke Explosionen die Luft.

»Lass uns in den Leitstand gehen«, sagte ich. »Ich muss wissen, was um uns herum geschieht.«

Das Mädchen mit den zwei Köpfen folgte mir. Als Erstes sah ich Yvonne Burton, die in dem drehbaren Sessel des Bordschützen vor den Fernsehmonitoren saß, und gleichzeitig mit allen sechs Maschinenkanonen feuerte, was das Zeug hielt.

Viele, blaue Lichtblitze um die Freedom herum zeigten mir, dass der Schutzschirm die Geschosse der japanischen Jagdflugzeuge abfing, bevor sie das Luftschiff erreichen konnten. Die letzten vier Piloten waren so dumm, in Formationsflug überzugehen, und kamen direkt auf und zu.

Henrys Frau bewegte ihre Finger an den kleinen Steuerungshebeln der Geschütze so schnell, dass es mir nicht gelang, ihre Bewegungen auseinanderzuhalten. Die weißen Steuerkreuze auf den Fernsehmonitoren zuckten hin und her, dann beendeten mehrere kurz aufeinander folgende Explosionen alle Kampfhandlungen.

Yvonne warf ihren Kopf in den Nacken und rief: »Hah! Das war's! Wie viele habe ich erwischt, Henry?«

Er ließ sein Fernglas sinken. »Kann ich nicht genau sagen, mein Schatz! Du hast aus allen Rohren gleichzeitig geschossen und so schnell reagiert, dass ich gar nicht überall hingucken konnte. Grob geschätzt ist es dir gelungen, zwischen fünfundvierzig und sechzig Jagdflugzeuge vom Himmel zu holen.«

Sie erhob sich lächelnd von ihrem Sitz, ging zu ihrem Mann und legte ihre Arme um seinen Hals. »Sag du nochmal, wir Frauen wären keine Soldaten! So zu schießen hättest du nicht hinbekommen, nicht wahr?«

Sie gab ihm einen Kuss.

»Das ist ungerecht!«, antwortete Henry entrüstet. »Ich habe gar nichts gesagt! Vasilij ist schuld! Er hat den blöden Spruch mit den Soldaten abgelassen!«

Ivo ließ sein Fernglas sinken. »Diskutiert das später! Wir müssen schleunigst hier weg, der Flugzeugträger und das Schlachtschiff drehen ihre Geschütztürme in unsere Richtung!«

Ich setzte mich auf den Sessel des Kapitäns, schob die Gashebel auf volle Fahrt voraus und leitete ein Notmanöver ein, über das ich vor einigen Tagen im Handbuch der Freedom gelesen hatte.

Das Luftschiff senkte seinen Bug um zwanzig Grad und fuhr in einem lang gestreckten Halbkreis nach unten. Innerhalb von zwei Minuten waren wir aus der Sichtweite der japanischen Schiffe verschwunden.

Ich brachte uns auf eine Höhe von eintausendfünfhundert Metern und stellte die automatische Steuerung auf Westkurs ein. Dann ging ich in den Salon, wo meine Freunde das Geschirr, das bei dem Manöver zu Bruch gegangen war, vom Boden aufsammelten.

»Von der Insel ist nichts mehr übrig! Aus welchem Grund hast du eine Zerstörung von diesen Ausmaßen angerichtet, Robert?« fragte Ivo. »Das war absolut unnötig und hätte dich fast das Leben gekostet. Ohne Maryellens spontane Hilfe wärst du hoffnungslos verblutet.«

»Ich weiß! Ich habe an einem bestimmten Punkt die Beherrschung verloren. Alles begann automatisch abzulaufen, es fühlte sich an, als würde ein Dritter die Kontrolle über mich übernehmen.«

»Du musst deinen Zorn und deinen Hass in den Griff bekommen, sonst wirst du dich eines Tages umbringen!«

Ich ließ die vergangenen Ereignisse Revue passieren.

»Es waren nicht meine negativen Gefühle, die mich dazu trieben, die Insel einzuschmelzen. Masao Shiros unbändige Wut übertrug sich in dem Moment auf mich, als er starb.«

»Bist du dir sicher, dass er tot ist?«

Statt meiner knurrte Faisal: »Macht euch keine Sorgen wegen des bösen Mutanten. Ich habe gespürt, wie er in dem kochenden Gestein verbrannte.«

»Demnach ist unsere Aufgabe in dieser Region der Welt erfüllt und wir können wieder nachhause fahren«, sagte Lorenz hoffnungsvoll.

»Ja«, wollte ich antworten, aber es ging nicht, weil vor meinem inneren Auge eine Landkarte des Pazifikraums erschien. An der chinesisch-russischen Grenze brannte ein größerer Fleck und ich fühlte, dass wir an diesem Ort etwas zu erledigen hatten. Ich konzentrierte mich auf meinen Instinkt und schaltete alle Gedanken aus, weil ich mehr darüber zu erfahren hoffte, aber dieser eigenartigen Vision folgten keine weiteren Bilder und Empfindungen.

Ich kam wieder zu mir und beschrieb meinen Gefährten, was ich gesehen hatte.

»Bevor deine Erinnerung verblasst, sollten wir versuchen, den Ort auf den Karten zu finden«, schlug Ivo vor.

Vasilij breitete eine Landkarte der Region auf dem Tisch aus und ich deutete instinktiv mit dem Finger auf eine menschenverlassene Gegend südöstlich des Balchaschsees in der UdSSR. Wir würden drei bis vier Tage benötigen, um dieses Ziel zu erreichen.

»Dorthin soll es gehen?«, fragte Ivo.

»Ja«, sagte ich.

Vasilij nickte wortlos und ging in den Leitstand, um unser neues Reiseziel in die Steuerung der Freedom einzugeben.

»Also fahren wir doch noch nicht nachhause?«, brummte Lorenz enttäuscht und starrte aus dem Salonfenster des Luftschiffs.

»Nein, mein Schatz«, antwortete seine Frau Sarah. »Wir ziehen weiter zu neuen Abenteuern.«

Zuchtprogramm der Götter

Wir erreichten die Küste und fuhren von nun an über Land. Während die Freedom lautlos und unbemerkt durch chinesischen Luftraum glitt, rief ich am Abend dieses Tages meine Freunde zusammen, um ihnen endlich von dem belauschten Telefonat zwischen Dr. Araki und Dr. Conti zu berichten. Die geretteten Mutanten waren inzwischen wieder wohlauf und nahmen an unserer Besprechung teil.

»Also gehören die beiden Ärzte und der idiotische Dr. Goebbels zu den verdammten MAÎTRES DU MONDE«, bemerkte Lorenz.

»Vor neun Jahren brachten diese Verbrecher deinen Bruder um und danach verlor sich ihre Spur im Nichts. Es gelang meinen Agenten nie, die wahren Hintermänner ausfindig zu machen und herauszufinden, was sie eigentlich erreichen wollten, und nun tauchen sie nach der langen Zeit wieder aus der Versenkung auf? Das ist mehr als eigenartig.«

»Du hast Recht«, entgegnete ich. »Auch mir ist es nie gelungen, die verworrenen Fakten unter einen Hut zu bringen. Heinrich Himmler und die SS - Barbarossas Zepter der Macht - Graf Eckners okkultistisch angehauchte *Ahnenerbe*-Organisation - die sinnlose Entführung und Ermordung meines Bruders Laurent - Goebbels Männer in den Omega-Uniformen - Andraschis Enkel Alain, der ein Energiefeld über dem Deutschen Reich erzeugt - die vielen verschwundenen Mädchen in Berlin - nichts davon passt wirklich zusammen. Dazu noch der mysteriöse Geheimbund der MAÎTRES DU MONDE und okkulte Zirkel wie die *›Reichsarbeitsgemeinschaft Das kommende Deutschland‹* und die Thule-Gesellschaft. Manche ihrer Wurzeln scheinen wenigstens bis zum Ersten Weltkrieg zurückzureichen, wenn nicht gar bis ins neunzehnte Jahrhundert. Die einen behaupten, Graf Andraschi wäre ihr Kamerad gewesen, die anderen verwenden Begriffe wie das VRIL, die der Schriftsteller Bulwer-Lytton schon vor siebzig Jahren erfand. Zu allem Überfluss erinnere ich mich daran, dass die uralte Bruderschaft der englischen Rosenkreutzer auch irgendwie beteiligt ist. Wenn ich jetzt noch das Gespräch dazunehme, das Araki mit Conti führte, begreife ich überhaupt keine Zusammenhänge mehr.«

»Man muss den roten Faden kennen, um dieses Knäuel entwirren zu können«, erwiderte Pierre, der einzige der Amiens-Drillinge, der reden konnte. »Unsere Geschichte kann zumindest etwas Licht in dieses Dunkel bringen, deshalb schlage ich vor, sie euch zu erzählen. Ich werde am Anfang beginnen. Einverstanden?«

»Natürlich«, sagte Ivo lächelnd. »Wir werden dir geduldig zuhören, mein Freund.«

Der Mutant nickte ihm zu. »Gut - eine Erklärung vorneweg: Wir waren seit Ende 1932 Gefangene auf der japanischen Insel und haben in dieser Zeit viel mitbekommen. Zum einen interessierte es

Dr. Araki nicht, dass wir seine Ziele kannten und wussten, was er vorhatte, zum anderen können die meisten von uns sowieso Gedanken lesen. Selbst dem bösen Masao Shiro gelang es nicht immer, seine Gedankenbilder vor uns zu verbergen. - Nun zu unserer Geschichte. Ich muss zurückgehen bis ins Jahr 1914, als Ivo uns Mutanten Arkadi Island schenkte. Die ersten Jahre lebten wir glücklich und zufrieden. Malraux bekam sogar ein Baby, das sie Alain nannte nach seinem verstorbenen Vater. Als die Faschisten 1922 an die Macht kamen, änderte sich alles. Obwohl unser Zuhause international als unabhängiger Kleinstaat anerkannt war, weckte es aufgrund seiner Lage in der Adria die Begehrlichkeiten der Italiener. Von einem Mittelsmann in Rom erfuhren wir, dass Mussolini Anweisung erteilt hatte, die Insel zu besetzen und uns zu beseitigen. Wir flohen mit der Brotherhood nach Südfrankreich und verkauften die *Arkadi-Island-Foundation* an einen reichen griechischen Reeder. Von dem Erlös erwarben wir das Waldstück von der französischen Regierung, auf dem bis 1914 der Stützpunkt des Mutantenkorps gewesen war. Auf unserer Lichtung lebten wir zehn Jahre in völliger Abgeschiedenheit und sehr zufrieden - bis zum Sommer 1932.«

Pierre holte tief Luft. »In der Zwischenzeit waren sogar in Frankreich einige nationalsozialistische Zellen entstanden. Eine dieser geheimen Naziorganisationen bezeichnete sich selbst als LES MAÎTRES DU MONDE. Von Anfang an war es ihr erklärtes Ziel, eine menschliche Überrasse zu schaffen, die die Vril-Kraft beherrscht, wie Edward Bulwer-Lytton in seinem Roman *The coming Race* beschreibt ...«

»... also waren sie schon lange aktiv, bevor Hindenburg den Faschisten die Macht übergab?«, unterbrach ich ihn erstaunt.

»Deshalb sind ihnen Hitler und die anderen Nazipersönlichkeiten so unwichtig - sie benutzen ihre Kumpane nur, um ihrem eigentlichen Ziel näherzukommen!«

Pierre lächelte. »Genauso ist es, Robert. Du hast im Spätsommer 1932 eine Europareise mit Ivo und Vasilij unternommen. Während eurer Überfahrt seid ihr Dr. Conti und Alfred Graf Eckner begegnet, nicht wahr?

»Stimmt.«

»Dr. Araki war damals schon der Dritte im Bunde, obwohl er nicht an der USA-Expedition teilnahm. Die Drei gehörten von

Anfang an zum inneren Zirkel der MAÎTRES DU MONDE und waren in die USA gefahren, um uns Mutanten zu suchen. Den entscheidenden Tipp, wo wir uns versteckten, erhielten sie erst nach ihrer Rückkehr nach Deutschland von einem Mann, den ihr ebenfalls kennt. Sein Name ist Josef Heidenreich. Er wurde kurze Zeit später ein hohes Tier bei der SA.«

»Schande über ihn! Der dreckige Verräter war einmal mein bester Freund!«, knurrte Henry Burton mit bitterer Stimme.

Pierre schaute abwesend gegen die Wand. »Bleiben wir bei der Reihenfolge der Geschehnisse. 1931 fand Dr. Araki Masao Shiro in Tokyo und nahm ihn in seine Dienste. 1932 lebten elf Menschen auf der Lichtung bei Paris. In einer Septembernacht überfielen uns die MAÎTRES DU MONDE, während wir schliefen. Der böse Mutant blockierte unsere übernatürlichen Fähigkeiten, bis wir mit Injektionen sediert waren. In diesem Dämmerzustand schaffte man uns um die halbe Welt auf die japanische Insel. Man brachte uns unter die Energiekuppel, die wegen der dicken Bleiplatten in den Wänden des Krankenhauses von außen nicht zu entdecken war. Zusätzlich stellte Masao Shiro das Energiefeld so ein, dass übersinnliche Kräfte nicht durch die Kuppel nach draußen dringen konnten.«

Er lächelte. »Dass es Faisal trotzdem gelang, seine Gedankenbilder durch die Energiekopplung zu senden, bemerkte der böse Mutant nie. Ohne diesen Trick hättest du uns niemals ausfindig machen können, Robert!«

Pierre öffnete seinen Hemdkragen und zeigte uns seinen Nacken. Um den gesamten Hals herum, auf den Schultern und auf seinem kahlen Schädel befanden sich diverse Operationsnarben.

»Dr. Araki wollte die Quelle unserer übernatürlichen Fähigkeiten finden. Eine Woche nach unserer Ankunft begannen die grausamen Experimente und Quälereien. Sieben von uns starben bei den entsetzlichen Operationen, die er an uns vornahm. Unsere Freunde wurden regelrecht totgequält. Es war grauenhaft! Jeder von uns Überlebenden ist mindestens zehnmal operiert worden, grundsätzlich ohne Narkose. Nur wir vier sind noch übrig vom ehemaligen französischen Mutantenkorps.«

Er machte eine Pause und holte tief Luft. Seine Augen begannen, feucht zu glänzen.

»Vor einigen Tagen fand Dr. Araki im Kopf von Joseph, wonach er die ganze Zeit gesucht hatte. Wir wissen nicht, was genau er herausfand, denn unser Freund starb während dieser Operation. Seine Schreie werde ich nie vergessen!«

Er hielt sich die linke Hand vor die Augen. Wir schwiegen. Nach einer Weile sprach Pierre leise weiter. »Der Arzt war überzeugt davon, endlich am Ziel seiner Wünsche zu sein, und ein Medikament herstellen zu können, das durch eine einzige Injektion jedem normalen Menschen übersinnliche Fähigkeiten verleiht. Deshalb brauchte uns nicht mehr.«

»Eure Beseitigung durch diesen Verbrecher konnten wir ja Gott sei Dank im letzten Moment noch verhindern«, sagte Ivo. »Die Insel ist geschmolzen, das Boot, das daran angelegt hatte, ist verbrannt. Alle Labore sind zerstört und Dr. Araki und der böse Mutant sind tot. Damit dürfte die Gefahr, die von diesen Verbrechern ausging, beseitigt sein.«

Pierre machte ein ernstes Gesicht. »Leider stimmt das nicht ganz. Einen Tag, bevor ihr uns befreitet, wurde nämlich ein Päckchen nach Deutschland verschickt, in dem sich drei Injektionsspritzen für den deutschen Reichspropagandaminister Dr. Goebbels befinden. Er ist ein weiteres Mitglied im Führungszirkel der MAÎTRES DU MONDE und mit den anderen befreundet.«

Ich schaute auf meine Notizen von dem belauschten Telefonat und verstand plötzlich die Zusammenhänge. »Verdammt! Sie wollen ihn zum Herrn der Welt machen! Er darf diese Spritzen nicht erhalten! Er ist bereits ein Mutant, nur einer, der nicht richtig funktioniert! Davon abgesehen hat der Mann einen üblen Dachschaden! Wer weiß, was aus dem Verrückten wird, wenn er sich dieses Mittel injizieren lässt!«

»Nochmal langsam«, sagte Ivo ungläubig. »Dr. Araki hat das Päckchen mit den Injektionsspritzen mit der normalen Briefpost um die halbe Welt nach Deutschland verschickt?«

Pierre nickte. »Der einfachste Weg, um etwas zu transportieren, von dem keiner wissen soll. Masao Shiro fuhr mit dem Schiff auf das japanische Festland, um es zur Poststation zu bringen. Nur aus diesem Grund war er an dem Tag, als ihr uns befreitet, nicht auf der Insel.«

»Arakis Naivität beruhigt mich«, sagte Ivo. »Die Wahrscheinlichkeit ist ausgesprochen hoch, dass das Päckchen in diesen unsicheren Kriegszeiten sein Ziel niemals erreichen wird.«

»Warten wir's ab«, entgegnete ich. »Wir haben die MAÎTRES DU MONDE auf jeden Fall geschwächt, denn Araki und der böse Mutant sind tot. Ein ganz anderes Thema, das mich seit 1932 bewegt, ist die Frage, was damals mit Malrauxs Sohn Alain geschehen ist.«

Pierre nickte. »Unsere Freundin wird ihre Gedanken zu mir übertragen und ich spreche aus, was sie denkt, damit ihr alle hören könnt, was sie zu sagen hat.«

»Er war bei seiner Geburt allem Anschein nach ein menschliches Baby ohne eine einzige Missbildung«, begann die Mutantin. »Zumindest schien es so. Erst Jahre später fand ich heraus, dass es meinem Sohn seit seiner Entbindung gelungen war, sogar mich zu täuschen, obwohl ich seine Mutter bin. Er verfügt nämlich über die Fähigkeit, die permanente Illusion zu erzeugen, wie ein normal geformtes Kind auszusehen. In Wirklichkeit wuchs sein Schädel überproportional schnell; dieser erreichte schon in seinem dritten Lebensjahr einen Durchmesser von einem halben Meter. Das behinderte ihn allerdings in keiner Weise, denn Alain ist in der Lage, seinen Körper mit seinen übersinnlichen Kräften zu stabilisieren. Er umgibt sich ständig - selbst im Schlaf - mit einem Energiefeld, das die Funktion eines Stützkorsetts besitzt.«

Malraux machte eine Pause und holte tief Luft. Dabei lief ein Impuls aus blauem, irisierendem Licht um die Säume ihrer rochenartigen Flossen herum. »Leider liegt sein Intellekt deutlich unterhalb des Durchschnitts. Eigentlich müsste man ihn als geistig zurückgeblieben bezeichnen.«

Ich bemerkte, wie eine Träne aus ihrem rechtem Stielauge auf ihren braunen Rücken tropfte. »Als wir von den MAÎTRES DU MONDE entführt wurden, war Alain gerade siebzehn Jahre alt und mitten in der Pubertät. Wir beide hatten uns wegen einer Belanglosigkeit gestritten. Ich weiß gar nicht mehr, worum es gegangen war. Der böse Masao Shiro entdeckte sofort, welche Kräfte in meinem Sohn schlummerten, und nahm ihn nicht gefangen. Stattdessen schmeichelte er ihm, was bei einem Zurückgebliebenen sehr einfach ist. Während wir Erwachsenen sediert auf der Ladefläche eines Lastwagens lagen, veranstalteten Masao und mein Alain einen Wettstreit ihrer übersinnlichen Fähigkeiten und ließen die Bäume, die unser Grundstück umgaben, explodieren und in Flammen aufgehen. Mein Alain hatte viel Spaß dabei. Dr. Conti versprachen ihm ein wunderbares Leben in Saus und Braus, mit allem, was ein Jugendlicher sich in diesem Alter wünscht, sogar mit einer hübschen Freundin! Als wir abtransportiert wurden, um nach Japan gebracht zu werden, fuhr mein Sohn mit den Nazis nach Deutschland. Er drehte sich beim Abschied nicht einmal um.«

»Seit Dezember 1932 erzeugt er ein permanentes Energienetz über dem Deutschen Reich«, sagte ich. »Weißt du, welchem Zweck es dient?«

»Das ist ganz einfach, Robert. Die MAÎTRES DU MONDE fürchten, dass ihnen andere Mutanten in die Quere kommen und die von ihnen angestrebte Weltherrschaft streitig machen könnten. Dr. Conti und Dr. Araki wetteiferten darum, wer als Erster den besseren Übermenschen hervorbringen wird. Sie nennen ihr Unternehmen übrigens ›*Projekt Genesis*‹ ...«

»Das also bedeutet die Abkürzung PG!«, unterbrach ich die Mutantin. »Omega-PG - so bezeichnen sie sich selbst und das ergibt sich deutlich aus den Omega-Zeichen auf ihren SS-Uniformen! Omega Projekt Genesis - die Schaffung eines Übermenschen - quasi ein Super-Arier mit übersinnlichen Fähigkeiten.«

Ivo sagte sehr leise: »Ein Gedanke daran erscheint mir unbegreiflich. Wenn es bei all dem tatsächlich um Übermenschen geht, dann wäre die Wahl eines geistig Zurückgebliebenen - wie du selbst gesagt hast - eine überaus schlechte Ausgangsbasis für ihre Forschungen.«

Malraux nickte mit ihrem kleinen Kopf. »Unseres Wissens steht Alain nicht im Zentrum ihrer Untersuchungen, er sorgt nur für den Schutzschirm.«

»Wir haben uns lange den Kopf darüber zerbrochen, wo dein Sohn sein könnte, fanden es aber nie heraus.«

»Der deutsche Stützpunkt der Omega-PG liegt im städtischen Militärkrankenhaus von Chemnitz«, antwortete Pierre.

»Die eigentliche Forschungsanlage befindet sich einige Kilometer nordöstlich davon.«

Ich schlug mir mit der flachen Hand gegen die Stirn. »Genau im Mittelpunkt Deutschlands zwischen den winzigen Ortschaften Burgholzhausen und Tromsdorf! Wir wissen das seit Jahren! Vasilij! Erinnerst du dich an unseren Rundflug entlang der deutschen Grenze, den wir im Auftrag von Professor Grimaldi unternahmen, um das Erdmagnetfeld auszumessen?«

»Natürlich! Nach der Auswertung der Daten kamen wir zu dem Schluss, dass Alain sich nicht in dieser abgelegenen Region aufhalten kann, dabei hat er.genau an dem Ort gelebt, den wir berechnet hatten!«

»Mein Sohn wird in diesem Jahr siebenundzwanzig. Ich würde ihn so gerne wiedersehen! Meint ihr, das ist möglich?«, fragte Malraux.

»Im Augenblick ist das eher unwahrscheinlich«, antwortete Ivo. »Die Welt befindet sich zurzeit in einem verheerenden Krieg, den das faschistische Naziregime 1939 angezettelt hat. Deutsche Sturmtruppen haben nahezu ganz Europa erobert und stehen sogar in Nordafrika. Soll ich euch kurz darstellen, wie es heute aussieht?«

Während Ivo mit Hilfe eines der Atlanten die aktuelle militärische Lage erläuterte, schloss ich meine Augen.

... nichts ist, wie es scheint ...

Ich erwachte erst aus meinem Dämmerzustand, als Maryellen berichtete, wie sie in die Gefangenschaft der Japaner gekommen war. Dr. Takeshi Araki hatte unverhofft Geburtshilfe bei einer britischen Diplomatenfrau in Tokyo leisten müssen und das Neugeborene mit den zwei Köpfen kurzerhand für tot erklärt und mitgenommen, um es bei einer befreundeten Bauernfamilie auf dem Land aufziehen zu lassen. Als Jugendliche hatte er sie in seine Forschungseinrichtung gebracht.

»Hatte der Mann Familie?«, fragte Marianna.

»Nein, er nicht, aber der böse Mutant Masao Shiro hat eine Frau und drei Kinder.«

Faisal war während einer Ägyptenreise von Alfred Graf Eckner auf einem Basar in Kairo entdeckt worden. Seine Eltern boten den Jungen mit dem Hundekopf zum Verkauf an. Er erwarb den ungewöhnlichen Knaben für die MAÎTRES DU MONDE.

Ivo erhob sich Ivo aus seinem Sessel. »Ich bin müde und zudem erschüttert über das, was wir gerade gehört haben. Ich muss mir die frische Luft auf dem Landedeck um die Nase wehen lassen, um wieder einen klaren Kopf zu kriegen. Kommst du mit, Wanda?«

Die beiden fuhren in einem der röhrenförmigen Fahrstühle nach unten. Die übrige Gruppe löste sich auf. Währenddessen glitt die Freedom lautlos durch die Nacht, einem Ziel entgegen, das wir nicht kannten, und von dem keiner wusste, was uns dort erwarten würde.

Am folgenden Morgen war ich unausgeschlafen, weil ich stundenlang wachgelegen und kaum ein Auge zugetan hatte. Ich wusch mich, zog mich an und ging in den Leitstand.

»Wir fahren immer weiter Richtung Westen«, sagte Vasilij. »Was sollen wir dort? Fühlst du schon etwas?«

»Nein«, antwortete ich kurz angebunden und begab mich in die Küche, um mir einen Kaffee zu holen.

»Und, Robert? Fühlst du schon was?«, fragte Sarah Miller und schenkte sich den letzten Kaffee aus der Kanne ein.

Wortlos und genervt ging ich zurück in den Salon.

»Hast du schlechte Laune?«, rief sie hinter mir her.

Wie hält es Lorenz bloß mit dieser Frau aus, dachte ich, während ich mich in meinen Sessel setzte.

Ivo Radenković kam herein. »Und? Schon was gefühlt?«

»Ich schreie gleich!«, sagte ich ungehalten, nahm einen Zettel und schrieb darauf:

BEVOR JEMAND FRAGT:
NEIN, ICH FÜHLE NOCH NICHTS !!!
ROBERT

Ich befestigte ihn so an einem der Schränke, dass er jedem sofort ins Auge fallen musste. Ivo las, was ich geschrieben hatte, und grinste. »Ich werde uns einen Kaffee holen. Ich glaube, du brauchst dringend einen, du alter Morgenmuffel!«

Als er die Küche betrat, sagte Sarah: »Robert geht man heute besser aus dem Weg, der hat schlechte Laune.«

Ich stand auf und begab mich schwer genervt in den Leitstand. Auf dem Pult vor dem Drehsessel des Kapitäns lag eine Landkarte von dieser Region.

»Wo sind wir jetzt?«, fragte ich Vasilij.

»Wir überfahren gerade eine chinesische Stadt, die *Qara-Mai* heißt. Noch ungefähr hundert Kilometer bis zur sowjetischen Grenze.«

»Lass mich bitte rufen, wenn wir sie erreicht haben«, sagte ich und ging zurück in den Salon.

Faisal saß auf einem der Sofas und trank Kaffee aus einer Tasse. Trotz seiner langen Schnauze gelang ihm das völlig problemlos. Er bemerkte meinen erstaunten Blick und zog grinsend seine Lefzen hoch, sodass ich seine großen Fangzähne sehen konnte.

»Ich bin kein Hund, Robert! Ich bin nur ein Mensch mit einem hundeähnlichen Kopf und kann ganz normal trinken wie jeder andere auch!«

Ich schwieg, weil es mir peinlich war, dass er meine Überlegungen erraten hatte. Er deutete auf meinen Zettel an dem Schrank.

»Heute Nacht im Schlaf spürte ich, dass sich viele Lebewesen in großer Gefahr befinden. In diesem Traum wiederholte sich ständig dasselbe Wort: *Waheela, Waheela, Waheela*. Damit kann ich allerdings nichts anfangen.«

Aber ich konnte es. So hieß mein Rüde Sisko bei John Blackwolfs Großvater.

... der Gott der Wölfe ...

Ich betrat den Leitstand der Freedom, während wir die sowjetische Grenze passierten. Vasilij ließ das Luftschiff auf fünfzig Meter über dem Boden sinken. Wir machten langsame Fahrt voraus.

Die steile Schlucht, der wir seit einigen Kilometern folgten, wies eine wunderschöne Landschaft auf. Blumenwiesen an den Hängen wechselten sich ab mit niedrigen, dickstämmigen Bäumen. An der tiefsten Stelle verlief ein Fluss, der zum Balchaschsee führte. Nach einer langen Biegung kam ein hoher Staudamm in Sicht. Wir fuhren genau darauf zu.

Ich begriff die Situation sofort und wusste plötzlich, dass die Sowjets dieses Tal durch die Sprengung mehrerer alter Talsperren fluten wollten. Wir konnten zwar jederzeit aufsteigen, um uns in Sicherheit zu bringen, aber nicht die vielen tausend verängstigt aussehenden Wölfe, die unten vor der neu errichteten Staumauer standen.

»Los, Vasilij! Wir müssen direkt vor der Mauer herunter! Schnell! Wenn wir den armen Tieren nicht helfen, werden sie alle ertrinken!«

Ivo und ich begaben uns auf das Landedeck der Freedom, um es vorzubereiten. In Windeseile schoben wir die hohen Schutzkanten vor das hintere Ende der Rollbahn. Dadurch würde keines der Tiere herunterfallen können. Fünf Meter über dem Boden blieb das Luftschiff stehen. Ich fuhr die elektrisch angetriebene, breite Laderampe aus und rannte herunter zu den Wölfen. Sie rührten sich nicht, hatten ihre Schwänze eingekniffen, die Ohren eng an ihre Köpfe gelegt und hechelten.

»Kommt an Bord, sonst werdet ihr alle ertrinken«, rief ich ihnen zu und bemühte mich, meiner Stimme einen sanften Klang zu geben. Immer noch geschah nichts.

Nervös streckte ich meine Gedanken aus und versuchte, den Tieren das Gefühl zu vermitteln, dass sie keine Angst zu haben brauchten. Als ich meine Augen wieder öffnete, erreichten die Ersten das Landedeck. Leichtfüßig liefen sie die fünfhundert Meter bis zum hinteren Ende und blieben vor der meterhohen Schutzkante stehen. Auf einmal ging es rasend schnell. Unzählige Wölfe hetzten die Rampe hoch, während die Freedom zischte und gurgelte wie ein Urzeitmonster. Die zentrale Steuerung glich die Gewichtszunahme durch das Ablassen von Ballastwasser aus.

Aus der Ferne erklangen mehrere Explosionen, die den Boden erbeben ließen, und höchstens die Hälfte der Tiere war erst an Bord!

»Beeilt euch, das Wasser kommt gleich!«, rief ich und sandte diesen Gedanken gleichzeitig an alle Tiere, die immer noch draußen standen.

Als die Letzten endlich die Laderampe hochhetzten, bemerkte ich eine sechzig bis siebzig Meter hohe, nahezu senkrechte Wasserwand, die von Felstrümmern und ausgerissenen Bäumen durchsetzt war. Sie kam direkt auf uns zu.

»Volle Kraft nach oben, Vasilij!«, schrie ich in den Hörer des roten Telefons, während ich die elektrisch betriebene Rampe einfuhr. Die Freedom stieg auf und die Flutwelle kam immer näher ...

Wir schafften es gerade eben. Dicht unter uns stürzten die Wassermassen brüllend gegen die neue Staumauer. Das Wasser spritze hoch, aber das konnte uns nicht mehr schaden, die Gefahr war vorüber.

Die Wölfe standen eng gedrängt auf dem fünfhundert Meter langen Landedeck. Die meisten hatten wolfsfarbenes Fell, aber es gab auch einige wenige weiße und schwarze unter ihnen.

»Das müssen über viertausend Tiere sein«, sagte Lorenz fassungslos. »Ich habe noch nie ein so gigantisches Wolfsrudel gesehen. Ob sie zu einem ganzen Volk gehören - so wie bei Moses, der seine Leute ins gelobe Land brachte? Sie sind alle ungewöhnlich groß und schlank, findest du nicht?«

Ich fühlte, wie eine Schnauze gegen meinen Oberschenkel stieß, und sah herunter. Neben mir stand eine sehr alte Wölfin. Alle Haare auf ihrem Kopf waren schneeweiß. Ich bemerkte, dass sie ihre hinteren Pfoten leicht nach außen gedreht hielt. Ihre Hinterbeine zitterten. Sie schaute mich an mit ihren unglaublich schönen, blauen Augen, die sehr müde wirkten. Es fuhr mir wie ein Stich durchs Herz.

»Das kann doch nicht sein«, sagte ich leise und kniete mich hin, um auf Augenhöhe mit ihr zu sein. »Jana? ...«

Die alte Hündin setzte sich schnaufend hin und lachte über ihr ganzes Gesicht.

»Liebe Jana«, flüsterte ich und legte meine Arme sanft um meine Hündin, die 1909 im Alter von vier Wochen zu mir gekommen war und der ich vor siebenundzwanzig Jahren in Istrien die Freiheit geschenkt hatte. Ich konnte meine Freudentränen nicht zurückhalten.

Meine Kameraden waren inzwischen gegangen. Die viertausend Wölfe lagen friedlich auf dem Landedeck der Freedom und schliefen. Ich stand auf. Jana stellte sich ebenfalls hin, ging wacklig zu einem der Fahrstühle, die zum Leitstand führten, und gab ein leises »Wuff«, von sich.

»Wollen wir nach oben fahren?«

Sie schaute mich an und wedelte mit dem Schwanz.

Als sich die Fahrstuhltür öffnete, kamen Sisko und Lawrence auf uns zugestürzt. Einen Meter vor ihrer Mutter blieben sie stehen, schnupperten vorsichtig und ließen sich auf den Rücken fallen. Dieses Verhalten hatte ich bei keinem der beiden ausgesprochen dominanten Rüden je zuvor gesehen. Meine alte Hündin zwängte sich zwischen ihre unterwürfig daliegenden Söhne, legte ihre Schnauze auf Siskos Hals und schlief ein.

Ivo schaute auf die Hunde herunter. »Das ist Jana? Sie ist ungewöhnlich alt. Diese Eigenschaft scheinen Sisko und Lawrence von ihr geerbt zu haben«

»Als mein Vater sie mir mitbrachte, behauptete er, sie sei ein außergewöhnliches Tier und einzigartig auf der Welt.«

»Er hat nicht gelogen, Robert.«

»Welchen Kurs sollen wir jetzt einschlagen?«, fragte Vasilij.

»Zurück zur Pazifikküste, wo wir hergekommen sind.«

Ich beschloss, mich an diesem Abend früh zurückzuziehen, weil ich in der Nacht davor schlecht geschlafen hatte. Jana ging wacklig zu meinem Bett, legte ihre Schnauze auf die Bettkante und sah mich bittend an.

»Was?«, fragte ich. »Du willst bei mir schlafen?«

Sie wedelte kräftig mit dem Schwanz, drehte ihre Nase Richtung Hinterteil und knurrte leise. Ich bemerkte, dass ihre Hinterbeine heftig zitterten.

»Schaffst du es nicht alleine? Warte, ich helfe dir.«

Ich hob meine Hündin vorsichtig hoch. Während ich sie auf dem Arm hielt, fühlte ich, dass mit ihren Hinterläufen etwas Grundlegendes nicht in Ordnung war, denn das starke Zittern hörte nicht auf.

Ich legte mich neben sie. Sie schnaufte wohlig, streckte sich und kuschelte sich in meinem Arm. Als ich lag, schmiegte sie ihre Schnauze gegen mein Gesicht und leckte über meine Wange. So schliefen wir ein. Im Traum zeigte sie mir, welche aufregenden Dinge sie in ihrem langen Leben erlebt hatte. Alle Wölfe auf dem Landedeck der Freedom waren ihre Nachkommen, fast zwanzig Generationen.

Als ich morgens aufwachte, lag meine Jana immer noch in meinem Arm wie am Abend, aber sie atmete nicht mehr.

Meine Hündin war in dieser Nacht in meinen Armen eingeschlafen. Ich trug sie hinunter und legte sie sanft auf den Rand der Rollbahn. Sie sah ganz friedlich aus.

Jeder einzelne der viertausend Wölfe kam nach vorne, um sich von seiner Ahnin zu verabschieden. Nach kurzer Zeit erschienen meine Gefährten und stellten sich wortlos an eine der Hangarwände.

Eine junge, große Wölfin löste sich aus dem Rudel, kam auf mich zu und blieb zwei Meter vor mir stehen. Ich kniete mich hin, um mit ihr auf Augenhöhe zu sein. Sie schaute mich lange an mit ihren schönen, blauen Augen.

... Shikara ...

Sie war die neue Leitwölfin ihres Volkes. Plötzlich zog sie ihre Lefzen hoch, als würde sie lächeln. Dann wandte sie ihren Blick von mir ab und trat zum Rand des Landedecks.

Ein feiner Energiestrahl entstand vor ihrer Nase und umgab Janas Körper mit einem unsichtbaren Kokon aus grauer Energie. Er schwebte waagerecht aus dem Hangar der Freedom und löste sich in Luft auf, als sei er nie da gewesen.

Shikara bemerkte, dass ich weinte. Sie richtete sich vorsichtig an mir auf, legte ihre Vorderpfoten auf meine Schultern und leckte mir über die linke Wange.

Sanft fuhr ich ihr mit der Hand durchs Nackenfell. Die junge Wölfin lächelte wieder, stellte sich hin und stimmte einen schaurig klingenden Trauergesang an. Alle Wölfe fielen in den Gesang ein.

Wir setzten das Wolfsrudel zweihundert Kilometer entfernt von dem Stausee ab. Während wir an Höhe gewannen, stand ich am hinteren Rand des Landedecks und versuchte, die wunderschönen Tiere so lange wie möglich im Auge zu behalten.

Am Abend kamen meine Freunde in den Salon. »Woher stammen eigentlich deine übersinnlichen Fähigkeiten, Robert?«, fragte Marianna. »Als Schüler hattest du sie noch nicht.«

»Ich glaube schon, dass meine Kräfte angeboren sind. Vielleicht wurden sie aktiviert durch den Kontakt zu Graf Andraschi oder dem Mutantenkorps, wahrscheinlich spielten auch die vielen Sedativa eine Rolle, die man mir 1913 im Irrenhaus von Schwerin verabreichte - welcher Umstand letztlich ausschlaggebend war, weiß ich bis heute nicht.«

»Und wieso besitzen Jana und ihre Nachkommen ebenfalls übernatürliche Begabungen?«, fragte Wanda. »Abgesehen davon ist deine Hündin zweiunddreißig geworden, und ihre beiden Söhne Sisko und Lawrence scheinen noch stärker betroffen zu sein. Wie alt sind sie jetzt? Siebenundzwanzig, nicht wahr? Dabei wirken sie, als wären sie erst zwei oder drei Jahre alt! Wer von euch kennt einen einzigen Hund in diesem Alter?«

»Jana stammte aus einem Zuchtprogramm des letzten Zaren von Russland. Der Leiter der Einrichtung war Nikolai Voroschin. Wer weiß, was er in Wirklichkeit züchten wollte.«

»Vielleicht ist Robert, der ja auch nicht älter wird, das Ergebnis aus einem Zuchtprogramm der Götter«, knurrte Lorenz bissig.

»Das war beleidigend!«, sagte Ivo aufgebracht.

»Ist schon gut«, mischte ich mich ein.

»Mir scheint, unser Gefährte Lorenz möchte endlich nachhause. Ich kann seinen Wunsch verstehen. Ihr habt mir auf dieser Reise zur Seite gestanden, als es mir schlecht ging. Eure Aufgabe ist nun erfüllt. Im Gegensatz zu mir führt ihr ein normales Leben und werdet zuhause erwartet. Wenn ihr jetzt geht, könnt ihr immer noch sagen, ihr wärt drei Wochen im Urlaub gewesen. Die Frage ist nur, wohin ich euch bringen und absetzen soll.«

Pierre meldete sich zu Wort.

»Bei uns Mutanten sieht das anders aus, Robert. Wir waren neun Jahre in Gefangenschaft und besitzen nirgendwo auf der Welt einen Zufluchtsort. Deshalb würden wir die nächste Zeit gerne bei dir auf der Freedom bleiben. Vielleicht ist dieser verdammte Krieg ja bald vorbei.«

»Damit bin ich einverstanden.«

Wir fuhren zurück Richtung Amerika und erreichten Mitte September San Francisco. In der Nacht setzen wir meine Freunde unbemerkt auf einem Feld ab. Sie wollten von dort aus zu Fuß in die Stadt gehen und mit der Bahn in ihre Heimatorte zurückzukehren. Wir verabschiedeten uns herzlich voneinander.

Ivo blieb als Letzter bei mir stehen.»Pass gut auf dich auf, Robert, und melde dich, wenn du mich brauchst. Du kannst mich jederzeit über das Funkgerät in Jerrys Arztpraxis erreichen. Lass nicht zu viel Zeit vergehen! Ich bin ein normaler Sterblicher und werde in diesem Jahr schon sechsundfünfzig, du hingegen bist nach wie vor ein junger Mann. Vergiss mich nicht und kehr zurück, solange ich noch lebe!«

Er gab mir die Hand, drückte sie fest und lächelte auf die unvergleichliche Weise, wie nur Ivo Radenković es konnte.

»Auf Wiedersehen, mein Freund!«

In der Höhe von dreitausend Metern brachte ich die Freedom auf Kurs Richtung Karibik und verließ den Leitstand. Das intelligente Steuerungssystem würde den Weg alleine finden.

In den Morgenstunden des siebenten Dezember 1941 überfielen japanische Streitkräfte heimtückisch und ohne vorangegangene Kriegserklärung Pearl Harbor, den Hafen und Stützpunkt der US-Marine und US-Luftwaffe auf der Insel O'ahu in Hawaii. Über zweitausendvierhundert US-Soldaten kamen bei diesem feigen Angriff ums Leben und ein Großteil der amerikanischen Pazifikflotte wurde zerstört.

Rachel und der Großmeister

Rachels Erinnerungen - 46. bis 48. Pergament

1288. 6.Mai. Christi Himmelfahrt

Akkon. Vor der Eisenburg des Templerordens

Sie erhob sich von dem Felsen, auf dem sie in der letzten halben Stunde gesessen hatte. Es war schön gewesen, intensiv an ihren kleinen Henry zu denken, aber es grauste ihr, wenn sie an die vielen Visionen von dem seelenlosen Monstrum dachte, das ihr Urenkel sein würde. Gott sei Dank lag diese Zeit noch in weiter Ferne.

Sie wischte ihre Tränen fort, klemmte sich das Paket mit ihrem Manuskript unter den Arm und ging auf die Eisenburg zu. Es musste ihr gelingen, diese Aufzeichnungen an den englischen Königshof bringen zu lassen, wo sie viele Jahrhunderte unbeschadet überdauern konnten. Die Zukunft der Menschheit hing vom Erfolg dieses Planes ab.

Der Großmeister bot ihr einen Platz an und fragte nach ihrem Begehr. Sie setzte sich und trug ihre Bitte vor. Er überlegte einen Moment und ließ dann nach einem jungen Priester schicken, der aus England stammte. Nach wenigen Minuten trat dieser ein. Guillaume de Beaujeu deutete auf das Paket, das Rachels Manuskript enthielt.

»Schaut her, Bruder John! Hier drin ist ein wertvolles Relikt, vielleicht das kostbarste auf der ganzen Welt. Es muss auf schnellstem Weg zu König Edward von England. Ich entsende Euch, um es zu Eurem König bringen. Ihr seid mit Eurem Leben dafür verantwortlich, dass es heil und unbeschadet in London ankommt!«

Der Geistliche verbeugte sich ergeben und wurde rot vor Freude über die Ehre, eine so verantwortungsvolle Aufgabe übernehmen zu dürfen.

Der Großmeister stand auf, ging zu einem Schrank und entnahm ihm ein Ledersäckchen voller Goldstücke und ein Dokument.

»Hier ist Euer Reisegeld, Bruder John.«

Er drückte dem Jüngling beides in die Hand. »Jetzt hört gut zu! Ihr seid Mitglied unserer Bruderschaft seit Eurer Kindheit. Ihr wisst, dass ich Euch besonders schätze und vertraue. Deshalb übertrage ich Euch die Verantwortung für eine zusätzliche Aufgabe, von der die Zukunft der Tempelritter in Europa abhängt.«

Der Großmeister trat zum Fenster des Salons, schaute wehmütig hinaus und fuhr mit gedämpfter Stimme fort. »Keiner der armen Menschen da draußen scheint sich im Klaren zu sein, dass Akkon nicht mehr lange ein Ort der Christenheit sein wird! Wie viel Zeit uns bleibt, weiß ich nicht, aber nachdem Jerusalem gefallen ist, wäre es eine Illusion, zu glauben, wir seien hier immer noch sicher vor der Eroberung durch die Muslime.«

Er setzte sich an den Tisch und schrieb den Namen des jungen Priesters in das Schriftstück.

»Dieses Dokument ist ein Wechsel auf das gesamte Vermögen der Tempelritter von Jerusalem und Akkon. Ihr müsst ihn nach London zum Hause des Templerordens bringen! Auf diese Weise transferieren wir unseren Besitz, damit er den verdammten Heiden nicht in die Hände fällt. Dieses Papier kann nur von Euch persönlich eingelöst werden! Und nun geht zum Hafen und sucht Euch ein Schiff, das nach England fährt. Reist mit Gott, mein Sohn!«

Der junge Priester verbeugte sich tief und ging. Zwei Stunden später setzte ein Handelsschiff nach Frankreich die Segel.

***

Weder das Vermögen der Tempelritter noch Rachels Manuskript tauchten in den folgenden Jahrhunderten wieder auf ...

***

Rachel fühlte sich befreit, denn jetzt hatte sie ihre Aufgabe endgültig erfüllt. Der Großmeister und sie tranken einige Gläser Wein, und während der Nacht blieb sie auf der Eisenburg und wurde seine Geliebte. Am nächsten Morgen ging sie gut gelaunt nachhause. Guillaume de Beaujeu war außergewöhnlich klug und sehr gebildet für die Zeit, in der er geboren war - ein Aristokrat aus dem französischen Hochadel mit ausgezeichneten Manieren, einfühlend und sensibel, aber mutig und tapfer im Kampf. Vor allem aber behandelte er sie völlig gleichberechtigt und tat sich ihr gegenüber nicht hervor als Mann. Dazu war er ein ausgesprochen feinfühliger Liebhaber.

Ihr fertiges Manuskript befand sich nun auf der Reise nach England. Befreit von dieser selbst auferlegten Pflicht, versuchte Rachel etwas Neues: Jedes Mal, bevor sie einschlief, prägte sie sich Botschaften an unbekannte Menschen in der Zukunft ein, um sie vor den Gefahren zu warnen, die durch die Tore des Windes entstehen würden.
Mal nahm sie sich vor, Radiowellen zu modulieren, dann verlegte sie sich auf Gedankensteuerung, aber sie erfuhr nie, ob es ihr gelungen war, jemanden mit den Nachrichten aus ihren Träumen zu erreichen.
Mehrmals konnte sie sich am folgenden Morgen, nebelhaft an skurrile Bilder erinnern: ein riesiges Segelschiff, das kilometertief auf den Meeresboden herabstürzte und zerschellte, oder eine Frau, die während einer Schallplattenaufnahme starb, weil ihr Schädel durch die auftretenden Energien zerquetscht wurde, oder ein junger Mann, der Robert hieß und ein Mutant wider Willen war.

Eines Nachts träumte sie vom Zentrum des Universums und verstand plötzlich eine der Fragen, die sie sich immer wieder gestellt hatte. Der VORTEX bestand nicht nur aus einem Trichter, sondern aus zwei. Der Innere, auf dem sie schon zweimal gereist war, führte stets in die Vergangenheit, der Äußere in die Zukunft. Man musste die dazwischen liegende Membran durchdringen, um zu ihm zu gelangen. Nach dieser Erkenntnis dachte sie einige Tage darüber nach, ob sie ins Jahr 1646 reisen sollte, um Thomas und Henrys Tod zu verhindern. Inzwischen wusste Rachel allerdings auch, dass es nicht richtig wäre, erneut in Gottes unermesslichen Plan für das Universum einzugreifen. Deshalb gab sie diesen Plan auf und verabschiedete sich in dieser Nacht endgültig von ihrem Mann und ihrem Sohn.
Sie hätte Akkon verlassen können, solange noch Zeit dazu war, aber sie liebte Guillaume de Beaujeu und wollte mit ihm zusammen sein. Er würde niemals freiwillig aus Akkon fortgehen, und sie beschloss, an seiner Seite zu bleiben.

Nach Recherchen von Edward Bulwer-Lytton

49. Pergament

1291. Freitag, 18. Mai. Vormittag

Festung Akkon. Äußerer Belagerungsring

»Wie tapfer er kämpft!«, dachte Rachel und warf Guillaume de Beaujeu einen Blick zu, der ihm ihre ganze Liebe sandte. Seit drei Jahren lebten sie nun schon zusammen wie ein verheiratetes Paar.
Vor den Mauern tobte die Schlacht. Sie war erschöpft und schloss für einen Moment ihre Augen. b wir diesen Tag überleben werden? Die mamelukischen Angreifer sind bei Weitem in der Überzahl! Plötzlich hörte sie ihren Geliebten stöhnen und schaute zu der Brüstung hoch, wo er stand. Er ließ sein Schwert fallen und trat taumelnd von der Mauer zurück. Sie spürte, dass etwas Schreckliches geschehen war.
»Guillaume!«, rief sie, aber er nahm sie nicht wahr, sah nur den vorwurfsvollen Blicken seiner Kameraden und antwortete:

»Je ne m'enfuis Pas - je suis mort. Voici le coup.«

Ich laufe nicht davon – ich bin tot. Hier ist der Stich.

Er hob seinen Arm, zeigte die tödliche Wunde, die er erlitten hatte, und brach bewusstlos zusammen.

»Neiiiiiin!«, schrie Rachel. Sie kletterte die Mauer hoch wie eine Katze und wollte sich zu ihrem Geliebten herunterbeugen. Verwundert hörte sie ein leises Zischen. Ein langer Pfeil, mit viel Kraft von einem großen Bogen abgeschossen, fuhr ihr auf der linken Seite in den Hals, durchdrang beide Halsschlagadern und die Luftröhre, und trat auf der rechten Halsseite wieder aus. Sie spürte, dass sie tödlich getroffen war. Ihr wurde schwindelig.

Sie zwang sich, nicht zu schlucken und flach zu atmen, damit kein Blut in ihre Lunge drang. Dann sammelte sie alle Energie, die in ihr war, und versuchte es ein letztes Mal. Ein Kreis aus grünem, irisierenden Licht flimmerte an der Stelle, wo Rachel stand, und sie verschwand.

Nur schemenhaft bekam sie mit, was um sie herum vorging. Sie schien es geschafft zu haben, die innere Wand des Strudels der Zeit zu durchdringen und befand sich auf der Reise in die Zukunft. Warum dauert es so lange?, dachte sie verzweifelt und spürte, dass die Lebensgeister von ihr wichen. Wie ein feiner, roter Nebel sprühte das Blut aus den beiden Wunden, wo der Pfeil ihre Halsschlagadern durchbohrt hatte, und endlich fiel sie durch das Ende des Trichters und landete direkt in den Armen ihres Bruders.

Nach Recherchen von Edward Bulwer-Lytton

50. Pergament

1697. Donnerstag, 28. November. Vormittag

Insel Elba. Europahauptquartier von Andrew Winter

Er stand in dem Tal zwischen dem Monte Capanne und dem Monte Cerno und betrachtete das strohgedeckte Bauernhaus, das gerade fertiggeworden war. Plötzlich flimmerte die Luft vor ihm. Unwillkürlich hob er abwehrend die Hände und hielt unvermittelt seine kleine Schwester in den Armen.

»Rachel, mein Schatz!«, rief er hocherfreut und bemerkte in derselben Sekunde den Pfeil, der ihr quer durch den Hals ging. Sie lächelte ihn liebevoll an. Er sah, dass sie ihn erkannte, und fühlte gleichzeitig, dass sie starb. Ihre Augen brachen, sie hörte einfach auf zu atmen.

Er ließ ihren Körper sanft zu Boden gleiten. Endlich waren sie wieder zusammengekommen, aber nur für einen kurzen Moment. Andrew Winter betrachtete den Leichnam seiner geliebten Schwester. Tränen strömten über sein Gesicht. Sie war noch immer so schön wie vor fünfzig Jahren, als sie sich zuletzt in Padua gesehen hatten. Er begrub sie neben einem Felsplateau und fertigte einen Grabstein.

Rachel, born in 2010, died in 1697 in the age of 87

Von nun an war er ganz alleine auf dieser grausamen Welt. Er betrat sein kleines Bauernhaus, setzte sich an den Tisch, stützte seinen Kopf in die Hände und weinte um seinen Vater, der bei einem Autounfall ums Leben gekommen war, um seine Mutter, die von einer Psychopathin erschossen worden war, und um seine Schwester, die er heute beerdigt hatte.
In diesem Moment der tiefen Trauer beschloss er, nie wieder ein Gefühl zuzulassen, das ihm wehtun konnte. Ständig tauchten Bilder von Constanze von Piemont vor seinem inneren Auge auf. Sollte er nicht an einer Krankheit sterben oder durch äußere Gewalteinwirkung zu Tode kommen, würde er sie überleben und irgendwann als Jüngling an ihrem Grab stehen - und an dem ihrer gemeinsamen Kinder und Enkelkinder und Urenkel und so fort, bis in alle Ewigkeit.

... tiefer, unendlicher Schmerz ...

An diesem Tag beschloss Andrew Winter mit Tränen in den Augen, die Liebe in seinem Herzen für immer zu verbannen und niemals zu seiner geliebten Verlobten zurückzukehren.

Major Pjotr Voroschin

Zu meinem Erstaunen sprachen Faisal und Maryellen neben Japanisch fließend Englisch und Französisch und verfügten darüber hinaus über eine ausgesprochen ordentliche Schulbildung, obwohl sie ihre Jugend in Gefangenschaft und völliger Isolation auf der Insel verbracht hatten. Auf meine Nachfrage erklärten sie mir, dass es dem grausamen Arzt Dr. Araki seltsamerweise wichtig gewesen war, ihnen täglich Unterricht erteilen zu lassen. Die älteren Mutanten und er selbst hatten dabei die Rollen der Lehrer übernommen.

Beide waren sehr wissbegierig und durchforsteten meine große Bibliothek nach Büchern, die sie interessierten. Ich nahm mir regelmäßig Zeit für die jungen Menschen, um ihre vielen Fragen zu beantworten. Fast ein Jahr, bis Ende 1942, lebten wir, abgesehen von diesen häufig stattfindenden Gesprächsrunden, im Müßiggang.

Wir stellten Liegestühle an den vorderen Rand des Landedecks, zogen uns Badekleidung an und drehten die Freedom immer so, dass die Sonne in den Hangar hineinscheinen konnte. Das Einzige, was sich von dem Aufenthalt in einem Luxushotel unterschied, waren die drei Dienste, die wir einrichteten und die jeden von uns im Rotationsverfahren trafen. Einer von uns hatte täglich Küchendienst und musste Essen kochen und sich um das leibliche Wohl der Gemeinschaft kümmern, ein Zweiter nahm den Waschdienst wahr, was aufgrund der großen Waschmaschinen in den Mannschaftsquartieren eine einfache Aufgabe war, ein Dritter kümmerte sich um den Radiodienst, was bedeutete, dass er diesen Tag vor den Kurz- und Langwellenempfängern der Freedom saß, Nachrichten aus aller Welt abhörte, die wichtigen notierte und beim Abendessen vor versammelter Runde vortrug.

Wenn wir uns nicht von der Sonne bescheinen ließen, schliefen oder lasen, verbrachten wir die Zeit mit der Übung unserer übersinnlichen Kräfte. Bei diesem Training bezogen wir auch die beiden Hunde mit ein. Lawrence war an Bord geblieben und hatte sich selbst durch sein Frauchen Yvonne nicht dazu bewegen lassen, mit ihr zu seinem Zuhause zurückzukehren.

Jeder von uns Menschen verfügte über unterschiedlich stark ausgeprägte Fähigkeiten als Telepath und beherrschte zumindest einige Grundfertigkeiten der Telekinese. Das schienen allerdings die einzigen Gemeinsamkeiten zu sein. Alle übrigen Fertigkeiten auf übersinnlicher Ebene waren individuell einzigartig.

Eines Tages, während ich faul in der Sonne döste, hörte ich, wie Mary zu Ellen sagte: »Ich habe das Buch durch, Elli. Soll ich es dir rüberkopieren?«

»Warte, ich zeig dir wohin«, antwortete ihre Schwester. Zwischen ihren Köpfen entstand für eine Sekunde ein Band aus blauer Energie.

»Danke, Schwesterchen. Das ist ja 'ne tolle Geschichte! Hat sich wirklich gelohnt, dass du es gelesen hast. Besonders die Szene mit Lady Macbeth und den blutigen Händen gefällt mir - wo sie fast verrückt wird, weißt du?«

Ich sah, dass Maryellen Shakespeares Dramen in der linken und den Roman über *Dr. Jeckyl und Mr. Hyde* in der rechten Hand hielt.

»Ich bin auch schon auf den letzten Seiten«, sagte Ellen. »Wenn ich fertig bin, kopiere ich dir meins auch rüber, ok?«

Ich richtete mich auf und sprach beide darauf an. Mary erklärte mir, dass sie es immer so machten. Was eine von ihnen wusste, konnte sie als komplettes Paket in den Kopf ihrer Schwester übertragen.

Ich legte mich in meinen Liegestuhl zurück und dachte nach. Viele Bilder von meinem Sohn Leo zogen vor meinem inneren Auge vorbei. Er war der klügste Mann der Welt. Was war die Ursache für seine herausragende Intelligenz? Wieso war er in der Lage, das vollständige Wissen eines Menschen in sich aufsaugen? Ob es bei ihm so ähnlich funktionierte wie bei der jungen Frau? Kopierte sich Leo einfach den Gedächtnisinhalt eines anderen in einen brachliegenden Teil seines Gedächtnisses? Woher rührte dann aber die Fähigkeit, die übertragenen Inhalte auch verstehen zu können? Ich erzählte Maryellen von Leo und seiner Begabung und fragte sie nach ihrer Meinung.

»Kann es sein, dass Leo zwei Seelen hat, die sich gegenseitig beeinflussen?«

»Müsste er dafür nicht zwei Gehirne in verschiedenen Köpfen haben, so wie ihr?«

»Nicht unbedingt, Robert! Ich lese gerade *Dr. Jeckyl und Mr. Hyde*«, sagte Ellen. »Ist es bei deinem Sohn vielleicht wie in dem Roman? Am Tag ist er der liebenswerte, kluge Physiker und in der Nacht das grausame, gefühllose Ungeheuer?«

»Ich fürchte, damit liegst du gar nicht so falsch«, antwortete ich.

»Wenn ich mir die Fotos und die Zeichnung des Hühnermenschen ansehe, die oben in der Bibliothek hängen, dürfte bei Leo irgendwann der Reiz die Oberhand gewinnen, auch körperlich stärker und mächtiger als alle anderen Menschen zu werden. Er wird versuchen, das nächste Tor des Windes vor dir zu erreichen, um sich endgültig in das Monstrum zu verwandeln, das er innerlich schon lange ist.«

»Wie konnte er sich nur auf diese Weise verändern?«, sagte ich leise und mehr zu mir selbst.

Faisal drehte seinen Kopf in meine Richtung. »Zwei Seelen wohnen, ach, in meiner Brust. Steht jedenfalls in Goethes Faust, den ich gerade lese.«

Er hob das Buch, das er in den Händen hielt, hoch und zeigte es mir. »Das ist wahrscheinlich auch das Problem deines Sohnes, Robert. Hattest du nie das Gefühl, manchmal mit einem völlig anderen Menschen zu reden, wenn du mit ihm sprachst? Darüber solltest du einmal nachdenken.«

Er las weiter. Maryellens Andeutungen waren in die gleiche Richtung gegangen. Ich dachte über die Worte der beiden jungen Mutanten nach. Während ich langsam einschlief, erschienen Erinnerungen an Leo vor meinem inneren Auge, wie er gewesen war, als er noch zuhause gelebt hatte: ein netter, durchschnittlich intelligenter Mann. Plötzlich schoben sich Bilder des Hühnermenschen davor.

Brutal, kalt und gefühllos ergriff er meinen Sohn und schlüpfte in ihn hinein, bis dieser unsichtbar geworden war.

... zwei Seelen in einer Brust ...

Einige Tage vor dem Heiligen Abend entdeckte Maryellen die batteriebetriebene Funkfernsteuerung der Freedom in einem Schrankfach und fragte mich, was das für ein Gerät war.

Ich erklärte ihr, dass ich das Luftschiff vom Boden aus steuern und bedienen konnte, ohne dass sich jemand an Bord befinden musste.

»Weißt du, ob das hier die einzige Fernsteuerung ist?«

Bei diesen Worten wurde mir abwechselnd heiß und kalt, denn darüber hatte ich noch gar nicht nachgedacht. Die junge Frau legte ihre Hand auf meinen Arm.

»Ich habe mir viele Gedanken über deinen Sohn gemacht, Robert. Was wäre, wenn er die Freedom in Wirklichkeit nicht für dich, sondern für sich und irgendwelche gleich Gesinnte gebaut hat? Wozu dienen die riesigen, leer stehenden Mannschaftsräume? Aus welchem Grund ist ein kleines Krankenhaus mit Operationssaal an Bord? Was soll jemand wie du mit großen Waffenkammern, in denen sogar Granatwerfer stehen? Du hast doch nie vorgehabt, Söldner oder andere Soldaten mit dem Luftschiff zu transportieren, nicht wahr?«

»Gewundert habe ich mich auch darüber, aber Leo behauptete bei der Übergabe der Freedom, er sei lediglich seiner Eingebung gefolgt, die ihm mitgeteilt hätte, dass ich das alles eines Tages brauchen würde.«

»War das vielleicht eine Lüge, Robert? Ist es vorstellbar, dass dein Sohn zu den MAÎTRES DU MONDE übergelaufen ist? Wäre es möglich, dass er dieses riesige Luftschiff in Wirklichkeit für das OMEGA-GENESIS-PROJEKT von Dr. Goebbels gebaut hat und nur noch auf den richtigen Zeitpunkt wartet, um es dir wegzunehmen? Ihr werdet euch beim dritten Tor des Windes treffen. Er muss dort sein, um seine letzte Verwandlung vollführen zu können, und du wirst auf jeden Fall auch dahin kommen. Er braucht also nur zu warten, bis du ihm die Freedom auf einem silbernen Tablett servierst. Denk einmal darüber nach, ob das so unwahrscheinlich wäre.«

Wenn Maryellen Recht hatte, müsste ein zusätzlicher, versteckt angebrachter Funkempfänger existieren, der ständig in Bereitschaft stand, denn der reguläre, der auf meine Fernsteuerung reagierte, war meistens abgeschaltet.

Einen ganzen Tag durchsuchten wir das riesige Luftschiff, fanden jedoch nichts.

»Scheißdreck!«, schimpfte Pierre am Abend.

»Ich glaube auch, dass es einen solchen Empfänger geben muss, aber wo mag er nur verborgen sein?«

»Du hast ihn gerade gefunden«, antwortete ich lächelnd.

»›Scheiße‹ war das richtige Stichwort. Ich wette, er befindet sich innerhalb der Fäkaltanks, weil niemand auf die Idee kommt, an einem so ekligen Ort zu suchen.«

Ich legte mich in meinem Sessel zurück, schloss meine Augen und konzentrierte mich. Der eimergroße Funkempfänger hing im mittleren Tank und war über einen armdicken Kabelbaum mit der Steuerung der Freedom verbunden.

Einige Leitungen führten direkt zu dem Generatormodul aus Andrew Winters Koffer. Dadurch war er mit einem leichten Energiefeld geschützt.

»Er lässt sich also nicht entfernen, ohne dass wir die Steuerungseinheit kaputtmachen«, brummte Faisal nachdenklich.

»Das bedeutet auch, das Luftschiff kann jederzeit von deinem Sohn übernommen werden und Kurs auf Deutschland oder sonst wohin nehmen, wenn er auf die richtigen Knöpfe drückt. Das gefällt mir überhaupt nicht!«

Wir überlegten lange, welche technischen Möglichkeiten existierten, um diesen Zustand zu ändern.

»Alles muss so bleiben, wie es ist, damit wir nicht ungewollt etwas zerstören«, sagte Luc schließlich. »Wir brauchen nur eine Kleinigkeit in den Empfängerschaltkreisen verändern, sodass sie keine Funksignale mehr empfangen. Die Steuerung bemerkt diese Veränderung nicht, denn sie weiß ja nicht, ob Leo gerade auf den Knopf drückt oder nicht.«

In den nächsten drei Tagen studierten wir die fünfzehn dicken Handbuchordner der Freedom. Pläne für geheime Funkempfänger fanden wir natürlich nicht, das wäre zu einfach gewesen.

Am Silvestermorgen frühstückten wir wie üblich gemeinsam. Plötzlich sagte Malraux: »Ich hab's! So genial dein Sohn auch sein mag, er hat einen Fehler gemacht, denn sein Empfänger kann nur ähnlich aufgebaut sein wie der reguläre, weil die Technik nun einmal auf eine ganz bestimmte Weise funktioniert. Wir kennen also den prinzipiellen Schaltplan!«

Das entsprechende Blatt aus dem Handbuch lag neben Faisal auf dem Tisch. Er nickte. »Darauf bin ich auch gekommen.«

Er deutete auf eine Stelle im elektrischen Schaltbild. »Genau hier müssen wir eine einzige Leitung zur Erzeugung der Zwischenfrequenz durchtrennen. Damit wird der Schwingkreis inaktiv und der Funkempfänger kann schlicht und einfach nicht bemerken, wenn Leo auf den Knopf drückt. Wir machen ihn sozusagen taub.«

»Woher stammt dein technisches Wissen?«, fragte ich überrascht.

Der Hundemann lächelte. »In der Bibliothek steht ein Buch über die Grundlagen der modernen Radiotechnik. Ich habe es gestern durchgelesen.«

»Dann bleibt nur noch die Frage, wie wir das Energiefeld unbemerkt durchdringen können, das den Empfänger umgibt und ihn vor Manipulationen schützt.«

»Das kann ich«, sagte Maryellen. »Jedenfalls, wenn das Feld von Maschinen erzeugt wird. Ich entdeckte diese Begabung erst vor wenigen Tagen bei unseren Übungen.«

Wir machten uns sofort an die Arbeit. Der Eingriff gelang. Wir empfanden alle große Erleichterung darüber, dass wir die Herrschaft über die Freedom durch Logik und Intelligenz zurückerobert hatten.

Am Silvesterabend saßen wir im Salon zusammen, um den Jahreswechsel zu feiern. Wir waren fröhlich und sangen gemeinsam *Old Lang Syne*. Kurz vor Mitternacht zählten wir das alte Jahr herunter.

»Drei, ... zwei, ... eins, ... frohes 1943!«, riefen wir im Chor und stießen an mit einem Glas Sekt aus den unerschöpflichen Vorräten des Luftschiffs.

Malraux wirkte plötzlich sehr nachdenklich. »Drei, zwei, eins«, dachte sie in meine Richtung. »Wir sollten die Freedom noch einmal gründlich durchsuchen, Robert. Ich bin mir sicher, das war nicht der einzige Empfänger.«

Am fünften Januar hatten wir vier weitere versteckt angebrachte Funkempfänger an Bord gefunden und auf die gleiche Weise neutralisiert wie den Ersten.

Als ich am Morgen des Sechsten in den unbesetzten Funkerraum kam, blinkte die rote Lampe des Funkbildempfängers. Es war immer ein unbelichtetes Fotopapier eingelegt, aber wer hatte das Gerät eingestellt und gestartet? Ich entwickelte das belichtete Foto in der kleinen Dunkelkammer und setzte mich hin, als das Bild langsam im Entwicklerbad sichtbar wurde. Dreiviertel auf der linken Seite zeigten das Luftbild einer Stadt, rechts daneben stand in Druckbuchstaben geschrieben:

25. Januar 1943
Stalingrad / UdSSR

Damit kannten wir den Ort, an dem sich das nächste Tor des Windes auftun würde, aber woher kamen dieses Bild und die Nachricht? Wie es möglich war, dass sich das Bildübertragungsgerät selbst eingeschaltet hatte, um das Funkbild zu empfangen, verstand keiner von uns, denn in der Nacht war der Funkerraum unbesetzt gewesen.

Während die Freedom von der Karibik aus Richtung Stalingrad fuhr, hörten wir die Nachrichten ab, um mehr über die aktuelle Situation in der UdSSR zu erfahren. Wir überquerten den Atlantik auf der Höhe des nördlichen Wendekreises und änderten unseren Kurs auf Ost Nordost, als wir den afrikanischen Kontinent erreichten. Bei Kairo schlugen wir Nordkurs ein, überfuhren das Mittelmeer, die Türkei, das Schwarze Meer sowie die sowjetische Südküste westlich der Halbinsel Krim.

Bisher waren wir weder entdeckt noch angegriffen worden, weil wir seit Ägypten maximale Prallhöhe eingenommen hatten. So näherten wir uns langsam Stalingrad. Das Wetter half uns, unentdeckt zu bleiben, denn unter uns herrschte ein harter Winter mit einer dicken, schneegeschwängerten Wolkendecke, die allen Menschen am Boden den Blick auf unser Luftschiff verwehrte.

Am Abend des zweiundzwanzigsten Januar schwebte die Freedom sechstausend Meter über der Stadt. Aus dem Funkverkehr der Roten Armee und der sechsten deutschen Armee ließen sich nur unklare Details erschließen.

Maryellen, Faisal und ich setzten uns im Salon zusammen und versuchten, die Informationen aus verschiedenen internationalen Nachrichtensendungen der letzten Tage wie ein Puzzle zu einem Gesamtbild zusammenzusetzen. Daraus ergab sich folgende Konstellation:

Im Herbst 1942 waren die Horden der Wehrmacht über Stalingrad hergefallen und hatten den größeren Teil des Stadtgebiets besetzt. Gegen Ende des Jahres war es der Roten Armee gelungen, einen Verteidigungsring um die Stadt zu legen und die Eroberer einzuschließen.

Fast dreihunderttausend Krieger des Faschistenregimes, die der sechsten deutschen Armee, der vierten Panzerarmee und rumänischen Naziverbänden angehörten, befanden sich seitdem in diesem Kessel und kamen nicht wieder heraus.

»Daran sind sie selbst schuld«, knurrte Faisal erregt. »Jeder einzelne deutsche Soldat muss doch wissen, dass er in der UdSSR absolut nichts verloren hat!«

Ich erhob mich aus meinem Sessel und ging zu der Landkarte von Eurasien, die an einer der Wände des Salons hing.

»Da die Nazis zurzeit ihre wichtigsten Bonzen aus dem Kessel von Stalingrad ausfliegen, scheint die Lage ernst zu sein. Ich denke, der Wendepunkt dieses Krieges ist erreicht und das Strohfeuer beginnt, in sich zusammenzufallen.«

»Wie meinst du das, Robert?«, fragte Faisal.

»Das ist eine Theorie von Ivo Radenković. Er ist der Überzeugung, dass die explosionsartige Ausbreitung der Nazihorden über ganz Europa genauso schnell wieder in sich zusammenfallen wird, wie sie begonnen hat - eben wie ein Strohfeuer. Ivo ist der Ansicht, dass dieser Prozess an einem einzigen Ort beginnt, und dass es von da an nur noch um den Rückzug der deutschen Truppen aus allen besetzten Gebieten gehen wird.«

»... man müsste Klavier spielen können, wer Klavier spielt, hat Glück bei den Fraun ...«, sang Johannes Heesters im Radio, das im Hintergrund lief.

Faisal schüttelte fassungslos seinen Kopf. »Dreihunderttausend Figuren sitzen also da unten im tiefsten Winter, tragen Sommerklamotten, haben nichts zu fressen und ihre Führer fliegen nur die wichtigsten Bonzen aus? Und dazu noch solche gequirlte Scheiße im Radio? Damit lullen sie die armen Schweine ein, damit die nicht merken, dass sie zum Verrecken hier zurückgelassen werden? Was für Unmenschen!«

»Kein Einziger von den Eingeschlossenen braucht dir leidzutun!«, knurrte Maryellen. »Sogar der letzte vertrottelte Deutsche muss nach zehn Jahren Naziherrschaft erkannt haben, dass ihr Faschismus eine terroristische Diktatur ist! Ihren Führern geht es nicht und ging es nie um die Menschen, sondern immer nur um noch mehr Macht und noch mehr Geld! Die da unten brachten sich durch ihre eigene Gier, ihr Wegsehen, ihre Feigheit oder ihren Opportunismus in genau die beschissene Lage, in der sie jetzt stecken!«

»*..., wer Klavier spielt, hat Glück bei den Fraun ...*«, sang Johannes Heesters.

Maryellen holte tief Luft. »Sie dürfen einem nicht leidtun, denn die Sowjets sind die Opfer! Die Russen verteidigen nur ihre Heimat und ihre Familien gegen einen faschistischen Aggressor, der skrupellos über ihr Land hergefallen ist und ihre Frauen und Kinder bestialisch ermordet hat! Ich würde die Invasoren gefangen nehmen und zwingen, alles noch einmal aufzubauen oder heil zu machen, was sie in der UdSSR zerstört haben, und zwar gnadenlos, bis ihre Knochen krachen. Das macht das ungeheuerliche Unrecht und die unzähligen ermordeten Menschen in Russland zwar leider nicht wieder lebendig, wäre aber wenigstens eine kleine Wiedergutmachung für die unglaublichen Dinge, die das deutsche Volk dem russischen Volk antut und im Verlauf dieses grauenhaften Krieges angetan hat.«

Ich schüttelte meinen Kopf. »Du sprichst mir aus der Seele, mein Kind, aber Deutsche besaßen noch nie das Ehrgefühl und die Größe, ein Unrechtsbewusstsein zu entwickeln für die Kriege und Gräueltaten, die in ihrem Namen angerichtet wurden! Wenn dieser unselige Zweite Weltkrieg irgendwann zu Ende ist, wird sich jeder Einzelne von ihnen aus seiner ganz persönlichen Verantwortung herauswinden und einfach die Schuld auf andere schieben! In der Rückschau werden sie die Fakten verdrehen und sich als Opfer darstellen, denen von den niederträchtigen Sowjets ungeheures Unrecht widerfahren wäre und dass man sie widerrechtlich in Kriegsgefangenschaft verschleppt hätte. Warte nur zehn Jahre, dann wirst du solchen Unfug und anderen Blödsinn in allen deutschen Geschichtsbüchern lesen können!«

Ich ging in die Küche, um frischen Kaffee aufzubrühen. Als ich in den Salon zurückkehrte, waren die Amiens-Drillinge und Malraux eingetroffen.

»Na? Unterricht beendet?«, dachte Luc. »Wir müssen endlich herausfinden, was tatsächlich unter uns los ist! Wir wissen bisher nur, dass sich weit über eine Viertelmillion Nazikämpfer in Schützengräben oder Gebäuderuinen verbergen. Um sie herum liegen mindestens ebenso viele Sowjets. Genau innerhalb dieses Gebiets, in dem ständig Kampfhandlungen stattfinden, wird in drei Tagen das Tor des Windes entstehen.«

»Hier oben in sechstausend Meter Höhe sind wir zwar relativ sicher, aber leider auch blind«, sagte Pierre nachdenklich. »Wir müssten sehen, was in Stalingrad geschieht, um die Lage mit eigenen Augen beurteilen zu können.«

Ich griff nach einem der Ordner des Handbuchs und fand schnell, wonach ich suchte. Genau wie seinerzeit die USS Macon besaß auch mein Luftschiff eine Aussichtsgondel, die in einem Hohlraum unterhalb des Landedecks untergebracht war. Diese war wie ein kleines Flugzeug ohne Flügel geformt.

Ich wählte zwei Kameras mit Teleobjektiven aus, steckte mehrere unbelichtete Filme in meine Tasche und stieg in die Gondel. Mit der elektrischen Steuerung fuhr ich das Stahlseil auf volle Länge aus. Ich hing jetzt dreihundert Meter tiefer als der Hangar.

Faisal ließ die Freedom langsam sinken und Maryellen saß vor den Fernsehmonitoren der Bordgeschütze mit den Fingern am Abzug. Das war nur eine Vorsichtmaßnahme, aber man wusste nie, was geschehen würde, schließlich befanden wir uns in einem Kriegsgebiet.

Plötzlich verschwanden die Wolken um mich herum und ich hatte klare Sicht nach unten.

»Bleib in dieser Höhe!«, rief ich in mein rotes Telefon. Der Höhenmesser in der Gondel pendelte sich auf sechshundertfünfundachtzig Meter ein.

Ich versuchte, mich an dem Luftbild zu orientieren, das vor einigen Tagen auf mysteriöse Weise aus unserem Bildübertragungsgerät gekommen war.

Das war schwierig, denn in ganz Stalingrad lag kaum noch ein Stein auf dem anderen. Nach längerem Suchen fand ich die Stelle auf dem Boden, die auf der Fotografie angekreuzt war, und schoss mit dem stärksten Teleobjektiv etliche Fotos von der Umgebung. Das Tor des Windes würde auf einem Gelände entstehen, auf dem eine zerbombte Fabrikhalle stand.

Viel schlimmer kann es nicht mehr kommen, dachte ich, drehte mich um und sah ein sowjetisches Kampfflugzeug direkt auf mich zufliegen. Drei Jagdflugzeuge hingen an ihm dran und hatten es unter Beschuss.

Ich griff wieder nach dem roten Telefon. »Hier findet ein Luftkampf statt! Die Freedom muss sofort dreihundert Meter herunter! Sowie Maryellen etwas auf den Monitoren erkennt, soll sie mit den unteren Geschützen auf die deutschen Jäger feuern, sonst hat der Russe keine Chance!«

Ich ließ das Stahlseil der Gondel in gleicher Geschwindigkeit einfahren, in der das Luftschiff sank. Der russische Pilot war richtig gut, denn bisher war es ihm durch geschickte Flugmanöver gelungen, sämtlichen Geschossen seiner Gegner auszuweichen. Während er seine Maschine in eine enge Linkskurve legte, erschien endlich das fünfhundert Meter lange Landedeck der Freedom aus den Wolken.

Die elektrisch gesteuerten Geschütze drehten sich und Maryellen feuerte aus allen Rohren. Ich kletterte aus dem Gondelschacht, rannte nach vorne zu einem der Röhrenfahrstühle an der vorderen Kante des Hangars und nahm den Telefonhörer an Ohr. Die Maschinenkanonen unter mir verursachten einen Höllenlärm.

Eines der deutschen Jagdflugzeuge explodierte, das andere stürzte trudelnd zu Boden, weil seine linke Tragfläche abgeschossen war. Nur ein Verfolger war noch übrig. Er hing direkt hinter dem Russen und ließ sich nicht abschütteln.

»Ich kann nicht schießen, ich würde beide treffen!«, rief Maryellen ins Telefon. Das sowjetische Kampfflugzeug legte sich plötzlich in eine Rechtskurve und kam genau auf uns zu. Der deutsche Pilot schien diese Aktion vorhergesehen zu haben und feuerte mit seinem Bord-MG.

Mehrere Kugeln schlugen unterhalb der Fenster in die Pilotenkanzel seines Gegners ein. Dieser musste getroffen worden sein, denn die Tragflächenenden schwankten auf und ab. Zu allem

Überfluss kamen jetzt beide Flugzeuge direkt auf mich zu. Ich schloss meine Augen, konzentrierte mich auf die deutsche Maschine, drückte ihr Höhenruder nach unten und verklemmte es. Sie kippte mit der Nase Richtung Boden und zerschellte in den Trümmern einer Fabrik. Dicke, schwarze Rauchwolken stiegen von der Absturzstelle auf.

Das sowjetische Kampfflugzeug war jetzt nur noch fünfhundert Meter von der Freedom entfernt. Faisal schaltete die Landebahnbeleuchtung ein. Auf dem trapezförmigen Außenrand des Hangars flammten blaue Blinklichter auf. Ich versuchte, gedanklichen Kontakt zu dem Piloten zu bekommen.

»Fliegen Sie in Richtung der Lichter! Direkt vor Ihnen in der Luft ist eine Landebahn! Sie müssen flach und gerade hereinkommen, es ist nicht anders als auf dem Boden!«

Er verstand meine Worte, korrigierte den Kurs seiner Maschine und kam genau auf mich zu. Seine Verletzungen schienen schwer zu sein, denn ich fühlte, dass er starke Schmerzen hatte und gegen eine Ohnmacht ankämpfte.

»Maryellen runter zu mir aufs Landedeck, der Pilot ist verletzt!«, rief ich in das rote Telefon, während das russische Flugzeug aufsetzte, aber er nahm das Gas nicht weg, weil er bewusstlos geworden war.

Blitzschnell ergriff ich mit meinen Kräften den Gashebel, zog ihn zurück und bremste die Maschine. Dann schaltete ich den Flugzeugmotor aus, schrie: »Hoch mit der Freedom auf sechstausend Meter!« in den Telefonhörer und rannte auf das sowjetische Kampfflugzeug am Ende der Landebahn zu.

Ich kletterte auf die Tragfläche, zog den reglosen Mann aus seiner Kanzel und legte ihn auf den Boden. Maryellen kam im Laufschritt zu mir.

»Kannst du ihn heilen?«, fragte ich.

Die junge Frau kniete sich neben ihn, berührte seine Schulter und schüttelte beide Köpfe. »Zu spät, Robert. Er stirbt in diesem Moment!«

»Bitte versuch es trotzdem! Seine Seele ist noch nicht von uns gegangen, das spüre ich!«

»Augen zu!«

Durch meine geschlossenen Augenlider nahm ich fünf kurz aufeinander folgende, extrem helle Lichtblitze wahr.

»Das war's. Ich weiß nicht, ob es funktioniert hat. Irgendwie war es anders als sonst, denn er war schon tot.«

Sie zog ein Taschentuch aus ihrer Jackentasche und tupfte sich einige Blutstropfen ab, die unter ihren beiden Nasen hingen.

Der Pilot lag noch immer auf dem Landedeck, blutete allerdings nicht mehr aus den Wunden, die die Geschosse des deutschen Maschinengewehrs in seine Brust gerissen hatten. Wir trugen ihn auf die Krankenstation, zogen ihn aus, wuschen ihn und legten ihn in eines der Krankenbetten. Rein äußerlich war er wieder völlig in Ordnung.

Zwei Stunden nach diesen Vorkommnissen saßen alle Gefährten am Bett des sowjetischen Fliegers und waren ratlos.

»Ich habe dir gesagt, dass es zu spät ist, um ihn zu heilen«, flüsterte Maryellen.

Malraux, die wie in Trance dasaß, schlug plötzlich ihre Augen auf. »Der Mann ist körperlich gesund, aber seine Seele hat eine Nahtoderfahrung durchlebt. Er hat bereits das weiße Licht gesehen und ist ein Stück darauf zugegangen, bevor er zurückgeholt wurde. Er ist überzeugt davon, gestorben zu sein und kommt nicht auf die Idee, dass er nur wieder aufwachen muss, um zu leben.«

»Was machen wir jetzt?«

»Warten. Entweder begreift er rechtzeitig, was geschehen ist oder er wird tatsächlich sterben.«

Nach einer Dreiviertelstunde holte der Mann plötzlich tief Luft, richtete sich halb auf und öffnete seine Augen. Er warf einen Blick in die Runde. Vor seinem Bett saß Faisal mit dem Hundekopf, daneben Maryellen, dann folgten die kahlköpfigen, ohrlosen Amiens-Drillinge Pierre, Luc und Raoul, gefolgt von Malraux, die aussah wie ein an Land lebender Rochen mit zwei großen Stielaugen auf dem Rücken.

Der Pilot zwinkerte mehrmals, als würde er nicht glauben, was er wahrnahm, und sagte leise: »Ei ei! Ich hätte als Jugendlicher nicht aufgeben sollen, in die Kirche zu gehen! Es gibt die Hölle doch und ich bin geradewegs in ihr gelandet!«

Er setzte sich auf den Rand des Krankenbetts und ließ seine Beine herunterhängen. »Ich hatte mir das Sterben immer anders vorgestellt, aber gut. Mein biblisches Wissen ist ziemlich eingerostet. Wer von euch ist hier der Chef?«

»Ich. Zunächst kann ich Sie beruhigen, denn Sie sind nicht gestorben. Wir stehen in sechstausend Meter Höhe über Stalingrad. Mein Name ist Robert. Ich bin der Kapitän des internationalen Luftschiffs Freedom und möchte Sie an Bord herzlich willkommen heißen.«

»Aha«, entgegnete der Pilot. Seine Stimme klang wenig überzeugt. Er deutete mit seiner Hand auf meine Gefährten. »Wesen wie euch gibt es nicht in Wirklichkeit. Aus welchem Märchen seid ihr weggelaufen? Bin ich übergeschnappt?«

»Sie sind nicht verrückt«, erwiderte ich. »Menschen wie meine Kameraden existierten schon immer, aber in vergangenen Zeiten bekam kaum einer von ihnen die Chance, seine Geburt lange zu überleben. Auf jeden Fall gehören wir zu den Guten, was uns automatisch zu Ihren Verbündeten macht. Außerdem retteten wir Sie vor dem Beschuss durch deutsche Jagdflugzeuge.«

Er starrte nachdenklich auf den Boden. »Jetzt, da sie es sagen, kehrt meine Erinnerung zurück. Ich wurde mehrmals in die Brust getroffen und dachte, ich wäre gestorben. Nun habe ich keine Verletzungen mehr. Wie ist das möglich?«

»Sie verdanken ihr Leben der jungen Frau mit den zwei Köpfen. Sie hat Sie mit ihren übersinnlichen Fähigkeiten geheilt.«

Einen Moment war es sehr still. Langsam kam Farbe in sein Gesicht. Dann schaute er Maryellen freundlich an. »Sie sind meine Retterin? Dafür danke ich Ihnen von Herzen.«

Er sah zu mir. »Bitte verzeihen Sie mein ungebührliches Betragen, Herr Kapitän. Ich war bis eben nicht ganz bei mir. Mein Name ist Pjotr Voroschin, Fliegermajor der Roten Armee.«

Das ist doch kein Zufall, dachte ich erstaunt.

»Stammen Sie aus St. Petersburg?«

»Meine Familie kommt von dort. Ich wurde in Leningrad geboren, lebe allerdings seit meiner Jugend in Moskau.«

»Hieß ihr Vater Nikolai und war Mediziner?«

»Ja«, antwortete er verwundert. »Können Sie auch noch Gedanken lesen?«

»Ich kann es tatsächlich, aber dieses Wissen stammt aus anderer Quelle. Ich glaube, wir haben uns viel zu erzählen ...«

Entscheidung in Stalingrad

Wir saßen im Salon der Freedom und unterhielten uns. Ich erzählte Major Voroschin von der Freundschaft unserer Väter.

»Was für ein eigenartiger Zufall«, sagte er. »Ich erinnere mich an George Robert Clymer, denn er war oft bei uns zuhause in Leningrad und in Moskau. Wir beide sind uns übrigens auch schon einmal begegnet! Dein Gesicht hat diese Erinnerung in mir wachgerufen. Als Nikolai 1914 ganz überraschend starb, war ich vierzehn. Viele Monate ging ich jeden Tag an sein Grab, weil ich ihn so sehr vermisste. Dort, auf dem Friedhof der *Kirche zur heiligen Gottesmutter Freude und Trost* in St. Petersburg, habe ich dich gesehen. Es muss um Christi Himmelfahrt herum gewesen sein.«

Wie eingeschaltet drängten längst vergessen geglaubte Erinnerungen in mir nach oben.

... Ein Junge in kurzen Hosen und grauen Kniestrümpfen kniet vor einem monströsen Grabmal, das aus einem doppelt mannshohen Marmorengel besteht. Er hat seine Hände gefaltet und weint. »Warum hast du uns verlassen, Papa? Ich vermisse dich so!«
Ich kehre um, weil ich die Traurigkeit des Kindes nicht ertrage. Vater Vadim erwartet mich vor der Kirchentür. »Das ist Nikolais Sohn Pjotr ...

Wir unterhielten uns lange. Endlich erklärte ich dem Major, dass wir herunter mussten nach Stalingrad, um das Tor des Windes zu schließen, das sich am fünfundzwanzigsten Januar auftun würde. Er wirkte keineswegs überrascht.

»Ich studierte mehrere Semester Physik, bevor ich in die Fußstapfen meines Vaters trat und mich für den Arztberuf entschied. Daher kenne ich die Theorien von Einstein, Heisenberg und anderen über das Raumzeitkontinuum. Ich werde euch helfen, auf das Fabrikgelände zu gelangen, wo dieses Tor entstehen soll.«

»Danke, Pjotr. Darum hätte ich nie von mir aus gebeten.«

»Ihr seid gute Menschen, das habe ich schnell gespürt, Robert. Wir müssen doch zusammenhalten, damit die Bösen nicht die Oberhand gewinnen auf unserer schönen Welt!«

Er versank einen Moment in seinen Gedanken. »Weißt du eigentlich, womit sich mein Vater in seinen letzten Lebensjahren beschäftigte?«

»Nein. Mein Wissen beschränkt sich auf seine Mitarbeit im Geheimbund der *Konföderierten Staaten von Zentraleuropa.*«

»Ich werde das Gefühl nicht los, dass etwas anderes wichtig für dich sein könnte. Er war auf der Suche nach einer alten Schrift, die er *das Buch des Lebens* nannte, weil darin angeblich beschrieben sei, wie die Welt funktioniert. Es soll die Formel enthalten, mit der man das gesamte Universum beschreiben und berechnen kann. Kurz bevor er starb, fand er heraus, dass es sich wahrscheinlich im Besitz der englischen Rosenkreutzer befindet. Mehr erinnere ich leider nicht, ich war damals ja noch kaum ein Jugendlicher.«

»Meines Wissens hat es diesen Geheimbund in Wirklichkeit nie in Großbritannien gegeben.«

Pjotr tippte sich mit dem Zeigefinger gegen seinen Kopf.

»Ich habe die alten Unterlagen meines Vaters aufgehoben. Weißt du was? Ich schicke sie dir, wenn ich wieder zuhause in Moskau bin! Ich kann damit sowieso nichts anfangen. Gib mir deine Anschrift!«

Ich notierte ihm die Adresse des Anwalts Gerhard Greve in Lausanne.

»Wart ihr Voroschins eigentlich immer schon Mediziner?«

»Nein. Mein Großvater war Archäologe. Ich kenne ihn nur aus Erzählungen von Verwandten. Er ist um 1850 während einer Expedition in Ägypten verschollen. Man munkelte damals, er sei von seinem Partner umgebracht worden, aber das wurde nie bestätigt.«

»Hat er antike Schätze gefunden, wegen denen es sich gelohnt hätte, ihn umzubringen?«

»Meines Wissens nicht. Er glaubte wohl, er hätte eine alte Hochkultur entdeckt, die bereits vor zwanzigtausend Jahren existiert haben soll. Irgendwas mit der Sphinx.«

»Deswegen hat man ihn ermordet?«

»Nein. Gerüchten zufolge wäre sein Partner Rutger van Helsing eifersüchtig gewesen und wollte den Ruhm der Entdeckung für sich alleine.«

»Van Helsing? ...«, murmelte ich.

»Ein Engländer oder Ire mit einem holländischen Namen. Eigenartig, nicht wahr? Das ist alles, woran ich mich erinnere und ich kenne die Geschichte wie gesagt nur vom Hörensagen durch Verwandte - vielleicht verwechsele ich auch die Fakten. Wenn es dich interessiert, sende ich dir auch Jewgrafs alte Unterlagen zu. Die Vergangenheit besitzt keinerlei Bedeutung für mich - wichtig ist für mich nur die Zukunft.«

Er zuckte mit den Schultern »Es kann allerdings einige Monate dauern, denn ich weiß nicht, wann ich Heimaturlaub erhalten werde. Erst müssen wir die Schlacht um Stalingrad gewinnen und die verdammten Deutschen endlich ein für alle mal aus unserem Vaterland vertreiben.«

In der Nacht fielen die Temperaturen rapide. Am Morgen des fünfundzwanzigsten Januar, als das Tor des Windes entstehen sollte, herrschten auf dem Landedeck Außentemperaturen von minus sechzig Grad Celsius. Ich stand schon um sechs Uhr auf und bemerkte als Erster, was draußen los war, denn die Heizungsanlage gab pfeifende Geräusche von sich. Derart niedrige Temperaturwerte schienen selbst meinem modernen Luftschiff nicht zu bekommen.

Noch im Bademantel lief ich in den Leitstand und ließ die Freedom auf eine Höhe von eintausendfünfhundert Meter sinken. Eine Stunde später war die Temperatur auf minus fünfunddreißig Grad gestiegen.

Ob wir die Flugzeuge auf dem Landedeck starten konnten, war trotzdem mehr als fraglich, weil der Treibstoff und die Motoröle dickflüssig geworden sein dürften. Als Pjotr Voroschin den Salon betrat, schaltete ich das Radio ein. Ein deutscher Sender war eingestellt.

»Heimat deine Sterne, sie strahlen mir auch am fernen Ort ...«, sang Wilhelm Strienz.

»Die Temperaturen in Bodenhöhe müssten zurzeit etwa bei minus zwanzig Grad liegen«, sagte der Fliegermajor. »Das ist zwar in Ordnung, aber wir kommen von hier oben mit den eingefrorenen Flugzeugen nicht fort. Wer muss mit hinunter?«

»Alle!«

Er dachte einen Moment nach. »Darf ich euer Funkgerät benutzen? Ich weiß, was wir machen werden.«

»... schöne Abendstunde, der Himmel ist wie ein Diamant. Tausend Sterne stehen in weiter Runde ...«

Eine halbe Stunde später setzte eine zweimotorige Transportmaschine auf dem Landedeck auf. Der Pilot, ein Freund des Majors, ließ die Flugzeugmotoren laufen, während wir einstiegen. Dann schob er die Gashebel auf Vollgas.

Wir landeten etwa drei Kilometer hinter einem völlig zerstörten Fabrikgebäude auf einer von dick vermummten Soldaten mühsam frei gehaltenen Schotterpiste, die hart gefroren war und ständig wieder zuschneite.

Neben der Landebahn stand ein russischer LKW mit laufendem Motor. Wir rannten durch den hohen Schnee zu dem Fahrzeug und stiegen ein. Pjotr Voroschin gab dem Chauffeur kurze Anweisungen, daraufhin setzte sich das Gefährt in Richtung auf die deutschen Stellungen in Bewegung. Pjotr bemerkte, dass der Fahrer mehrmals ungläubige Blicke in den Rückspiegel warf, beugte sich zu ihm herüber, legte ihm die Hand auf die Schulter und sagte: »Sie brauchen sich nicht zu fürchten, Leutnant Asimow, das sind unsere Freunde. Allerdings sollten Sie keinem ihrer Kameraden erzählen, was Sie heute gesehen haben. Man würde Sie für verrückt erklären und in die Nervenheilanstalt stecken. Am besten bleibt das unter uns, in Ordnung?«

»Ist gut, Herr Major«, flüsterte der Mann. Nach zehn Minuten bremste er und blieb stehen.

»Weiter kommen wir nicht mit einem LKW«, sagte Pjotr.

»Hinter dieser Mauer geht es etwa einhundertfünfzig Meter über einen freien Platz zu einem runden Steinbrunnen, der ein bisschen aussieht wie der berühmte Brunnen auf der *Place de la Concorde* in Paris. Da liegt euer Ziel. Leider habt ihr auf dem letzten Stück nur Deckung durch wenige Büsche. Gegenüber, auf der anderen Seite, liegen die Deutschen. Sie haben sich dort zwischen Ruinentrümmern verschanzt, die fast bis an den Brunnen heranreichen, ihr müsst also sehr vorsichtig sein.«

Als wir ausstiegen, gab Pjotr uns allen die Hand zum Abschied. »Wenn ihr fertig seid, schießt einfach eine grüne Leuchtkugel senkrecht in den Himmel. Leutnant Asimow wird euch dann an dieser Stelle wieder abholen. Ich muss sofort weiter in die Kommandantur. Wie es scheint, stehen wir bereits in Verhandlungen mit General Paulus, dem Oberkommandierenden der sechsten deutschen Armee, wegen einer bedingungslosen Kapitulation. Die Schlacht um Stalingrad wird in einigen Tagen vorbei sein.«

Pjotr beugte sich aus dem Fenster zu Maryellen herunter und gab ihr auf beide rechten Wangen einen Kuss. »Sie sind eine wunderbare Frau mit einem großen Herzen! Wir werden Ihre Idee umsetzen so gut es geht, das verspreche ich!«

Dann schaute er mich an. »Dein Schweizer Anwalt wird in den nächsten Monaten zwei Päckchen mit Jewgrafs alten Unterlagen erhalten. Auf Wiedersehen, Robert!«

Bevor ich antworten konnte, verschwand der russische LKW im diesigen Nebel.

»Was hast du mit Major Voroschin besprochen, Maryellen, das ihn so sehr beeindruckt hat?«, fragte ich verwundert.

»Ich schlug ihm nichts anderes vor, als ich euch gegenüber bereits vor einigen Tagen äußerte. Die Rote Armee wird zehntausende deutscher Soldaten gefangen nehmen. Ihm gefiel meine Idee, die zukünftigen Kriegsgefangenen produktiv einzusetzen, um wenigsten einen winzigen Teil der Schuld zu begleichen, den die Nazihorden mit ihrem Überfall auf die UdSSR auf sich geladen haben. Sie müssen das wieder aufbauen, was sie selbst zerstört haben: Straßen, Häuser, einfach alles, was durch ihren Irrsinn kaputtgegangen ist.«

Wir schlichen frierend bis zum Ende der Mauer an der Südseite. Den Brunnen, den Pjotr beschrieben hatte, konnte man von hier aus gut erkennen, trotz des Nebels. Wir waren zu früh, denn noch spürte ich das Tor des Windes nicht. Ich schloss meine Augen.

An diesem unwirtlichen Ort wird nun das dritte Tor entstehen, dachte ich. Ich werde es mit der Hilfe meiner Gefährten und ohne Leos Unterstützung schließen müssen, weil ich allein nicht dazu in der Lage bin. Ob Leo schon eingetroffen ist? Bei diesen Gedanken schlug mein Herz schneller.

... LE MAÎTRE DU MONDE ...

Plötzlich spürte ich die Energie der unsichtbaren Welt in der Nähe des Brunnens und gab meinen Gefährten ein Zeichen. Die Amiens-Drillinge nahmen Malraux in ihre Mitte und formierten sich wie in den alten Zeiten als Bodengruppe des französischen Mutantenkorps.

Die Brüder hielten sich an den Händen, bildeten auf diese Weise einen geschlossenen Kreis und schwebten einen Meter über dem Boden. Die drei blauen Lichtstrahlen zwischen ihren kugelförmigen, kahlen Schädeln formten ein gleichseitiges Dreieck.

Ihre Aufgabe bestand darin, unsere Kräfte zu bündeln und zu steuern. Sisko und Lawrence richteten sich an mir auf. Ich legte meine Arme um die Schultern der Hunde und um Faisal und Maryellen. Wir konzentrierten uns. Von jedem von uns führten feine, rote Strahlen zu der Bodengruppe.

»Da drüben bewegt sich was«, flüsterte Raoul.

»Wir dürfen uns auf keinen Fall loslassen!«, sagte ich. Dann fühlte ich, dass das gar nicht möglich war, denn ich konnte mich nicht mehr bewegen.

Faisal verzog seine Lefzen vor Schmerz. Was war mit ihm?

Plötzlich erschien ein Mensch von der deutschen Seite her, den ich kannte. Leo stand uns gegenüber am anderen Ende des Brunnens. »Hallo Vater«, rief er zu mir herüber. »Wehr dich nicht dagegen, du kannst es sowieso nicht steuern!«

Mein Sohn war gekleidet in einen gefütterten, bodenlangen Ledermantel, aus dem die Spitzen von schwarzen Reitstiefeln herausschauten. Am Hals sah man die Revers seiner Jacke, die er unter dem Mantel trug. Auf den Kragenspiegeln waren metallisch glänzende Applikationen befestigt.

Er gehörte tatsächlich zu den MAÎTRES DU MONDE! Leo hob seine Arme über seinen Kopf und murmelte einige Worte, die ich nicht verstand. Zwischen seinen Händen entstand ein roter Lichtbogen, der immer heller wurde. Alles um uns war plötzlich dunkelgrün, als stünden wir in undurchdringlichem Nebel. Wie umgeschaltet erschien die unsichtbare Welt um uns herum und ich sah, dass mein Sohn vor dem Kegel stand, der das Tor des Windes bildete. Er ließ seine Arme nach vorne zucken und schleuderte einen weißen Energieball gegen die Trichterwand im Zentrum des Universums. Die Beschädigung verschloss sich und das laute Brummen, das aus dem Rohr des rotierenden Energieschlauchs gekommen war, erstarb.

»Das vorletzte Tor ist geschlossen!«, rief Leo mit ungewöhnlich tiefer Stimme zu mir herüber. »Es war immer schon so einfach, das hättest du auch alleine gekonnt, Vater! Jetzt kann mich nichts mehr aufhalten, ihr Amateure!«

Der grüne Nebel um uns herum verzog sich langsam. Wir befanden uns nach wie vor auf dem Werksgelände der alten Fabrik in Stalingrad und umarmten uns.

Meinem Sohn Leo war es gelungen, sich vor dem Tor des Windes erneut zu verwandeln, denn vor uns stand plötzlich ein gewaltiger Hühnermensch. Er sah genauso aus, wie ich ihn von Leos Zeichnung und von den Fotos der Moorleiche aus Philadelphia kannte. Er besaß nun einen unglaublich muskulösen Körper und starrte uns von oben herab mit roten Augen an, die von innen leuchteten.

Eigenartigerweise passten ihm der Ledermantel und die Uniform darunter wie angegossen, obwohl sich seine Größe und sein Umfang erheblich verändert hatten.

Die Kleidung schien auf wundersame Weise in seinen Transformationsprozess einbezogen worden zu sein. Ich versuchte, meine Umarmung von Faisal, Maryellen und den beiden Hunden zu lösen, aber es gelang mir nicht.

Auch die Bodengruppe und Malraux standen völlig erstarrt da. Leo, der Hühnermensch, trat dicht an mich heran und grinste.

In natura sah er noch viel Furcht einflößender und brutaler aus als auf der Zeichnung. »Kleingeister und Amateure!«, knurrte er böse. »Vollidioten! Heute erobern wir Stalingrad und morgen die ganze Welt! Für solche traurigen Figuren wie euch ist kein Platz mehr auf unserer Erde!«

Ein Tropfen Speichel hing aus seinem Mund und floss langsam an seinem kleinen Kinn nach unten.

»Armer Robert! Beruhigt es dein edles Gewissen, wenn ich dir bestätige, dass alles deine Schuld ist? Du hast mich zu dem gemacht, was ich bin, denn es sind deine Erbanlagen, Vater, die in mir zu Tage treten! Ich danke dir dafür!«

Die folgenden Worte flüsterte er hasserfüllt. »Ich bin nicht der Erste meiner Art und nicht der Letzte! Wir beide besitzen einen gemeinsamen Vorfahren, Dad, der genauso war wie ich! Leider kam er viel zu früh ums Leben und fand sein kühles Grab in dem Sumpf auf unserer Farm in Philadelphia!«

»Du gottverdammte Missgeburt!«, sagte ich mit erstickter Stimme. »Du bist nicht mein Sohn!«

»Oh doch«, grinste Leo der Hühnermensch. »Ich bin ein echter Clymer, genau wie du, Robert! Und nun werde ich euch alle töten. Wie schade, dass du nicht mehr zur Abtei von *Monte Cassino* reisen kannst, um mit eigenen Augen zu sehen, wie das Unrecht in unserer Familie begann! Aber bevor ich euch töte, hole ich mir meine Freedom vom Himmel herunter. Danke, dass ihr mir sie hergebracht habt!«

Er griff hinter sich in den hohen Schnee und zog eine Fernsteuerung heraus. Er schaltete sie ein und drückte auf einen Knopf. Aus dem Gerät kam ein Piepton und eine gelbe Lampe blinkte. Ungläubig starrte Leo auf die kleine Anzeigetafel. Mehrere Sekunden verstrichen, dann richtete er seine roten Augen auf mich.

»Ihr Mistkerle habt meine Empfänger deaktiviert! Das werdet ihr büßen! Ich werde euch alle ganz langsam verschmoren lassen!«

Leo streckte seine Arme in unsere Richtung. Aus seinen Fingerspitzen schossen blaue Blitze, die jeden von uns trafen.

Mir vergingen die Sinne. Der Schmerz, der durch meinen Körper zuckte, war so gewaltig, dass meine Atmung aussetzte. Als ich wieder zu mir kam, standen wir immer noch wie verschweißt aneinander und konnten uns nicht bewegen.

Aus Siskos Augen liefen Tränen. Ich hatte nie zuvor einen Hund weinen sehen. Lawrence jaulte laut und herzzerreißend. Leo hörte auf und runzelte seine Stirn. »Die Köter dürfen gehen«, sagte er nachdenklich. »Die einfältigen Tiere sind schließlich unschuldig an den Verbrechen, die ihr begangen habt!«

Die weißen Rüden sanken auf ihre Pfoten und trotteten langsam und mit eingezogenen Schwänzen um eine Mauerecke hinter uns. Dort stimmten sie ein eigenartig klingendes Geheul an.

Leo trat ganz dicht an unsere Dreiergruppe heran und schaute Faisal in dessen dunkelbraune Hundeaugen.

»Pech gehabt, du dämliche Missgeburt! Du siehst nur aus wie ein Hund! Hättest lieber im Zirkus auftreten sollen, statt mit meinem alten Herrn durch die Weltgeschichte zu reisen!«

Dann wandte er sich wieder mir zu und sagte mit spöttischer Stimme: »Du wolltest so gerne mein Vater sein, nicht wahr? Du bist es nie gewesen, Robert! Du warst immer nur mein Erzeuger!«

»Leo, denk an deine Mutter!«, presste ich heiser hervor.

»Lass ja Mom aus dem Spiel!«, schrie mein Sohn mit tief-grollender Stimme. »Sprich dein letztes Gebet, Vater, denn jetzt wirst du sterben!«

Er trat mehrere Meter zurück, hob seine Arme über seinen Kopf und ließ einen eisblauen Lichtbogen zwischen seinen Händen entstehen, den er langsam auseinanderzog. Sollte es das gewesen sein? Der Bogen knisterte und knackte und erlosch.

Über die Stirn von Leos unförmigem Schädel lief ein senkrechter, blutender Schnitt, der schnell nach unten fuhr. Es sah aus, als würde ein Unsichtbarer sein Gesicht mit einem scharfen Messer halbieren. Als der Einschnitt die Schultern erreichte, hörte es auf. Leos beiden Schädelhälften klappten auseinander und Blut spritzte aus den Schnittwunden heraus. Leo, der Hühnermensch, stand immer noch völlig reglos auf seinen Beinen.

Was war hier geschehen? Ich bemerkte, dass wir uns wieder bewegen konnten, ließ meine Kameraden los und schaute mich um. Neben der Mauer saßen Sisko, Lawrence und zwei schwarze Wölfe, die genauso groß wie meine Hunde waren und ihnen ziemlich ähnlich sahen. Aus ihren Nasen schossen haarfeine, rote Energiestrahlen, die bis zu Leos Hals reichten.

Sein Körper sackte langsam auf seine umgedrehten Knie und die Strahlen erloschen. Die weißen Rüden legten ihre Schnauzen freundschaftlich auf die Rücken ihrer Artgenossen. Diese nickten kurz und verschwanden.

Dickes Blut quoll aus dem aufgeklappten Schädel heraus und gefror sofort auf dem Kragen des schwarzen Ledermantels. Ich näherte mich der knienden Leiche, um Abschied von dem Monstrum zu nehmen, das vor vielen Jahren einmal mein Sohn gewesen war.

»Robert, du verdammter Scheißkerl!«, hörte ich eine Stimme in meinen Gedanken. »Jetzt muss ich sterben, nur wegen dir!«

Was war das? Aus dem Augenwinkel bemerkte ich eine Bewegung im Inneren der aufgeschnittenen, rechten Schädelhälfte, die lose auf Leos Schulter lag. Ich schaute genauer hin, obwohl dieser Anblick grauenhaft war und mir einen Stich ins Herz versetzte.

Aus der Gehirnmasse schälte sich langsam ein fünf Zentimeter langer Körper, der aussah wie ein winziges, menschliches Neugeborenes, nur wesentlich kleiner. Das Wesen hatte keine Augen, stattdessen hingen dünne Schläuche aus seinen Augenhöhlen heraus, die mit Leos Sehnerven verbunden waren. Ebensolche Nervenfasern führten aus seinen muschellosen Ohren zu den Hörnerven und aus seinen Geschlechtsorganen zum Stammhirn.

In meinen Gedanken sagte das kleine Wesen: »Ihr habt meinen Bruder getötet und nun kann ich nichts mehr sehen! Ich bin Leos Zwillingsbruder Klick! Ich bin das Genie! Ich bin der Herr der Welt und du bist nur ein dummes Arschloch, Robert, denn nun hast du mir meine großartige Zukunft versaut! Mir, deinem eigenen Sohn! Schämst du dich gar nicht? Mein Bruder Leo war endlich da, wo ich ihn immer haben wollte, und nun kommst du mir dazwischen! Der eigene Vater! Verdammt seist du in alle Ewigkeit! Himmel, Arsch und Zwirn, ist das kalt! Hilfe! Ich erfriere!«

Innerhalb von Sekunden erstarrte der winzige Körper und schaute nun reglos aus der gespaltenen Schädelhälfte heraus wie eine kleine Puppe, die ein Kind aus Schabernack in eine aufgeschnittene Melonenhälfte hineingesteckt hat.

»Komm, wir müssen gehen«, sagte Faisal leise. In diesem Moment rief eine Stimme aus der Richtung, aus der Leo gekommen war: »Obergruppenführer Kleimer! Ist alles in Ordnung?«

Wir rannten zurück zu der Mauer, während in unserem Rücken schweres Maschinengewehrfeuer einsetzte. Bevor wir um die Ecke bogen, sah ich, dass die Deutschen auf Leos kniende Leiche feuerten. Durch die Geschosse wurde sein Körper zur Unkenntlichkeit zerfetzt.

Faisal schoss eine grüne Leuchtrakete ab. Die Amiens-Drillinge und Maryellen gaben mit ihren Maschinenpistolen einige Feuerstöße in Richtung der feindlichen Stellungen ab, denn wir hatten nicht vor, in letzter Sekunde von diesen Barbaren gefangen genommen zu werden.

Nach zehn Minuten erschien der russische Lastwagen, der uns zum provisorischen Rollfeld der Roten Armee zurückbrachte. Dort wartete die Transportmaschine auf uns, mit der wir heute Morgen gekommen waren. Während der Pilot startete, holte ich die Freedom mit der Fernsteuerung auf eine Höhe herunter, bei der ihr Landedeck gerade eben unter den dicken Schneewolken herausschaute, und schaltete die blaue Landebahnbeleuchtung ein.

Außer uns befand sich ein weiterer Flieger an Bord, der das Jagdflugzeug von Pjotr Voroschin zurückfliegen sollte. Beide Männer wirkten unsicher, warfen uns ängstliche Blicke zu und unterhielten sich nicht mit uns.

Kurze Zeit später landeten wir wohlbehalten. Die schweigsamen Russen kehrten ohne Umschweife nach Stalingrad zurück.

Ich gab Kurs Richtung Süden ein, brachte ich die Freedom auf ihre maximale Höhe und gab Italien als Reiseziel ein, denn in seinen letzten Worten hatte mein Sohn Leo gesagt, das Unrecht unserer Familie hätte bereits vor langer Zeit begonnen und darüber gäbe es Zeugnisse in der Abtei von Monte Cassino. Ich wusste zwar nicht, worum es dabei ging, aber ich würde es finden und mir mit eigenen Augen ansehen.

Während der mehrere Tage dauernden Fahrt hörten wir über verschiedene internationale Radiosender, dass der Oberkommandierende der sechsten deutschen Armee in Stalingrad, General Paulus, am einunddreißigsten Januar 1943 kapitulierte. Von den fast dreihunderttausend Eroberern aus dem Großdeutschen Reich waren nur neunzigtausend am Leben geblieben.

... Heimat, deine Sterne ...

Vorsichtig näherten wir uns Süditalien. Am achtzehnten Februar holte mich Maryellen in den Funkerraum.

»Das musst du dir anhören, Robert! Wir haben den deutschen Rundfunk eingestellt. Da faselt einer schon zwei Stunden völlig hirnrissiges Zeug, und es nimmt immer noch kein Ende!«

Tosender Beifall, Fußgetrampel. Laute Rufe wie *Sieg Heil, Sieg Heil!* Ein Redner spricht zu den Massen, dessen Stimme ich sofort als die des verrückten Dr. Goebbels erkannte.

»... Ich habe nun heute zu dieser Versammlung einen Ausschnitt des ganzen deutschen Volkes im besten Sinne des Wortes eingeladen. Vor mir sitzen reihenweise deutsche Verwundete von der Ostfront, Bein- und Armamputierte ...«

... tosender Beifall ...

»Wie es scheint, sind auch eine Menge Gehirnamputierte dabei«, sagte Maryellen. »Hör nur, wie sie toben und schreien!«

»... Bein- und Armamputierte mit zerschossenen Gliedern, Kriegsblinde, die mit ihren Rotkreuzschwestern gekommen sind, Männer in der Blüte ihrer Jahre, die vor sich ihre Krücken stehen haben! Dazwischen zähle ich an die fünfzig Träger des Eichenlaubs und des Ritterkreuzes - eine glänzende Abordnung unserer kämpfenden Front ...«

... Beifall ...

»Hinter ihnen erhebt sich ein Block von Rüstungsarbeitern und -arbeiterinnen aus den Berliner Panzerwerken. Wieder hinter ihnen sitzen Männer aus den Parteiorganisationen, Soldaten aus der kämpfenden Wehrmacht, Ärzte, Wissenschaftler, Künstler, Ingenieure und Architekten, Lehrer, Beamte und Angestellte aus den Ämtern und Büros, eine stolze Vertreterschaft unseres geistigen Lebens aus all seinen Schichtungen, dem das Reich gerade jetzt im Kriege Wunder der Erfindung und des menschlichen Geistes verdankt - allerdings Juden sind hier nicht vertreten ...«

... frenetischer Jubel und Beifall ...

»Die Engländer behaupten, das deutsche Volk habe den Glauben an den Sieg verloren ...«

... tumultartige Zustände, das Publikum kocht.
Laute Sieg-Heil-Rufe ...

»Ich frage euch: Glaubt ihr mit dem Führer und mit uns an den endgültigen und totalen Sieg der deutschen Waffen? ...«

Laute Rufe: Heil! Heil! Führer, befiehl, wir folgen!

»Ich frage euch: Seid ihr entschlossen, dem Führer in der Erkämpfung des Sieges durch dick und dünn und unter Aufnahme auch der schwersten persönlichen Belastungen zu folgen?«

Laute Rufe: Ja, ja, ja! Heil! Heil!

»Zweitens: Die Engländer behaupten, das deutsche Volk sei des Kampfes müde! Ich frage euch: Seid ihr bereit, mit dem Führer als Phalanx der Heimat, hinter der kämpfenden Wehrmacht stehend, diesen Kampf mit wilder Entschlossenheit und unbeirrt ...«

Lautes Kratschen erklang aus dem Lautsprecher. Ich regelte den Empfänger nach, um den Sender genauer einzustellen.

»Drittens: Die Engländer behaupten, das deutsche Volk hat keine Lust mehr, sich der überhandnehmenden Kriegslast, die die Regierung von ihnen fordert, zu unterziehen ...«

Laute Pfui-Rufe

»Ich frage euch: Soldaten, Arbeiter und Arbeiterinnen: Seid ihr - und ist das deutsche Volk - entschlossen, wenn der Führer es einmal in der Notzeit befehlen sollte, zehn, zwölf, wenn nötig vierzehn und sechzehn Stunden täglich zu arbeiten, und das Letzte für den Sieg ...«

Tumultartige Zustände. Jubel, das Volk kocht. Ja! Ja! Ja!

»Viertens: Die Engländer behaupten, das deutsche Volk wehrt sich gegen die totalen Kriegsmaßnahmen der Regierung. Es will nicht den totalen Krieg, sagen die Engländer, sondern die Kapitulation! ...«

Laute Rufe. Pfui! Heil! Sieg Heil!

»Ich frage euch: Wollt ihr den totalen Krieg?«

Ja! Ja! Ja!

Tumult. Heil! Heil!

»Wollt ihr ihn - wenn nötig - totaler und radikaler, als wir ihn uns heute überhaupt erst vorstellen können?«

Lautes Trampeln. Ja! Ja! Ja!

»Fünftens: Die Engländer behaupten, das deutsche Volk hat sein Vertauen zum Führer verloren! ...«

Pfui! Pfui! Tumult.
Laute Zwischenrufe. Das Publikum skandiert im Chor:
»Führer befiehl, wir folgen! Führer befiehl, wir folgen!«

»Ich frage euch: Vertraut ihr dem Führer? Ist eure Bereitschaft, ihm auf allen seinen Wegen zu folgen und alles zu tun, was nötig ist, um den Krieg zum siegreichen Ende zu führen, eine Absolute und Uneingeschränkte?«

Laute Rufe. Ja! Ja! Ja!

»...Durch euren Mund hat sich die Stellungnahme des Volkes vor der Welt manifestiert. Ihr habt unseren Feinden das zugerufen, was sie wissen müssen, damit sie sich keinen Illusionen und falschen Vorstellungen hingeben ... Und damit lautet jetzt die Parole: Nun Volk steh auf und Sturm brich los!«

Frenetischer Beifall. Lautes Klatschen.
Tumult. Sieg heil! Sieg heil!
Übergehend in Gesang aus tausend Kehlen:

Deutschland, Deutschland über alles,
Über alles in der Welt,
Wenn es stets zu Schutz und Trutze
Brüderlich zusammenhält,
Von der Maas bis an die Memel,
Von der Etsch bis an den Belt,
Deutschland, Deutschland über alles,
Über alles in der Welt!

Ü

Übergangslos johlt das Publikum das Horst-Wessel-Lied:

Die Fahne hoch, die Reihen dicht geschlossen.
SA marschiert mit ruhig festem Schritt.
Kam´raden, die Rotfront und Reaktion erschossen,
Marschier´n im Geist in unsern Reihen mit.
Die Straße frei den braunen Bataillonen,
Die Straße frei, dem Sturmabteilungsmann ...

Donnernde Sprechgesänge überlagern das Lied.
Der größte Führer Adolf Hitler!
Sieg heil! Sieg heil! Sieg heil!

Radiosprecher: »Der großdeutsche Rundfunk übertrug eine Kundgebung aus dem Sportpalast in Berlin mit einer Rede von Reichsminister Dr. Goebbels.«

»Was war das denn?«, sagte Maryellen kopfschüttelnd.

»Über zwei Stunden Geschwafel ohne Sinn und Verstand, und die Leute bejubeln den Kerl auch noch! Die Deutschen sind ein sonderbares Volk.«

»Seinen Worten kann man eine ganze Menge entnehmen, wenn man genau zuhört«, sagte ich nachdenklich. »Nach der Kapitulation ihrer Kampftruppen in Stalingrad stehen die Nazis anscheinend mit dem Rücken gegen die Wand, sonst hätte sich der verrückte Dr. Goebbels nicht den Segen seines deutschen Volkes abgeholt, um einen totalen Krieg führen zu dürfen. Verstehst du, was seine perfiden Fragen und die begeisterten Antworten in letzter Konsequenz bedeuten?«

Sie nickte. »Na klar! Diese Idioten wollen weiterkämpfen um jeden Preis, bis keiner mehr von ihnen übrig ist. Sie singen es sogar! Wie hieß das noch in diesem komischen Lied? Wir werden weiter marschieren, selbst wenn alles in Scherben fällt? Irgendwie sind die Deutschen geisteskrank, denn kein normaler Mensch kommt auf solche Ideen.«

... das Volk der Psychos und Wahnsinnigen ...

Maryellen zog ihre Stirn kraus. »was wird eigentlich aus Deutschland ... ich meine aus dem Staat an sich ... wenn dieser Krieg einmal vorbei sein wird?«

Ich schloss meine Augen und dachte einen Moment nach. Zu diesem Thema hatte ich vor längerer Zeit einen interessanten Artikel gelesen, der die Frage der jungen Frau treffend beantworten konnte.

»Man muss zwei Ebenen voneinander unterscheiden, Maryellen. Zum einen existiert das Staatsgebiet mit seinen international anerkannten Grenzen, und darin lebt zum Großteil die Volksgruppe der Deutschen. Damit ein Zusammenleben innerhalb dieses Nationalstaats funktioniert, schufen sich die Menschen eine Verfassung mit Menschen- und Bürgerrechten und zusätzlich viele Gesetze, wie das Bürgerliche Gesetzbuch, das Strafgesetzbuch und so weiter. Diese gelten in jedem demokratischen Staat als mehrheitlich beschlossener und manifestierter Wille des Volkes.«

Die Mutantin schaute nachdenklich zum Radioempfänger.

»Aber warum hat Goebbels dann diese völlig verkorkste Rede gehalten? Das hätte er doch gar nicht nötig gehabt, wenn das so ist, wie du sagst!«

Ich lächelte sie an. »Ich war noch nicht fertig, Kind. Als Hindenburg am dreißigsten Januar 1933 die Regierungsgewalt an die Nationalsozialisten übergab, schufen diese durch ihre so genannten *Notverordnungen* einen permanenten Ausnahmezustand im Deutschen Reich, der bis heute andauert. Sie haben nämlich niemals im Sinne der bestehenden Gesetze regiert, sondern stets an ihnen vorbei. Dadurch entstand ab Februar 1933 ein völlig ungeordneter, regelloser Zustand ihrer Herrschaft. Sämtliche Entscheidungen werden seitdem von den vier Elementen der gesellschaftlichen Führung – Partei, Staatsführung, Militär und Großindustrie – ausgehandelt, ohne dass dafür eine Institutionalisierung besteht. Alle politischen Beschlüsse kommen lediglich durch Verträge zwischen diesen vier Machtgruppen zu Stande. Oft bestehen sie nur aus mündlich getroffenen Absprachen und werden nicht einmal schriftlich fixiert. Verstehst du, was das in letzter Konsequenz bedeutet?«

»Ich glaube schon, Robert«, nickte sie ernst. »Das Deutsche Reich hat seit 1933 keine reguläre Regierung mehr, da sich die Chefs von Partei, Staatsführung, Militär und Großindustrie wie die Anführer einer Verbrecherbande verhalten, die ständig gezwungen sind, sich nach internen Streitigkeiten wieder zu vertragen.«

Maryellen schluckte laut. »Letztendlich ist das Deutsche Reich also kein Staat mehr. Übrig geblieben ist nur das Staatsgebiet von 1933, in dem eine kriminelle Bande von Gesetzlosen diktatorisch bestimmt, was zu geschehen hat.«

***

Die Abtei Monte Cassino lag auf einem fünfhundert Meter hohen Berg über der Stadt Cassino in der süditalienischen Provinz Frosinone. In einem meiner Lexika las ich, dass sich achtzigtausend Urkunden und fast genauso viele Bücher in ihrer Bibliothek befanden.

Am zwanzigsten Februar startete ich in einer der unbewaffneten Sparrowhawks, landete unbemerkt auf einem Feldweg und begab mich zu Fuß auf den Weg. Ich hatte mich wie ein einfacher Bauer gekleidet und war rein äußerlich von den anderen Menschen nicht zu unterscheiden. Ohne besonders beachtet zu werden, stieg ich den Weg zur Abtei hinauf.

Ein Benediktinermönch öffnete mir die Tür. Auf meine Bitte hin führte er mich zu der Kapelle, in der ich eine stille Andacht für meine verstorbene Frau Jasmin und meinen auf so grausame Weise umgekommenen Sohn Leo abhielt. Als ich nach längerer Zeit zurück auf den Hof kam, war weit und breit niemand zu sehen. Langsam und gedankenverloren schlenderte ich einen überdachten Freigang entlang.

Plötzlich zog mich etwas magisch an. Ohne nachzudenken, betrat ich einen kleinen Raum. Darin hingen drei große Ölgemälde an der Wand. Vom Malstil her konnten sie dreihundert bis vierhundert Jahre alt sein. Von ihrer Ausdruckskraft hätte ich sie für Gemälde des flämischen Malers Rubens gehalten, aber das war nicht möglich, denn dessen Bilder kannte ich alle.

Das erste Bild zeigte ein Ehepaar. Der Mann mochte fünfzig sein. Er trug volles, grau meliertes Haar, einen schwarzen Kinnbart und hielt seinen Arm zärtlich um die Hüfte seiner Gemahlin – eine ungewöhnlich vertraute Geste für die Epoche, in der das Bildnis entstanden war.

Die Frau schien Anfang zwanzig zu sein, war sehr schlank, genauso groß wie ihr Gatte und strahlte eine hinreißende Schönheit aus mit ihren hüftlangen, schneeweißen Haaren und ihren dunkelroten Augen.

Während mir langsam dämmerte, wessen Porträts ich hier betrachtete, richtete ich meinen Blick auf das zweite Bild. Es zeigte die gleiche Frau als schlummernde Venus.

Sie lag unbekleidet auf einer weißen Decke im Freien, im Hintergrund mehrere Bäume und Gebäude. Ich hatte Rachel gefunden, die Schwester von Andrew Winter aus Phoenix, Arizona, die im Jahr zweitausendzwanzig eine Zeitreise in die Vergangenheit unternehmen würde!

Ich trat dichter an die Gemälde heran und bemerkte zwei Messingplatten, die anscheinend später an den Bilderrahmen befestigt worden waren. Darauf stand:

Sir Thomas und Lady Rachel Howard
Herzog und Herzogin von Sussex
Padua, 1639

Das dritte Gemälde bildete einen kleinen Jungen ab, der vier Jahre alt sein mochte. Er hatte lockige, dunkelblonde Haare und sah meinem Leo recht ähnlich, als der in diesem Alter gewesen war.

Henry Howard
Sohn des Herzogs und der Herzogin von Sussex
Padua, 1646

Ich zog meinen Fotoapparat aus meinem Lederrucksack und fotografierte alle drei Ölgemälde aus verschiedenen Winkeln. Der Maler hatte es verstanden, Rachels Schönheit in höchstem Maße Ausdruck zu verleihen. Besonders das Gemälde, das sie als Venus darstellte, wirkte so natürlich, dass man denken konnte, sie würde jeden Moment aufstehen und aus dem Bilderrahmen heraussteigen.

»Eine faszinierende Frau, nicht wahr?«, erklang eine Stimme hinter mir. Ich drehte mich erschrocken um und bemerkte einen alten Benediktinermönch.

»Wissen Sie, was aus ihr geworden ist?«, fragte ich.

»Nicht genau, mein Herr. Man erzählt sich, dass eine aufgebrachte Menge alle drei Personen auf dem Marktplatz von Padua erschlug, weil man die Frau für eine Hexe hielt.«

Ich ließ eine großzügige Spende im Opferstock der Kapelle zurück und begab mich auf den Rückweg. Abends landete ich wieder wohlbehalten an Bord der Freedom.

Am nächsten Tag entwickelte und vergrößerte ich meine Fotos und hängte Abzüge von ihnen im Salon auf.

Faisal sah sie als Erster und blieb wie angewurzelt stehen. Er betrachtete die Bilder lange und sagte schließlich: »Diese Frau ist der Inbegriff der Schönheit schlechthin. Wer ist das?«

»Sie hieß Rachel Winter, lebte vor über dreihundert Jahren in Padua und wurde als Hexe hingerichtet.«

»In Stalingrad erwähnte Leo, das Unrecht deiner Familie wäre an diesen Gemälden erkennbar. Weißt du, was er damit meinte, Robert?«

»Nein«, erwiderte ich. »Wenn ich Leos ziemlich unklare Worte richtig interpretiere, dann war einer meiner Vorfahren wohl der Hühnermann von 1750, dessen Mumie das FBI in dem Sumpfloch bei meiner Farm in Philadelphia fand. Er hielt ein Armband in der Hand, auf dem der Name *Minna Cleinmeir* stand. Auf mir unbekannte Weise scheinen Lorenz und ich also eine gemeinsame Ahnin zu besitzen, denn aus *Kleinmeir* wurde mit an Sicherheit grenzender Wahrscheinlichkeit der Nachname *Clymer*. Welche Beziehungen allerdings zwischen dem Monstrum, der deutschen Auswanderin aus Bayern und den drei Howards bestehen, konnte ich bisher nicht herausfinden. Ich vermute zwar, auch mit Rachel verwandt zu sein - immerhin haben wir ähnliche übersinnliche Kräfte und altern langsamer als normale Menschen - aber dafür gibt es keinen einzigen Beweis. Nach wie vor ist die Geschichte meiner Familie also von Rätseln umgeben.«

Das Omega-Genesis-Projekt

Nach meinem Besuch der Abtei auf dem Monte Cassino zog ich mich von meinen Gefährten zurück und verließ kaum noch mein Schlafzimmer. In den letzten drei Wochen hatte ich zwar viele neue Erkenntnisse über meine Familie gewonnen, kannte aber immer noch nicht die gesamten Zusammenhänge.

Das alles versetzte meinen Geist in Aufruhr, denn jeder normale Mensch will wissen, wo er herkommt, wohin er geht und wo er hingehört und wünscht sich ein gutes und gnädiges Schicksal. In einer dieser einsamen Nächte führte ich ein stundenlanges Funkgespräch mit Ivos Schwiegersohn, der mir als Mediziner die schlüssigsten Erklärungen zu den Ereignissen um meinen Sohn Leo geben konnte.

Nachdem ich Jerry alles berichtet hatte, was mit Leo geschehen war, sagte er: »Wie du es beschreibst, Robert, klingt das nach einem parasitären Zwilling. Das ist eine sehr seltene Sonderform der siamesischen Zwillinge, bei denen einer von beiden nicht vollständig ausgebildet ist. Allerdings ist mir aus der gesamten medizinischen Forschungsliteratur kein einziger Fall bekannt, in dem eines der Wesen verborgen im Körper des anderen lebt, und über Blutgefäße und Sinnesorgane mit ihm verbunden ist, aber ansonsten ein Eigenleben als Individuum mit eigenem Bewusstsein entwickelt.«

»Was bedeutet das, Jerry?«

»Es erklärt Leos eigenartiges Verhalten in den letzten Jahren. Ich gehe davon aus, dass der in seinem Kopf wohnende Zwerg, der sich selbst den Namen *Klick* gegeben hat, irgendwann erwachte und zeitweise die Kontrolle übernahm. Ich erinnere mich, dass ihr dachtet, Leo leide an einer Persönlichkeitsspaltung.«

»Die französischen Ärzte nannten es eine *intrapsychische Ataxie* oder auch *Spaltungsirresein*. Sie sagten, dass diese Erkrankung im Mittelalter als *zerrissene Seele* bezeichnet wurde.«

»Siehst du, Robert, das beschreibt genau, was ich meine. Dass hinter seinem eigenartigen Verhalten ein zweites Wesen mit einem eigenen Bewusstsein steckte, das in ihm lebte und in den letzten Jahren zeitweilig die vollständige Kontrolle über Leo übernahm, ist meines Wissens der erste Fall dieser Art, der in der Medizin bekannt ist.«

Jerry räusperte sich. »Für dich bedeutet es, dass du in gewisser Weise deinen Frieden mit deinem Sohn machen kannst, denn er war nicht böse. Er konnte sich letztlich nur nicht mehr wehren gegen den niederträchtigen Parasiten in seinem Kopf, der sein Zwillingsbruder war.«

»Warum hasste mich das kleine Wesen nur so sehr?«

»Er hat es dir doch selbst gesagt, Robert! Du hast ihn nie geliebt. Deine gesamte Liebe bekam nur Leo von dir, und Klick ging jedes Mal leer aus.«

»Wie hätte ich ihm das alles geben sollen, Jerry? Ich wusste ja gar nicht, dass er existiert!«

»Das war für ihn nicht wichtig. Sein Verhalten und Denken zeigt die typische Paranoia eines extrem ichbezogenen Menschen, der langsam verrückt wird. Ich kenne ähnlich gelagerte Fälle aus meiner Arztpraxis.«

Ich hatte plötzlich einen trockenen Hals und trank einen Schluck Wasser aus meinem Glas.

»Ungefähr einmal im Monat kommt jemand herein, der genauso tickt«, fuhr Jerry Edwards fort. »Interessant in diesem Zusammenhang erscheint mir die Frage, wann und wodurch Klicks Bewusstsein erwachte und in Konkurrenz zu seinem großen Zwillingsbruder trat. Ich sehe nämlich einen deutlichen Bruch in Leos Entwicklung. Solange er noch zur Schule ging, war alles mit ihm in Ordnung. War das Studium der Auslöser? War es Marias Zurückweisung?«

Jerry machte eine Pause. Ich hörte, wie er sich eine Zigarette anzündete und tief inhalierte. »Ich weiß, dass Leo der erste Junge war, der meine Frau Maria geküsst hat. Später wollte er mehr, aber sie wies ihn zurück. Vielleicht waren es die extremen Gefühls- und Hormonschwankungen eines pubertierenden Jugendlichen, die Klick die Chance gaben, zu erwachen.«

Er schwieg einen Moment und rauchte.

»Leo war der intelligenteste Mensch der Welt, jenseits aller Messbarkeit«, sagte ich.

»Auch das passt, Robert. Es scheint der Genius des Zwergs gewesen zu sein, dessen Intellekt sich in unglaublicher Geschwindigkeit entfalten konnte. Das Gleiche betrifft die Kehrseite. Die finsteren Abgründe zwischen Genie und Wahnsinn, die Skrupellosigkeit und Gefühllosigkeit des grauenhaften Massenmörders, all das waren Eigenschaften des winzigen Zwillings, der immer selbstständiger und mächtiger wurde und irgendwann begann, sein völlig ungesteuertes Triebleben auszuleben. Dazu benutzte er Leos Körper.«

»Danke, Jerry«, sagte ich. »Deine Worte geben mir Trost über den Verlust meines Sohnes, den ich trotz allem sehr geliebt habe. Eine Sache ist mir allerdings noch nicht klar. Wieso verwandelte sich Leos Körper jedes Mal, wenn er vor einem der Tore des Windes stand? Zuerst in ein Art Karikatur des Hühnermenschen ohne Arme, dann in einen uralten Mann, darauf in ein Ebenbild von mir und letztlich in den Hühnermann selbst.«

»Nun, ich bin zwar kein Physiker, aber glaube trotzdem, auch dafür die Erklärung zu kennen. Ich weiß, dass Leo - oder genauer gesagt Klick - seit eurem Besuch auf der Tunguskaebene Theater spielte. Bei den ersten beiden Toren des Windes seid ihr hinterher an Orten aufgewacht, die woanders lagen als beim Absprung. Ich denke, er hat euch vorsätzlich das Bewusstsein verlieren lassen und an jene Plätze teleportiert, um seine wahren Absichten zu verschleiern. Damit hatte er Zeit, im Zentrum des Universums eine Zeitreise zu unternehmen, die allerdings jedes Mal gründlich in die Hose ging und stattdessen zu den ungewollten Verwandlungen seines Körpers führte.«

»Wie kommst du darauf, Jerry?«

»Durch Zufall. Vor vielen Jahren machte Leo einmal eine unbedachte Äußerung gegenüber Maria, die in diese Richtung wies. Es war der Tag, als sie bei ihren Eltern in Genf anrief, um ihnen mitzuteilen, dass sie schwanger ist. Erinnerst du dich an diesen Tag? Statt Ivo oder Wanda hatte sie Leo am Telefon und konnte ihren Mund nicht halten. Er antwortete ihr, er werde eines Tages in die Vergangenheit zurückreisen, um die Geburt von Jesus Christus zu verhindern.«

Bunte Ringe tanzten vor meinen Augen auf und ab. »Wiederhol das, Jerry! Ich glaube, ich habe mich verhört«, sagte ich fassungslos.

»Seine genauen Worte waren: *›Irgendwann reise ich in der Zeit zurück und töte die Jungfrau Maria, dann wird es das verdammte Christentum niemals geben und du kannst nicht heiraten und musst einen Bastard großziehen, Maria!‹*«

Ich holte tief Luft und spürte, wie sich mir der Magen umdrehte. »Warum hat mir das nie jemand erzählt? Leo muss voller Zorn gewesen sein, denn direkt nach diesem Telefonat lief er los wie von Sinnen, um den Dekan der Universität umzubringen! Vielleicht hätten wir diesen Irrsinn verhindern können!«

»Meine Frau dachte, dass Leo spinnt, und behielt diese Aussage jahrelang für sich, und er wusste seit der Ebene von Tunguska, dass sein Plan, ins Jahr Null zurückzureisen, undurchführbar war, obwohl er es immer wieder versuchte. Der Bereich, in dem Zeitreisen möglich sind, ist nämlich beschränkt auf den Zeitraum zwischen den Jahren eintausend und zweitausendvierundzwanzig nach Christi Geburt. Nur in dieser zeitlich begrenzten Region befindet sich ein Dimensionsspalt, der dort nicht hingehört.«

»Woher weißt du das jetzt, Jerry?«

»Leo erzählte es mir an einem Abend kurz vor seiner Flucht, als er völlig betrunken in unserer Praxis auftauchte und Streit mit mir suchte.«

An den folgenden Tagen ließ ich mein langes Gespräch mit Ivos Schwiegersohn immer wieder innerlich Revue passieren. Auch an einem anderen Punkt hingen meine Gedanken fest: War Andrew Winter im Grunde seines Herzens ein guter Mensch gewesen? Was mochte den Wissenschaftler im Laufe der Jahrhunderte dazu gebracht haben, sich in einen grausamen, skrupellosen Machtmenschen zu verwandeln? Lag es an einem Schaden in seinen Erbanlagen?

Beide Geschwister waren Albinos, ein deutliches Zeichen für einen vererbbaren Defekt größeren Ausmaßes, denn Andrews Sohn Alain war schwer körperbehindert zur Welt gekommen. Über diese Fragen führte ich zwei Tage später ein erneutes Gespräch mit Jerry.

»Die Medizin ist noch lange nicht so weit, um solche Fragestellungen fundiert beantworten zu können, Robert! Genau genommen wissen wir nicht einmal, wo der Bauplan des Lebens steckt.

Es gibt bisher nur widersprüchliche Theorien. Deshalb habe ich mehrere Gewebestücke von der Moorleiche des Hühnermannes konserviert und dem *Smithsonian-Institut* überlassen. Diese Proben werden dort aufgehoben, bis die Forschung in der Lage sein wird, das menschliche Erbgut vollständig zu verstehen. Bis dahin wirst du dich also mit einer Antwort gedulden müssen.«

Mitte März 1943 beendete ich meine selbst gewählte Isolation. Die Freedom hatte monatelang in niedriger Höhe über dem Mittelmeer geschwebt und meine Gefährten lebten wie in unseren Tagen in der Karibik. Ich gesellte mich wieder zu ihnen, genoss den süßen Müßiggang und wartete auf eine Eingebung oder Vision.

Ende Mai wusste ich, dass es nun an der Zeit war, Malrauxs Sohn Alain aus den Klauen der Omega-PG zu befreien, deshalb bat ich alle Bewohner meines Luftschiffs in den Salon zu einer Einsatzbesprechung. Gleich zu Beginn fing Malraux heftig an zu weinen. Ich ahnte in dem Moment, dass wir mit ihr ein Problem bekommen würde.

»Er ist doch mein Kind«, schluchzte sie. »Ob er sich genauso verwandelt hat wie Roberts Leo? Werden wir ihn töten müssen? Mir graut vor dem, was uns erwartet!«

Wir ließen uns Zeit und erreichten im Juni die französische Küste vor Marseille. Nach Einbruch der Dunkelheit fuhren wir vorsichtig Richtung Norden, bis wir uns direkt über Lausanne befanden. Ich bestieg eine der Sparrowhawks, landete auf einem Feld neben der Stadt und ging zum Haus des Anwalts Gerhard Greve. Er war noch auf, fragte nicht viel und überreichte mir zwei Päckchen, die in Moskau aufgegeben und an mich adressiert waren. Eine Stunde später war ich wieder an Bord.

Das größere Paket mit den alten Unterlagen von Pjotrs Großvater Jewgraf Voroschin legte ich ungeöffnet auf meinem Nachttisch. Ich wollte mich erst nach unserer Expedition nach Sachsen mit seinem Inhalt befassen. Das kleinere ließ ich in meinem Lederrucksack.

Ich steuerte die Freedom nach Norden.

Als wir die Grenze von der Schweiz nach Deutschland passierten, erschien das gelb schimmernde Energienetz unter uns, das Malrauxs Sohn Alain nun schon seit elf Jahren nahezu ununterbrochen aufrechterhielt.

»Mein armer Junge«, jammerte sie. »Hoffentlich haben ihm diese Unmenschen nichts angetan!«

»Es wird ihm gut gehen,«, erwiderte ich, ohne an meine eigenen Worte zu glauben.

... nous sommes les maîtres du monde ...

... wir sind dier Herren der Welt ...

Am Abend des vierundzwanzigsten Juni 1943 erreichten wir die Gegend zwischen den deutschen Städten Kölleda im Nordwesten, Weimar im Südwesten, Dornberg im Südosten und den winzigen Ortschaften Burgholzhausen und Tromsdorf im Zentrum. Wir versuchten, mit unseren Ferngläsern so viel wie möglich über das Terrain unter uns in Erfahrung zu bringen, und entdeckten ein riesiges, gläsernes Gewächshaus, das nahezu einen Quadratkilometer umfasste. Südlich davon befanden sich ein größeres Bauwerk und eine Fabrikhalle. Um diesen Komplex herum war kilometerweit nichts außer Feldern.

Eigenartigerweise stand die Anlage unter uns auf freiem Feld und war völlig ungeschützt. Bei genauerem Nachdenken war das logisch, denn eine geheime Geheimanlage, die niemand kennt, bedarf keines Schutzes.

»Das ist ein Krankenhaus«, stöhnte Malraux und deutete auf das steinerne Gebäude. »Mein armer Junge liegt darin und ist schwer krank, das kann ich spüren!«

»Bitte halt dich zurück,«, sagte ich. »Alain darf nicht fühlen, dass wir hier sind, um ihn zu befreien! Das würde uns alle in Lebensgefahr bringen!«

Wegen ihres desolaten Zustands beschloss ich, unsere Operation noch in dieser Nacht zu starten. Mutterliebe ist ein nicht berechenbares Gefühl.

Wir starteten um vier Uhr zwanzig vor Sonnenaufgang. Wir schalteten die Motoren der Sparrowhawks aus, sowie wir das Landedeck verlassen hatten, und segelten lautlos herunter, landeten auf einem Feldweg neben einem Wald und bedeckten unsere Maschinen mit großen Ästen, die wir von den Bäumen schnitten.

Ich ließ die Freedom ferngesteuert auf ihre Maximalhöhe steigen. Als ich meine Fernsteuerung zurück in meinen Rucksack steckte, fiel mir das kleine Päckchen von Pjotr Voroschin in die Hand. Ich hatte vergessen, es herauszunehmen.

Als die Sonne blutrot im Osten aufging, machten wir uns auf den Weg. Bevor wir den Komplex der MAÎTRES DU MONDE erreichten, schlugen wir uns in ein Maisfeld, das an einer Stelle fast bis an das steinerne Gebäude heranreichte, das nach Malrauxs Aussage ein Krankenhaus sein sollte.

Ein leichter Morgenwind sorgte dafür, dass der hochgewachsene Mais ständig raschelte. Wir legten uns hinter einen Wall am Rand des Felds und beobachteten mit unseren Ferngläsern, was auf dem Gelände vor sich ging. Jeder von uns betrachtete ein anderes Sichtfeld.

»Achtung! Links auf der Schotterstraße kommt ein Lastwagen«, sagte Maryellen. Der LKW fuhr auf den Hof. Kaum hatte er vor einer der großen Doppeltüren des Krankenhausgebäudes gebremst und den Motor abgestellt, schoben sechs Krankenpfleger fahrbare Tragen auf den Hof, holten mehrere Menschen aus dem Lastwageninneren und legten sie darauf.

»Das sind ausnahmslos junge Frauen, und alle scheinen besinnungslos zu sein«, raunte Faisal.

Die Pfleger zogen die Bewusstlosen aus und warfen ihre Kleidungsstücke achtlos auf einen großen Haufen auf dem Hof. Dann schnallten sie die nackten Mädchen mit schweren Lederriemen fest und schoben sie in das Gebäude.

Maryellens Gesicht war schneeweiß. »Was haben die Kerle mit den jungen Frauen vor?«

»Schaut mal da drüben am Berghang!«, flüsterte Pierre.

Ich richtete mein Glas auf den Hang an der Ostseite. Auf groteske Weise sah dieses Gelände aus wie ein Modell des Kriegerehrenfriedhofs in Arlington. Dicht bei dicht steckten dort schmale, weiße Holzpfähle im Boden. Zwei Männer in grauen Monteursanzügen zogen einen Karren von der Rückseite des Krankenhausgebäudes zu diesem Feld. Sie nahmen einige kleine Pappkisten in Schuhkartongröße von der Ladefläche und warfen sie in offene Gruben. Dann schaufelten sie diese zu und drückten vorbereitete Holzpflöcke in die Erde, die an ihrem oberen Ende mit Nummern versehen waren.

Es kostete mich Mühe, meinen Würgereiz zu unterdrücken. »Das ist wahrhaftig ein Friedhof«, flüsterte ich tonlos. »Sie beerdigen Neugeborene!«

»Mehr als zehntausend Pfähle stecken dort«, entgegnete Faisal. »Was geht hier vor?«

Sisko hob seine Nase in den Wind, sog die Luft tief ein und nieste mehrmals heftig. Dann kroch er zu mir und stieß mir seine Schnauze in die Seite. Ich strich ihm mit der Hand über den Kopf. »Was willst du mir sagen?«

Mein Hund richtete seinen Blick auf den Eingang des riesigen Gewächshauses und seufzte laut. Ich schaute mit meinem Fernglas durch eines der hochgeschobenen Glasfenster und erstarrte. Es gab nur eine einzige Pflanze, die darin gezogen wurde! Auf der Fläche von einem Quadratkilometer zog man hier die *schwarze Orchidee*, die bis zum letzten Jahrhundert ausschließlich an einem Hang des Monte Maggiore in Istrien gewachsen war.

Die Wurzeln vieler Ereignisse reichen weiter in die Vergangenheit zurück, als ich mir je hätte träumen lassen, dachte ich. 1914 existierten nur noch drei getrocknete Exemplare der *Orchidea negra divina* in Professor Derek van Helsings Herbarium. Dieses war in der Todesnacht meines Großvaters Papst Julius dem Vierten verschwunden. Steckten die MAÎTRES DU MONDE auch hinter seinem Tod?

Zwei Männer, die wie Gärtner aussahen, kamen aus dem Gewächshaus, blieben draußen vor der Tür stehen und zündeten sich eine Zigarette an. Aus der Ferne konnte ich ihre Unterhaltung hören.

»Na, wie viel Konzentrat ist es geworden, Werner?«, fragte der eine.

»Zwanzig Liter«, antwortete der andere.

»Das reicht auf jeden Fall. Alain braucht normal nur zehn bis elf Liter davon pro Tag. Heute wird es allerdings mehr sein, weil es Frischfleisch für ihn gibt, haste jesehn?«

Der erste nickte, machte eine ordinäre Hüftbewegung und spuckte auf den Boden. »Sind diesmal richtig hübsche Mädels dabei. Schade, dass wir nie eine von den heißen Pflaumen abkriegen. Ich würd' gerne mal wieder einen versenken ...«

Die Männer lachten, traten ihre Zigarettenstummel aus und gingen zurück in das Gewächshaus.

»Was haben diese Schweine meinem Jungen nur angetan?«, stöhnte Malraux leise.

Ich zuckte nur meine Schultern, denn ich konnte nichts von dem, was wir beobachteten, in einen plausiblen Zusammenhang bringen.

Klappernd öffnete sich das Sektionaltor der Werkhalle. Ein Motor sprang an, und dann kam ein Zugfahrzeug im Schritt-Tempo herausgefahren auf den freien Platz zwischen den Gebäuden. An seinem Schlepptau hing ein Gebilde, das wie eine zu groß geratene, metallene Untertasse aussah. Sie hatte einen Durchmesser von etwa acht Metern und im Zentrum eine gläserne Kuppel, die hochgeklappt war. Wenig später standen drei dieser merkwürdigen Apparate auf dem Hof. Jede stützte sich auf Stiele mit Rädern darunter.

»Wofür mögen diese Dinger gut sein?«, fragte Faisal.

»Ich habe keinerlei Vorstellung davon. Lass uns einfach beobachten, was als Nächstes geschieht.«

Das Zugfahrzeug verschwand brummend in der Werkhalle, das breite Sektionaltor wurde heruntergelassen, das war alles. Fünf Minuten lang war es ganz ruhig.

Plötzlich traten mehrere kleine Gestalten in sibrig schimmernden Overalls auf den Hof und stellten sich in einer Reihe vor den Untertassen auf.

Jedes dieser kleinen Wesen maß etwa einen Meter zwanzig und hatte einen annähernd menschlichen Schädel, aber im Vergleich zum übrigen Körper waren ihre Köpfe überproportional groß und besaßen keine erkennbaren Ohren und riesige, schwarze Augen.

»So könnten meine Söhne und Töchter aussehen«, flüsterte Pierre.

Sollten das wirklich Kinder sein?, dachte ich entsetzt.

Ein älterer Mann in der Uniform der Omega-PG trat vor die Gruppe und sagte etwas, das ich nicht verstand, weil er mir den Rücken zudrehte. Nur das Wort ›*Bremen*‹ klang bis zu mir herüber.

»Jawoll, Obergruppenführer Krammer!«, riefen alle im Chor. Jeweils drei der kleinen Wesen kletterten in eine der Apparate und schlossen die Glaskuppel.

An den äußeren Rändern der metallenen Teller entstanden blau leuchtende Energiefelder. Die Fluggeräte stiegen in eine Höhe von zwanzig Metern über dem Boden, die Räder wurden eingeklappt, und übergangslos beschleunigten sie in einem irren Tempo nach oben und verschwanden innerhalb kürzester Zeit Richtung Nordwesten. All das war völlig lautlos vor sich gegangen.

»Alle neun Kinder steuern die fliegenden Untertassen allein mit ihren telekinetischen Kräften!«, flüsterte Maryellen fassungslos. »Sie sind kleine Mädchen im Alter von etwa acht Jahren. Ich konnte es ganz deutlich fühlen, Robert! Was hat das zu bedeuten?«

Es kostete mich Mühe, meine Fassung zu behalten.

»Wie es scheint, haben wir die Zuchtstation der MAÎTRES DU MONDE gefunden. Diese Wesen scheinen die ersten arischen Übermenschen aus dem deutschen Zuchtprogramm zu sein. Anscheinend trainiert man sie so früh wie möglich darauf, mit diesen fliegenden Scheiben umgehen zu lernen.«

»Was hat mein Alain nur mit all dem zu tun?«, flüsterte Malraux. »Ich muss es wissen und werde jetzt hineingehen, um das herauszufinden!«

»Ich begleite dich«, sagte ich.

»Ihr anderen wartet und rührt euch nicht, außer es droht euch Gefahr.«

Die Mutantin richtete sich auf, weil sie normal gehen musste. Ich wusste, dass ihr das mit ihren sechs kurzen, dünnen Beinchen nicht leicht fiel, aber sie durfte ihre übersinnlichen Kräfte nicht unterstützend einsetzen, um sich nicht zu verraten.

Ich schaute gen Himmel. Alains gelbes Energiefeld sah aus wie ein Pilz auf einem meterdicken Stängel. Dieser begann innerhalb des Krankenhauses und reichte einhundert Meter in die Höhe. Von dort breitete sich das Feld über ganz Deutschland aus.

Malraux und ich schlichen zur Rückwand des Gebäudes. Auf dieser Seite befanden sich keine Fenster, lediglich eine schmale Tür, die ich leise öffnete.

Der dunkle Gang führte zu einer hölzernen Treppe nach oben. Wir drückten uns lautlos an der Wand entlang.

»... Hans Jürgen kommt gleich, um die neuen Leichen abzuholen«, erklang eine Stimme aus einer Kammer, deren Tür angelehnt war. Ich zog meine Magnum aus dem Gürtel.

»Vergiss nicht, ihm die Listen mitzugeben! Seine Leute müssen schließlich wissen, woher die toten Mädchen stammen, damit sie die Körper in der Nähe ihres Wohnorts ablegen können. Komm her, Franz ich zeig es dir ...«

Wir schlichen den Gang entlang und stiegen eine Steintreppe hinauf. Alains Gegenwart wurde immer präsenter. Die Räumlichkeiten in diesem Stockwerk hatten große Fenster zum Flur, aber niemand hielt sich darin auf.

Diese Zimmer waren eingerichtet wie eine Mischung aus Kreißsaal und Neugeborenenstation. Dahinter gingen mehrere Türen ab. Eine von ihnen stand halb offen.

»... wie weit sind wir, Hans?«, fragte jemand in dem Raum, dessen Stimme ich nach einigem Nachdenken als die von Dr. Conti identifizierte, dem Sportmediziner der deutschen Olympiamannschaft von 1932.

Obergruppenführer Krammer antwortete. »Inzwischen schaffen die Mädels die Strecke nach Bremen in absoluter Rekordzeit, Leonardo! Sie werden schon in einer Stunde zurück sein! Um mit zusätzlicher Bombenladung bis nach London zu kommen, reichen ihre Kräfte allerdings noch lange nicht aus. Sie sind ja erst acht Jahre alt! Damit müssen wir also warten.«

»Die Zeit haben wir aber nicht, Hans!«, rief Dr. Conti böse. »Im Moment läuft aber auch alles schief! Araki meldet sich nicht, bei den letzten zwanzig Neugeborenen war wieder kein Supermutant dabei, nicht mal ein normaler! Sie waren einfach nur verdammte Krüppel oder Bekloppte, die wir wegspritzen mussten! So kann das nicht weitergehen! Alains Erbgut ist leider nicht, was wir uns erhofft hatten! Es wird ...«

Malraux und ich schlichen weiter auf eine Eisentür zu. Wir sahen uns fragend an. Dann griff sie nach der Türklinke und drückte sie langsam herunter ...

Der Raum war leer, bis auf einen alten Holzschrank links von uns und einem Betonsockel in der Mitte, etwa zehn mal zehn Meter in der Grundfläche und zwei Meter hoch. Darauf stand ein gläserner Würfel mit einer Kantenlänge von acht Metern. Das Innere dieses Hohlkörpers schien völlig von der Außenluft abgeschnitten zu sein. Grüner Nebel waberte darin herum, sodass man kaum Details erkennen konnte.

An allen Seiten des Sockels befanden sich auf Bodenhöhe insgesamt zwanzig Nischen, in denen jeweils eine aufrecht stehende, nackte, junge Frau mit schweren Lederriemen festgeschnallt war. Alle waren ohne Bewusstsein.

Ich zwinkerte mehrmals mit den Augen, weil ich nicht glauben wollte, was ich sah, aber das Bild blieb und veränderte sich nicht. Entsetzt trat ich näher heran.

An der Nordseite des Betonsockels hing in vier Meter Höhe ein riesiger, durchsichtiger Demion, der mindestens fünfzig Liter vom flüssigen Extrakt der schwarzen Orchideen enthielt.

Rote Gummischläuche steckten in den Mündern der Mädchen und transportierten den Saft direkt in ihre Mägen. Zwanzig weitere Schläuche, die jeweils aus einem Schnitt unterhalb des linken Rippenbogens austraten, führten zu einer elektrischen Pumpe und von dort aus zu einem Sammelgefäß, dessen dicker Ausgangsschlauch durch ein Loch in den gläsernen Würfel hineinführte.

Ich begriff, was hier geschah. Die Frauen mussten den Pflanzenextrakt vorverdauen, dann wurde er abgepumpt. Ich ging bis auf zwei Meter zu dem Mädchen vor mir. Ein dritter, etwas dünnerer Gummischlauch steckte in einem Luftröhrenschnitt in ihrem Hals. Dieser Luftschlauch war direkt an den durchsichtigen Sarkophag angeschlossen, was bedeutete, dass alle Festgeschnallten über diese Vorrichtung den grünen Nebel einatmeten. Er schien eine Art Narkosegas zu sein, das sie in der Bewusstlosigkeit gefangen hielt.

Ich senkte meinen Blick. Der vierte und fünfte Schlauch waren Dauerkatheter, die in Vagina und After begannen und von dort aus im Boden verschwanden.

Der vordere Katheter war doppelt ausgeführt, sein dünnerer Teil führte ebenfalls in den gläsernen Würfel hinein.

... fünf dicke Gummischläuche pro Mädchen ...

Ich musste meinen Würgereiz unterdrücken. Langsam und fassungslos gingen wir um die riesige Vorrichtung herum, die direkt aus einem Gruselkabinett zu stammen schien.

An einer Stelle des Sarkophags lichteten sich plötzlich die grünen Nebel. Die Maschine, die ihn erzeugte, war leer. Von einer Sekunde auf die andere erkannten wir, was sich darin befand.

Das Wesen starrte uns mit roten, blutunterlaufenen Menschenaugen an, die einen Durchmesser von einem halben Meter hatten.

»Nein!«, dachte Malraux und fiel ohnmächtig auf den Rücken. Die Kreatur mit den riesigen Augen schien sich in einer Art Trance zu befinden und nahm unsere Anwesenheit nicht zur Kenntnis.

Sein Körper, der die Größe eines kleinwüchsigen Menschen besaß, war mit Lederriemen auf einer Stahlliege festgeschnallt. Aus seinem After und durch einen Schnitt im Bauchraum kamen zwei Dauerkatheter, die zur Abfuhr von Kot und Urin dienten, und verschwanden im Boden des Betonsockels.

Unterhalb der Rippen reichte ein dicker Gummischlauch in den Magen hinein. Sein anderes Ende war an die elektrische Pumpe angeschlossen, die den vorverdauten Mageninhalt der Mädchen absaugte, und das Wesen auf diese Weise mit dem aufbereiteten Extrakt der schwarzen Orchidee versorgte.

Der Penis des Kleinwüchsigen war ebenfalls von einer Art Katheter umgeben, der leicht vibrierte. Anscheinend wurde sein Samen abgezapft, denn dieser Katheterschlauch führte über eine

Elektropumpe und eine Verteilung zu den dünnen Schläuchen, die in den Scheiden der jungen Frauen steckten.

Mein Blick wanderte fassungslos nach oben. Der Mann hatte kleine, verkümmerte Arme. Was dann kam, verschlug mir völlig den Atem. Sein Kopf besaß einen Durchmesser von mindestens fünf Metern und schwebte weich gepolstert auf einem rosafarbenen Energiefeld.

Das Schlimmste jedoch folgte erst jetzt. Anscheinend war es einem geschickten Chirurgen vor langer Zeit gelungen, sämtliche Schädelknochen oberhalb der Schädelbasis zu entfernen. Unter der kahlen, braunen Haut, die den Riesenschädel umspannte, zuckten armdicke Blutgefäße, die durch ihr Pulsieren zeigten, dass der Mann am Leben war. Er wirkte auf mich wie der Engerling einer unbekannten Art von riesigen Horrorinsekten, aber es konnte nur Malrauxs Sohn Alain sein, denn oben auf dem Würfel entstand der mehrere Meter dicke Stängel des gelben Energiefelds.

Was hatten diese Unmenschen dem Mutanten angetan!

Schritte auf dem Flur kamen näher. Schnell zog ich die immer noch bewusstlose Malraux hinter die Ecke des hölzernen Schranks. Kurz darauf öffnete sich die Tür. Dr. Conti ging zu dem großen Trichter der Nebelmaschine und schüttete eine blaue Flüssigkeit in den Tank.

Es dauerte nicht lange, bis der grüne Nebel den Glaswürfel wieder füllte. Der Arzt kontrollierte einige der Anzeigeinstrumente, begab sich zu einem der Mädchen und schob ihren Magenkatheter weiter hinein. Dann trat er zurück, kraulte an ihren schwarzen Schamhaaren, leckte mit der Zunge über ihre beide Brustwarzen, nickte zufrieden und verließ wortlos den Raum.

Perverse Drecksau!, dachte ich und schaute auf meine Armbanduhr. Wir hatten noch maximal dreißig Minuten Zeit, bis die Mutantenkinder mit ihren fliegenden Untertassen zurückkommen würden.

Malraux kam leise stöhnend zu sich. »Das ist nicht mehr mein Alain! Dieses grauenhafte Monstrum ist nicht mein Sohn! Ich muss ihn von seinen Qualen erlösen!«

In diesem Moment erklang ein schauerliches Stöhnen aus dem gläsernen Sarkophag. »Mama! Bist du endlich da? Warum kommst du nicht zu mir, Mama? Ich hab dich so vermisst!«

Tränen strömten aus den Stielaugen der Mutantin. »Das ist jetzt nicht mehr deine Sache, das muss ich alleine regeln! Geh mein Freund, bevor sie dich erwischen! Du hast zehn Minuten. Adieu, Robert!«

Ich sah zu ihr herab und wusste, dass sie es ernst meinte.

Leise ging ich zur Tür.

»Mama ist hier, mein Süßer«, sagte sie mit sanfter, zärtlicher Gedankenstimme. »Mama kommt zu dir! Alain, mein Schatz! Ich liebe dich so sehr! Wir werden zusammen eine schöne, lange Reise unternehmen, mein Kleiner!«

Ich schloss die Tür, weil ich es nicht mehr ertrug.

Vorsichtig schlich ich mich durch die Gänge zurück zu meinen Kameraden, die im Maisfeld auf mich warteten. Irgendjemand im Krankenhaus hatte ein Fenster geöffnet und das Radio eingeschaltet.

»Ich weiß, es wir einmal ein Wunder gescheh'n ...«, plärrte die männlich-herbe Stimme von Zarah Leander über den Hof.

»Wo ist Malraux?«, flüsterte Maryellen. »Warum weinst du Robert? Was ist los?«

> *»... Wir haben beide denselben Stern und dein Schicksal ist auch meins. Du bist mir fern und doch nicht fern, denn unsere Seelen sind eins ...«*, dröhnte der Volksempfänger.

Dr. Conti trat auf den Hof und bestieg einen Mercedes. Der Chauffeur gab Gas.

> *»... Ewig kann doch nicht verloren sein, was ich besaß. Ich weiß, es wird einmal ein Wunder geschehn ...«*

Der Wagen des Arztes fuhr über den Schotterweg Richtung Chemnitz davon. Zehn Minuten vergingen. In dieser Zeit berichtete ich meinen Gefährten von den unvorstellbar grauenhaften Dingen, die Malraux und ich entdeckt hatten.

»Eine Zucht- und Tötungsstation also«, flüsterte Faisal. »Was für eine seelenlose Missgeburt muss man sein, um anderen Menschen so etwas anzutun!«

In diesem Moment erschienen die drei fliegenden Untertassen in langsamer Geschwindigkeit am Horizont. Sie flogen in großer Höhe und befanden sich nicht weit von der Freedom, stellte ich mit Entsetzen fest.

Während ich zu meinem Luftschiff starrte, brach das gelbe Energiefeld zusammen. Malraux wird es schon regeln, dachte ich und die Geschehnisse von Stalingrad fielen mir ein, die zum Tod meines Sohnes Leo geführt hatten.

Plötzlich hörte ich Alains Gedanken in meinem Kopf in einer Lautstärke, die mir stechende Schmerzen verursachte.

»Nein, Mama! Ich liebe dich, aber das darfst du nicht tun! Sie sind meine Töchter und ich liebe sie genauso wie dich!«

Am Himmel entstand ein mehrere hundert Meter großer, roter Energiering, der aussah wie das Tor in eine andere Dimension. Ein dicker, silberner Energiestrahl schoss aus dem Dach des Krankenhauses und schleuderte zwei der fliegenden Untertassen durch den Ring.

»Nein, Alain!«, dröhnte Malrauxs Stimme in meinem Kopf, und dann fielen das Krankenhausgebäude, die Werkhalle und das riesige Gewächshaus in sich zusammen. Es sah aus, als wenn sämtliche Baustoffe zur gleichen Zeit ihre Festigkeit verloren hätten.

Während alles in sich zusammenbrach, empfing ich Malraux letzte Gedanken. »Mein Sohn ist tot! Ich habe mein geliebtes Kind umgebracht! Gott möge mir verzeihen!«

Der Staub verzog sich nur langsam. Die dritte Untertasse, die nicht durch den roten Ring verschwunden war, stürzte auf den Hof des Geländes und ging in Flammen auf. Die drei Mädchen, die sich darin befanden, verbrannten.

»Überlebende?«, fragte ich leise. Meine Gefährten schüttelten alle den Kopf. Die Gegend war totenstill, nicht einmal die Geräusche von Tieren waren zu hören. Wir Mutanten wussten, was hier zu geschehen hatte.

Eine Stunde nach dem Tod von Alain und Malraux stellten wir uns nebeneinander in einer Reihe auf und ließen Gebäudetrümmer, den Friedhof der Neugeborenen, die abgestürzte Untertasse und die Überreste der schwarzen Orchideen zu feinem Staub zerfallen, den wir zusätzlich verbrannten.

Jetzt bedeckte eine mehrere Zentimeter dicke Ascheschicht das gesamte Areal, das die Forschungsanlage der MAÎTRES DU MONDE gewesen war.

Erschüttert über die Ereignisse, deren Zeuge wir geworden waren, gingen wir langsam zurück zu unseren Flugzeugen. Wir waren sehr still und redeten nicht miteinander.

Ich holte die Fernsteuerung aus meiner Sparrowhawk, schaltete sie ein und rief das Luftschiff herunter. Das Gerät piepste laut. Neben einem blinkenden Lämpchen stand:

nicht erreichbar.

Mein Zuhause der letzten Jahre, mein Schloss in den Wolken, in dem sich meine sämtlichen Notizen und Aufzeichnungen, meine Besitztümer und Erinnerungen befanden, war verschwunden. Es musste mit dem roten Ring zu tun haben, den Alain für einige Sekunden am Himmel erzeugt hatte. Was war das für ein Phänomen gewesen?

Ich schaltete die Fernbedienung aus und steckte sie in meinen Rucksack. Ich würde sie aufheben, in der Hoffnung, die Freedom eines Tages wiederzufinden. Dabei fiel mir das immer noch nicht ausgepackte Päckchen von Pjotr Voroschin in die Hände. Das war alles, was mir von meiner Vergangenheit geblieben war.

Ratlos saßen wir am Waldrand neben unseren von Ästen bedeckten Flugzeugen. In der Ferne näherte sich der Lastwagen, der die Leichen der ermordeten Mädchen abholen sollte.

»Auf jeden Fall haben wir dem Zuchtprogramm für eine arische Superrasse ein Ende bereitet«, sagte Faisal. »Das ist wenigsten etwas!«

»Und als Dank dafür sitzen wir hier am Arsch der Welt und kommen ohne Luftschiff nicht weg«, antwortete Maryellen verdrossen.

»Immerhin können wir unsere übersinnlichen Fähigkeiten wieder ungehindert einsetzen, seit die gelbe Energiekuppel verschwunden ist«, entgegnete ich.

»Das werden wir wohl auch müssen«, grinste Pierre, »denn leider sehen fünf von uns aus, als seien sie einem Gruselfilm entsprungen. Aber wir schaffen es, Freunde, schließlich sind wir nicht nur gut, sondern immer noch die besten!«

»So ist es«, sagte ich und beobachtete den sich nähernden Lastwagen. »Ich habe auch schon eine Idee, wie es für uns weitergehen kann ...«

Das Philadelphia-Experiment

Rückblick

Donnerstag, 24. Juni 1943.

Philadelphia, US Naval Yard

Um einundzwanzig Uhr stand Kapitän Collin Douglas im hinteren Gang einer zwielichtigen Kneipe in der Nähe der Marinebasis. Gegen zweiundzwanzig Uhr würde die Dämmerung in die Nacht übergehen, dann musste er wieder an Bord sein. Auf der schmierigen, anscheinend noch niemals gereinigten Wählscheibe des Telefons drehte er die Nummer seiner Eltern. Vasilij hob ab.

Sie plauderten eine Weile über belanglose Dinge. Es tat dem jungen Offizier gut, mit seinem Vater zu reden wie früher, als er ein kleiner Junge gewesen war und Daddy auf jede Frage eine Antwort gewusst hatte.

So einfach war die Welt schon lange nicht mehr. Nach einigen Minuten würgte er das Gespräch ab. »Ich liebe dich, Dad! Bitte gib mir Mom, meine Zeit wird knapp.«

»Ich liebe dich auch, mein Großer!«

Vasilij reichte den Telefonhörer weiter an Marianna. »Hallo Colli, mein Schatz! Wo bist du denn?«

»Right from the start my hopes were heaven bound...«, leierte die Grammofonplatte von Tommy Dorsey und seinem Orchester in der Gaststube der Kneipe.

»Darf ich nicht sagen, Mom.«

Es war gut, die vertraute Stimme seiner Mutter zu hören. In diesem Moment verfluchte er die Entscheidung, die er vorgestern getroffen hatte. »Ich muss zurück an Bord! Bye, Mom! Ich liebe dich!«

Er legte auf, bevor seine Eltern die Angst spüren konnten, die ihn seit Tagen in festem Würgegriff gefangenhielt.

»... deep in my heart I felt that I had found my future at last...«, sang Tommy Dorsey.

Collin hängte den Hörer ein, bezahlte am Tresen die Gebühren seines Telefonats und begab sich in Gedanken versunken zurück zum Philadelphia Naval Yard. Er war der erste Offizier der USS Arizona gewesen und hatte den heimtückischen, hinterfotzigen Überfall der feigen Schlitzaugen auf Pearl Harbor überlebt, weil er sich zufällig auf Landgang befand. Sonst würde er jetzt bei seinen tausendfünfhundert Kameraden auf dem Grund des Meeres liegen, eingeschlossen in den stählernen Sarg des Schlachtschiffs. Ihm fröstelte bei der Erinnerung.

Er ging langsam Richtung Brücke der USS Eldridge und warf einen missmutigen Blick auf die vielen Wissenschaftler und Techniker an Bord seines Schiffs. Das waren die Menschen, die ihn beunruhigten, die ihm Angst machten mit ihrer akademischen Arroganz und ihrer hochnäsigen Überzeugung, alles zu wissen.

Die Uhr zeigte einundzwanzig Uhr dreißig. Mechaniker verteilten armdicke Stromkabel von drei riesigen Generatoren über das Deck, um die Erfindung eines Physikers zu testen, der angeblich Elektrotechnik bei Nikola Tesla studiert hatte. Er war vor Jahren aus Deutschland emigriert.

Dieses Projekt war geheim - sogar geheimer als geheim, sagte General Stratten. Kein Mensch auf der Welt würde je etwas darüber erfahren.

Collin beschloss, dass ihn die verdammte Geheimniskrämerei seiner Vorgesetzten nicht mehr interessierte, und trat auf einen der Wissenschaftler zu.

»Guten Abend, Dr. Krammer! Sie haben sich die ganze Zeit bedeckt gehalten, aber damit ist jetzt Schluss! Ich verlange, dass Sie mich lückenlos aufklären! Worum geht es genau bei diesem Experiment? Ich will es wissen, denn schließlich halten meine Mariner ihren Kopf dafür hin und setzen vielleicht sogar ihr Leben aufs Spiel.«

Der Physiker schob seine herab gerutschte Brille mit dem Zeigefinger zurück auf den Nasenrücken und kam hoch aus seiner knienden Stellung.

»Ihr Wort darauf, dass wir weitermachen dürfen, egal was ich Ihnen erzähle, Kapitän Douglas!«

»Einverstanden ... Also? ...«

Der Physiker deutete auf die drei großen Generatoren an Deck. »Wir werden das stärkste elektromagnetische Feld erzeugen, das es je auf der Welt gegeben hat. Es soll die Eldridge einhüllen und – falls die Theorie stimmt, die mein Bruder Hans und ich vor vielen Jahren entwickelten – unsichtbar machen. Wenn wir Glück haben, wird das Schiff sogar schwerelos - möglich wäre es, ich weiß es nicht genau.«

... wenn wir Glück haben ...

Collin Douglas spürte mit jeder Faser seines Körpers, dass die Angst, die er seit Tagen empfand, berechtigt war. Dieser verdammte Kerl wusste nicht einmal, was bei seinem Experiment geschehen würde!

»Sie wollen ein komplettes Kriegsschiff verschwinden lassen?«, fragte er fassungslos.

»Und was noch passieren kann, wissen Sie nicht genau, Dr. Krammer? Das heißt, Sie führen im Auftrag der US Navy Geheimexperimente durch, bei denen es um Unsichtbarkeit und Antischwerkraft geht, und vertrauen auf Ihr Glück, dass alles so funktioniert, wie Sie sich das wünschen? Das darf doch nicht wahr sein! Wie weit ist General Stratten in diesen Versuch eingeweiht?«

Der Physiker zuckte mit den Schultern. »Strengste Geheimhaltung, Herr Kapitän! Ich darf Ihnen meine Auftraggeber nicht nennen.«

»Ich glaube es nicht!«, stöhnte Collin. Mit zitternden Fingern zündete er sich eine Zigarette an.

»Wo ist eigentlich Ihr Bruder Hans?«

»In Deutschland. Er ist Offizier bei der SS.«

»Was ist mit Ihnen? Warum emigrierten Sie in die Vereinigten Staaten?«

»Meine Mutter war Jüdin, Herr Kapitän. Seine nicht. Wir sind nur Halbbrüder.«

Der Physiker räusperte sich. »Und nun genug von den alten Geschichten. Fangen wir endlich an.« Collin Douglas stand auf der Brücke der USS Eldridge und schaute hinunter auf das Deck. Die drei Generatoren liefen auf Hochtouren. Das blaue Licht, das sein Schiff umgab, wurde immer heller. Dann drückte Dr. Krammer auf den Knopf der Steuereinheit.

Ein pulsierendes Gravitationsfeld entstand ...

… Zeitsynchronisation …

... und verband sich mit dem
rot schimmernden Energiefeld,
das sich in dieser Sekunde über Deutschland auftat,
ein roter Ring am Himmel, den Alain der Mutant
erzeugte, um seine Töchter an Bord der
fliegenden Untertassen an einen
anderen Ort auf der Welt
zu teleportieren.

Für kurze Zeit bildete sich ein Wurmloch zwischen den Dimensionen. Alain der Supermutant schleuderte zwei Flugkörper mit sechs seiner kleinen Töchter an Bord durch den roten Ring aus Energie. Der Sog zog die siebenhundertzehn Meter lange Freedom mit hinein. Dann riss die Verbindung ab und setzte eine ungeheure Energiemenge frei, die die sichtbare mit der unsichtbaren Welt verband. Diese suchte sich ihren Weg ...

Donnerstag, 24. Juni 1943 - zeitgleich - Freedom

Das unbemannte Luftschiff erschien am siebzehnten Januar des Jahres 2010 über dem Südatlantik auf Höhe der Bouvet-Insel, die zu Norwegen gehört. Dort wartete die Steuereinheit mehrere Tage auf einen Funkbefehl. Als dieser ausblieb, startete ein geheimes Programm, das Leo Clymer in der zentralen Steuerung aktiviert hatte. Das Midoferranermodul in Andrew Winters Koffer schaltete eine Stufe des Schutzschirms ein, die nicht im Handbuch beschrieben war, und machte das Luftfahrzeug unsichtbar. Dann nahm die Freedom gemäß ihrem Norprogramm Kurs auf den Südpol der Erde. Am dritten Februar erreichte sie diese Position, um in maximaler Prallhöhe auf einen Befehl zu warten, der sie zurückrufen würde. Die Maschine war geduldig - Zeit besaß keine Bedeutung für sie ...

Donnerstag, 24. Juni 1943 - zeitgleich - Tromsdorf

Als Alain starb, fiel das Wurmloch in sich zusammen und der rote Ring am Himmel erlosch. Die dadurch freigesetzten Energien entluden sich unkontrolliert zwischen den Raumzeitdimensionen und übertrugen sich schließlich knisternd in das elektromagnetische Feld, das die USS Eldridge umgab.

Donnerstag, 24. Juni 1943 - zeitgleich - USS Eldridge

Das Kriegsschiff verschwand aus dem Marinehafen von Philadelphia und materialisierte mit laufenden Energiefeldgeneratoren im Hafen von Norfolk, Virginia.

Das Schiff war von einem blauen Nebel umgeben. Collin Douglas schaute irritiert an sich herunter. Überall an seinem Körper flammten orangefarbene Lichter auf, die aussahen, als sei er mit Spiritus übergossen und angezündet worden. Das merkwürdige Feuer schmerzte nicht, es war einfach nur da.

Der Mannschaft ging es gut, niemand schien verletzt zu sein. Wenige Augenblicke später zog Dr. Klaus Krammer den Stecker der Steuereinheit heraus, die für die Energiefeldgeneratoren zuständig war. Die Generatoren hatten nun keinen Strom mehr und fuhren brummend herunter.

Wie umgeschaltet erschien das Kriegsschiff wieder im Hafen von Philadelphia. Die lauten Schreie, die von Bord erklangen, erschreckten das Marinepersonal an Land und die Besatzung der USS Engstrom, die neben der Eldridge lag.

Deren Kapitän Peter Ford erreichte als Erster die Gangway des Schwesterschiffs. Aus den Metallwänden ragten an verschiedenen Stellen zuckende Arme und Beine von Marinesoldaten, die auf der anderen Seite der Wände erbärmlich schrien.

Endlich erreichte der Kapitän die Brücke. Der Kopf des deutschstämmigen Physikers Klaus Krammer befand sich bis auf Augenhöhe innerhalb des Schiffs, auf der Außenseite der Glasscheibe rutschte der obere Teil seines Schädels herunter und hinterließ eine schleimige Blutspur auf dem Glas. Er war in derselben Sekunde gestorben wie sein Halbbruder, SS-Obergruppenführer Hans Krammer in Deutschland.

Kapitän Ford übergab sich heftig, als er das sah.

»Peter, hilf mir!«, stöhnte Collin Douglas. Er konnte sich nicht bewegen, denn sein rechter Unterschenkel und seine linke Hand waren mit der metallenen Schiffswand vor ihm verschmolzen.

»Dieses technikverliebte, deutsche Arschloch ist daran schuld!«, knirschte er, während unglaubliche Schmerzen seinen Körper durchströmten.

Zwei Stunden später wurden die Überlebenden an Bord der USS Eldridge aus ihrer misslichen Lage befreit, sofern das möglich war.

Die meisten Marinesoldaten mussten allerdings euthanasiert werden, da ihnen nicht mehr zu helfen war. Collin spritzte man an Ort und Stelle in eine tiefe Narkose. Dann sägte ein Chirurg der US Navy sein Bein unterhalb des Knies mit einer Knochensäge ab. Auf

die gleiche Weise verfuhr man mit seiner Hand. Als Collin im Militärkrankenhaus zu sich kam, war er ein Krüppel.
Die USS Eldridge wurde einen Monat später in den normalen Marinedienst überstellt. Sämtliche Unterlagen des Philadelphia-Experiments fielen restlos der Vernichtung anheim.

Donnerstag, 24. Juni 1943 - zeitgleich - Flying Discs

Die beiden fliegenden Untertassen mit Alains Töchtern an Bord schleuderten durch die Dimensionen und erschienen am siebten Juli des Jahres 1947 in vier Kilometer Höhe über dem kleinen Ort Roswell, New Mexico in den USA.
Alle sechs Insassen verloren das Bewusstsein, deshalb stürzten die Fluggeräte ab und zerschellten auf dem Gelände der Foster-Ranch. Viele Trümmerteile verteilten sich in einem weiten Umkreis um die Absturzstelle. Fünf der Mädchen starben bei dem Absturz, nur eine von ihnen überlebte schwer verletzt.

Roswell Daily Record.
ROSWELL, NEW MEXICO – TUESDAY 8, 1947
RAAF Captures Flying Saucer
On Ranch in Roswell Region
No Details of Flying Disk Are Revealed

RAAF fängt fliegende Untertasse auf einer Farm bei Roswell.
Details über die fliegende Scheibe sind bisher nicht bekannt.

Noch am selben Tag dementierte General Roger Ramey diese Zeitungsmeldung und erklärte, bei den gefundenen Teilen handele es sich um Trümmer eines ganz normalen Raywin-Wetterballons.
Als diese Nachricht in der Zeitung erschien, befanden sich vier der fünf Mädchenleichen und die beiden fliegenden Untertassen bereits auf mehreren Lastwagen der US-Army auf dem Weg zum geheimen militärischen Sperrgebiet der United States Air Force im südlichen Nevada, das über riesige, unterirdische Hallen und Werkstätten verfügte und von Eingeweihten Area 51 *genannt wur-*

de. Während zwei Mediziner Alains schwer verletzte Tochter Gretchen im Krankenhaus des Armeeflugplatzes von Roswell behandelten, sezierte ein unbekannter Militärarzt mithilfe der Krankenschwester Naomi Selff und des Leichenbestatters Glenn Dennis eine der Toten.

Diese Obduktion wurde auf Sechzehn-Millimeter-Schwarz-Weiß-Film für die Air Force dokumentiert. Der Arzt, der die Untersuchung vornahm, hielt die achtjährige Emma für einen Außerirdischen, denn sie war nur einen Meter zwanzig lang und besaß zwar einen annähernd menschlichen Schädel mit riesigen, dunklen Augen, der aber im Vergleich zum übrigen Körper überproportional groß war und keine erkennbaren Ohren aufwies.

Durch das Land der Herrenmenschen

Donnerstag, 24. Juni 1943.
Ehemalige Zuchtanlage der
MAîTRES DU MONDE

Der Lastwagen bremste an der Stelle, wo einmal der Hof der Forschungsanlage gewesen war. Faisal schlich sich um den LKW herum und stand nun hinter den beiden Männern, die ausgestiegen waren und sich erstaunt umschauten.

»Ich will eure Klamotten, ihr Dreckschweine!«, knurrte er.

»Ausziehen! Sofort ausziehen, sonst bringe ich euch um!«

Eine Viertelstunde später brausten wir mit dem LKW davon. Die zwei Fahrer stolperten nackt und orientierungslos über die staubigen Wiesen und erinnerten sich dank meiner Hilfe nicht mehr daran, was in den letzten drei Tagen geschehen war.

Die Uniformen der Omega-PG passten Faisal und mir recht leidlich. Es war Ende Juni 1943. Deutschland lag im Krieg mit der ganzen Welt, aber wir konnten nach elf Jahren unsere Kräfte in diesem Land wieder ungehindert einsetzen.

Seit der Landung mit den Sparrowhawks war uns niemand begegnet. Diese Gegend war menschenleer. Nach einigen Kilometern erreichten wir die kleine Siedlung, die Tromsdorf hieß. Weit in der Ferne waren Bauern auf den Feldern mit der Landwirtschaft beschäftigt. Langsam fuhren wir an einem alten, großflächigen Kirchhof vorbei. Vor Jahrhunderten schienen hier wesentlich mehr Menschen gelebt zu haben.

»Halt!«, sagte ich und bremste.

»Wieso sagst du ›Halt‹, wenn du selbst hinter dem Steuer sitzt?«, fragte Faisal und zog grinsend seine Lefzen hoch.

Ich antwortete nicht, stieg aus und ging auf den Friedhof zu. Ein großes, aus hellem Sandstein gefertigtes Grabmal aus dem Mittelalter zog mich magisch an. Die Schrift auf dem Steinsockel war stark verwittert und an vielen Stellen kaum noch lesbar.Auf dem Sockel des Sarkophags lagen zwei lebensgroße, in Stein gehauene Ritter in schweren Rüstungen und hielten sich an den Händen.

Gottfried von Arnsberg
Hans von Tromsdorf

... du bist min und ich bin din ...

»Was ist mit dieser Grabstätte?«, fragte Maryellen, die mir gefolgt war.

»Jahrelang suchten wir sie vergebens. Lorenzs Detektive durchkämmten ganz Deutschland, um diese Ritter aufzuspüren, und nun finde ich durch Zufall ihr Grab. Ist das nicht eigenartig?«

»Aus welchem Grund ist das so wichtig für dich, Robert?«

Ich dachte an meinen ermordeten Bruder Laurent und an die verrückte Geschichte mit dem SCEPTRE DU VRIL.

»Es war ein Meilenstein auf der Suche nach einer Spur, die im Sande verlaufen musste, weil nie etwas daran gewesen ist. Das haben wir nur damals nicht gewusst.«

Schweigend kehrten wir zu den anderen Gefährten zurück, die im hohen Gras am Wegesrand saßen und auf uns warteten. Wir setzten uns dazu.

Ich erzählte, was es für eine Bewandtnis mit dem Grabmal auf sich hatte.

»Es gibt keine Zufälle«, sagte Pierre nachdenklich. »Überlegt einmal, was wir aus dieser Geschichte lernen können.«

Wir verstanden alle nicht, was er uns sagen wollte und schauten ihn fragend an.

»Es ist doch ganz einfach, Freunde! Warum wurde das Grab der schwulen Ritter nie gefunden, obwohl es derart außergewöhnlich ist? Weil es sich an einem Ort befindet, an dem niemand es erwartet! Die gleiche Strategie sollten wir uns zu Nutze machen. Wir befinden uns im Herzen des Feindeslandes. Sowie uns jemand entdeckt, sind wir geliefert, deshalb müssen wir genau dort hingehen, wo uns niemand erwartet! Versteht ihr?«

Faisal nickte beipflichtend. »Wir begeben uns mit anderen Worten absichtlich in die Höhle des Löwen, um nicht von ihm gefressen zu werden.«

»Meinst du damit Berlin?«, fragte ich, während mir kalte Schauer den Rücken herunterliefen.

... Heinrich, lass die Verrückten alle ausmerzen ...

Pierre schüttelte seinen Kopf. »Wir sollten noch keine Orte nennen, das lenkt nur ab und verstellt den Blick für das Wesentliche! Schließen wir zunächst aus, wohin wir gehen dürfen. Was wissen wir diesbezüglich aus dem Funkverkehr und den Radionachrichten, die wir bis gestern auf der Freedom empfangen haben?«

»Nach Norddeutschland und von dort aus weiter nach Skandinavien ist ausgeschlossen«, sagte ich.

»Dänemark, Norwegen und Finnland sind von Nazitruppen besetzt, außerdem fliegen alliierte Bomberverbände in diesen Tagen Serienangriffe auf Hamburg und legen die Stadt regelrecht in Schutt und Asche.«

»Nach Süddeutschland oder Österreich und von dort nach Italien beziehungsweise in die Schweiz geht auch nicht«, entgegnete Raoul. »Der Weg führt quer durch Bayern, wo viele Hochburgen der Nazis liegen.«

Maryellen zuckte mit den Schultern. »Nach Osten zu gehen wäre die schlechteste Alternative von allen, denn wir müssten mehrere besetzte Staaten durchqueren, um letztlich an der Ostfront zu landen, wo man auf beiden Seiten bis aufs Messer kämpft.«

»Demnach bleibt uns nur der Weg nach Westen. Das bedeutet, dass wir Richtung Ruhrgebiet fahren müssen, dann weiter nach Holland oder Frankreich und von dort aus in die Schweiz.«

»Na also!«, strahlte Pierre. »Ich sagte doch, dass es ganz einfach ist, den richtigen Weg zu finden!«

»Unser erstes Nahziel auf dieser Etappe ist Gera. Damit ergibt sich ein neues Problem. Wir kommen nämlich bald wieder unter so genannte *normale* Menschen. Leider bin ich der Einzige von uns, dem man nicht ansehen kann, dass er ein Mutant ist. Ihr Übrigen müsst unentdeckt bleiben in einer Gesellschaft, in der es schon reicht, das Falsche zu denken oder anders zu beten, um von der Polizei eingesperrt und ermordet zu werden.«

»O weh!«, sagte der Hundemann leise. »Daran habe ich gar nicht gedacht!«

»Könnt ihr die permanente Illusion erzeugen, wie ein *normaler Mensch* auszusehen?«

»Keine Ahnung«, antwortete Pierre.

»Dann lass es uns jetzt ausprobieren.«

Eine halbe Stunde später.

Das Ergebnis war niederschmetternd. Nur Faisal gelang es, seinem Hundekopf für einige Minuten das Aussehen eines jungen Mannes mit dunklen Haaren zu geben.

Die Amiens-Drillinge bekamen es überhaupt nicht hin, und Maryellen war es zwar gelungen, Marys Schädel unsichtbar zu machen, aber der Anblick vom Rest war grauenhaft: eine Frau, deren Kopf wie abgebrochen und falsch wieder zusammengeleimt auf ihrer linken Schulter saß ...

»Scheiße«, brummte ich. »So wird das nichts!«

»Doch, Robert! Du musst nur deine Phantasie benutzen!«, sagte Pierre grinsend und ließ seinen Blick über den LKW gleiten. Der große Kastenaufbau hatte auf jeder Seite ein rotes Kreuz in einem weißen Kreis aufgemalt.

»Wir tarnen uns als Krankentransport! Meine Brüder, unsere Kleine und ich legen uns auf die Tragen und mimen die Kriegsversehrten! Wie viele Soldaten haben in diesem verdammten Krieg schon ihre Beine verloren oder sind entsetzlich verstümmelt und verbrannt! Ihr werdet uns mit Gaze umwickeln und ordentlich zupflastern! Maryellen tut einfach so, als ob sie bewusstlos wäre. Im Liegen fällt der schiefe Kopf nicht auf, wenn wir sie bis zu den Ohren zudecken.«

Gott sei Dank müssen sich wenigstens die Hunde nicht verkleiden, dachte ich.

Nach einer langen Fahrt über holprige Feldwege trafen wir abends in Gera ein. Ich fuhr den LKW hinter eine leer stehende Lagerhalle, um an diesem Ort zu übernachten. Faisal legte sich zum Schlafen zu den anderen in den Kastenaufbau, um nicht durch Zufall entdeckt zu werden.

Am Morgen schien die Sonne ins Führerhaus und weckte mich. Ich zog die Geldbörse aus meiner Uniformjacke und ging los, um Frühstück zu besorgen. Viele fleißige Menschen waren auf den Straßen unterwegs. Ich beachtete sie nicht. Dafür wurde mir auf dem Bürgersteig respektvoll Platz gemacht, weil ich in meiner schwarzen Omega-PG-Uniform wie ein SS-Mann aussah.

... SS, das ist schon was ...

Mehrere kleine Kinder nahmen bei meinem Anblick Haltung an und riefen mir ein strammes, inbrünstiges »Heil Hitler!« zu, dem ich notgedrungen antworten musste, um nicht aufzufallen.

Was für eine Sünde!, dachte ich. Dieses Verhalten und Denken wird man aus diesen armen Kreaturen niemals wieder ganz herausbekommen.

In einem Tante-Emma-Laden erwarb ich fünf Brote, zwei harte Mettwürste und vier Literflaschen Milch - die letzten Waren aus der Auslage. Nach meiner Rückkehr frühstückten wir ausgiebig. Anschließend legte ich meinen Gefährten Verbände an, die ich mit Jod bestrich, damit sie echt aussahen.

In der Ablage im Führerhaus des LKWs hatte ich gestern Abend einen großen Stapel von auf die SS ausgestellten Benzinbezugsscheinen gefunden. Wir konnten also in dieser Hinsicht beruhigt sein, denn Benzin würden wir überall kostenlos erhalten, wo es noch welches gab.

Ich fuhr zur Tankstelle am Ortsausgang von Gera und ließ den LKW auftanken. Wir passierten Erfurt, Fischbach, Hersfeld, bogen nördlich ab Richtung Kassel, dann wieder westlich nach Paderborn und trafen vier Tage später endlich in Dortmund ein. Obwohl wir das erste große Ziel *Ruhrgebiet* erreicht hatten, fuhr ich weiter bis Duisburg. Die Stadt lag an zwei Flüssen. Vielleicht erhielten wir hier die Möglichkeit, auf einem Binnenschiff bis in die Niederlande zu fahren.

Ich fühlte mich gut, als wir vor einer der Kaimauern des Binnenhafens standen, wo die Ruhr in den Rhein mündet. Während unserer Odyssee durch Nazideutschland waren wir kein einziges Mal angehalten und kontrolliert worden. Die Deutschen schienen sich ganz auf ihre vielen Fronten am Rande Europas zu konzentrieren und achteten nicht mehr so sehr auf die Dinge, die im Innern des Landes vor sich gingen.

Lautes Getrappel von Stiefel belehrte mich umgehend eines besseren. Ich schaute in die beiden großen Rückspiegel des LKWs. Etwa vierzig SS-Männer bauten sich hinter dem Lastwagen auf, mit Maschinenpistolen im Anschlag.

»Die haben uns gerade noch gefehlt«, sagte Faisal.

»Was machen wir jetzt?«

»Sieh einfach aus wie ein normaler Mann. Inzwischen hast du doch gelernt, wie das geht. Alles andere müssen wir improvisieren.«

»Halt! Kontrolle! Alle Insassen aussteigen!«, rief eine befehlsgewohnte Stimme. Ich ließ die Omega-PG-Abzeichen an meiner Uniform wie metallene SS-Runen und Totenköpfe aussehen und stieg aus.

Der Mann, der die Befehle gegeben hatte, trat zu mir, knallte zackig die Hacken zusammen und riss seinen rechten Arm hoch. »Heil Hitler, Kamerad! SS-Obergruppenführer Möller! Wo wollen Sie hin und wo sind Ihre Papiere?«

»SS-Obergruppenführer Albers!«, antwortete ich und bemühte mich um einen arroganten Ton. »Unterwegs im Geheimauftrag des Führers!«

Er runzelte böse seine Stirn und rief: »Gruppenführer Rogowski! Laderaum überprüfen! Hier stimmt was nicht!«

Oh Scheiße, dachte ich und in diesem Moment fiel mir ein, woher ich die Männer kannte. Ihre Namen brachten mich darauf. Diese beiden Figuren waren bei den SA-Schlägern gewesen, die

1932 in München versucht hatten, das Zirkuszelt von Maya Blackwolfs Großvater anzuzünden.

Ich wusste, dass ich dringend etwas unternehmen musste, bevor es zu einem Blutvergießen kommen würde.

»Ich protestiere gegen diese Behandlung, Möller! Rogowski soll seine Finger von dem Lastwagen lassen!«

»Papiere!«, knurrte dieser, ohne auf meinen Einwand einzugehen, und streckte mir fordernd seine Hand entgegen.

Wir brauchen keine Papiere, dachte ich intensiv.

»Sie brauchen keine Papiere!«, riefen die vierzig SS-Männer im Chor. Der Obergruppenführer drehte sich zu seinen Leuten um. »Was ist mit euch Idioten los? Seid ihr alle verrückt geworden?«

Wir brauchen keine Papiere, du krankes Arschloch!, dachte ich verärgert. *Bist du zu dämlich, um das zu begreifen?*

Irgendwie kam meine Botschaft nicht bei Möller, sondern bei Rogowski an. »Sie brauchen keine Papiere, du krankes Arschloch!«, rief dieser seinem Vorgesetzten zu und ließ dabei donnernd einen fahren. »Bist du zu dämlich, um das zu begreifen?«

Der Obergruppenführer machte den Mund auf und stand sprachlos da. Aus welchem Grund erreichten ihn meine Gedankenbefehle nicht?

Faisal kam um das Führerhaus des LKWs herum und stellte sich neben mich.

»Was ist mit seinen Ohren los?«

Mir wurde heiß und kalt zugleich. Es war dem Hundemann zwar gelungen, die Illusion eines menschlichen Gesichts zu erzeugen, aber er hatte den Rest vergessen und sah aus wie ein Grieche, dem riesige Schäferhundohren aus dem behaarten Kopf ragen.

Der SS-Obergruppenführer zog seine verchromte Dienstpistole und richtete sie auf uns. »Wer seid ihr Verbrecher? Zur SS gehört ihr jedenfalls nicht! Also?«

Ich schloss meine Augen und konzentrierte mich. Die vierzig SS-Männer gingen geschlossen zum Rand des Kais, warfen ihre

Maschinenpistolen in die Ruhr und begannen sich auszuziehen. Um die musste ich mich nicht weiter kümmern.

»Was ist los, ihr Vollidioten!«, brüllte Möller. »Ich bringe euch alle vors Kriegsgericht!«

Seine Leute hörten ihn gar nicht. Sie rissen sich die Kleider vom Leib und ließen sie ins Wasser fallen. Die Ersten hatten sich bereits aller Kleidungsstücke entledigt und sprangen kopfüber ins Hafenbecken. Sie würden zum gegenüberliegenden Ufer schwimmen und sich dort bis zum Abend in die Sonne legen.

Zu meinem Erstaunen bückte sich Gruppenführer Rogowski plötzlich, hob einen großen, dunkelbraun glänzenden Hundeköttel vom Boden auf und biss kräftig davon ab.

»Warst du das?«, fragte ich Faisal leise.

»Ich wollte sehen, ob ich das Gleiche kann wie du«, grinste der Hundemann, während der SS-Mann genussvoll kaute.

»Igitt, wie widerlich!«, würgte Obergruppenführer Möller hervor, und dann kam es ihm auch schon hoch. Er übergab sich in hohem Bogen, schüttelte sein Erbrochenes mit einem heftigen Ruck von seinen Stiefeln und sagte laut: »Rogowski! Verhaften Sie diese Kriminellen!«

Aber der warf seine Dienstpistole in hohem Bogen in die Ruhr und winkte gelangweilt ab. »Ich will nachhause gehen und mein Leben überdenken.«

Dann drehte er sich um und ging.

Nach einigen Metern bückte er sich, hob etwas vom Boden auf und biss kräftig davon ab ...

Ich wusste inzwischen, warum der SS-Obergruppenführer meine Gedankenbefehle nicht empfangen konnte. Man hatte ihm nach einer Verletzung eine kleine Silberplatte in den Schädelknochen eingesetzt. Ich brauchte nur die Farbe meiner Energiestrahlen zu ändern, um ihn beeinflussen zu können.

»Zwei plus zwei ist fünf«, dachte ich intensiv.

»Denken Sie darüber nach, Möller! Nehmen Sie Ihre Finger zu Hilfe und laufen Sie so lange im Kreis herum, bis Sie das Ergebnis gefunden haben!«

»Puh! Das war in letzter Sekunde«, sagte Faisal. »Wie soll er diese Aufgabe jemals lösen? Das geht ja gar nicht!«

»Oh doch«, antwortete ich lächelnd. »Man benötigt nur ein wenig Fantasie, um auf die Lösung zu kommen.«

Wir stiegen in den LKW.

Nördlich von Duisburg überquerten wir den Rhein und fuhren Richtung Venlo, dem ersten Ort in den Niederlanden hinter der ehemaligen Grenze.

Immer, wenn wir durch eine Ortschaft kamen, in der sich deutsche Besatzungssoldaten aufhielten, machten wir unseren LKW unsichtbar. Auf diese Weise gelangten wir ungehindert bis nach Besançon in Frankreich.

Am Abend des achten August erreichten wir endlich den Grenzübergang in die Schweiz. Obwohl dieser verbarrikadiert war, stellten die Hindernisse kein Problem für uns dar. Wir hoben den LKW einige Meter hoch und ließen ihn über die Barrikaden schweben. Das war nicht schwierig für einen Mann, der vor Jahren die MS Europa mit seinen Kräften festgehalten hatte.

Gegen Mitternacht waren wir in Lausanne. Wir parkten den LKW in einer Seitenstraße und begaben uns zu Fuß zum Hotel *Bellevue*, wo wir uns einquartierten.

Im Sommer 1943 befreiten sich die Italiener selbst von ihrem Diktator. Mussolini wanderte ins Gefängnis, die Zeit des Faschismus wurde für beendet erklärt und im September schloss die neue Regierung einen Waffenstillstand mit den Alliierten.

Im Oktober drängte die Rote Armee die deutschen Eroberer aus Kiew zurück, und ein baldiges Ende des Zweiten Weltkrieg rückte in greifbare Nähe.

Im Januar 1944 besuchte ich mehrmals meinen Anwalt und Schulfreund Gerhard Greve, um meine Nachlassangelegenheiten zu regeln. Clymer-Construction und die Clymer-Werke arbeiteten seit der Fertigstellung der Freedom für die US Air Force und erwirtschaftete hohe Erträge.

Die Firmen und meine Farm überschrieb ich zu gleichen Teilen auf meine Töchter Vivian und Vanessa. Damit verfügte ich über keinen Besitz mehr in den USA, aber mir blieb mein riesiges Vermögen auf meinem Schweizer Nummernkonto. Der Vorteil war, dass ich ohne persönliche Identifikation auf das Konto zugreifen konnte.

Es lag auf der Hand, dass ich mich in näherer Zukunft um neue Papiere würde kümmern müssen, weil ich inzwischen schon fünfundfünfzig war und nach wie vor aussah wie Ende zwanzig.

Meine künstlich geschaffene Identität als Robert Clymer II. durfte ich nicht mehr verwenden, denn das FBI brachte sie leider in Verbindung mit Leos vielen Morden.

Wir verbrachten das Jahr 1944 als Dauergäste im Hotel *Bellevue* in Lausanne und beobachteten den Niedergang des Faschismus in Europa.

Ivos Strohfeuertheorie bestätigte sich - seit der Niederlage von Stalingrad fiel das Nazireich immer schneller in sich zusammen. Millionen alliierte Soldaten aus allen demokratischen Ländern der Erde setzten ihr Leben aufs Spiel, um die Welt zu befreien von Unterdrückung, Diktator und Willkürherrschaft. Es war der größte Befreiungsschlag der Menschheitsgeschichte.

Ende August waren die deutschen Barbaren aus Paris vertrieben und im September standen britische und amerikanische Truppen an der Westgrenze des Deutschen Reiches.

Kurz vor dem Jahreswechsel schaute ich nach langer Zeit in meinen Lederrucksack. Als ich die Fernsteuerung der Freedom herauszog, fiel mir das braune Packpapier in die Hände, worin mir Pjotr Voroschin vor über einem Jahr die Briefe unserer Väter zugeschickt hatte. Es war aufgerissen und der Inhalt fehlte - ich schien ihn während meiner Flucht durch das Land der Herrenmenschen verloren zu haben.

<u>Der Count-down beginnt.</u>
<u>267 Tage bis zum Inferno</u>

Sonntag, 12. November 1944, 16:04 Uhr.
Vanessa Clymers Wohnung in Nagasaki, Japan.

»Jetzt, Peter! Ja, jetzt! Aaaaah!!!«, stöhnte die junge Frau. Ein mächtiger Orgasmus trug sie fort, weit über die Grenzen der ihr bisher bekannten Empfindungen hinaus. Dieses Gefühl hatte sie noch nie zuvor erlebt, es war, als würde sie das Universum ausfüllen können.

Minuten später legte sie ihre Arme zärtlich um den Hals ihres Geliebten und küsste ihn wild. »Ich liebe dich, Peter Norton!«

Der britische Geheimagent, der in Vanessa Clymers Bett lag, wie ein Japaner aussah und gar nicht Peter Norton hieß, löste sich aus der Umarmung der jungen Frau und stützte sich auf seinen rechten Ellenbogen.

»Ich liebe dich auch, mein Schatz!«

Er stand auf und zog sich langsam an.

Sie machte einen Schmollmund. »Musst du wirklich für drei Monate nach England fahren?«

»Auftrag von ganz oben! Dieser Krieg wird bald vorbei sein.«

»Dann wirst du nie mehr fortgehen müssen! Dann können wir endlich richtig zusammen sein, nicht wahr? Das wird schön!«

Ein Schatten flog über das Gesicht des Mannes, der in Wahrheit nicht Peter Norton hieß.

»Ja, mein Liebling«, sagte er heiser, während er seine attraktive Freundin betrachtete, die nackt auf dem Bett lag und sich räkelte. »Das wird schön.«

<u>265 Tage bis zum Inferno</u>

Dienstag, 14. November 1944, 15:25 Uhr.
Vivian Clymers Wohnung in Hongkong,
britische Kronkolonie.

»Jetzt, Eric! Ja, jetzt! Aaaaah!!!«, stöhnte die junge Frau. Ein mächtiger Orgasmus trug sie fort, weit über die Grenzen der ihr bisher bekannten Empfindungen hinaus. Dieses Gefühl hatte sie noch nie zuvor erlebt, es war, als würde sie das Universum ausfüllen können.

Minuten später legte sie ihre Arme zärtlich um den Hals ihres Geliebten und küsste ihn wild.»Ich liebe dich, Eric Walters!«

Der britische Geheimagent, der in Vivian Clymers Bett lag, wie ein Japaner aussah und gar nicht Eric Walters hieß, löste sich aus der Umarmung der jungen Frau und stützte sich auf seinen rechten Ellenbogen.

»Ich liebe dich auch, mein Schatz!«

Er stand auf und zog sich langsam an.

Sie machte einen Schmollmund. »Musst du wirklich für drei Monate nach England fahren?«

»Auftrag von ganz oben! Dieser Krieg wird bald vorbei sein.«

»Dann wirst du nie mehr fortgehen müssen! Dann können wir endlich richtig zusammen sein, nicht wahr? Das wird schön!«

Ein Schatten flog über das Gesicht des Mannes, der in Wahrheit nicht Eric Walters hieß.

»Ja, mein Liebling«, sagte er heiser, während er seine attraktive Freundin betrachtete, die nackt auf dem Bett lag und sich räkelte. »Das wird schön.«

264 Tage bis zum Inferno

Mittwoch, 15. November 1944, 18:50 Uhr.
Jeremy Howards Wohnung in Hongkong

Er wartete nur noch auf den Anruf seines Vaters. Sein Schiff nach Großbritannien ging um zwanzig Uhr. Er bedauerte, dass er Asien endgültig den Rücken kehren musste, denn so viele Freiheiten wie hier würde er nie wieder haben. Als britischer Topagent arbeitete er alleine.

Er hatte den Doppelagenten in Nagasaki getötet und war anschließend völlig entspannt zu der einen gegangen. Er hatte den Überläufer in Hongkong umgelegt und war danach ganz ruhig bei der anderen erschienen.

Er kam immer mit ihren Namen durcheinander, weil die Zwillinge äußerlich nicht zu unterscheiden waren.

Deswegen sagte er ›mein Schatz‹ zu jeder, um sich nicht durch eine unbedachte Verwechselung ihrer Vornamen zu verraten. Wie Raketen gingen beide ab beim Sex, und es besaß seinen besonderen Reiz, mit Zwillingsschwestern zu schlafen.

Bedauernd zog er seine Schultern hoch. Diese Zeit war vorbei und er würde nie nach Asien zurückkehren, denn hier übernahm jetzt der amerikanische Geheimdienst das Ruder.

In Cardiff wartete die spröde Elisabeth auf ihn. Mit ihr war es langweilig im Bett. Sie legte sich auf den Rücken wie eine Tote - *hoppel, hoppel, fertig* -, sofern man überhaupt bis dahin kam - *heute nicht Jerry ... fürchterliches Kopfweh ... habe meine Tage ... bin zu kaputt für das ...*

In Großbritannien gab es hunderttausend andere schöne Bräute, die gerne vögelten und nie genug davon bekommen konnten, deshalb hatte er beschlossen, sich nach seiner Rückkehr von seiner Verlobten Elisabeth zu trennen.

Endlich klingelte das Telefon, während draußen das Taxi vorfuhr und hupte. Er hob den Hörer ab.

»Hier ist die Auslandsvermittlung. Ein Gespräch von Mr. Peter Wood. Moment Sir, ich verbinde ...«

Er schmunzelte. Sein Vater, seit vielen Jahren der Leiter des britischen Geheimdiensts, verwendete nach wie vor seinen alten Decknamen.

»Hallo Jerry«, sagte Thomas Howard. »Sowie du in England bist, musst du dringend nach Cardiff kommen! Es gibt Probleme!«

Nach zwei Minuten war er informiert, legte den Telefonhörer in die Gabel und verließ seine Wohnung, ohne die Tür hinter sich zu verschließen. Es war ihm egal, ob Diebe sie ausräumten, denn er würde nie an diesen Ort zurückkehren.

Die Kathedrale von Cardiff

Recherchen in den alten Quellen der Rosenkreutzer

Durchgeführt von Edward Bulwer-Lytton

Zeitraum 1289 bis 1870

Cardiff und Umgebung

Vor Tagen schon hatte der Sturm eingesetzt. Das hölzerne Fischerboot konnte sich lange erfolgreich wehren gegen die Wellen, die so hoch wie Häuser waren und von Osten angerollt kamen, hellbrau-

nes Wasser zeigend, das im strahlenden Sonnenschein wie Berghänge aussah, die sich langsam bewegten.
Immer wieder stand das Boot einen Augenblick auf einem dieser Berge, um danach in eines der tiefen Wassertäler zu stürzen, nur um kurz darauf erneut angehoben zu werden.
Dieses Spiel wiederholte sich. Wenn die Sonne hinter den dunklen Wolken verschwand, erschien das Meer schwarz und undurchsichtig, und dann sah es aus, als wolle es das hölzerne Fischerboot nicht mehr tragen.
Der Passagier, der eine Mönchskutte und einen kleinen Rucksack auf seinem Rücken trug, hing über der Reling und würgte sich die Seele aus dem Leib.
Als der Mast brach, trieben sie ab nach Westen, immer weiter hinaus in den Oceanus Occidentalis, *dem Rand der Welt entgegen. Niemand war je von dort zurückgekehrt. Würde das Boot einfach von der Erdenscheibe herunterfallen, direkt hinab in den Schlund der Hölle?*
Der Kapitän des Handelsschiffs, mit dem er von Akkon gekommen war, hatte den jungen Priester in Nordfrankreich an Land gesetzt. Die drei Fischer waren bereit gewesen ihn nach England überzusetzen, und dann hatte mitten auf dem Ozean der Sturm begonnen.
Irgendwann drehte der Wind seine Richtung von Osten nach Westen und blies das Fischerboot wie die hohle Schale einer Nuss vor sich her.
Bruder John faltete seine Hände, hob seinen Kopf gen Himmel und betete. All seinen Glauben und seine Inbrunst legte er in dieses Gebet. Plötzlich wurde es hell über ihm. Mit irre glitzernden Augen schaute zu dem gleißenden Licht empor. Darin erschien Gott und sprach zu ihm und sagte:

> Höre wohl, mein Knecht, was dein Schöpfer dir zu sagen hat! Mein Zorn auf die Menschen ist wie der Hammer, der das Eisen auf dem Amboss schmiedet! Du wirst nach Cardiff gehen und den Bau der Kathedrale zu meinen Ehren beenden! Nichts darf dich abhalten von dieser deiner Aufgabe. Versagest du, werden wieder verbunden miteinander

Helle und Dunkel zu einem Ganzen und meine Kreaturen sollen von der Erde getilget sein. Das Schicksal der Welt liegt in deinen Händen!

Eine Riesenwelle schlug über dem hölzernen Fischerboot zusammen und zerschlug es in kleine Stücke. Als der Priester erwachte, lag er auf dem steinigen, harten Sand der Bucht des Bristol-Kanals. Sein Rucksack hing fest auf seinem Rücken.

Er stand auf. Der Sturm hatte schlagartig aufgehört und die Strahlen der wärmenden Sonne trockneten seine Kleider schnell. Er ging auf die Stadt zu, die er in der Ferne sah, und wunderte sich nicht, dass es Cardiff war.

Seine Augen leuchteten irre, als er durch die Straßen stapfte. Die zur Hälfte fertig gestellte Kathedrale war schon von Weitem zu sehen. Dieses Bauwerk sollte von nun an seine Lebensaufgabe sein und der Schlüssel zur Lösung dieser Aufgabe befand sich in seinem Rucksack - der auf seinen Namen ausgestellte Wechsel über das Vermögen der Tempelritter von Akkon und Jerusalem. Das andere Paket war bedeutungslos geworden und Bruder John vergaß es einfach.

Erst seinem Enkel Thomas fiel das seit Jahrzehnten nicht ausgepackte Päckchen in die Hände, als er nach dem Tod seines Großvaters dessen Nachlass ordnete. Er öffnete es und fand ein wundersames Manuskript darin, das viele Zeichnungen von Pflanzen, Wurzeln, Töpfen und badenden Männern und Frauen zeigte. Der Text ließ war völlig unverständlich.

Er dachte an die wirren Schilderungen seines verrückten Großvaters über das ›Buch des Lebens‹, *das ihm angeblich von einem Cherubim am Heiligen Grab des Herrn Jesus in Jerusalem überreicht worden war. Man würde es übersetzen müssen, um zu erfahren, was Gott der Herr den Menschen mitteilen wollte.*

Thomas Sohn Albert studierte in Deutschland und brachte nach erfolgreich absolvierter Studienzeit seinen Freund Christian Rosencreutz mit nach England. Die beiden Männer befassten sich oft mit dem mysteriösen Manuskript, aber auch ihnen gelang es nicht, den Text zu entschlüsseln.

1395 gründeten sie die Geheimgesellschaft der englischen Rosenkreutzer, die Societas Rosicruciana in Anglia. *Nach dem Tod des Ordensgründers ging das Amt des Großmeisters auf den Ehemann seiner einzigen Tochter über. Deren Nachfahrin Dorothy Penrose heiratete 1661 den zweiundzwanzigsten Herzog von Arundel. Dessen Vater Thomas war vor vielen Jahren bei der Überquerung des Kanals von Antwerpen nach England ertrunken. Durch diese Heirat kam das Großmeisteramt der geheimen Bruderschaft an die Familie der Howards.*

Sein Nachfahre Jeremy war ein sehr gebildeter Mann und mit dem Dichter Edward George Bulwer-Lytton befreundet. 1867 bat dieser seinen Freund, sich an dem geheimnisvollen, alten Manuskript zu versuchen, das nunmehr seit über einem halben Jahrtausend im Besitz des Ordens war, ohne dass es jemand lesen konnte. Nach vier erfolglosen Monaten erschien dem Schriftsteller eines Nachts ein weißhaariger Engel, der ihm die Lösung zur Entschlüsselung zeigte.

Zu seinem Erstaunen beschrieb das alte Manuskript die sonderbare Lebensgeschichte einer Frau namens Rachel Winter, die übernatürliche Fähigkeiten besessen hatte und mehrmals durch die Zeit gereist war. Nach einigem Nachdenken benannte Edward Bulwer-Lytton den von ihm übersetzten Text als ›Kodex Secretae Viatorae per Tempum‹, *was so viel wie* ›Dossier über die Geheimnisse der Zeitreisenden‹ *bedeutet.*

Je länger er sich mit der alten Schrift beschäftigte, desto mehr Ideen kamen ihm für einen eigenen, neuen Roman. Als er seinem Freund Jeremy Howard die komplette Übersetzung zusandte, arbeitete er schon am Entwurf von ›The Coming Race‹ - ›Das kommende Geschlecht‹. *Darin begegnet der Erzähler einer unter der Erde lebenden Überrasse, die eine geheimnisvolle Kraft namens* VRIL *benutzt. Dieses Wort erfand der Schriftsteller, ohne ihm eine tiefere Bedeutung beizumessen.*

Kurioserweise fiel der Bote, der Rachels Manuskript nach Cardiff zurückbringen sollte, einem Raubüberfall zum Opfer. Die Diebe verkauften das wertvoll aussehende Buch an einen reichen Sammler alter Folianten in Italien.

Diverse handschriftliche Ergänzungen
von den Großmeistern des Ordens
zwischen 1871 - 1944 dokumentiert

Jeremy Howards Enkel Thomas wurde 1915 Großmeister und 1925 der Leiter des britischen Geheimdiensts. Er nannte sich dienstlich Peter Wood, um das Privatleben seiner Familie zu schützen.

Im Alter von einundzwanzig Jahren trat sein Sohn Jerry ebenfalls dem Abwehrdienst bei und avancierte schnell zu einem der wenigen Doppelnullagenten, die stets alleine arbeiteten, keinerlei Skrupel kannten und im Auftrag Großbritanniens töten durften, ohne dafür gerichtlich belangt werden zu können. Dank seiner Mutter, einer Bankierstochter aus Tokyo, die bei seiner Geburt gestorben war, sah er aus wie ein Japaner und war damit für Einsätze in Fernost prädestiniert, wo er sich Peter Norton oder Eric Walters nannte.

Im November 1944 übernahm der amerikanische Geheimdienst den gesamten Pazifikraum, um den Krieg so schnell wie möglich zu beenden. Jeremy Howard kehrte Asien den Rücken und fuhr nach Großbritannien, wo sein Vater ihn erwartete. Irgendetwas schien vorzugehen im Rosenkreutzer-Orden, dessen nächster Großmeister er werden sollte. Am Silvesterabend traf der junge Mann zuhause in Cardiff ein ...

Morgen die ganze Welt

Wie schon im letzten Jahr nahmen wir auch 1944 wieder an dem Silvesterball teil, der in einem der großen Festsäle des Hotels *Bellevue* veranstaltet wurde. Alle Gefährten hatten während ihres langen Aufenthalts in der Schweiz gelernt, sich in eine permanente Illusion einzuhüllen, die sie wie normale Menschen aussehen ließ. Nur so war es möglich gewesen, die vielen Monate in Ruhe zu leben, ohne dass Pagen, Zimmermädchen und andere Hotelbedienstete oder Gäste in Entsetzensschreie ausbrachen, wenn sie erkannt hätten, wie die Mutanten in Wirklichkeit aussahen.

Ungeduldig zählten wir das alte Jahr herunter.
Drei – zwei – eins – ein frohes, neues 1945!

215 Tage bis zum Inferno

Am Montag, dem dritten Januar suchte Vivian Clymer eine Arztpraxis auf, weil ihr häufig schlecht wurde und sie sich oft übergeben musste. Im Wartezimmer dachte sie mit Schrecken an ihre Mutter, die wegen einer Unterleibserkrankung früh gestorben war.

»Sie sind völlig gesund«, sagte der Arzt eine halbe Stunde später zu ihr. »Herzlichen Glückwunsch, junge Frau! Sie bekommen ein Kind!«

Auf dem Rückweg zu ihrer kleinen Wohnung wanderten ihre Gedanken zu dem Geliebten. Wie schade, dass er diesen Moment nicht erleben durfte! Sie richtete ihren Blick gen Himmel, als ob es möglich wäre, ihm auf diesem Weg die freudige Botschaft nach England zu senden. Ein Gefühl von Glück und großer Liebe strömte durch ihren Körper. Oh mein Eric! Wie glücklich wärst du, wenn ich es dir sagen könnte! Bis zum Sommer wird dieser verdammte Krieg endlich zu Ende sein, und dann werden wir heiraten! In ihrem Kopf nahm ihre Zukunft immer konkretere Formen an. Vivian Clymer sah sich in Gedanken in einem weißen Brautkleid neben ihrem Geliebten vor dem Altar stehen.

»Wir ziehen nach England«, sagte sie zu sich selbst, »und suchen uns ein hübsches Häuschen aus roten Backsteinen in einem der besseren Londoner Vororte. Eine Bahnverbindung muss in die Innenstadt führen, damit mein Eric jeden Morgen zu seinem Ministerium fahren kann, für das er als Berater tätig ist. Das erste Jahr werde ich zuhause bleiben, dann stellen wir ein gutes Kindermädchen ein, weil ich wieder arbeiten gehe. Der Sender spielt sicher mit - ich bin eine der besten Korrespondentinnen, und die BBC ist als sehr sozialer Arbeitgeber bekannt. Das wird wunderbar!«

Die junge Frau strahlte innerlich, als sie ihre kleine Wohnung betrat. Sie war unbeschreiblich glücklich, denn im Sommer würde sie Mrs. Walters sein. Der alte Inder, der an der Straßenecke stand, schüttelte bedauernd seinen Kopf. »Armes Mädchen«, murmelte er leise.

Zur selben Zeit suchte Vanessa Clymer eine Arztpraxis auf, weil ihr häufig schlecht wurde und sie sich oft übergeben musste. Im Wartezimmer dachte sie mit Schrecken an ihre Mutter, die wegen einer Unterleibserkrankung früh gestorben war.

»Sie sind völlig gesund«, sagte der Arzt eine halbe Stunde später zu ihr. »Herzlichen Glückwunsch, junge Frau! Sie bekommen ein Kind!«

Auf dem Rückweg zu ihrer kleinen Wohnung wanderten ihre Gedanken zu dem Geliebten. Wie schade, dass er diesen Moment nicht erleben durfte! Sie richtete ihren Blick gen Himmel, als ob es möglich wäre, ihm auf diesem Weg die freudige Botschaft nach England zu senden. Ein Gefühl von Glück und großer Liebe strömte durch ihren Körper. Oh mein Peter! Wie glücklich wärst du, wenn ich es dir sagen könnte! Bis zum Sommer wird dieser verdammte Krieg endlich zu Ende sein, und dann werden wir heiraten! In ihrem Kopf nahm ihre Zukunft immer konkretere Formen an. Vanessa Clymer sah sich in Gedanken in einem weißen Brautkleid neben ihrem Geliebten vor dem Altar stehen.

»Wir ziehen nach England«, sagte sie zu sich selbst, »und suchen uns ein hübsches Häuschen aus roten Backsteinen in einem der besseren Londoner Vororte. Eine Bahnverbindung muss in die Innenstadt führen, damit mein Peter jeden Morgen zu seinem Ministerium fahren kann, für das er als Berater tätig ist. Das erste Jahr werde ich zuhause bleiben, dann stellen wir uns ein gutes Kindermädchen ein, weil ich wieder arbeiten gehe. Der Sender spielt sicher mit - immerhin bin ich eine der besten Korrespondentinnen, und die BBC ist als sehr sozialer Arbeitgeber bekannt. Das wird wunderbar!«

Die junge Frau strahlte innerlich, als sie ihre kleine Wohnung betrat. Sie war unbeschreiblich glücklich, denn im Sommer würde sie Mrs. Norton sein. Der alte Inder, der an der Straßenecke stand, schüttelte bedauernd seinen Kopf. »Armes Mädchen«, murmelte er leise.

***

Mitte Januar 1945 begann die sowjetische Großoffensive gegen das Deutsche Reich, eine Woche später legte der amerikanische Präsident Franklin Delano Roosevelt den Amtseid für seine vierte Regierungsperiode in Folge ab. Bis Monatsende befreiten Truppenverbände der Roten Armee das Konzentrationslager Auschwitz. Die Soldaten trauten ihren Augen nicht, als sie das größte Menschenvernichtungslager der Welt betraten. Fünftausend schwer kranke Opfer hatte die SS dort zurückgelassen, die übrigen sechsundsechzigtausend Lagerinsassen waren von den deutschen Gewaltmenschen mitgenommen und wie Herdenvieh Richtung Deutschland getrieben worden.

***

Bis Ende Februar Zeit warteten die Clymer-Zwillinge vergeblich auf die Rückkehr ihres Geliebten, der für die eine Eric Walters, für die andere Peter Norton und in Wirklichkeit Jeremy Howard hieß.

Während Vivian in Hongkong ungehindert ihrer Arbeit nachgehen konnte, wurde die Situation für Vanessa täglich schwieriger. Sie lebte in Japan inzwischen wie eine Gefangene, die man nur deshalb nicht verhaftete und einsperrte, weil sie nicht gefährlich zu sein schien.

Ihre Artikel unterlagen einer strengen Zensur, sie stand unter Überwachung des Geheimdiensts und durfte ihren Wohnbezirk nur verlassen, wenn sie vorher eine Genehmigung bei der örtlichen Polizeistation beantragte.

Immer stärker verdichteten sich Vanessas Gefühle, dass etwas vorging, das kein gutes Ende nehmen konnte. Oft träumte sie wirres Zeug, das keinerlei Sinn ergab, außer dass häufig ein weißhaariger Engel mit roten Augen darin vorkam, der ihr etwas mitteilen wollte, und dessen Botschaften sie nicht verstand.

156 Tage bis zum Inferno

Am Samstag, dem dritten März fühlte Vanessa, dass die Zeit für sie gekommen war, um unterzutauchen. Sie wusste, wie man sich kleiden und benehmen musste, um in einer Menge nicht aufzufallen. Dass sie schwanger war, sah man der schlanken Frau noch nicht an. Am Vormittag verließ sie ihre kleine Wohnung und fuhr zu Freunden, die im Zentrum der japanischen Stadt Hiroshima lebten. Hier, in der Obhut der Dissidenten, mit denen sie seit Jahren befreundet war, würde sie das Ende des Zweiten Weltkriegs abwarten.

***

Am sechsundzwanzigsten März 1945, als die US Air Force ihren ersten großen Luftangriff auf Okinawa startete, stand Lorenz Miller vor der Tür meines Hotelzimmers in Lausanne.

Er trug die Uniform eines amerikanischen Leutnants und wirkte wieder so dynamisch wie 1932, als wir uns kennen gelernt hatten. Erstaunt bat ich ihn hinein.

»Die US-Army hat mich eingestellt, weil ich fließend deutsch spreche und einen Faschisten bereits an seiner Wortwahl erkenne«, sagte er zehn Minuten später.

»Die Kriegsalliierten arbeiten zurzeit an der Bildung eines internationalen Kriegsgerichtshofs, vor den alle Nazis gebracht werden sollen, wenn der Krieg beendet ist. Unser Freund Ivo Radenković wurde gefragt, ob er einer der Richter sein möchte. Er hat zugestimmt und wird in zwei Monaten in der Schweiz eintreffen.«

Verstohlen schaute ich zu seinem linken Bein. Er bemerkte dennoch meinen Blick und legte seinen Arm um meine Schulter. »Ich habe lange gebraucht, um mein Holzbein zu akzeptieren, Robert. Ich war erst so weit, als Sarah mir androhte, mich zu verlassen, wenn ich weiterhin so ein Grießgram wäre.«

Am zwölften April starb der zweiunddreißigste amerikanische Präsident Franklin Delano Roosevelt im Alter von dreiundsechzig Jahren - angeblich an einer Gehirnblutung. Sein Nachfolger im Amt wurde Vizepräsident Harry S. Truman. Berlin war von Verbänden der Roten Armee eingekesselt und das Dritte Reich lag in seinen letzten Zügen.

98 Tage bis zum Inferno

Montag, 30. April 1945

Oberdonau-Zeitung

Unser Führer Adolf Hitler ist heute
im Kampf gegen den Bolschewismus,
dem sein ganzes Leben galt,
als Soldat in vorderster Front gefallen!

In Wirklichkeit hielt sich der Reichskanzler und Reichspräsident in einer Person feige im Bunker der Berliner Reichskanzlei versteckt und knallte sich die Rübe weg, als die Russen an die Tür klopften. Reichspropagandaminister Dr. Goebbels folgte seinem Führer auf noch perfidere Art und Weise. Er vergiftete seine sechs unschuldigen Kinder, bevor er sich und seine arische Frau erschoss.

Ein völlig verrückter Vorgang löste ungläubiges Erstaunen bei den Alliierten aus. Am ersten Mai, keine vierundzwanzig Stunden nach dem feigen Selbstmord des Gröfaz, gründeten der ehemalige Großadmiral Karl Dönitz und der vormalige NS-Finanzminister Lutz Graf Schwerin von Krosigk eigenmächtig und in absoluter Verkennung von Realität und Sachlage eine eigene Reichsregierung - wie andere Leute am Stammtisch einen Kaninchenzuchtverein ins Leben rufen.

Am achten Mai 1945, nach der Unterzeichnung der bedingungslosen Kapitulation, hörte das faschistische Deutsche Reich endlich auf zu existieren. Vierzehn Tage später konnten auch die Mitglieder von Dönitzs eigenartigem Reichsregierungsverein in der Marineschule Mürwik bei Kiel verhaftet werden. Gott sei Dank war es diesen völlig Verkorksten nicht gelungen, in den drei Wochen ihrer eingebildeten Herrschaft wesentlichen Schaden anzurichten.

Während der Zweite Weltkrieg im Pazifikraum mit unverminderter Härte weitertobte, steuerte das Vakuum im Herzen Europas bereits auf eine neue Ordnung zu. Mitte Juni 1945 nahmen die amerikanischen, sowjetischen, britischen und französischen Militärverwaltungen in Deutschland ihre Arbeit auf. Allerorts wurden ehemalige Führer des NS-Verbrecherregimes und deutsche Wirtschaftsbosse verhaftet, die im Verdacht standen, eng mit dem Naziregime zusammengearbeitet zu haben.

Am Freitag, dem fünfzehnten Juni waren die Reparatur- und Wartungsarbeiten an meiner alten Handley-Page erfolgreich abgeschlossen. Durch Major Rosen, der den Zweiten Weltkrieg im Untergrund bei der Résistance überlebt hatte und wieder als Leiter des französischen Geheimdiensts arbeitete, erhielten meine Gefährten und ich Ausweispapiere für die verschiedenen Besatzungszonen sowie Bezugsberechtigungsscheine für Flugzeugbenzin.

Am nächsten Morgen verließen wir das Hotel *Bellevue* und ließen uns mit zwei Taxis von Lausanne zum Genfer Flughafen fahren.

Viele der deutschen Städte, die wir überflogen, waren in den letzten beiden Kriegsjahren durch Bombenangriffe der Alliierten zerstört worden. Faisal zuckte mit seinen Schultern, als er die Ruinen unter uns erblickte.

»Es ist nicht anders als beim Pokern - diese Bekloppten haben bis zum Ende weiterspielen wollen und alles verloren. Hätten sie rechtzeitig aufgegeben und sich selbst vom Faschismus befreit, wie die Italiener, wäre es nie so weit gekommen. Jeder Einzelne von ihnen trägt seinen Anteil der Schuld an dem, was geschehen ist. So sind nun mal die Spielregeln.«

Am späten Nachmittag landete ich die Maschine auf einer geraden Straße östlich von Kiel, wo vor vielen Jahren Gut Schwanensee gestanden hatte. Wir beschlossen, die Nacht in der geräumigen

Handley-Page zu verbringen, und teilten zweistündige Wachen ein, weil wir dem Frieden buchstäblich nicht trauten. Niemand wird innerhalb von vier Wochen vom glühenden Nationalsozialisten zum demokratischen, friedliebenden Bürger.

Gegen zwei Uhr nachts näherten sich drei britische Militärjeeps. Die Briten kontrollierten unsere Papiere sehr gründlich. Da sich meine Gefährten mit der Illusion normal aussehender Menschen umgaben, gab es nichts zu beanstanden.

Bevor die Patrouille wieder abfuhr, sagte der Lieutenant: »Seien Sie bloß vorsichtig, meine Herren! In dieser Gegend treiben sich deutsche Partisanen herum, die sich *die Werwölfe* nennen. Es handelt sich zumeist um junge Männer, die bei der SS, bei der Wehrmacht oder bei der Hitlerjugend waren. Sie glauben, sie müssten den verlorenen Krieg aus dem Hinterhalt weiterführen. Man darf diese verdammten Idioten nicht unterschätzen, denn sie finden einen großen Rückhalt in der Bevölkerung, die sie verstecken und mit Nahrungsmitten, Waffen und Munition versorgen. Also geben Sie Acht, dass keiner von Ihnen jetzt noch von diesen verblendeten Irren erschossen wird. Gute Nacht!«

Am folgenden Morgen machten sich Faisal, Maryellen und ich zu Fuß auf den Weg zur Kieler Ansgar-Kirche, auf deren Friedhof mein Vater und mein Bruder Georg begraben lagen. Die Amiens-Drillinge und die Hunde ließen wir bei meinem Flugzeug zurück.

Es war ein wunderschöner Sommertag. Die Sonne stand hoch am Himmel und erzeugte ein angenehmes Gefühl auf meiner Haut, während uns eine leichte Brise von der Seeseite um die Nase wehte. Nach einiger Zeit kamen uns Menschen entgegen.

»Umgebt euch nicht mit einer Illusion«, sagte ich. »Das sind nur Deutsche, und die haben hier nichts mehr zu melden. Nicht ihr seid die Monster, sondern sie, denn in ihrem Namen wurden Verbrechen begangen, die die Welt noch nicht gesehen hat! Ich werde sie mit meinen Kräften an der langen Leine halten, damit es nicht zu unvorhergesehenen Gewalttaten kommt.«

Die drei Kerle blickten beim Gehen auf den Boden. Als sie sich uns bis auf zwanzig Meter genähert hatten, schaute einer von ihnen auf und blieb abrupt stehen.

»Moin«, sagte ich lächelnd.

»Heil Hi....«, rief einer, bemerkte seinen Fehler, zog seinen bereits ausgestreckten Arm wieder zurück und erschrak.

»Ach du Scheiße! Aus welchem Zirkus stammt Ihr Figuren denn? Deutsche seid Ihr jedenfalls nicht!«

Er spuckte aus und deutete auf Maryellen. »Krüppel wie die da werden bei uns vergast.«

»Halt's Maul, du Idiot!«, presste der zweite der Männer durch seine Lippen.

»Wieso?«, sagte der mit dem losen Mundwerk. »Was recht ist, muss recht bleiben, Rudi! Wir warten doch alle nur darauf, dass die waschechten Amerikaner sich endlich mit uns verbünden und gemeinsam mit uns - ihren arischen Brüdern - gegen die Bolschewiken und die Juden zu Felde ziehn! Dann darf die Welt endgültig erleben, welche Heldentaten wir leisten können! Dieser Krieg ist noch lange nicht verloren, ihr werdet es sehen, wenn es wieder losgeht! Jeden Tag kann es so weit sein!«

»Was ist das für eine verrückte Idee?«, fragte ich entsetzt.

»Was heißt hier verrückt?«, regte der Mann sich auf.

»In den USA leben viele Arier, denn die meisten Amerikaner haben deutsche Vorfahren und sind genauso sauber, ehrlich, ordentlich und anständig wie wir! Sowie sie kommen, ziehen wir gemeinsam los, um die Welt endlich von allem Ungeziefer zu befreien! Außerdem müssen wir unsere armen Kameraden retten, die heimtückisch und hinterhältig von den Muschiks bei Stalingrad in russische Gefangenschaft verschleppt wurden. Aber diesmal nehmen wir ausreichend Benzin für unsere Panzer mit, damit er uns nicht wieder ausgeht wie beim letzten Mal.«

»Was?«, sagte ich fassungslos. »Glaubt ihr tatsächlich, die Ostfront wäre nur deshalb zusammengebrochen, weil euch das Benzin ausgegangen ist?«

»Natürlich!«, nickte der Mann ganz ernst.

»Ich ertrage es nicht länger, mir solche gequirlte Scheiße anzuhören«, stöhnte Faisal. »Du dämlicher Dummschwätzer! Ihr Deutschen habt alles auf eine Karte gesetzt und das Spiel verloren! Es ist anders gekommen als ihr Verbrecher geplant hattet, und nun wird gejammert und geklagt. Das ist armselig, das ist einfach nur erbärmlich!«

»Was weißt du schon, du dummer Hund!«, rief der vorlaute Redner erregt. »Ich rate dir, deine Zirkusmaske endlich abzunehmen, sonst schlage ich sie dir vom Hals, du Mistvieh! Heute ist kein Karneval!«

Er ging auf meinen Kameraden zu und griff nach dessen Schnauze. Faisal knurrte laut, fixierte den Angreifer und zeigte ihm seine zehn Zentimeter langen Reißzähne. »Wage es nicht, mich anzufassen, du krankes Schwein!«

Bevor ich mich versehen konnte, hob er die drei Männer mit seinen Kräften fünf Meter hoch und blockierte ihre Münder. Lautlos schwebten sie über uns.

»Kommt weiter!«, sagte der Hundemann, »sonst vergreife ich mich noch an diesem Abschaum!«

»Willst du sie etwa in der Luft hängen lassen?«, fragte ich.

»Ach ja! Nein, meine ich natürlich! Sie spielen doch so gerne, also werde ich mit ihnen knobeln, und diese Idioten selbst sind die Würfel.«

Er ließ die Männer los. Sie stürzten zu Boden und begannen zu klagen und zu wimmern.

»Helft mir! Mein Bein ist durch, die Knochen schauen heraus! Oh Gott, mir wird schlecht! Oh Scheiße, tut das weh!«, winselte der großspurige Redner von vorhin.

Der Zweite kreischte laut, während dicke Tränen über sein Gesicht strömten. »Mein Arm, mein Arm! Diese Schmerzen bringen mich um!«

»Ausgekugelt und Schlüsselbein zweimal durchgebrochen«, sagte Faisal schulterzuckend. »Der Dritte, der bewusstlos ist, hat drei Rippen und die rechte Hand mehrmals gebrochen.«

Er schaute mich fest an. »Nur falls du fragen solltest, ob sie sich verletzt haben.«

Fragend sah ich Maryellen an. Sie schüttelte ihren Kopf. »Nein, Robert, ich heile diese Verbrecher nicht! Ich habe gerade ihre Gedanken gelesen. Der mit dem ramponierten Bein war Lagerkommandant der SS. Im tiefsten Frost und Winter ließ er seine Häftlinge nackt auf dem Hof antreten und gab Anweisung, sie immer wieder mit einem Wasserschlauch zu besprühen. Dann wartete er in aller Ruhe, bis die Menschen erfroren, und schaute ihnen beim Sterben zu.«

Entsetzt sah ich zu den Männern hinüber, die stöhnend und weinend über das eigene Leid am Boden lagen.

»Der Zweite ist auch nicht besser«, sagte Maryellen. »Er ist genauso ein vielfacher Mörder wie der Erste. Er war ebenfalls ein hohes Tier bei der SS. Oft fuhr er mit seinem Motorrad durch die Städte in Polen und schoss während der Fahrt mit seiner silbernen Pistole auf polnische Frauen und Kinder. Die Getroffenen ließ er einfach dort liegen und sterben, wo sie zusammenbrachen. Er machte regelrecht Jagd auf die armen Menschen.«

Mein Magen drehte sich herum bei der Vorstellung dieser Gräueltaten.

»Was ist mit dem Dritten?«

»Er war bei der SS in Dänemark. Er erschoss jeden Dänen, der mit einem bestimmten Mädchen tanzte, auf das er scharf war. Danach ging er immer gemütlich im Offizierskasino essen.«

»Sie sind also Abschaum«, sagte ich. »Der letzte Dreck! Der Bodensatz einer Gesellschaft, die völlig aus den Fugen geraten ist. Ich habe viele Jahre gedacht, das Naziregime sei ein Rückfall ins finstere Mittelalter gewesen. Das war ein Irrtum, denn es war schlimmer. Den Nazis ist es gelungen, die Hölle auf Erden wahr werden zu lassen. - Moment bitte!«

Ich drehte mich zur Seite, um tief Luft zu holen und den Schwindel, der mich plötzlich befiel, wieder loszuwerden.

»Was machen wir mit diesen widerlichen Figuren?«

»Das ist doch ganz einfach«, entgegnete Faisal. »Wir würfeln noch einmal.«

Er hob die drei Männer mit einem Ruck auf eine Höhe von fünf Metern an und schleuderte sie mit Schwung zurück auf den Boden.

»Das wäre nicht nötig gewesen«, sagte ich erzürnt. »Wenn du sie absichtlich quälst, bist du nicht besser als diese Verbrecher!«

Der Hundemann zuckte mit den Schultern. »Findest du? Ich sehe das anders, denn kein einziges ihrer Opfer hat diesen Schweinen jemals leidgetan.«

Der mit dem ausgekugelten Arm kreischte laut und heulte herzzerreißend. »Nun ist auch noch mein Bein im Arsch! Verdammt, verdammt, verdammt!«

»Wünsch dir das nicht!«, knurrte Faisal böse. »Ich meine das mit dem Bein im Arsch. Ich kann es dir natürlich hinten reinstecken, wenn du es dir so sehr wünscht ...«

»Nein, nein, nein!«, schrie der Mann entsetzt. »Nicht machen, bitte, bitte, lieber Herr!«

»Na also! Das klingt doch schon viel höflicher«, lächelte der Hundemann.

Der Dritte war so unglücklich auf dem Boden aufgekommen, dass die Knochen seiner aus den Fußgelenken herausgebrochenen Unterschenkel bis zu den Knien in der Erde steckten. Seine Füße standen wie weggestellte Hausschuhe daneben - kein schöner Anblick.

»Ich habe ein Abschiedsgeschenk für diese Widerlinge«, sagte Maryellen ernst. Mary hatte die Filmaufnahmen der sowjetischen Kameraleute von der Befreiung des Konzentrationslagers Auschwitz vollständig in ihrem Gedächtnis gespeichert. Sie übertrug diese Filmbilder als Block in die Köpfe der drei Unmenschen und legte ihre Aktivierung fest. Jede Nacht, wenn sie einschlafen wollten, mussten sie vorher den kompletten Film vor ihrem inneren Auge ablaufen sehen. Diese übertragenen Erinnerungen würden sie ihr ganzes Leben begleiten und nie verblassen oder aufhören.

Nur der dritte Mann, der die Rippen, seine linke Hand und durch den zweiten Fall den rechten Arm gebrochen hatte, konnte noch gehen. Er erhob sich bitterlich weinend über den eigenen Schmerz und humpelte jammernd und stöhnend davon, um Hilfe für seine Kameraden zu holen.

»Wir hätten diese widerlichen Kriminellen einfach umbringen sollen«, knurrte Faisal böse, als wir die Kieler Ansgar-Kirche erreichten.

Die Vision kam so plötzlich, dass ich mich an der Pforte des Friedhofs festhalten musste, um nicht umzufallen. Ich sah ganz deutlich, dass sich zigtausende dieser selbst ernannten Herrenmenschen in den entlegenen Berggegenden Deutschlands verstecken würden, bis Gras über ihre Untaten gewachsen war. Sie gründeten Familien und kehrten langsam und unbemerkt zurück in führende Positionen der deutschen Wirtschaft und Politik.

»Schau, wo wir stehen!«, sagte Maryellen leise und legte ihren Arm um meine Schulter.

Georg Robert Kleimer

Geb. 9.2.1836

Gest. 20.7.1913

Das stand auf dem verwitterten Grabstein. Auf derselben Begräbnisstätte waren auch mein Bruder Georg und seine Verlobte Christine bestattet. Zweiunddreißig Jahre hatte ich diesen Ort nicht besuchen können, war nur ein einziges Mal während Vaters Beisetzung an diesem Ort gewesen - 1913, als alles begann, aus dem Ruder zu laufen ...

Das letzte Tor entsteht in Hiroshima.

Diese Botschaft flimmerte über den Stein. Ich blinzelte und er sah wieder völlig normal aus, genau wie vorher.

»Ich habe es auch bemerkt«, sagte Maryellen leise. »Wie es scheint, müssen wir nach Japan fahren.«

***

Zur selben Zeit. Der Fremde saß auf den Stufen der Kieler Ansgar-Kirche. Wie immer trug er einen dunklen Anzug, ein hellblaues Oberhemd, eine dunkelrote Fliege und schwarze Lederschuhe. Seine Arme hielt er vor der Brust verschränkt - gedrungene Figur mit breiten Schultern, kurz geschnittene, graue Haare, grobporige Gesichtshaut, markantes Kinn und eisblaue Augen.

Der alte Priester trat vom Kirchenfenster zurück.

»Sie haben gerade die Botschaft gelesen, Richard. Warum bist du nicht einfach hinausgegangen und hast ihnen erzählt, was sie als Nächstes tun müssen? Wozu dieser Umweg?«

»Weil wir niemals direkt in den Ablauf der Geschichte eingreifen, Sven. Ein einziges Mal hielt ich mich nicht daran und gewährte seiner Frau einen kurzen Blick in die alternative Welt. Ihr Verhalten danach hätte fast zu einem Zusammenbruch der Zeitschleife geführt. So ein gravierender Fehler darf mir nicht noch einmal unterlaufen.«

Der alte Priester setzte sich neben den Altar.

»Na schön, du musst ja wissen, was du tust. Viel wichtiger scheint mir eine andere Frage. Der Zweite Weltkrieg ist nach so vielen Jahren endlich vorbei. Können wir Menschen nun in Frieden leben?«

Der Fremde machte ein ernstes Gesicht.

»Das ist euch nicht vergönnt, mein Freund. Die Faschisten wurden zwar entmachtet, die *Maîtres du Monde* sind vernichtet und das letzte *Tor des Windes* wird bald geschlossen sein, aber dafür beginnt ein neues Zeitalter, in dem andere Gruppen nach der Macht greifen. Ihr schmutziges Spiel hat bereits begonnen.«

Er stand auf und umarmte den alten Priester.

»Ich muss jetzt gehen, Sven.«

»Wohin gehst du, Richard?«

Der Fremde verließ die Kirche, ohne zu antworten.

Ein heller Reflex blitzte auf von dem silbernen Kruzifix auf dem Altar.

Am folgenden Tag begab ich mich zur britischen Militärkommandantur. Von dort aus gelang es mir, mit Vasilij Douglas in den USA zu telefonieren. Ich brauchte seine Hilfe, denn im Pazifikraum war der Zweite Weltkrieg noch in vollem Gange und ich war auf Informationen angewiesen, weil mein nächstes Ziel Hiroshima hieß.

Die Worte meines alten Freundes schockierten mich. »Das Militär als Informationsquelle ist mir leider verschlossen, Robert! Seit meiner unerwarteten Entlassung als General hat sich mein Eindruck verstärkt, dass eigenartige Dinge in Washington geschehen. Nachdem Roosevelt tot ist und Truman seine Nachfolge angetreten hat, scheint eine unsichtbare Schattenregierung die Fäden der Macht in der Hand zu halten. Ich wollte vor Kurzem mit dem Präsidenten sprechen, aber es ist mir nicht gelungen, bis zu ihm vorzudringen. Wochenlang wurde ich immer wieder vertröstet, und als ich in die Hauptstadt fuhr, um mich zu beschweren, zog mich ein Agent im schwarzen Anzug und dunkler Sonnenbrille zur Seite, zeigte mir unauffällig seine FBI-Marke und riet mir freundlich, mein Vorhaben aufzugeben, sofern ich keinen Ärger bekommen wolle. Ich gewann den Eindruck, dass Unbekannte in den USA unbemerkt von der Öffentlichkeit das Sagen an allen wichtigen Schaltstellen der Macht übernommen haben.«

»Das kann doch gar nicht sein, Vasilij. Die USA sind eine Demokratie!«

»Und dennoch ist es vorstellbar, dass es eine geheime Schattenregierung gibt, die mehr Einfluss im Regierungsapparat der USA ausübt als der Präsident selbst. Vielleicht geht das sogar zurück bis in die Zeiten von Roosevelt. Bis heute hat mir niemand erklären können, aus welchem Grund zum Beispiel die Sondereinheit der White Eagles aufgelöst wurde. Man entließ mich einfach durch einen Brief, den ich am nächsten Morgen im Briefkasten fand. Das ist doch sonderbar, findest du nicht?«

»Steckt der Leiter des FBI, J. Edgar Hoover, dahinter?«

»Nein, mein lieber Robert, ich denke nicht, dass es nur um einen Einzelnen geht. Mir scheint, dass in Amerika während des Zweiten Weltkriegs völlig unbemerkt ein Staat im Staat entstanden ist. Vielleicht sind es die Lobbyisten der Rüstungsindustrie, unter Umständen gehört sogar Präsident Truman mit dazu, immerhin ist er Großmeister der Freimaurer-Großloge von Missouri. Was immer es ist - in Washington existiert eine undurchdringliche Mauer des Schweigens, deshalb weiß ich nicht, was im Pazifikraum geschieht oder gar geplant ist. Auf jeden Fall musst du extrem vorsichtig sein und darfst nicht versuchen, nach Japan hineinzukommen!«

Als ich am Abend zu meinen Gefährten zurückkehrte, sagte Pierre: »Meine Brüder und ich sind inzwischen siebzig Jahre alt. Wir sind des Kämpfens müde und möchten gerne nach Arkadi Island zurückkehren, um dort unseren Lebensabend zu verbringen.

Es gibt einen Paragrafen in dem Kaufvertrag der Insel, der uns lebenslangen Aufenthalt gestattet.«

»Ich hoffe, ihr seid uns nicht böse«, ergänzte Raoul. »Wir wollen nämlich gleich weiterreisen, sowie wir wieder die Schweiz erreicht haben.«

<u>47 Tage bis zum Inferno</u>

Am zwanzigsten Juni flogen wir zurück nach Genf. Von dort aus fuhren die Amiens-Drillinge nach Italien. Ich strapazierte erneut meinen guten Kontakt zu Major Rosen vom französischen Geheimdienst, erhielt eine Woche später sämtliche Papiere für Faisal, Maryellen und mich und reiste ab Richtung Moskau. Von der Hauptstadt der UdSSR wollten wir mit der Transsibirischen Eisenbahn bis zur Pazifikküste fahren.

Die Reise dauerte länger als geplant, weil die junge Frau mit den zwei Köpfen unterwegs krank wurde und wir mit vielen anderen Beschwerlichkeiten kämpfen mussten. Dennoch ging letztlich alles gut und wir trafen Ende Juli in Wladiwostok ein.

Der Kapitän des russischen Hochseetrawlers vermied die ihm bekannten Routen von Kriegs- und Handelsschiffen. Wir fuhren zwischen den Inseln *Ulreung* und *Dogdo* hindurch und erreichten am Abend des zweiten August die japanische Hafenstadt *Shimonoseki*, die an der Meeresstraße von Tsushima liegt.

Bevor das Schiff anlegte, benutzte Faisal seine Fähigkeit der Teleportation und sprang unbemerkt mit uns an Land. Wir landeten in einem Park und machten es uns hinter einigen dichten Büschen bequem, um unser weiteres Vorgehen zu besprechen.

»Bis Hiroshima sind nur noch einhundertfünfzig Kilometer«, sagte ich. »Wir sollten mit der Bahn wie ganz normale Fahrgäste reisen. Um die Fahrkarten müsst ihr beide euch kümmern, ich spreche kein Japanisch.«

»Kommen wir nicht mindestens einen Tag zu spät?«, fragte Faisal. »Heute ist schon der zweite August, also wird bereits morgen das letzte Tor des Windes entstehen.«

»Insgesamt bleiben uns drei Tage Zeit, in denen das Tor relativ ungefährlich ist. Erst dann beginnt es zu wachsen und saugt immer mehr Komponenten des Raumzeitkontinuums in sich auf. Das habe ich bisher nur in der Ebene von Tunguska erlebt. Ich bin mir nicht sicher, ob wir überhaupt in der Lage wären, es in diesem späten Zustand noch verschließen zu können.«

»Ich kann mich daran erinnern, dass du sagtest, dieses Tor sei bei Weitem das größte auf deinem alten Pergament«, entgegnete Maryellen, »und das Einzige, das auf Rachels Zeichnung von ganz eigenartigen Zacken umgeben ist.«

»Ich habe euch nur beschrieben, was ich gesehen habe. Was das bedeuten mag, ist mir unbekannt«, antwortete ich.

Unser Zug nach Hiroshima ging um fünfzehn Uhr in der Hafenstadt Shimonoseki. Wir drei Mutanten erzeugten eine Illusion um uns herum, die uns wie Japaner aussehen ließ. Sisko und Lawrence, die wir auf diese Reise mitgenommen hatten, weil wir ihre übernatürlichen Kräfte brauchten, lagen neben uns im Eisenbahnabteil auf dem Boden.

Der Zug fuhr über *Ube* nach *Tokuyama*. In *Iwokuni* hielt der Zug längere Zeit auf dem Bahnhof. Viele Menschen stiegen aus und ein. Von hier aus waren es noch ungefähr fünfzig Kilometer bis Hiroshima. Langsam setzte sich der Zug wieder in Bewegung.

»Oh nein!«, flüsterte Maryellen plötzlich. »Im Zug ist ein Mutant! Er kann unsere Anwesenheit spüren!«

Vorsichtig streckte ich meine Gedanken aus ...

»Hast du den Mann mit dem Hundekopf und die Frau mit den zwei Köpfen gesehen? Eben, in dem Abteil, an dem wir vorbeigegangen sind, wo die beiden großen, weißen Hunde sitzen! Mama, hör mir zu! Der Dritte sieht aus wie ein niederträchtiger Amerikaner! Mami, so glaub mir doch!«

»Du fängst schon genauso an wie dein Vater!«, schimpfte Yoko Shiro böse. »Wo es den hingebracht hat, weißt du ja, Ando! Der Teufel hat ihn geholt! Ein für alle Mal: Es gibt keine Mutanten, es gibt keine Männer mit Hundeköpfen und es gibt erst recht keine Menschen, die mehr als einen Kopf haben! Du machst dich nur wichtig, weil du Tante Tara nicht besuchen willst! Noch ein Wort von diesem Unsinn und du erhältst eine Strafe, die du nie vergessen wirst!«

»Puh«, flüsterte ich Maryellen zu. »Das scheint nochmal gut gegangen zu sein.«

Auf dem Gang vor unserem Abteil erschien ein kleiner, japanischer Junge und starrte durch die Scheibe zu uns herein. Nach einer Weile verschwand er wieder.

»Dieser Bengel ist der Sohn von Masao Shiro, dem bösen Mutanten«, sagte Faisal leise. »Ich sehe Bilder von seinem Vater in seinen Gedanken.«

»Kannst du uns hier wegbringen?«

»Aus einem fahrenden Zug? Du weißt, dass die maximale Weite meiner Sprünge fünfhundert Meter beträgt?«

»Das reicht. Im letzten Wagen des Zugs befindet sich ein großes, leeres Frachtabteil. Bring uns da hin! Sofort!«

»Gut. Ich spüre den Frachtraum. Gebt mir eure Hände und vergesst nicht, die Hunde anzufassen, damit sie auch mitkommen. Und los ...«

Aufgeregt zerrte Ando Shiro seine Mutter zu dem Abteil, in dem die Mutanten saßen.

»Siehst du, Mama!«, rief er und deutete hinein.

»Deshalb hast du mich geholt? Um mir leere Sitze zu zeigen? Na warte, mein Sohn! Bei Tante Tara musst du auf dem Fußboden schlafen, und wenn wir wieder zuhause sind, werde ich deine Bücher wegwerfen!«

Der kleine Japaner biss sich seine Unterlippe blutig. Das war ungerecht! Warum waren Onkel Araki und Papa nur von einem Tag auf den anderen verschwunden! Die hätten ihm geglaubt. Warum tat seine Mutter das nicht? Sie hasste seinen Vater, seit er fort war, und dieser Hass wurde jeden Tag stärker.

Ando wusste nicht, dass Yoko Shiro glaubte, ihr Mann hätte sie und die Kinder einfach sitzenlassen und an einem unbekannten Ort ein neues Leben mit einer jüngeren und hübscheren Frau angefangen ...

Am späten Nachmittag traf der Zug in Hiroshima ein. Feisal teleportierte uns aus dem Frachtabteil in einen schön angelegten, öffentlichen Garten in der Nähe des Bahnhofs.

Wir hüllten uns in ein leichtes Netz aus blauer Energie, das uns vor den Augen der Menschen verbarg. Wir waren nicht unsichtbar; es war eher so, dass niemand uns beachtete. Maryellen und ich ließen unsere Gedanken ausschwärmen, um das Tor des Windes zu finden, während Faisal das Energienetz um uns herum aufrechterhielt.

Bekannte und vertraute Gedankenbilder umschwirrten meinen Geist, dessen Fühler ich über den Süden der Stadt ausgestreckt hatte. Erschrocken öffnete ich meine Augen.

»Meine Tochter Vanessa hält sich irgendwo in Hiroshima auf! Es geht ihr nicht gut! Im Moment schläft sie einen schweren Rausch aus. Wie ich ihren Erinnerungen entnehmen konnte, trinkt sie schon seit Längerem. Was mag nur mit ihr geschehen sein? Ich empfange sie nur sehr unklar. Sie scheint schwanger zu sein und hasst den Vater ihres Kindes abgrundtief, weil er sie wohl verlassen hat. Im Augenblick träumt sie von Philadelphia. Sie wär gerne wieder zuhause auf unserer Farm ...«

Alle Pläne waren auf einmal wie weggeblasen. »Meine Tochter braucht meine Hilfe! Ich muss sie finden! Wir müssen sie mit zurücknehmen!«

Maryellen kam langsam hoch aus ihrer liegenden Position.

»Versuch den Ort herauszufinden, an dem sich Vanessa aufhält. Vielleicht bekomme ich Kontakt mit ihr.«

Ich legte mich auf den Boden und konzentrierte mich, und dann durchfuhr mich ein elektrisches Kribbeln, das sich anfühlte, als seien Milliarden von Ameisen in meinem Körper unterwegs.

Meine Kameraden schrien vor Schmerzen. Nach zehn Sekunden war es genauso schnell wieder vorbei, wie es begonnen hatte. Ich wischte mir dicke Schweißperlen von der Stirn.

»Alles tut mir weh«, brummte Maryellen. »Was war das?«

Faisal stöhnte: »Keine Ahnung, was das war, aber ich habe auf einmal höllische Kopfschmerzen!«

Er legte seine Hand auf den Boden. »Spürt Ihr das auch?«,

Die Erde bebte.

Ich streckte meinen Geist nach oben aus.

»Es hat begonnen. Das Tor des Windes hat sich über der Stadt geöffnet. Diesmal ist es anders als sonst, denn es ist sofort mit voller Stärke entstanden. Deshalb kommt es wahrscheinlich zu diesem Erdbeben.«

Ich versuchte, meine Tochter erneut zu lokalisieren, aber ich spürte nur ein tiefes, unangenehmes Brummen in meinem Kopf, das alle übernatürlichen Sinne überlagerte. Es gelang mir nicht, den Kontakt zu Vanessa wieder herzustellen.

»Was bedeutet das für uns?«, fragte Faisal.

»Wir müssen über das Tor gelangen, wenn wir es in diesem Zustand schließen wollen. Anders komme ich nicht in den rotierenden Schlauch hinein. Er ist der eigentliche Zugang.«

Ich sah Maryellens fragenden Blick. »Die Tore des Windes existieren nur in Dimensionen, die ein normaler Mensch nicht wahrnehmen kann. Dennoch sind sie irgendwie mit Raum und Zeit gekoppelt, denn die Folgen ihrer Existenz, wie zum Beispiel die extrem niedrige Kälte, kann jeder spüren.«

»Wo genau konntest du dieses Tor lokalisieren?«

»Es schwebt ziemlich zentral über der Stadt in sechshundert Meter Höhe.«

»Also benötigen wir ein Flugzeug«, sagte Faisal nachdenklich. »Es wird ja wohl nicht so schwierig sein, einen Flugplatz zu finden, von dem man einen Flieger stehlen kann.«

Es war nicht schwer, sondern unmöglich. Kurz vor Mitternacht gaben wir unsere Suche auf und legten uns schlafen. Morgen war ein neuer Tag.

Hölle auf Erden

Montag, 6. August 1945.
Hongkong und Hiroshima

5 Stunden bis zum Inferno

Nachts um drei setzten bei Vanessa und Vivian Clymer die Wehen ein.

30 Minuten bis zum Inferno

Morgens um viertel vor acht brachte Vivian Clymer im *Royal Hospital* in Hongkong einen gesunden Jungen zur Welt, den sie John nannte. Der Arzt nabelte das Kind ab und legte es Vivian auf die Brust.

Morgens um viertel vor acht brachte Vanessa Clymer in der Wohnung der japanischen Dissidenten in Hiroshima ein gesundes Mädchen zur Welt, das sie Sandra nannte. Weil kein Arzt zugegen war, nabelten ihre Freunde das Neugeborene ab und legten es auf Vanessas Brust.

Morgens um zehn Minuten vor acht wachte ich auf und weckte meine Gefährten. Während wir unsere Reisevorräte frühstückten, hatte ich plötzlich das sonderbare Gefühl, auf weichem Blei herumzukauen.

... merkwürdig ...

»Lasst uns etwas versuchen«, schlug ich vor. »Wenn Faisal im entscheidenden Moment zwei Sprünge ganz kurz hintereinander nach oben macht, kommen wir vierhundert Meter über das Tor. Diese Entfernung dürfte ausreichen. Wir müssen uns die ganze Zeit fest an den Händen halten und direkt danach wieder zurück auf den Boden teleportieren, bevor wir abstürzen. Das scheint mir die einzige Chance zu sein, um das Tor zu verschließen ...«

... Zeitsynchronisation ...

6. August 1945, 8:13 Uhr Ortszeit

Der Bomberschütze Tom Feerebee erhält in seinem Flugzeug, das mit den Buchstaben *Enola Gay* beschriftet ist, den Befehl seiner Regierung, die erste Uraniumbombe der Welt über Hiroshima abzuwerfen. Sie ist mit dem Schriftzug *Little Boy* verziert ...

6. August 1945, 8:15 Uhr und 16 Sekunden Ortszeit

Robert Clymer ruft seine Hunde Sisko und Lawrence zu sich. Die Rüden richten sich an ihm auf und legen ihre Pfoten auf seine Schultern. Es sieht aus, als würden sie Männchen machen. Faisal und Maryellen gesellen sich dazu. Die Menschen nehmen sich gegenseitig in die Arme, beziehen die Tiere in ihre feste Umarmung ein, sodass sie ein regelmäßiges Fünfeck bilden, und lassen ihre Kräfte miteinander verschmelzen. Dann strecken sie diese aus, um per Teleportation das Tor des Windes zu erreichen, das in sechshundert Meter Höhe über dem Zentrum von Hiroshima schwebt ...

6. August 1945, 8:15 Uhr und 17 Sekunden Ortszeit

Der Bomberschütze Tom Feerebee in seinem Flugzeug *Enola Gay* klinkt die Uraniumbombe aus, die mit dem Schriftzug *Little Boy* verziert ist. Die Bombe folgt den Gesetzen der Schwerkraft und fällt genau auf das Zentrum der japanischen Großstadt Hiroshima zu ...

6. August 1945, 8:15 Uhr und 18 Sekunden Ortszeit

Der kleine Ando Shiro erwacht, auf dem Fußboden liegend, im Wohnzimmer seiner Tante Tara, die er abgrundtief hasst. In dieser Nacht hat er wieder von seinem Vater geträumt, den er so sehr vermisst. Er wünscht sich mit jeder Faser seines Körpers nach Tokyo zurück, zu seinem Zuhause, wo seine beiden großen Schwestern auf ihn warten. Mit denen versteht er sich gut, denn sie können die gleichen Zaubertricks, die auch sein Papa machen konnte. Er denkt mit aller Kraft an sein Kinderzimmer. Wie schön wäre es, jetzt in seinem gemütlichen Bett zu liegen! Vielleicht gelingt es ihm ja, sich nachhause zu wünschen! Papa hat ihm einmal erzählt, dass so etwas wirklich geht, wenn man sich ganz stark darauf konzentriert. Der kleine Junge schließt seine Augen ...

6. August 1945, 8:16 Uhr und 30 Sekunden Ortszeit

Vanessa Clymer hat noch immer einen dicken Kopf von der Flasche Absinth, die sie gestern Abend getrunken hat, aber sie fühlt trotzdem, dass irgendetwas nicht stimmt. Während sie ihre Tochter Sandra in den Armen hält, denkt sie an das Lieblingsbuch aus ihren Kindertagen. Ihre Gedanken wandern zurück in die Zeit, als sie ein kleines Mädchen war.

... Alice im Wunderland ...

Sie wünscht sich, zuhause zu sein auf der Farm in Philadelphia, wo sie aufgewachsen ist. Ähnlich wie Alice hatte sie als Kind mehrmals versucht, sich an einen anderen Ort zu wünschen. Niemand wusste, dass es ihr gelungen war, nicht einmal ihre Schwester Vivian, mit der sie ansonsten jedes Geheimnis teilte.

Plötzlich kann Vanessa für eine Sekunde in die Zukunft sehen und weiß, was gleich geschehen wird. »Meine kleine Sandra muss diese Katastrophe überleben!«, schießt ihr durch den Kopf. Die junge Frau hüllt ihr Neugeborenes in einen Kokon aus grauer Energie und wünscht ihr Kind ganz weit weg, um die halbe Welt - nachhause in das Krankenhaus von Philadelphia, in dem sie selbst im Jahr 1918 geboren wurde ...

6. August 1945, 8:17 und 2 $^{347}/_{1000}$ Sek. Ortszeit

»Jetzt!«, denkt die verzweifelte Vanessa Clymer.
»Jetzt!«, denkt der kleine Ando Shiro.
»Jetzt!«, denke ich.

»Jetzt!«, denkt die hübsch verzierte Atombombe namens *Little Boy* und explodiert in sechshundert Meter Höhe über der japanischen Großstadt Hiroshima, genau in dem Moment, als sie durch das *Tor des Windes* fällt.

6. August 1945, 8:17 und 2 $^{348}/_{1000}$ Sekunden Ortszeit

Ein heller Blitz blendet
den Bomberschützen Tom Feerebee und die
übrige Bomberbesatzung der *Enola Gay*, dann bildet sich
am Explosionspunkt von *Little Boy* eine pilzförmige, rote Wolke.
In Hiroshima entsteht ein Feuersturm mit einer Geschwindigkeit
von eintausendzweihundert Stundenkilometer. Steinmauern
fallen um wie Spielzeug. Der Brand wird mehr als sechs
Stunden dauern und die radioaktive Strahlung tötet
alle Lebewesen innerhalb eines Kilometers auf
der Stelle. Viele verdampfen einfach, nur
ein Schatten an der Wand bleibt
von ihren Körpern.
Die weiter vom
Zentrum sich
aufhaltenden
Menschen
werden
nach kurzer
Zeit an heftigen Blutungen,
Erbrechen und Durchfall sterben.
Über einhundertzwanzigtausend Japaner kommen
durch die direkten Folgen der Explosion ums Leben.

6. August 1945, 8:28 Uhr. Tokyo, Japan

Ando Shiro öffnete seine Augen und schaute sich um. Er lag in seinem gemütlichen Zimmer in Tokyo. Es hat funktioniert! Papa hat Recht gehabt! Oh Papa! Ich vermiss dich so! Komm doch zurück nachhause! Ich werde von dir träumen, dann bist du morgen wieder da! Ganz bestimmt, mein lieber Papa! Glücklich drehte der kleine Junge sich um und schlief ganz schnell ein und träumte von seinem Vater. ...

17. Mai 1974, 6:30 Uhr. Kinderstation im Washington Memorial Hospital, Philadelphia, USA

Schwester Dorothy Palmer war irritiert, als sie auf die Säuglingsstation zurückkehrte. Woher kam das Neugeborene in Bett Nummer acht? Vorhin war das Kinderbett noch leer gewesen. Das kleine, nackte Mädchen schrie, also wickelte sie es, zog ihr einen Strampelanzug aus dem Fundus des Stationsschranks an und legte es schlafen. Auch nach Tagen meldete sich niemand, dem dieses arme Kind mit dem leicht japanischen Aussehen gehörte.

»Diese verdammten Hippies!«, dachte Schwester Dorothy wütend. »Den ganzen Tag Musik hören, kiffen und poppen! Und wenn es schief geht, werfen sie ihre Abkömmlinge weg wie andere Leute Müll! Wo soll das mal hinführen!«

Nach zwei Wochen wurde das Findelkind, das die Stationsschwestern Helen getauft hatten, zur Adoption frei gegeben ...

6. August 1945, 8:29 Uhr. Wladiwostok, UdSSR

Ein Kokon aus blauem, irisierendem Licht hüllte uns ein und knatterte laut. Vor meinem inneren Auge lief eine Vision ab wie ein Film.

Ich saß an einem kleinen, wackeligen Tisch gegenüber von einer Blondine in mittleren Jahren. Sie trug einen rosafarbenen Unterrock und hörte mir aufmerksam zu.

»Ach Martin! Man muss doch vorwärts schauen! Viele Männer und Frauen können sich nicht von ihrer Geschichte lösen. Du aber bist trotz deiner Kriegsverwundung intelligent genug, um zu erkennen, wie töricht das wäre.«

Der Radioapparat plärrte. »Hier ist die Nachrichtenredaktion von Radio DDR eins aus dem Funkhaus in der Nalepastraße in Berlin-Oberschönweide. Wir unterbrechen die Übertragung des Berliner Rundfunksinfonieorchesters für eine Sondermeldung. Nach ersten Berichten unserer Auslandskorrespondenten in Ungarn ist es Studenten der Technischen Universität Budapest mit subversiver Hilfe des kapitalistischen Auslands kurzzeitig gelungen, das Gebäude des ungarischen Rundfunks auf der Pester Donauseite zu besetzen. Die ungarische Volksarmee konnte diesen Aufstand mit Unterstützung der Roten Armee niederschlagen. Weitere Nachrichten in Kürze. Wir schalten zurück in das Konzert.

»Hör am besten gar nicht hin, Martin! Die spinnen doch alle«, sagte die Blonde und zog sich langsam aus. Sie hatte kleine, mädchenhafte Brüste ...

… Zeitsynchronisation Ende …

Die Vision riss unvermittelt ab. Lautes Knattern dröhnte in meinen Ohren. Allmählich ließ der Energiefluss nach und der uns umgebende Energiekokon verschwand. Es roch heftig nach Ozon.

»Habt ihr das gesehen?«, stotterte Faisal. »Wir konnten teleportieren, aber der ganze Vorgang lag außerhalb meiner Kontrolle, als würde er von außen gesteuert! So etwas ist mir noch nie passiert!«

Plötzlich kam ein Soldat auf uns zu. »Alles in Ordnung, Genossen?«, fragte er auf Russisch. »Kann ich euch vielleicht helfen?«

»Wo sind wir?«, entgegnete Maryellen und umhüllte sich schnell mit ihrer Illusion.

»Na, in Wladiwostok natürlich!«, antwortete er, zwinkerte Faisal zu und rieb sich die Stirn. »Ich sollte nicht so viel trinken. Ich dachte gerade, Ihre Frau hätte zwei Köpfe.«

»Ach du liebe Zeit!«, sagte der Hundemann, der jetzt wie ein normaler junger Mann aussah. »So was gibt es doch nicht, Genosse!«

»Ich weiß. Ich wünsche euch einen schönen Tag!«

»Dir auch einen angenehmen Tag,«, antwortete ich. »Und - nicht mehr so viel trinken!«

Er grinste und tippte sich mit dem Zeigefinger gegen den Rand seiner Schirmmütze. »Man ist doch nur einmal jung.«

Kaum war der Soldat gegangen, sagte Faisal: »Könnt ihr das glauben? Eben waren wir noch in Hiroshima, und nun sind wir wieder in Wladiwostok? Wie ist das möglich?«

»Vermutlich hat es mit dem Tor des Windes zu tun«, antwortete ich. »Bei den drei vorigen Toren bin ich auch jedes Mal an einem anderen Ort aufgewacht, nachdem sie verschlossen waren.«

Er runzelte seine Stirn. »Wir wissen ja gar nicht, ob dieses Tor verschlossen ist. Ich kann mich an gar nichts erinnern. Waren wir überhaupt in tausend Meter Höhe über dem Tor? Wie sind wir wieder heruntergekommen und wie viel Zeit mag wohl seit unserem Absprung vergangen sein?«

Ich schaute auf meine Automatikuhr. Es war zwanzig Minuten vor neun. »Uns allen fehlt eine halbe Stunde Erinnerung. Ich spüre die Existenz des Tores nicht mehr. Ich werde nachsehen, ob es noch da ist. Hunde! Kommt mal her!«

Die Rüden legten ihre Schnauzen auf meine Schultern, als würden sie genau wissen, was ich von ihnen wollte. Sie erzeugten eine feine Wolke aus grauer Energie zwischen uns. Ich schickte meinen Geist auf die Reise ins Zentrum des Universums und sah, dass alle Beschädigungen des Raumzeitkontinuums, die Andrew und Rachel Winter bei ihrer Zeitreise vor vierhundert Jahren verursacht hatten, verschwunden waren. Ich löste die Verbindung und öffnete meine Augen.

»Und?«, fragte Maryellen.

»Der Trichter hat keine Löcher mehr.«

»Dann hat das alte Manuskript seinen Zweck erfüllt, obwohl bis heute niemand herausgefunden hat, wie man es übersetzen kann«, knurrte Faisal. »Es scheint so, dass manche Dinge in jedem Fall passieren, egal, was man unternimmt.«

Maryellen wirkte plötzlich grau und eingefallen. »Bitte lasst uns ein Hotelzimmer suchen und ausruhen! Ich bin schrecklich müde, fühle mich furchtbar und kriege zu allem Überfluss auch noch meine Tage.«

In der Nähe des Bahnhofs von Wladiwostok fanden wir ein schäbiges Hotel mit schmutzigen, seit Jahren nicht mehr geputzten Fenstern. Wir bezahlten im Voraus und gingen hoch in mein Zimmer. Sisko und Lawrence legten sich in eine Ecke, rollten sich zusammen und schliefen ein.

»Ich will versuchen, meine Töchter telefonisch zu erreichen«, sagte ich. »Bevor wir teleportierten, empfing ich einen kurzen Gedanken von Vivian aus Hongkong. Ich weiß, dass sie vor einigen Stunden einen Sohn geboren hat und zurück nach Europa möchte. Vielleicht kann ich ihr helfen.«

Maryellen schüttelte sich. »Bitte geh noch nicht, Robert! Wir sollten erst über das reden, was in Hiroshima geschehen ist. Etwas Grauenhaftes muss dort vorgefallen sein! Kurz bevor wir sprangen, spürte ich sehr intensiv, dass mehr als hunderttausend Menschen im selben Augenblick starben. Die vielen Seelen erzeugten einen so starken Sog ins Jenseits, dass sie mich fast mitgerissen hätten. Wir müssen mehr über das herausfinden, was gerade in Japan geschehen ist!«

»Ich konnte nichts davon spüren«, sagte Faisal.

»Vielleicht hängt es mit meiner Gabe zusammen, dass ich Lebewesen heilen kann«, sagte Maryellen leise. »Auch dabei erscheinen mir kurz ihre Seelen.«

Sie legte ihren Arm um meine Schulter. »Es tut mir sehr leid, Robert. Ich habe auch gespürt, dass deine Tochter Vanessa in Hiroshima ums Leben kam. Sie verbrannte innerhalb einer Sekunde zu Staub. Wenige Minuten zuvor hatte sie ein kleines Mädchen geboren. Sie setzte ihre letzten Kräfte ein und versuchte das Gleiche, was Alain in Deutschland mit den fliegenden Untertassen gemacht hat: Sie umgab ihr Neugeborenes mit einem Energiekokon, um es an einen Ort zu befördern, wo es sicher ist.«

Ich war vor Entsetzen über die Worte der jungen Frau wie gelähmt. »Meine Vanessa ist tot? Konnte sie wenigstens ihr Kind retten?«

»Ich fürchte nicht, Robert. Ich habe es jedenfalls nicht wahrgenommen.«

Faisal schüttelte seinen Hundekopf. »Wir müssen wissen, was wirklich in Hiroshima geschehen ist. Irgendetwas Ungewöhnliches scheint dort auf jeden Fall passiert zu sein, denn meine Kräfte wurden ins nahezu Unermessliche gesteigert. Wir wollten zwei Teleportationssprünge machen, der lediglich tausend Meter in die Höhe führen, und sind stattdessen über eine Entfernung von mehr über tausend Kilometer gesprungen. Das ist eine mindestens zweitausendfache Verstärkung, für die es einen Grund geben muss!«

»Wie die Berechnung von Energiemengen funktioniert, die sich auf die übersinnlichen Fähigkeiten von Mutanten beziehen, habe ich nie verstanden. Nach meiner Erinnerung war nur die kleine Rachel Winter dazu in der Lage, und das schon im Alter von zehn Jahren. Wie sie das allerdings gemacht hat, ist mir bis heute schleierhaft.«

»Könnte eine andere Kraft das letzte Tor des Windes überlagert und verstärkt haben?«, sagte Maryellen nachdenklich.

»Es muss ein Ereignis gewesen sein, bei dem unglaublich hohe Energiemengen freigesetzt wurden, denn weder ein Geschütz noch eine Bombe können hunderttausend Menschen in derselben Sekunde töten.«

Ich stand auf. »Ich brauche frische Luft, mein Kind. Ich gehe jetzt zum Postamt und versuche, Vivian anzurufen. Unter Umständen hat sie etwas von ihrer Schwester gehört.«

... bitte lieber Gott, lass meine Tochter nicht tot sein ...
... ich will nicht glauben, dass Vanessa tot ist ...
... Maryellen hat sich bestimmt nur geirrt ...

Die russischen Telefonleitungen ins Ausland waren gestört und funktionierten nicht. Ich ging zurück über den Hafen und erwarb drei Schiffspassagen auf einem britischen Frachter, dessen Kapitän bereit war, uns nach Hongkong mitzunehmen. Erfreut betrat ich unser Hotel.

In der Eingangshalle kam mir Pjotr Voroschin entgegen.

»Hallo Robert! Ich hörte, dass ihr in Wladiwostok seid, und bin gekommen, um mit euch zu sprechen! Lass uns auf dein Zimmer gehen, es gibt unerfreuliche Neuigkeiten!«

Kaum hatten wir uns hingesetzt, sagte er: »Gestern ist die erste amerikanische Atombombe über Hiroshima explodiert. Die gesamte Stadt ist von der Landkarte verschwunden und niemand, der sich dort aufgehalten hat, kann den Angriff überlebt haben.«

Schmerz und Trauer erfüllten mein Herz, denn seine Worte bedeuteten, dass meine Tochter Vanessa tot war - zu Staub verbrannt in der grauenhaften Feuerhölle der weltweit ersten Kernexplosion über der japanischen Großstadt Hiroshima.

Faisal pfiff leise durch seine riesigen Hundezähne.

»Das erklärt, wodurch die gewaltigen Energiemengen erzeugt wurden, die für meinen weiten Teleportationssprung nach Wladiwostok sorgten! Woher weißt du überhaupt davon, Pjotr?

Major Voroschin blinzelte.

»Sagen wir mal so: Ich besitze gute Verbindungen sowohl zum sowjetischen Geheimdienst als auch zu hochrangigen US-Diplomaten. Daher weiß ich, dass sich Truman und Stalin bei einem geheimen Treffen vor einer Woche darauf geeinigt haben, den Krieg im Pazifikraum mit allen Mitteln und so schnell wie möglich zu beenden. Der Anteil der Amis war die Atombombe. Unsere russischen Fernostdivisionen stehen bereit, um in die besetzte Mandschurei einzumarschieren und die japanischen Besatzungstruppen von dort zu vertreiben.«

»Was bedeutet das für uns?«, fragte Maryellen.

»Ihr könnt beruhigt nachhause fahren. Für euch gibt es in diesem Teil der Welt nichts mehr zu tun.«

Während der mehrtägigen Schiffsreise nach Hongkong saßen wir oft vor den Kurzwellenempfängern des Funkers und wunderten uns, dass die Regierung im Land der aufgehenden Sonne in keiner Weise auf die Ereignisse der letzten Tage reagierte.

Am neunten August explodierte eine zweite Atombombe mittags um zwölf Uhr über der in einem Talkessel liegenden Großstadt Nagasaki. Die ungeheure Druckwelle zerstörte nahezu alle Gebäude der Stadt. Die Auswirkungen auf die Lebewesen waren katastrophal. Vierzigtausend Menschen starben an den direkten Folgen der Explosion, ebenso viele wurden schwer verletzt.

Am selben Abend gegen zweiundzwanzig Uhr Washingtoner Ortszeit hielt Präsident Truman eine Radioansprache an die amerikanische Nation. Wir saßen wie gebannt vor dem Empfänger und hörten mit, was der Großmeister der Freimaurerloge von Missouri der Welt mitzuteilen hatte.

The world will note that the first atomic bomb was dropped on Hiroshima, a military base. That was because we wished in this first attack to avoid, insofar as possible, the killing of civilians. But that attack is only a warning of things to come. If Japan does not surrender, bombs will have to be dropped on her war industries and, unfortunately, thousands of civilian lives will be lost. I urge Japanese civilians to leave industrial cities immediately, and save themselves from destruction.

Hiermit teilen wir der ganzen Welt mit, dass die erste Atombombe auf die Militärbasis Hiroshima abgeworfen wurde. Die Entscheidung fiel auf dieses Ziel, weil wir die Tötung von Zivilpersonen möglichst vermeiden wollten. Aber diese Offensive ist nur eine Warnung vor den Dingen, die noch geschehen können. Wenn sich Japan nicht ergibt, müssen weitere Bomben auf ihre Rüstungsindustriegebiete fallen, und dann werden leider Tausende von Zivilisten das Leben verlieren. Deshalb fordere ich die Zivilbevölkerung auf, die Industriestädte sofort zu verlassen, um sich vor der Vernichtung zu retten.

In Hongkong nahmen wir meine Tochter Vivian und meinen Enkel John mit uns. Nach einer langen Seereise um die halbe Welt trafen wir am fünfzehnten Oktober mit einem britischen Schiff in

Lissabon ein. Im Hafen trennten sich unsere Wege, denn Maryellen und Faisal wollten den Amiens-Drillingen nach Arkadi Island folgen.

Wenige Tage später kreisten wir über dem *Newark International Airport.* Im Licht der aufgehenden Sonne schimmerte die Skyline von New York City. Heute kehrte ich im Frieden in das Land zurück, wo ich lange glücklich gewesen war, aber ich betrat eine fremde Welt, die sich durch einen Knopfdruck in die einzige Atommacht unserer Erde verwandelt hatte.

Schon seit Wochen wuchs das Unbehagen in mir, denn das Wissen um den Abwurf der beiden Atombomben auf Japan stand zwischen mir und Amerika.

Es gelang mir nicht, Trumans Befehl, Hiroshima und Nagasaki dem Erdboden gleichzumachen, von dem Vorgehen der Nazis zu unterscheiden. Mehrere hunderttausend unschuldige Menschen waren skrupellos geopfert worden.

Gibt es einen guten und gerechten Krieg, in dem alle Mittel erlaubt sind? Ich konnte das nur verneinen, und während die Maschine auf der Landebahn aufsetzte, überlegte ich, ob Vasilij Douglas Vermutung wahr sein mochte, dass in den USA inzwischen eine unsichtbare Schattenregierung existierte, die nur noch ihren eigenen kapitalistischen Machtinteressen folgte und den Tod von Zivilpersonen bedenkenlos in Kauf nahm, um ihre Interessen um jeden Preis durchzusetzen.

Der ehrenwerte Mr. Howard

Vivian, John und ich lebten sehr zurückgezogen auf der Farm in Philadelphia, die seit einigen Jahren meiner Tochter gehörte. Ich beschäftigte mich den ganzen Tag mit meinem Enkel, um sein Aufwachsen zu begleiten.

Was in Deutschland geschah, erfuhr ich aus der Zeitung. Im neu gebildeten Land Bayern waren dermaßen viele Menschen Parteimitglieder der NSDAP gewesen, dass es der amerikanischen Militärverwaltung nicht gelang, genügend politisch unbelastetes, deutsches Verwaltungspersonal zu finden. Letztendlich mussten Beamte aus der Schweiz ausgeliehen werden, um eine funktionierende Verwaltung herzustellen. Ähnlichen Schwierigkeiten ergaben sich auch in Hessen. was mich keineswegs wunderte, nach dem, was ich dort hatte erleben dürfen.

Alle Güter über einhundert Hektar Größe wurden von der sowjetischen Militäradministration entschädigungslos enteignet und an die zahlreichen Flüchtlinge verteilt, die die Ostzone überschwemmten.

Am zwanzigsten November begannen die Verhandlungen vor dem *Internationalen Kriegsverbrechertribunal* gegen die vierundzwanzig deutschen Hauptkriegsverbrecher. Den Vorsitz des Tribunals führte der britische Richter Sir Geoffrey Lawrence. Juristen aus den USA, Frankreich und der UdSSR bildeten den weiteren Gerichtshof.

Die Ankläger der Alliierten Siegermächte trugen die vier Teile der Anklageschrift vor, an der Ivo Radenković mitgearbeitet hatte: erstens Verschwörung, um die Weltherrschaft zu erringen, zweitens Verbrechen gegen den Frieden, drittens Kriegsverbrechen und viertens Verbrechen gegen die Menschlichkeit. Alle Angeklagten erklärten sich ausnahmslos für nicht schuldig.

So näherte sich 1945 friedlich seinem Ende. Vivians anfängliche Verbitterung war im Laufe der letzten Monate einer oberflächlichen Gleichgültigkeit gewichen. Allerdings sprach sie nie mit mir über den Geliebten, der nicht zu ihr zurückgekehrt war, nachdem er sie geschwängert hatte, und blockte jeden meiner Versuche ab, wenn ich von diesem Thema anfing. Nach einiger Zeit gab ich es auf.

Silvester feierten wir bei den Radenkovićs in Boston. Meine Tochter blieb mit John auf der Farm, weil sie dem Kleinen die beschwerliche Fahrt nicht zumuten wollte.

Auch diesmal zählten wir das alte Jahr herunter. »Drei, zwei, eins! Ein frohes, neues 1946!«, riefen die Gäste im Chor.

Während wir ein Glas Sekt tranken, fragte Ivo: »Weißt du schon, was du jetzt tun wirst, Robert? Alle Tore des Windes sind endgültig geschlossen und das Universum ist gerettet. Deine Aufgabe, für die du so große Opfer gebracht hast, ist also erfüllt. Willst du dich nicht in Boston niederlassen? Im Augenblick stehen einige hübsche Häuser in unserer Nachbarschaft zum Verkauf.«

»Ich werde auf jeden Fall bald umziehen, denn auf Dauer kann ich nicht auf der Farm meiner Tochter wohnen. Vorher jedoch will ich nach Cardiff in England fahren. Vielleicht stoße ich dort auf Hinweise nach dem *Buch des Lebens*, das Jewgraf Voroschin und mein Vater schon vor vierzig Jahren suchten. Möglicherweise enthält es die Übersetzung des Rachel-Manuskripts.«

Ivo holte tief Luft. »Weißt du denn immer noch nicht alles, was du wissen musst?«

»Nein. Ich habe mir zwar das meiste erschlossen, bin mir aber keineswegs sicher, wie ich mit Rachel Winter verwandt bin. Eine der anderen wesentlichen Fragen ist, welche Umstände für die vielen ähnlich gearteten Missbildungen in unserer Familie verantwortlich sind. Zwei Albinos - die Hühnermenschen - Leo und Klick - die übersinnlichen Kräfte. Ich brauche Gewissheit, damit ich mein Leben endlich in Ruhe führen kann.«

»Ach Robert!«, entgegnete Ivo und zündete sich eine Zigarette an. »Bringst du dich dadurch nicht nur in unnütze Gefahr, mein Freund? Du solltest lieber anfangen, an deine Zukunft zu denken und endgültig mit der Vergangenheit abschließen. - Hast du deiner Vivian eigentlich deinen gesamten Besitz vermacht?«

»Ihr gehören die Farm und die Clymer-Werke mit dem Vorsitz im Aufsichtsrat. Mein ererbtes Vermögen hingegen liegt seit 1913 unverändert in der Schweiz. Keiner außer mir hat jemals Zugriff darauf gehabt.«

»Das ist doch ein Nummernkonto, nicht wahr? Du könntest also an jedem Ort der Welt neu anfangen, zum Beispiel ... als Peter Smith in San Francisco - als Pierre Anouilh in Paris - als Axel Schmidt in München ...«

»... oder als Martin Möller in der DDR«, antwortete ich und wunderte mich im selben Moment, wie ich ausgerechnet auf so einen blöden Namen gekommen war. Verschwommene Bilder von einer blonden Frau zogen vor meinem inneren Auge vorbei. Sie zog sich aus, während Orchestermusik aus dem Radio erklang. Ich schüttelte meinen Kopf, damit diese Vision verging.

Ivo zog an seiner Zigarette. »Dabei fällt mir ein, dass du dich dringend um eine neue Identität kümmern musst! Die Erfindung von Robert Clymer II. war - im Nachhinein gesehen - ein verhängnisvoller Fehler! Wanda hat dir das schon vor geraumer Zeit gesagt, und ich kann es nur wiederholen. Sollte das FBI aus irgendeinem Grund wieder auf dich aufmerksam werden, besteht die Gefahr, dass du für ewige Zeiten im Gefängnis verschwindest, denn sie werden dir die Morde an den über dreihundert Mädchen anhängen. Womit könntest du dich in diesem Fall entlasten? Leo hat damals ausgesehen wie dein Ebenbild.«

In den nächsten Tagen traute ich mich kaum noch aus dem Haus. Manchmal ließ es sich nicht vermeiden, die Farm zu verlassen, um dringende Besorgungen zu erledigen, aber jedes Mal beschlich mich das ungute Gefühl, von Passanten erkannt zu werden.

Ende des Monats sagte Vivian eines Morgens beim Frühstück: »Machen wir's kurz, Daddy. Die BBC bietet mir die Stelle der Chefredakteurin für den Rundfunk und Fernsehfunk in Cardiff an. Ich habe nicht lange überlegt und zugesagt. Johnny und ich ziehen nach England, unser Flug geht schon in drei Tagen. Willst du mit?«

Am Nachmittag des achtundzwanzigsten Januar landeten wir auf dem Londoner Flughafen Heathrow. Von dort aus fuhren wir mit der Bahn weiter und erreichten am Abend die Hauptstadt von Wales. Wir mieteten Zimmer im *Central Hotel* und richteten uns häuslich ein.

In Großbritannien fühlte ich mich sicher und würde von niemandem erkannt werden, deshalb beschloss ich, eine Villa zu kaufen, die meinen Vorstellungen entsprach. Sisko war bei den Burtons geblieben. Ich wollte ihn erst nachholen, wenn ich ein neues Zuhause für uns gefunden hatte. Meine Tochter suchte sich eine größere Wohnung in der Nähe der BBC und zog einen Monat später um.

Mein Makler stellte mir mehrere Häuser in der Umgebung von Cardiff vor, die mir alle nicht gefielen. Also blieb ich länger im *Central Hotel* wohnen als ursprünglich geplant.

Am fünften März saß ich in einem Archiv in der britischen Hauptstadt, um nach Hinweisen auf einen Zusammenhang zwischen dem Schriftsteller Bulwer-Lytton und den englischen Rosenkreutzern zu suchen. Während ich alte Aufzeichnungen aus dem neunzehnten Jahrhundert wälzte, ging meine Tochter zum ersten Mal in einem der teureren Kleidergeschäfte in Cardiff einkaufen ...

... und plötzlich entdeckte Vivian Clymer ihren Geliebten Eric Walters. Johns Vater, der wie ein Japaner aussah, schlenderte mit einer hübschen, sehr jungen Blondine am Arm durch das Kaufhaus und lachte.

Sie schlüpfte hinter eine der Auslagen und folgte dem Paar unbemerkt. Sie beobachtete den Mann genau und war sich ganz sicher, dass er es war - die große Liebe ihres Lebens, der sie in Hongkong geschwängert und sitzengelassen hatte. Die Blonde in seiner Begleitung probierte ein Brautkleid an, das geändert worden war, mäkelte schnippisch an den Änderungen herum und ließ es in die Schneidereiabteilung zurückgehen. Die Kassiererin machte sich Notizen und bedankte sich.

Nachdem die beiden das Geschäft verlassen hatten, ging Vivian zur Kasse. Sofort sah sie das Buch für die Auslieferungen, in dem die Namen und Anschriften der Kunden standen, und warf einen ihrer Lederhandschuhe hinter den Tresen auf den Fußboden.

»Oh weh!«, lispelte sie. »Einer meiner Handschuhe ist weggeflogen! Leider kann ich ihn nicht sehen, denn ich bin fast blind und erkenne kaum etwas. Würden Sie so freundlich sein und einmal schauen, ob sie ihn finden können?«

Sie blinzelte heftig und zuckte mit dem Mund.

»Sie haben ihn doch absichtlich weggeworfen«, entgegnete die Kassiererin böse.

Vivian zwinkerte mehrmals mit ihrem linken Auge und drückte ein wenig Speichel durch ihre Lippen, der an ihrem Kinn herunterlief. »Das wollte ich nicht, Madame! Ich leide doch unter nervöse Zuckungen!«

Sie warf ihren zweiten Lederhandschuh in die Hutauslage.

»O nein! Jetzt ist der andere auch noch weg! Meine Beschwerden sind angeboren, wissen Sie? Man kann nichts dagegen tun, sagen die Ärzte. Ob Sie so freundlich wären, mir bei der Suche nach meinen Handschuhen behilflich zu sein?«

»Warum sperrt man solche ekligen Bekloppten nicht einfach weg oder vergast sie, wie die Deutschen es gemacht haben?«, knurrte die Verkäuferin leise und bückte sich missmutig.

Der Weg zu dem Auslieferungsbuch war frei. Vivian konnte überkopf lesen und prägte sich schnell die letzte Eintragung ein.

Brautkleid und Accessoires
Lieferung an Mr. Jeremy Howard
c/o Mr. Thomas Howard
Fairwater Park 24, Cardiff
<u>ACHTUNG!</u>
Späteste Auslieferung muss am Freitag, 8.3. sein!!!
Die Hochzeit ist schon am 9.3. in der Kathedrale!

Als ich abends aus London zurückkehrte, fand ich eine Nachricht meiner Tochter an der Rezeption des Central Hotels vor.

Hallo Daddy! Du musst sofort zu mir kommen, sowie du zurück bist!
Love, Vivi

Ich ging gar nicht erst auf mein Zimmer und machte mich gleich auf den Weg. Eine halbe Stunde später traf ich bei meiner Tochter ein, die in Tränen aufgelöst auf ihrem Sofa saß und schluchzte.

Der kleine John schlief schon, aber seine Mutter mit ihren rotgeheulten Augen sah nicht so aus, als ob ihr das gelingen würde. Erschrocken nahm ich Vivian in den Arm. Stockend berichtete sie mir, warum sie so aufgeregt war und welche Rolle dem ehrenwerten Mr. Eric Walters in diesem Spiel zukam, der in Wirklichkeit Jeremy Howard hieß und im Fairwater Park 24 in Cardiff wohnte.

Erst nach mehreren Stunden gelang es mir, sie so weit zu beruhigen, dass sie einschlief. Wie zuletzt in ihren Kindertagen setzte ich mich auf die Kante ihres Betts und wartete, bis sie eingeschlafen war. Dann ging ich leise zurück in ihr Wohnzimmer. Ich beschloss, diese Nacht bei ihr zu bleiben.

Während ich auf dem Sofa lag, kreiste alles, was sie mir erzählt hatte – unterbrochen von Schluchzen und tränenüberströmten Wutausbrüchen – in meinem Kopf herum und ließ mich keinen Schlaf finden. Um Mitternacht zog ich mich wieder an und telefonierte nach einem Taxi.

Donnerstag, 7.3.1946. Cardiff,
Fairwater Park 24.
Ein Uhr nachts.

»Ich freue mich schon auf Eure Hochzeit, Jerry!«, sagte General Peter Wood, der ehemalige Leiter des britischen Geheimdiensts, der in Wirklichkeit Thomas Howard hieß. Er stand mit seinem Sohn Jeremy vor dem Eingang seines Hauses. Robert Clymer, der sich nur wenige Meter weiter hinter einem hohen Rhododendron verbarg, bemerkte er nicht.
Der alte Geheimdienstchef lachte. »Alte Leute wie ich lechzen geradezu nach jeder Abwechslung! Ich bin jetzt seit zwei Monaten im Ruhestand und werde verrückt vom ständigen Nichtstun! Mein ganzes Leben war ich unterwegs, und mein Berufsleben war anwechslungsreich und aufregend. Ich konnte viel dazu beitragen, um die Welt so zu gestalten, wie sie heute aussieht, und nun muss ich im Lehnstuhl sitzen und darf in der Zeitung lesen, was dort draußen geschieht, wo das wirkliche Leben stattfindet! Das ist mehr als unbefriedigend, mein Sohn. Glaub es mir!«
Jeremy Howard legte seinen Arm um die Schulter seines Vaters und schmunzelte. »Diese Resignation ist doch nicht dein Ernst, Dad! Du solltest dir endlich eine hübsche Freundin zulegen! Es kann Mom nicht stören, sie ist schon so lange tot! Am besten nimmst du dir eine ganz Junge, die auf ältere Männer steht! Oder du suchst dir zwei Freundinnen gleichzeitig - Zwillinge, wie ich sie in Asien hatte! Die waren vielleicht rattenscharf, und keine wusste von der anderen! Die wollten ständig nur mit mir ins Bett und bekamen nie genug davon! Das kann ...«

Mehr verstand ich nicht von dem Gespräch, denn Vater und Sohn gingen auf den Eingang ihres Hauses zu. Der ehrenwerte Mr. Jeremy Howard hatte also zur gleichen Zeit ein Verhältnis mit meinen beiden Töchtern gehabt.

Maryellens Worte fielen mir ein, während ich hinter einem hohen Rhododendronbusch hervorkam und langsam in Richtung der Seitenstraße schlenderte, wo mein Taxi auf mich wartete.

Vanessa war schwanger gewesen und hatte kurz vor ihrem Tod ein Mädchen geboren, das zusammen mit ihr in der Feuerhölle von Hiroshima umgekommen sein musste. War der gute Jerry auch der Vater von Vanessas Kind?

Ich fuhr zum Bahnhof von Cardiff, suchte die Telefonvermittlungsstelle für Auslandsgespräche auf und ließ mich mit dem Hotel in Nürnberg verbinden, in dem Ivo wohnte, solange er als Richter am Internationalen Kriegsverbrechertribunal in Deutschland tätig war.

»Hallo«, erklang die unwirsche, verschlafene Stimme meines Freundes am anderen Ende der Leitung. »Was ist so wichtig, dass man mich dafür mitten in der Nacht wecken muss? Hat das keine Zeit bis morgen?«

»Ich bin's«, antwortete ich. »Es ist dringend, Ivo! Kannst du dich noch an den Leiter des britischen Geheimdiensts erinnern, der mit Lorenz zusammenarbeitete?«

»Ach, du bist es, Robert!«

Ivo wurde freundlicher.

»Und jetzt nochmal von Anfang an. Was ist los?«

»Ich habe gerade eben herausgefunden, dass der Mann, den wir als General Wood kannten, in Wirklichkeit Thomas Howard heißt. Der Mann ist inzwischen Rentner und wohnt hier in Cardiff ...«

»Klick«, machte es in der Telefonleitung.

Ich achtete nicht darauf.

»Sein Sohn ist ...«

»Halt!«, rief Ivo plötzlich putzmunter. »Wiederhol den Namen!«

»Thomas Howard«, antwortete ich verdutzt.

In der Leitung war leises Brummen zu hören.

»Hol mich heute Vormittag in Heathrow ab! Gute Nacht, Frederic!«

Nach diesen Worten legte Ivo auf. Er hatte mich mit Frederic angesprochen, unser Stichwort dafür, dass die Telefonleitung abgehört wurde und dass Gefahr im Verzug war. Auf was war ich jetzt wieder gestoßen?

Ich ließ mich von einem Taxi zurück zu Vivians Wohnung bringen, schrieb meiner Tochter eine kurze Nachricht auf einen Zettel und schlief auf dem Sofa ein.

Guten Morgen, mein Schatz!
Du musst mich unbedingt
zum Frühstück wecken!
Es ist sehr wichtig! Nicht vergessen!
Love, Daddy

P.S. Bitte erst, wenn der Kaffee fertig ist!

Inhalt

Morgen die ganze Welt

Schattenmächte 3. Buch

Erstausgabe der Schattenmächte-Trilogie

in 5 Taschenbüchern

Buch 1 1913 - 1914 Im Fadenkreuz des Verrats

Leben ist das, was passiert, während du fleißig dabei bist, andere Pläne zu schmieden. (John Lennon)

Buch 2 1914 - 1933 Das Zepter der Macht

Wir sind entsetzliche Irrläufer der Evolution. Im Grunde genommen gehören wir alle weg. (Johannes Mario Simmel)

Buch 3 1933 - 1946 Morgen die ganze Welt

Wahnsinn bei Individuen ist selten, aber in Gruppen, Nationen und Epochen ist er die Regel. (Friedrich Nietzsche)

Buch 4 1946 - 2012 Der unsichtbare Feind

Man traue keinem erhabenen Motiv für eine Handlung, wenn sich auch ein niedriges finden läßt. (Edward Gibbon)

Buch 5 2012 - 2024 Das Ende der Menschheit

Die einzige Möglichkeit, das Spiel zu gewinnen, ist die, es nicht zu spielen. (Aus dem amerikanischen Film WarGames)

Zusätzlich enthalten im 5. Buch sind vier Erzählungen zur Romanhandlung, Stammtafeln der wichtigsten Familien und eine farbige Übersichtskarte von Europa im Jahr 1913.

FSC
www.fsc.org
MIX
Papier aus verantwortungsvollen Quellen
Paper from responsible sources
FSC® C105338